IAN RANKIN (ur. 1960) – najpopularniejszy współczesny pisarz szkocki. Absolwent uniwersytetu w Edynburgu. Po ukończeniu studiów imał się różnych zawodów – pracował jako zbieracz winogron, poborca podatkowy, świniopas i muzyk punkowy. Literacko zadebiutował w 1986 książką *The Flood*. Wydane rok później SUPEŁKI I KRZYŻYKI, pierwsza ze słynnego cyklu powieści kryminalnych o inspektorze Rebusie, przyniosła mu niesłabnącą do dziś popularność. Kolejne tytuły, m.in. *Hide and Seek* (1991), BLACK & BLUE (1997), WISZĄCY OGRÓD (1998), MARTWE DUSZE (1999), KASKADY (2001), ODRODZENI (2003), ZAUŁEK SZKIELETÓW (2005) i *The Naming of the Dead* (MEMENTO MORI, 2006) osiągnęły najwyższe pozycje na listach książkowych bestsellerów w Wielkiej Brytanii i zostały przetłumaczone na kilkanaście języków. Rankin jest dwukrotnym zdobywcą nagrody „Złotego Sztyletu" przyznawanej przez Amerykańskie Stowarzyszenie Autorów Powieści Kryminalnych, był też nominowany do równie prestiżowej Edgar Poe Award. Cykl książek o inspektorze Rebusie stał się podstawą do stworzenia serii spektakli telewizyjnych.

W cyklu powieści Iana Rankina
z inspektorem Rebusem

PRÓBA KRWI

ZAUŁEK SZKIELETÓW

W przygotowaniu

MEMENTO MORI

CZARNA KSIĘGA

———————————

Oficjalna strona internetowa Iana Rankina:
www.ianrankin.net

IAN RANKIN

ZAUŁEK SZKIELETÓW

Z angielskiego przełożył
ROBERT GINALSKI

Wydawnictwo
A. Kuryłowicz

WARSZAWA 2007

Tytuł oryginału:
FLESHMARKET CLOSE

Copyright © John Rebus Ltd. 2004
All rights reserved
Copyright © for the Polish edition
by Wydawnictwo Albatros A. Kuryłowicz 2007
Copyright © for the Polish translation by Robert Ginalski 2007

Redakcja: Jacek Ring
Ilustracja na okładce: Jacek Kopalski
Projekt graficzny okładki i serii: Andrzej Kuryłowicz

ISBN 978-83-7359-465-4

Dystrybucja
Firma Księgarska Jacek Olesiejuk
Poznańska 91, 05-850 Ożarów Maz.
t./f. 022-535-0557, 022-721-3011/7007/7009
www.olesiejuk.pl

Sprzedaż wysyłkowa – księgarnie internetowe
www.merlin.pl
www.empik.com
www.ksiazki.wp.pl

WYDAWNICTWO ALBATROS
ANDRZEJ KURYŁOWICZ
Wiktorii Wiedeńskiej 7/24, 02-954 Warszawa

Wydanie I
Skład: Laguna
Druk: OpolGraf S.A., Opole

Pamięci moich przyjaciółek, Fiony i Annie.
Tęsknię za wami.

Szukając naszego wyobrażenia cywilizacji, spoglądamy na Szkocję.

(Wolter)

W Edynburgu panuje taki klimat, że słabi ulegają młodym... a silni im zazdroszczą.

(Dr Johnson w liście do Boswella)

Podziękowania

Dziękuję Senayowi Boztasowi oraz innym dziennikarzom, którzy pomogli mi zbierać materiały na temat azylantów i imigrantów, a także Robinie Qureshi z Positive Action In Housing (PAIH) za informacje o sytuacji azylantów w Glasgow i w obozie dla uchodźców w Dungavel. Wioska Banehall nie istnieje, więc nie szukajcie jej, proszę, na mapie. Podobnie na terenie West Lothian nie znajdziecie nigdzie obozu dla uchodźców Whitemire ani osiedla Knoxland na zachodnich przedmieściach Edynburga. Prawdę mówiąc, nazwę tego osiedla podkradłem mojemu przyjacielowi, pisarzowi Brianowi McCabe'owi, który napisał kiedyś znakomite opowiadanie pod tytułem Knoxland.

Więcej informacji na tematy poruszone w tej książce można znaleźć pod następującymi adresami:

www.paih.org
www.closedungavelnow.com
www.scottishrefugeecouncil.org.uk
www.amnesty.org.uk/scotland

Dzień pierwszy

Poniedziałek

1

— W ogóle nie powinienem tu być — powiedział detektyw inspektor John Rebus, chociaż nikt go nie słuchał.

Osiedle mieszkaniowe Knoxland leżało na zachodnim skraju Edynburga, z dala od rewiru Rebusa. Inspektor przyjechał, bo w komisariacie na West Endzie brakowało ludzi. Poza tym znalazł się tam dlatego, że jego szefowie nie bardzo wiedzieli, co z nim zrobić. Było deszczowe popołudnie — taki poniedziałek nie zapowiadał nic dobrego na resztę tygodnia.

Dawny posterunek Rebusa — jego szczęśliwy teren łowiecki przez ostatnie osiem lat czy coś koło tego — przeszedł reorganizację. W rezultacie zlikwidowano tam wydział śledczy i tym samym Rebus i inni detektywi zostali na lodzie; w końcu rozparcelowano ich po innych komisariatach. On wylądował na Gayfield Square, tuż obok Leith Walk; zdaniem niektórych była to wygodna synekura. Gayfield Square leżał na obrzeżach eleganckiego Starego Miasta, którego osiemnasto- i dziewiętnastowieczne fasady skrywały niejedno przed wzrokiem niepowołanych. Chociaż do Knoxland było stamtąd zaledwie trzy mile, te miejsca dzieliło dużo więcej. Była to inna kultura, inny świat.

Knoxland, wzniesione w latach sześćdziesiątych dwudziestego wieku, sprawiało wrażenie, że zbudowano je z papier mâché i balsy. Przez cieniutkie ściany słychać było, jak sąsiedzi obcinają paznokcie, i czuło się, co gotują na obiad. Na ścianach z szarego betonu kwitły wielkie plamy wilgoci. Graffiti przemianowały osiedle na „Fort Knox". Inne kwieciste napisy ostrzegały „Pakistańskich brudasów", żeby „spadali", a najwyżej godzinę temu ktoś nabazgrał: „O jednego mniej".

Wystaw i drzwi nielicznych sklepów broniły kraty, których nikt nie zdejmował nawet w godzinach otwarcia. Teren był odizolowany, otoczony przez dwie autostrady biegnące w kierunkach wschód—zachód i północ—południe. Pełni entuzjazmu deweloperzy wydłubali pod nimi metro. Prawdopodobnie na tablicach kreślarskich wyobrażali sobie czyste, dobrze oświetlone stacje, na których sąsiedzi chętnie przystaną, żeby wymienić uwagi o pogodzie albo o nowych zasłonach w oknach u tych spod numeru 42. W rzeczywistości jednak nawet w środku dnia nikt tam nie zaglądał, no chyba że ryzykant albo samobójca. Rebus ciągle dostawał raporty policyjne o tym, że jakiejś kobiecie wyrwano torebkę albo ktoś dostał po głowie.

Zapewne ci sami nadgorliwi deweloperzy wpadli na pomysł, żeby każdy z wysokich budynków na tym blokowisku ochrzcić nazwiskiem szkockiego pisarza, dodając w nazwie „Dom" po to tylko, by ukryć oczywisty fakt, że w niczym nie przypominają normalnego domu.

Dom Barriego.

Dom Stevensona.

Dom Scotta.

Dom Burnsa.

Wszystkie one wzbijały się w niebo i były równie nonszalanckie jak salutowanie jednym palcem.

Rebus rozejrzał się w poszukiwaniu kosza na śmieci, do którego mógłby wyrzucić ledwie napoczęty kubek kawy. Zaparkował przy piekarni na Gorgie Road, wiedząc, że im dalej od centrum miasta, tym mniejsze ma szanse na coś zdatnego do picia. Kiepski wybór — dostał wrzątek, który już po chwili zmienił się w letnią lurę, co tym bardziej podkreśliło fakt, że nie sposób było doszukać się w niej choćby śladu aromatu kawy. Nigdzie w pobliżu nie zauważył kosza... po prawdzie wcale ich tam nie było. Znakomicie zastępowały je chodniki i brzegi trawników, ubarwił więc swoim kubkiem mozaikę śmieci, po czym wyprostował się i schował dłonie do kieszeni płaszcza. Widział, jak przy każdym oddechu z jego ust ucieka para.

— Gazety będą miały używanie — mruknął ktoś pod nosem. Po krytej estakadzie łączącej dwa wysokie bloki snuło się kilkanaście osób. Śmierdziało tam moczem, ludzkim i nie tylko. Wszędzie wałęsały się psy, niektóre nawet w obrożach. Podchodziły do wylotu estakady i węszyły, dopóki któryś z mundurowych ich nie przepędził. Obie strony łącznika były zagrodzone taśmą policyjną. Dzieciaki na rowerach wyciągały szyje, próbując coś dojrzeć. Policyjni fotografowie uwieczniali dowody rzeczowe, walcząc o miejsce z ekipą techników, ubranych w białe kombinezony z kapturami. Na błotnistym boisku, obok samochodów policyjnych, stała nieoznakowana szara furgonetka. Jej kierowca poskarżył się Rebusowi, że jakiś gówniarz żądał od niego pieniędzy za popilnowanie wozu.

— Cholerne sępy!

Kierowca czekał, aż będzie mógł zawieźć zwłoki do kostnicy, gdzie mieli przeprowadzić sekcję zwłok. Ale wszyscy i tak już wiedzieli, że mają do czynienia z morderstwem. Liczne rany kłute, w tym przebite gardło. Ślady krwi wskazywały, że mężczyznę zaatakowano dziesięć, może dwanaście stóp od wylotu łącznika. Prawdopodobnie usiłował uciec, czołgając się w stronę światła, a kiedy już padł na ziemię, oprawca dźgał go nadal.

— W kieszeniach nic nie ma, tylko trochę drobnych — mówił inny detektyw. — Miejmy nadzieję, że ktoś go rozpozna...

Rebus nie wiedział, kim jest zabity, ale wiedział, czym jest: kolejnym przypadkiem, statystyką. Ale też był „tematem" i już teraz dziennikarze, niczym stado polujących wilków, zwęszyli jego trop. Knoxland nie cieszyło się dobrą opinią. Przyciągało jedynie desperatów i tych, którzy nie mieli wyboru. Dawniej przesiedlano tu lokatorów, których władze miasta nie mogły umieścić gdzie indziej — narkomanów i umysłowo chorych. Ostatnimi czasy w najbardziej wilgotne, najgorsze miejsca spędzano imigrantów. Uciekinierów z własnych krajów, którzy ubiegali się o azyl. Ludzi, którymi nikt nie zawracał sobie głowy, z którymi nikt nie chciał mieć do czynienia. Rozglądając się po okolicy, Rebus zdał sobie sprawę, że ci biedacy musieli się tu czuć jak myszy doświadczalne. Tyle że w laboratoriach raczej nie ma drapieżników, natomiast tutaj, w realnym świecie, czaiły się wszędzie.

Drapieżcy nosili przy sobie noże. Włóczyli się, gdzie popadnie. Rządzili ulicami.

A teraz zabili.

Przyjechał kolejny samochód i kierowca wysiadł. Rebus znał tę twarz — Steve Holly, miejscowy pismak pracujący dla brukowca z Glasgow. Wiecznie zaganiany facet z nadwagą i postawionymi na żel włosami. Zanim zamknął samochód, przezornie wsadził pod pachę laptopa. Steve Holly znał życie.

Skinął głową Rebusowi.

— Masz coś dla mnie?

Inspektor zaprzeczył ruchem głowy, więc dziennikarz zaczął się rozglądać za bardziej obiecującym źródłem informacji.

— Słyszałem, że wykopali was z St Leonard's — rzucił, by nawiązać rozmowę, ale patrzył wszędzie, byle nie na Rebusa. — Nie mów, że ciebie wyrzucili na ten śmietnik.

Rebus był zbyt szczwanym lisem, żeby dać się sprowokować w ten sposób, ale Holly najwyraźniej dobrze się bawił.

— Bo przecież to tutaj to normalne śmietnisko. Twarda szkoła życia, co?

Zajął się zapalaniem papierosa. Rebus wiedział, że już obmyśla artykuł, który napisze po powrocie, że układa w duchu dwuznaczne sugestie przemieszane z wypocinami filozofa od siedmiu boleści.

— Słyszałem, że to jakiś Azjata — odezwał się dziennikarz po chwili, wydmuchując dym i podsuwając paczkę inspektorowi.

— Jeszcze nie wiemy — odparł Rebus; wypowiedź policjanta w zamian za papierosa. Holly podał mu ogień. — Ma ciemną skórę... ale nie wiadomo, skąd pochodzi.

— W każdym razie nie ze Szkocji — skwitował Holly z uśmiechem. — Więc jednak zbrodnia na tle rasistowskim, bez dwóch zdań. To była tylko kwestia czasu, u nas też musiało do tego dojść.

Rebus wiedział, dlaczego pismak znacząco podkreślił „u nas" — miał na myśli Edynburg. W Glasgow doszło już przynajmniej do jednego morderstwa na tle rasowym. Jakiś ubiegający się o azyl biedak, próbujący wegetować w jednej z tamtejszych dzielnic opanowanych przez kolorowych, został zadźgany na śmierć, dokładnie tak samo jak leżący przed nimi nieboszczyk, którego po obszukaniu, zbadaniu i sfotografowaniu właśnie pakowano do plastikowego worka. Odbywało się to w milczeniu — krótki przejaw szacunku zawodowców, którzy później zakaszą rękawy, żeby odnaleźć zabójcę. Położyli worek na noszach z kółkami i wyjechali z nim za policyjną taśmę, mijając Rebusa i Holly'ego.

— Ty tu dowodzisz? — zapytał cicho dziennikarz. Inspektor znowu pokręcił głową, patrząc, jak ładują zwłoki do furgonetki. — Wobec tego szepnij mi słówko, z kim powinienem pogadać.

— W ogóle nie powinienem tu być — powiedział Rebus, odwrócił się i ruszył do swojego samochodu, który zapewniał względne bezpieczeństwo.

Ja to mam jednak fart, myślała sobie detektyw sierżant Siobhan Clarke. Chodziło o to, że jej przynajmniej dali osobne biurko. John Rebus, chociaż starszy rangą, nie miał takiego szczęścia. Inna sprawa, że szczęście czy pech nie miały z tym nic wspólnego. Wiedziała, że Rebus postrzega to jako przesłanie z samej góry — nie ma tu dla ciebie miejsca, czas, żebyś pomyślał o wycofaniu się z gry. Przysługiwała mu już pełna emerytura, a przecież młodsi od niego oficerowie, z mniejszą wysługą lat, rzucali karty na stół i zgłaszali się ze sztonami po wypłatę. Dobrze wiedział, co szefostwo chciało mu w ten sposób przekazać. Siobhan też zdawała sobie z tego sprawę i zaproponowała, że odstąpi mu swoje biurko. Oczywiście odmówił i powiedział, że jemu wszędzie jest dobrze. W rezultacie wylądował przy stoliku koło kopiarki, na którym trzymano kubki, kawę i cukier. Obok, na parapecie, stał czajnik, a pod stołem pudło z papierem kserograficznym. Krzesło z połamanym oparciem skrzypiało w proteście, gdy ktoś na nim siadał. Rebus nie miał telefonu, nie było tam nawet gniazdka telefonicznego. Komputera też nie.

— To oczywiście tylko czasowo — wyjaśnił starszy inspektor James Macrae. — Niełatwo wygospodarować miejsce dla nowych ludzi...

Rebus zareagował na to uśmiechem i wzruszeniem ramion. Siobhan wiedziała, że wolał się nie odzywać, on zawsze w ten sposób próbował opanować gniew. Duś wszystko w sobie, dopóki nie nadejdzie właściwy moment. Kłopoty lokalowe dały także pretekst, by wstawić jej biurko do posterunkowych. Dla sierżantów przeznaczona była wprawdzie osobna sala, którą dzielili z pomocą biurową, ale nie znalazło się w niej miejsca ani dla niej, ani dla Rebusa. Z kolei detektyw inspektor miał niewielki osobny gabinet pomiędzy salami sierżantów i posterunkowych. No właśnie, w tym sęk — w Gayfield mieli już jednego detektywa w randze inspektora; dla drugiego nie było miejsca. Nazywał się Derek Starr i był wysokim blondynem, bardzo przystojnym. Kłopot w tym, że zdawał sobie z tego sprawę. Kiedyś zaprosił Siobhan na lunch do swojego klubu. Klub nazywał się Hallion i znajdował się pięć minut spacerkiem od posterunku. Nie ośmieliła się zapytać Starra, ile wynosi opłata członkowska. Potem okazało się, że Rebusa też tam zaprosił.

— Dlatego że go na to stać — skwitował Rebus zwięźle. Notowania Starra stały wysoko i chciał, żeby nowi o tym wiedzieli.

Jej biurko było w porządku. Miała komputer, z którego pozwalała Rebusowi korzystać do woli, no i telefon. Naprzeciwko niej siedziała detektyw Phyllida Hawes. Kilkakrotnie pracowały razem, mimo że należały do różnych wydziałów. Siobhan była o dziesięć lat młodsza, ale starsza rangą — Hawes miała stopień posterunkowej. Jak dotąd nie było z tym problemów i Siobhan liczyła na to, że nic się w tej sprawie nie zmieni. W pokoju urzędował jeszcze jeden detektyw posterunkowy. Nazywał się Colin Tibbet. Siobhan oceniała go na dwadzieścia kilka lat, a zatem był młodszy od niej. Miał miły uśmiech i często pokazywał małe okrągłe ząbki. Hawes zdążyła już jej zarzucić, że go podrywa, i chociaż na pozór próbowała obrócić to w żart, to jednak nie do końca.

— Pedofilia mnie nie interesuje — powiedziała jej wtedy Siobhan.

— A więc wolisz dojrzalszych mężczyzn? — Hawes zerknęła w kierunku kopiarki.

— Czyś ty na głowę upadła? — Siobhan wiedziała, że koleżanka ma na myśli Rebusa. Kilka miesięcy temu, kiedy kończyli śledztwo, Rebus wziął ją w ramiona i zaczął całować. Nikt o tym nie wiedział, sami zresztą też nigdy o tym nie rozmawiali. Ale ta historia wisiała nad nimi, gdy tylko zostawali sam na sam. A przynajmniej wisiała nad nią, bo z Rebusem nigdy nic nie wiadomo.

Phyllida Hawes szła właśnie do kopiarki i pytała, gdzie się podział inspektor Rebus.

— Wezwali go gdzieś — odparła Siobhan. Nic więcej na ten temat nie wiedziała, ale spojrzenie Hawes świadczyło, że jej zdaniem Siobhan coś ukrywa.

Tibbet odchrząknął.

— W Knoxland znaleźli zwłoki. Właśnie wyskoczyło mi to na komputerze. — Jakby na potwierdzenie swoich słów poklepał monitor. — Miejmy nadzieję, że to nie wojna gangów.

Siobhan powoli pokiwała głową. Niecały rok temu gang handlarzy narkotykami próbował opanować osiedle, w wyniku czego kilka osób zadźgano, kilka porwano, a potem nastąpił odwet. Przybysze pochodzili z Irlandii Północnej i podobno mieli powiązania z tamtejszymi bojówkami. Większość z nich siedziała teraz w więzieniu.

— To już nie nasz kłopot, prawda? — mówiła tymczasem Hawes. — Jedno trzeba przyznać, tutaj przynajmniej nie mamy takich osiedli jak Knoxland.

Co prawda, to prawda. Na Gayfield Square mieli do czynienia ze sprawami typowymi dla centrum miasta — kradzieże w sklepach i rozróby na Princes Street, w sobotę pijacy, no i włamania na Nowym Mieście.

— Dla ciebie to prawie jak wakacje, co? — dodała Hawes z uśmiechem.

— Na St Leonard's bywało nielekko — musiała przyznać Siobhan. Kiedy ogłoszono reorganizację, przepowiadano jej, że trafi do komendy głównej. Nie wiedziała, skąd wzięły się te pogłoski, ale gdzieś po tygodniu sama zaczęła w nie wierzyć. Nagle jednak nadinspektor Gill Templer wezwała ją na rozmowę, w wyniku której wylądowała na Gayfield Square. Próbowała nie traktować tego jako ciosu, ale to był cios. Rzecz jasna Templer nie mogła trafić gdzie indziej niż do komendy głównej. Innych przerzucono nawet na tak odległe posterunki jak Balerno czy East Lothian, a kilka osób zdecydowało się przejść na emeryturę. Na Gayfield Square przeniesiono tylko Siobhan i Rebusa.

— Właśnie wtedy, kiedy robota zaczęła się wreszcie układać — narzekał Rebus, opróżniając szuflady biurka i wrzucając ich zawartość do wielkiego kartonu. — Ale weź pod uwagę plusy... będziesz się mogła dłużej wylegiwać z rana.

Faktycznie, z mieszkania na posterunek miała pięć minut spacerkiem. Koniec ze staniem w korkach w godzinach szczytu w centrum miasta. Była to jedna z niewielu korzyści, które przychodziły jej na myśl... a może nawet jedyna. W St Leonard's tworzyli zgrany zespół, a sam budynek był w dużo lepszym stanie niż rudera, w której się teraz gnieździli. Pokój dochodzeniówki był większy i jaśniejszy, a tutaj... Odetchnęła głęboko przez nos. No cóż, tutaj coś śmierdziało. Nie potrafiła określić tego zapachu. Nie był to odór ciał ani kanapek z serem i piklami, które Tibbet codziennie przynosił do pracy. Odnosiło się wrażenie, że tak trącił sam budynek. Kiedyś, gdy została w pokoju sama, obwąchała nawet ściany i podłogę, lecz nie znalazła źródła tego zapachu. Czasami zresztą znikał, by wkrótce znowu się pojawić. Kaloryfery? Izolacja? Poddała się i przestała dochodzić, skąd się bierze ów smrodek; nikomu zresztą o tym nie wspomniała, nawet Rebusowi.

Zadzwonił jej telefon. Odebrała.

— Wydział śledczy — powiedziała do słuchawki.

— Tu biuro przepustek. Jakaś para chce się zobaczyć z sierżant Clarke.

Siobhan zmarszczyła brwi.

— Pytali konkretnie o mnie?

— Właśnie.

— Jak się nazywają? — Sięgnęła po notatnik i długopis.

— Państwo Jardine. Kazali przekazać, że są z Banehall.

Siobhan przestała notować. Znała tych ludzi.

— Powiedz im, że zaraz zejdę. — Odłożyła słuchawkę i wzięła żakiet z oparcia krzesła.

— Kolejny dezerter? — rzuciła Hawes. — Można by pomyśleć, że nasze towarzystwo jest niepożądane, Col. — Puściła oko do Tibbeta.

— Mam gości — wyjaśniła Siobhan.

— Dawaj ich na górę — powiedziała Hawes, szeroko rozkładając ręce. — Będzie wesoło.

— Zobaczymy — odparła Siobhan. Gdy wychodziła z po-

18

koju, Hawes znów dźgała przycisk na kopiarce, a Tibbet czytał coś na monitorze komputera, bezgłośnie poruszając wargami. Nie ma mowy, żeby przyprowadziła tu Jardine'ów. Ten zapach, wilgoć, no i ten widok na parking... Jardine'owie zasługiwali na coś lepszego.

Ja też, pomyślała gorzko.

Od ich ostatniego spotkania minęły trzy lata. Jardine'owie bardzo się przez ten czas postarzeli. John Jardine prawie całkiem wyłysiał, a resztki włosów miał całkiem siwe. Jego żona, Alice, też nieco posiwiała. Włosy związała z tyłu, przez co jej twarz wydawała się większa i bardziej surowa. Przybrała na wadze, a jej strój świadczył, że zupełnie nie dbała o wygląd — długa brązowa spódnica ze sztruksu, ciemnoniebieskie rajstopy i zielone buty; do tego bluzka w kratkę, a na wierzchu czerwony kraciasty płaszcz. John Jardine bardziej się postarał — był w garniturze i krawacie, a jego koszula stosunkowo niedawno miała styczność z deską do prasowania. Podał Siobhan rękę.

— Witam pana — przywitała się. — Widzę, że nadal macie państwo koty. — Zdjęła mu z klapy marynarki kilka kocich włosów.

Zaśmiał się krótko, nerwowo, i odstąpił na bok, żeby jego żona mogła przywitać się z policjantką. Ona jednak nie podała zwyczajnie ręki, tylko zamknęła w uścisku dłoń Siobhan i przytrzymała. Wpatrywała się w policjantkę zaczerwienionymi oczami, jakby z nadzieją, że Siobhan coś z nich wyczyta.

— Podobno awansowała pani na sierżanta — powiedział John Jardine.

— Tak, na detektywa sierżanta — przytaknęła, wciąż patrząc w oczy Alice Jardine.

— Gratulacje. Byliśmy najpierw na pani starym posterunku, skąd skierowali nas tutaj. Czyżby reorganizacja wydziału śledczego...? — Zacierał dłonie, jakby je mył. Siobhan wiedziała, że ma czterdzieści kilka lat, ale podobnie jak żona wyglądał o dziesięć lat starzej. Trzy lata temu zaproponowała im terapię rodzinną. Jeżeli skorzystali z tej rady, to widocznie terapia nie poskutkowała. Wciąż jeszcze byli w szoku, oszołomieni, zdezorientowani i pogrążeni w żałobie.

19

— Straciliśmy już jedną córkę — odezwała się cicho Alice Jardine, puszczając w końcu jej rękę. — Nie chcemy stracić drugiej... i dlatego przyszliśmy do pani po pomoc.

Siobhan przeniosła wzrok z Alice na Johna i z powrotem. Miała świadomość, że sierżant w recepcji ich obserwuje; poza tym zdawała sobie sprawę z odłażącej farby na ścianach, złośliwych graffiti i plakatów z wizerunkami osób poszukiwanych.

— Co państwo powiecie na kawę? — spytała z uśmiechem. — Tuż za rogiem jest miła kawiarenka.

Poszli tam. W porze lunchu kawiarnia funkcjonowała też jako restauracja. Przy stoliku pod oknem siedział jakiś biznesmen, który jednocześnie kończył późny posiłek, rozmawiał przez komórkę i przerzucał papiery w neseserze. Siobhan zaprowadziła swoich gości do wnęki, nie za blisko od wiszących na ścianie głośników, z których dobiegała muzyka instrumentalna — papka w tle mająca wypełnić ciszę. Lokal w założeniu miał być mniej więcej we włoskim stylu, ale kelner był zdecydowanie miejscowy.

— Może też coś do jedzenia? — Samogłoski wymawiał bezdźwięcznie i nosowo, a na białej koszuli bez rękawów miał na wysokości brzucha starą plamę z sosu bolońskiego.

— Tylko kawa — odparła Siobhan. — A może...? — Spojrzała na siedzącą naprzeciwko niej parę, lecz pokręcili głowami. Kelner oddalił się w kierunku ekspresu do kawy, ale zatrzymał go biznesmen, który też czegoś chciał i najwyraźniej zasługiwał na lepszą obsługę niż goście zamawiający tylko trzy kawy. Na szczęście Siobhan ani trochę nie śpieszyło się do powrotu za biurko, chociaż wątpiła, by rozmowa, która ją czekała, miała być miła. — I co u państwa słychać? — zapytała, uznając, że tak wypada.

Jardine'owie najpierw porozumieli się wzrokiem, a dopiero potem John odpowiedział:

— Nie najlepiej. Sytuacja jest... trudna.

— Nie wątpię.

Alice Jardine pochyliła się nad stołem.

— Nie chodzi o Tracy. To znaczy, bardzo nam jej brakuje... — Spuściła wzrok. — To oczywiste. Ale teraz martwimy się o Ishbel.

— Zamartwiamy się na śmierć — dorzucił jej mąż.

— Bo widzi pani, ona zniknęła. A my nie wiemy gdzie ani dlaczego.

Pani Jardine wybuchnęła płaczem. Siobhan zerknęła na biznesmena, ten jednak na nic nie zwracał uwagi, pochłonięty własnymi sprawami. Kelner mimo wszystko zatrzymał się przy ekspresie. Siobhan łypnęła na niego znacząco, z nadzieją, że zrozumie przekaz i pośpieszy się z kawą. Patrząc, jak John Jardine siedzi z ręką na ramieniu żony, cofnęła się w czasie o trzy lata, do niemal identycznej sceny: John Jardine z całych sił pocieszający żonę na tarasie domku w miasteczku Banehall, w West Lothian. Dom był czysty, starannie utrzymany i właściciele, którzy skorzystali z prawa wykupu nieruchomości od lokalnych władz, mogli być z niego dumni. Na sąsiednich ulicach stały niemal identyczne domki, ale od razu było widać, kto je wykupił na własność — nowe drzwi i okna, wypielęgnowane ogrody, nowe ogrodzenia i bramy z kutego żelaza. Swego czasu Banehall całkiem nieźle prosperowało z górnictwa, lecz kopalnię zamknięto dawno temu, a wraz z nią zniknął duch miasteczka. Jadąc Main Street po raz pierwszy, Siobhan widziała zabite deskami wystawy sklepów i tablice z napisem „Na sprzedaż"; ludzi uginających się pod ciężarem toreb z zakupami; dzieci, które obsiadły pomnik upamiętniający wojnę i wesoło wymierzały sobie kopniaki.

John Jardine pracował jako kierowca furgonetki dostawczej, Alice zaś przy taśmie produkcyjnej w fabryce elektroniki na przedmieściach Livingston. Harowali ciężko, żeby zapewnić dobrobyt sobie i dwóm córkom. Ale kiedy jedna z córek wypuściła się pewnego dnia na noc do Edynburga, padła ofiarą napaści. Na imię miała Tracy. Piła i tańczyła w gronie przyjaciół. Pod koniec wieczoru wszyscy władowali się do taksówek i pojechali na inną imprezę. Tracy jednak gdzieś zamarudziła, a potem, czekając na taksówkę, zapomniała, pod jaki adres się przenoszą. Padła jej bateria w komórce, więc wróciła do lokalu i spytała chłopaka, z którym wcześniej tańczyła, czy może zadzwonić z jego telefonu. Wyszedł z nią na zewnątrz i powiedział, że impreza jest niedaleko, więc ją odprowadzi.

Zaczął ją całować. A że nie spodobały mu się jej protesty, obił ją po twarzy, zaciągnął w ciemną alejkę i zgwałcił.

Siedząc w domu w Banehall, Siobhan już o tym wiedziała. Pracowała nad tą sprawą i rozmawiała zarówno z ofiarą, jak i z jej rodzicami. Napastnika znaleźli bez trudu — on także był z Banehall, mieszkał kilka ulic dalej, po drugiej stronie Main Street. Tracy znała go ze szkoły. Linia obrony była typowa — za dużo wypił, niewiele pamięta... a poza tym dziewczyna sama chciała. Dla oskarżyciela sprawy o gwałt zawsze są trudne, ale tym razem, ku uldze Siobhan, Donald Cruikshank, zwany przez przyjaciół Donnym, z twarzą na trwałe oszpeconą przez paznokcie swojej ofiary, został uznany za winnego i skazany na pięć lat więzienia.

Na tym związek Siobhan z rodziną Jardine'ów powinien się skończyć, tyle że kilka tygodni po procesie nadeszły wieści o samobójstwie Tracy, która odebrała sobie życie w wieku dziewiętnastu lat. Przedawkowała środki nasenne i martwą znalazła ją w sypialni jej o cztery lata młodsza siostra, Ishbel.

Siobhan złożyła rodzicom wizytę, aż nazbyt dobrze wiedząc, że cokolwiek powie, niczego to nie zmieni. Czuła jednak, że powinna z nimi porozmawiać. Przegrali, nawet nie tyle z systemem, ile z życiem. Natomiast (chociaż powstrzymując się przed tym, aż zgrzytała zębami) nie zrobiła jednego — nie odwiedziła Cruikshanka w więzieniu. Mimo że chciała, żeby odczuł jej gniew. Pamiętała, jak Tracy zeznawała w sądzie; jak przy każdym zdaniu, do którego się zmuszała, łamał jej się głos; jak unikała patrzenia na ludzi, wstydząc się, że w ogóle tam się znalazła. Jak nie chciała wziąć do ręki torby z dowodami rzeczowymi — jej podartą sukienką i majtkami. Jak w ciszy ocierała łzy. Sędzia odnosił się do niej ze współczuciem, oskarżony zaś patrzył na nią bezwstydnie, udając, że naprawdę to on jest ofiarą. Ranny, z wielkim opatrunkiem z gazy na policzku, z niedowierzaniem kręcił głową i wznosił oczy do nieba.

Później, kiedy już ogłoszono wyrok, sędziowie przysięgli mieli okazję usłyszeć o wcześniejszych wyrokach skazujących oskarżonego — dwa za napaść, jeden za próbę gwałtu. Donny Cruikshank miał dziewiętnaście lat.

— To bydlę ma przed sobą całe życie — powiedział John Jardine, gdy opuszczali cmentarz. Alice obiema rękami tuliła młodszą córkę. Ishbel wypłakiwała się matce w ramię. Alice patrzyła prosto przed siebie, a w jej oczach coś zamierało...

Siobhan gwałtownie wróciła do rzeczywistości, bo podano kawę. Zaczekała, aż kelner odejdzie z rachunkiem do biznesmena, i dopiero wtedy poprosiła:

— Proszę mi powiedzieć, co się stało.

John Jardine wsypał do filiżanki torebkę cukru i zaczął mieszać kawę.

— W ubiegłym roku Ishbel skończyła szkołę. Chcieliśmy, żeby poszła na studia, zdobyła jakieś kwalifikacje. Ale ona uparła się, że zostanie fryzjerką.

— Oczywiście, ten zawód także wymaga kwalifikacji — wtrąciła jego żona. — Córka studiuje zaocznie na uczelni w Livingston.

Siobhan bez słowa pokiwała głową.

— A raczej studiowała, dopóki nie zniknęła — sprostował cicho John Jardine.

— Kiedy to się stało?

— Dziś mija tydzień.

— Po prostu wstała z łóżka i sobie poszła?

— Myśleliśmy, że jak zwykle wyszła do pracy... pracuje w salonie na Main Street. Ale zadzwonili do nas z pytaniem, czy córka jest chora. Wzięła ze sobą trochę ubrań, tyle, ile się mieści w plecaku. Poza tym pieniądze, karty płatnicze, telefon komórkowy...

— Wydzwanialiśmy do niej bez przerwy, ale jej komórka jest stale wyłączona — wtrąciła żona.

— Czy mówiliście o tym jeszcze komuś oprócz mnie? — spytała Siobhan, podnosząc filiżankę do ust.

— Wypytywaliśmy każdego, kto tylko nam przyszedł do głowy... jej kolegów, dawne przyjaciółki ze szkoły, dziewczyny, z którymi pracowała...

— A na uczelni?

Alice Jardine kiwnęła głową.

— Tam też jej nie widzieli.

— Poszliśmy na policję w Livingston — oświadczył John Jardine. Wciąż mieszał kawę, choć nic nie wskazywało na to, że zamierza ją wypić. — Powiedzieli, że ponieważ skończyła osiemnaście lat, prawo nie ma nic do tego. A skoro się spakowała, to raczej nie została porwana.

— Niestety, to prawda. — Siobhan niejedno mogłaby dodać:

że cały czas ma do czynienia z uciekinierami z domów, że gdyby to jej przyszło mieszkać w Banehall, pewnie też by uciekła... — Nie było między wami nieporozumień?

Jardine pokręcił głową.

— Odkładała na własne mieszkanie... nawet zrobiła już spis rzeczy, jakie do niego kupi.

— Miała chłopaka?

— Tak, jeszcze ze dwa miesiące temu. Ich rozstanie było... — Jardine nie mógł znaleźć właściwego słowa. — Pozostali przyjaciółmi.

— Przyjazne? — podsunęła Siobhan. Ojciec z uśmiechem pokiwał głową: znalazła słowo, którego szukał.

— Po prostu chcemy wiedzieć, co się dzieje — powiedziała Alice Jardine.

— Nie wątpię. Są ludzie, którzy mogliby pomóc... agencje zajmujące się poszukiwaniem takich osób jak Ishbel, bez względu na to, z jakiego powodu opuściły dom. — Uświadomiła sobie, że słowa przychodzą jej zbyt gładko, że zbyt często powtarzała je zmartwionym rodzicom. Alice spojrzała na męża.

— Powiedz, czego się dowiedziałeś od Susie — poleciła.

Kiwnął głową i wreszcie odłożył łyżeczkę na spodek.

— Susie pracuje z Ishbel w salonie. Powiedziała mi, że widziała, jak Susie wsiada do jakiegoś odjazdowego samochodu... jej zdaniem do bmw albo czegoś w tym stylu.

— Kiedy to było?

— To się zdarzyło kilka razy... samochód zawsze czekał na nią nieco dalej. Za kierownicą siedział starszy mężczyzna. — Przerwał. — Przynajmniej w moim wieku.

— Czy Susie pytała o niego państwa córkę?

Skinął głową.

— Tak, ale Ishbel nic nie chciała powiedzieć.

— Wobec tego może zamieszkała z tym swoim przyjacielem? — Siobhan dopiła kawę, ale nie miała ochoty zamawiać następnej.

— Dlaczego nic nam nie powiedziała? — spytała Alice płaczliwie.

— W tej kwestii chyba państwu nie pomogę.

— Susie dodała coś jeszcze. — John Jardine znowu zniżył

głos. — Według niej ten człowiek... według niej wyglądał podejrzanie.

— Podejrzanie?

— Dokładnie powiedziała, że wyglądał na alfonsa. — Zerknął na Siobhan. — Wie pani, jak ci na filmach w kinie czy w telewizji. Ciemne okulary, skórzana kurtka, szpanerski samochód...

— Nie sądzę, żeby nam to coś dało. — Siobhan natychmiast pożałowała tego „nam", bo sugerowało jej związek ze sprawą.

— Ishbel jest bardzo piękna — rzekła Alice. — Zresztą sama pani wie. Dlaczego miałaby nagle uciekać, nic nam nie mówiąc? Dlaczego znajomość z tym mężczyzną utrzymywała przed nami w tajemnicy? — Powoli pokręciła głową. — Nie, tu musi chodzić o coś więcej.

Przez dłuższą chwilę przy stole panowała cisza. Nagle zadzwoniła komórka biznesmena, akurat w chwili, gdy kelner otwierał mu drzwi. Kelner nawet mu się ukłonił — albo miał do czynienia ze stałym klientem, albo dostał wysoki napiwek. Teraz w lokalu zostało mu tylko troje gości — niezbyt zachęcająca perspektywa.

— Nie bardzo wiem, jak mogłabym państwu pomóc — rzekła Siobhan. — Wiecie, że gdybym tylko mogła coś zrobić...

John Jardine ujął żonę za rękę.

— Była pani dla nas bardzo dobra, Siobhan. Współczuła nam pani, i w ogóle. Jesteśmy za to bardzo wdzięczni, podobnie jak Ishbel... Dlatego pomyśleliśmy o pani. — Spojrzał jej w oczy mętnym wzrokiem. — Tracy już straciliśmy. Została nam tylko Ishbel.

— Proszę posłuchać... — Siobhan odetchnęła głęboko. — Może uda mi się rozesłać jej nazwisko i sprawdzić, czy gdzieś się nie pojawiło...

Jego twarz złagodniała.

— Byłoby wspaniale.

— „Wspaniale" to przesada, ale zrobię, co w mojej mocy. — Zobaczyła, że Alice Jardin znów chce podać jej rękę, więc wstała szybko, spoglądając na zegarek, jakby na posterunku czekały na nią pilne sprawy. Podszedł kelner i John Jardine uparł się, że zapłaci. Gdy wychodzili, kelnera nigdzie nie było widać. Siobhan sama otworzyła drzwi. — Czasami ludzie po prostu chcą pobyć sami. Jesteście pewni, że córka nie miała żadnych kłopotów?

Mąż i żona wymienili spojrzenia.

— Wie pani, że on wyszedł? — odezwała się Alice. — Znów jest w Banehall, wolny jak ptak. Być może to ma coś wspólnego z jej zniknięciem.

— Kto taki?

— Cruikshank. Odsiedział tylko trzy lata. Zauważyłam go któregoś dnia, kiedy byłam na zakupach. Musiałam szybko wejść w boczną uliczkę, żeby zwymiotować.

— Rozmawiała pani z nim?

— Ja bym na niego nawet nie splunęła.

Siobhan spojrzała na Johna Jardine'a, który kręcił głową.

— Ja bym go zabił — oświadczył. — Jeżeli kiedykolwiek go spotkam, zabiję.

— Niech pan uważa, komu pan to mówi, proszę pana. — Siobhan zamyśliła się. — Czy Ishbel o tym wiedziała? To znaczy o tym, że on wyszedł?

— Całe miasto wiedziało. Wie pani, jak to jest... plotki najszybciej rozchodzą się wśród fryzjerek.

Siobhan powoli pokiwała głową.

— No cóż, jak obiecałam, zadzwonię tu i tam. Przydałoby mi się zdjęcie córki.

Pani Jardine pogrzebała w torebce i wyjęła złożoną kartkę formatu A4. Był to wydruk z komputera, przedstawiający Ishbel na kanapie, ze szklaneczką w ręku i policzkami zarumienionymi od alkoholu.

— Obok niej siedzi Susie, koleżanka z pracy — wyjaśniła Alice Jardine. — John zrobił to zdjęcie podczas przyjęcia, trzy tygodnie temu. Obchodziłam urodziny.

Siobhan pokiwała głową. Ishbel zmieniła się od czasu, kiedy ją widziała ostatnio — zapuściła włosy i utleniła je na blond. Była bardziej umalowana, a spojrzenie nabrało ostrości, której nawet uśmiech nie złagodził. Widać było, że zaczyna jej się rysować drugi podbródek. Włosy miała zaczesane na boki, z przedziałkiem pośrodku. Dopiero po chwili Siobhan uświadomiła sobie, kogo przypomina jej to zdjęcie — Tracy. Te długie jasne włosy, ten przedziałek i niebieska kredka na powiekach.

Ishbel wyglądała całkiem jak jej zmarła siostra.

— Dzięki — rzuciła Siobhan, chowając zdjęcie do kieszeni, i upewniła się, czy ich stary numer telefonu jest nadal aktualny. John Jardine przytaknął.

— Przenieśliśmy się na sąsiednią ulicę, ale nie musieliśmy zmieniać numeru.

Oczywiście, że się przeprowadzili. Jak mogliby mieszkać w tym samym domu, w domu, gdzie Tracy przedawkowała proszki nasenne? Ishbel miała piętnaście lat, kiedy znalazła zwłoki. Zwłoki siostry, którą uwielbiała, która zawsze była dla niej wzorem. Z której zawsze brała przykład.

— Odezwę się — obiecała Siobhan, odwróciła się i odeszła.

2

— No więc gdzieś się podziewał po południu? — spytała Siobhan, stawiając przed Rebusem duży kufel IPA. Usiadła naprzeciwko niego, a on wydmuchał dym pod sufit — jego największe ustępstwo na rzecz niepalących, w których towarzystwie przebywał. Siedzieli w tylnej sali baru Oxford; wszystkie stoliki były zajęte przez urzędników, którzy wpadli zatankować przed powrotem do domu. Zaledwie wróciła na posterunek, na wyświetlaczu jej komórki pojawiła się wiadomość od Rebusa:

jak sie chcesz napic to jestem w ox

Opanował w końcu sztukę wysyłania i odbierania SMS-ów, ale musiał się jeszcze nauczyć wstawiania znaków przestankowych i diakrytycznych.

I wielkich liter.

— W Knoxland — odpowiedział.

— Col mówił, że znaleźli tam jakieś zwłoki.

— Zabójstwo — odrzekł zwięźle. Upił łyk piwa i skrzywił się na widok smukłej szklaneczki Siobhan, z wodą sodową z sokiem z limonki, ale bez alkoholu.

— Jakim cudem tam wylądowałeś? — spytała.

— Wezwali mnie. Ktoś z komendy głównej uświadomił West End, że jak na potrzeby Gayfield Square jestem nadprzydziałowy.

Odstawiła szklankę.

— Niemożliwe! Powiedzieli coś takiego?

— Nie potrzeba lupy, żeby czytać między wierszami, Shiv. Już dawno zrezygnowała z walki o to, żeby nazywano ją normalnie, a nie zdrabniano jej imienia. Na tej samej zasadzie Phyllida Hawes była dla wszystkich „Phyl", a Colin Tibbet — „Col". Ponoć na Dereka Starra mówiono czasami „Deek", chociaż nigdy nie słyszała tego na własne uszy. Nawet starszy inspektor James Macrae prosił, żeby mówiła mu „Jim", no chyba że będą na oficjalnym spotkaniu służbowym. Ale John Rebus... odkąd go znała, zawsze zwracano się do niego „John", a nie jakiś Jock czy Johnny. Zupełnie jakby na pierwszy rzut oka wszyscy wiedzieli, że zdrobnienia do niego nie pasują. Zdrabnianie imienia stwarzało bardziej przyjacielską i luźną atmosferę, w której łatwiej było o żarty. Kiedy starszy inspektor Macrae rzucał coś w rodzaju: „Shiv, znajdziesz dla mnie chwilkę?", oznaczało to, że chce ją prosić o jakąś przysługę. Jeśli zaś mówił: „Siobhan, pozwól do mojego gabinetu", był to znak, że znalazła się na czarnej liście, że popełniła jakieś wykroczenie.

— Grosik za twoje myśli — rzucił Rebus. Zdążył już pochłonąć większą część zawartości kufla.

Pokręciła głową.

— Tak się zastanawiałam nad tą ofiarą.

Wzruszył ramionami.

— Na oko Azjata, chociaż nie wiem, jakie określenie nakazuje poprawność polityczna w tym tygodniu. — Zdusił niedopałek. — Być może z rejonu Morza Śródziemnego albo Arab... Aż tak bardzo mu się nie przyglądałem. Znów byłem nadprzydziałowy. — Potrząsnął paczką papierosów, a przekonawszy się, że jest pusta, zgniótł ją i dopił piwo. — Jeszcze raz to samo? — zapytał, wstając.

— Nawet nie zaczęłam tej szklanki.

— To odstaw ją na bok i napij się czegoś konkretnego. Nie masz chyba żadnych planów na wieczór, co?

— To wcale nie znaczy, że mam ochotę siedzieć tu z tobą do późnej nocy i patrzeć, jak się zalewasz w trupa — odparła. On jednak stał nad nią bez słowa, dając jej czas na podjęcie decyzji. — Niech ci będzie, gin z tonikiem.

Usatysfakcjonowany wyszedł z sali. Od strony baru doleciał ją gwar głosów ludzi, którzy się z nim witali.

— Coś się tak zaszył tam z tyłu? — pytał ktoś. Nie dosłyszała odpowiedzi, ale mogła ją sobie dośpiewać. Królestwem Rebusa była sala od frontu, gdzie przy barze popijał z kumplami od kieliszka... a byli to wyłącznie mężczyźni. Ale ta część jego życia musiała pozostać zamknięta... Siobhan nie wiedziała dlaczego, w każdym razie nie chciał jej dzielić z innymi. W sali z tyłu przesiadywał tylko podczas służbowych spotkań i kiedy podejmował gości. Oparła się wygodnie, pomyślała o Jardine'ach i zaczęła się zastanawiać, czy naprawdę ma ochotę mieszać się do poszukiwań. Oni żyli przeszłością, a sprawy z przeszłości rzadko kiedy powracały w tak namacalny sposób. Charakter jej pracy sprawiał, że musiała głęboko wnikać w prywatne życie obcych ludzi — dużo bardziej, niżby sobie życzyli — ale tylko na krótko. Rebus wyznał jej kiedyś, że czuje się osaczony przez duchy: skończone przyjaźnie, luźne związki, no i zabitych, których życie skończyło się, zanim jeszcze zaczął się nimi interesować.

„To ci może zamienić życie w piekło, Shiv...".

Nigdy nie zapomniała tych słów; *in vino veritas* i tak dalej. Z sali od frontu doleciał ją dzwonek telefonu. Przypomniała sobie, że powinna sprawdzić wiadomości na komórce. Ale nie miała zasięgu — zapomniała już, jak to jest w tym lokalu. Mimo że bar Oxford leżał o minutę spacerkiem od handlowego centrum miasta, w tylnej sali nie wiadomo czemu komórka traciła zasięg. Bar mieścił się w wąskiej uliczce, pod kamienicą zajętą przez biura i mieszkania. Grube kamienne ściany stawiano z myślą, że mają przetrwać stulecia. Próbowała przesuwać telefon pod różnym kątem, ale na wyświetlaczu uparcie widniał napis „Brak zasięgu". Zobaczyła, że Rebus stoi w wejściu, bez szklanek, za to z komórką, którą wymachiwał do niej.

— Wzywają nas — oznajmił.

— Dokąd?

Puścił jej pytanie mimo uszu.

— Przyjechałaś samochodem?

Przytaknęła.

— Wobec tego ty prowadzisz. Dobrze, że nie piłaś nic mocniejszego.

Włożyła żakiet i wzięła torebkę. Rebus kupował przy barze papierosy i miętówki. Jedną od razu wrzucił do ust.

— Cóż to ma być, tajemniczy wyjazd w nieznane? — spytała.

Pokręcił głową i zazgrzytał zębami.

— Jedziemy na Fleshmarket Close — powiedział. — Zwłoki dwóch osób, które mogą nas zainteresować. — Otworzył drzwi na świat. — Tylko że nie tak świeże jak te w Knoxland...

Fleshmarket Close to wąska, przeznaczona tylko dla pieszych uliczka łącząca High Street z Cockburn Street. U wylotu na High Street znajdował się bar i zakład fotograficzny. Nie było wolnych miejsc do parkowania, więc Siobhan skręciła w Cockburn Street i zatrzymała się przed arkadą. Przeszli na drugą stronę ulicy i skręcili we Fleshmarket Close. Z tej strony uliczka kończyła się punktem bukmacherskim, naprzeciwko którego mieścił się sklep z kryształami i „łowcami snów". Stary i nowy Edynburg, pomyślał Rebus. Od strony Cockburn Street połowa uliczki była otwarta na żywioły, a drugą połowę zajmowały czteropiętrowe kamienice, zapewne mieszkalne; ich ciemne okna patrzyły z wyrzutem na to, co działo się poniżej.

Na uliczce było kilkoro drzwi. Jedne z nich prowadziły do mieszkań, inne zaś, dokładnie te naprzeciwko, do zwłok. Rebus dostrzegł kilka znajomych twarzy z miejsca zbrodni w Knoxland — techników w białych kombinezonach i fotografów policyjnych. Drzwi były wąskie i niskie, liczyły dobre kilkaset lat, a więc pochodziły z czasów, kiedy miejscowa ludność była znacznie niższa niż obecnie. Wchodząc do środka, inspektor zgiął się wpół. Siobhan weszła za nim. Mizerne światło z czterdziestowatowej żarówki na suficie próbowano wzmocnić lampą łukową, ale wciąż czekano na przedłużacz, żeby podłączyć ją do najbliższego gniazdka.

Rebus zawahał się i zatrzymał zaraz za drzwiami, ale jeden z techników powiedział mu, że spokojnie mogą wejść.

— Te zwłoki leżą tu już od dłuższego czasu. Nie ma obawy, że zatrzecie jakieś ślady.

Inspektor kiwnął głową i podszedł do ciasnego kręgu ludzi w białych kombinezonach. Pod nogami mieli zdartą betonową podłogę. Obok leżał kilof. Wiszący w powietrzu pył osiadał Rebusowi w gardle.

— Ten beton był zdejmowany — wyjaśniał ktoś. — Na pierwszy rzut oka nie jest stary, ale z jakiegoś powodu ktoś chciał obniżyć podłogę.

— A gdzie my w ogóle jesteśmy? — zapytał Rebus, rozglądając się. Wokół walały się jakieś skrzynie, a na półkach stało jeszcze więcej pudeł. Poza tym stare beczki i reklamy piwa i alkoholu.

— To należy do baru, który jest na górze. Mieli tu magazyn. Za tą ścianą jest piwnica. — Czyjaś dłoń w rękawiczce wskazała na półki. Rebus słyszał trzeszczenie podłogi nad ich głowami oraz stłumione dźwięki z szafy grającej albo telewizora. — Robotnik zaczął rozbijać ten beton i proszę, co znalazł...

Inspektor odwrócił się i spojrzał w dół. Jego wzrok padł na czaszkę. Leżały tam także inne kości i nie wątpił, że po odsłonięciu reszty betonu ułożą się w pełny szkielet.

— Leży tu nie od dzisiaj — orzekł jeden z techników. — Kogoś czeka paskudna robota.

Rebus i Siobhan porozumieli się wzrokiem. Wcześniej, w samochodzie, zastanawiała się, dlaczego to ich wezwali, a nie Hawes czy Tibbeta. Teraz Rebus uniósł brew na znak, że właśnie uzyskała odpowiedź.

— Robota nie do pozazdroszczenia — powtarzał swoje technik.

— Właśnie dlatego tu jesteśmy — oznajmił Rebus, a Siobhan skwitowała dwuznaczność jego słów wymuszonym uśmiechem. — Gdzie jest właściciel tego kilofa?

— Na górze. Powiedział, że może jeden głębszy postawi go na nogi. — Technik zmarszczył nos, jak gdyby dopiero teraz w panującym zaduchu poczuł zapach miętówki.

— No to trzeba by z nim pogadać — oświadczył Rebus.

— Myślałam, że chodzi o zwłoki dwóch osób? — rzekła Siobhan.

Technik ruchem głowy wskazał plastikową torbę, leżącą na podłodze obok rozbitego betonu. Jeden z jego kolegów uniósł ją nieco. Siobhan wstrzymała dech. Pod torbą leżał drugi szkielet, tak maleńki, że właściwie go nie było. Odetchnęła ze świstem.

— Nie mieliśmy pod ręką nic innego — usprawiedliwiał się technik. Miał na myśli plastikową torbę. Rebus także wpatrywał się w maleńkie szczątki.

— Matka i dziecko? — podsunął.

— Takie spekulacje zostawiłbym profesjonalistom — odezwał się nowy głos. Rebus odwrócił się i uścisnął dłoń patologa, doktora Curta. — Chryste, John, ty wciąż jesteś w obiegu? Słyszałem, że cię wykopali.

— Biorę przykład z pana, doktorze. Odejdę dopiero razem z panem.

— A nasze ponowne spotkanie będzie długie i serdeczne. Dobry wieczór, Siobhan. — Curt lekko skłonił głowę. Inspektor nie wątpił, że gdyby lekarz nosił kapelusz, zdjąłby go w obecności kobiety. Należał do innej epoki. Miał na sobie nieskazitelny ciemny garnitur i wypolerowane na wysoki błysk buty, wykrochmaloną koszulę i krawat w paski, zapewne świadczący o jego przynależności do jakiejś elitarnej edynburskiej instytucji. Siwe włosy tylko podkreślały dystyngowany wygląd lekarza. Były zaczesane do tyłu tak, że nie odstawał ani jeden włosek. Doktor rzucił okiem na szkielety.

— Profesorek będzie miał niezłą frajdę — mruknął. — Lubi takie drobne zagadki. — Wyprostował się i zlustrował wzrokiem otoczenie. — No i historię.

— Czyli pańskim zdaniem one tu leżą już od dłuższego czasu? — wyrwała się z pytaniem Siobhan. Błąd. W oczach Curta zamigotał złośliwy błysk.

— Z pewnością trafiły tu, zanim jeszcze wylano beton... ale niewiele wcześniej. Jednak ludzie zazwyczaj nie wylewają betonu na zwłoki bez powodu.

— Tak, oczywiście. — Być może rumieniec na twarzy Siobhan przeszedłby niezauważony, gdyby nie to, że lampa łukowa oświetliła nagle całą scenę, rzucając olbrzymie cienie na ściany i niski sufit.

— Od razu lepiej — ocenił technik.

Siobhan zerknęła na Rebusa i zobaczyła, że pociera policzek; jak gdyby sama nie wiedziała, że się zarumieniła.

— Chyba powinienem tu ściągnąć profesorka — mówił Curt sam do siebie. — Przypuszczam, że chciałby zobaczyć je *in situ*... — Sięgnął do wewnętrznej kieszeni marynarki po komórkę. — Nieładnie zawracać staremu głowę, kiedy właśnie wybiera się do opery, ale obowiązek przede wszystkim, prawda? — Puścił oko do Rebusa, który odpowiedział uśmiechem.

— Bez dwóch zdań, doktorze.

Profesorkiem był profesor Sandy Gates, kolega i przełożony

Curta. Obaj pracowali na uniwersytecie, gdzie wykładali medycynę sądową, wciąż jednak wzywano ich na oględziny miejsc zbrodni.

— Słyszał pan, że w Knoxland mamy ofiarę nożownika? — zapytał Rebus, gdy Curt wciskał klawisze komórki.

— Słyszałem — odparł doktor. — Prawdopodobnie zajmiemy się nim jutro rano. Chociaż nie jestem pewien, czy naszym klientom aż tak zależy na czasie. — Jeszcze raz spojrzał na szkielet osoby dorosłej. Szczątki dziecka znowu były zakryte, teraz jednak nie torbą, lecz żakietem Siobhan, która przykryła kości z największą starannością.

— Niepotrzebnie to zrobiłaś — mruknął Curt, trzymając telefon przy uchu. — Teraz będziemy musieli zabrać twój żakiet, żebyśmy mogli porównać włókna z tymi, które znajdziemy.

Rebus nie mógł już patrzeć, jak Siobhan znowu oblewa się rumieńcem, wskazał więc na drzwi. Idąc do wyjścia, słyszał, jak Curt rozmawia z profesorem Gatesem.

— Czy jesteś już wystrojony we frak i szarfę, Sandy? Bo jeśli nie, a nawet jeśli tak, to mam dla ciebie inną rozrywkę na *ce soir*...

Siobhan nie skręciła pod górę, w stronę baru, lecz ruszyła w dół ulicy.

— A ty dokąd? — spytał Rebus.

— Zostawiłam kurtkę w samochodzie — wyjaśniła. Kiedy wróciła, inspektor palił już papierosa.

— Miło zobaczyć trochę koloru na twoich policzkach — powiedział.

— Proszę, proszę, sam to wymyśliłeś? — Westchnęła z rozpaczą i oparła się o ścianę obok niego, krzyżując ręce na piersi. — Żeby on nie był taki...

— Jaki? — Rebus wpatrywał się w rozżarzony czubek papierosa.

— Sama nie wiem... — Rozejrzała się, jakby szukając natchnienia. Po ulicy sunęli chwiejnym krokiem birbanci, zmierzający do następnej knajpy. Przed Starbuckiem turyści robili sobie zdjęcia na tle stromego podejścia do zamku. Stare i nowe, pomyślał znów Rebus. — Mam wrażenie, że on to traktuje jak jakąś grę — oświadczyła w końcu Siobhan. — Niezupełnie to chciałam powiedzieć, ale nie wpadłam na nic lepszego.

— On jest jednym z najbardziej poważnych ludzi, jakich znam — uświadomił ją Rebus. — Po prostu ma taką metodę na radzenie sobie w tego typu sytuacjach. Każdy z nas radzi z tym sobie na swój sposób, przyznasz?

— Fakt. — Spojrzała na niego. — Przypuszczam, że twoja metoda to nadużywanie nikotyny i trunków?

— Nie ma to jak zwycięska kombinacja.

— Nawet jeżeli jest zabójcza?

— Pamiętasz tę przypowieść o starym królu, który codziennie zażywał małą dawkę trucizny, żeby się uodpornić? — Wydmuchnął chmurę dymu w wieczorne niebo o barwie siniaka. — Przemyśl to sobie, a ja tymczasem postawię drinka człowiekowi pracy... i może sam też się napiję. — Pchnął prowadzące do baru drzwi, które zamknęły się za nim same. Siobhan odczekała chwilę, zanim poszła w jego ślady.

— Czy mi się zdaje, czy tego króla mimo wszystko zabito? — spytała, gdy przepychali się przez tłum klientów.

Lokal nazywał się Czarnoksiężnik i na pierwszy rzut oka był pełen turystów, których od zwiedzania rozbolały nogi. Jedną ścianę pokrywał mural, przedstawiający historię majora Weira, który w siedemnastym wieku przyznał się do uprawiania czarnej magii i wsypał swoją siostrę jako wspólniczkę. Oboje zostali straceni na Calton Hill.

— Urocze — podsumowała zwięźle Siobhan.

Rebus wskazał na jednorękiego bandytę, przy którym grał potężnie zbudowany mężczyzna w niebieskim kombinezonie. Na automacie stał pusty kieliszek po brandy.

— Postawić panu kolejkę? — zapytał Rebus. Twarz, która się do niego odwróciła, była równie upiorna jak oblicze majora Weira na muralu, a gęste ciemne włosy przysypane gipsem. — Jestem inspektor Rebus. Miałem nadzieję, że może odpowie mi pan na kilka pytań. To moja koleżanka, sierżant Clarke. Więc co pan pije... brandy, mam rację?

Mężczyzna skinął głową.

— Tylko że jestem furgonetką... powinienem ją odstawić na plac.

— Załatwimy panu kierowcę, który pana odwiezie, nie ma obawy. — Rebus odwrócił się do Siobhan. — Dla mnie to co zwykle, i duża brandy dla pana...

— Evansa. Jestem Joe Evans.

Siobhan odeszła posłusznie.

— I jak panu idzie? — spytał inspektor.

Mężczyzna spojrzał na bezlitosne tarcze automatu.

— Jestem trzy funciaki do tyłu.

— Niefartowny dzień, co?

Robotnik uśmiechnął się.

— W życiu żem się tak nie wystraszył. Najpierw żem se pomyślał, że to jacyś Rzymianie albo co. Albo że kiedyś był tam cmentarz.

— Ale zmienił pan zdanie?

— Ten, kto wylewał beton, musiał wiedzieć o tych kościach.

— Byłby z pana dobry detektyw, panie Evans. — Rebus zerknął w stronę baru, gdzie Siobhan odbierała drinki. — Od dawna pan tam pracuje?

— Zacząłem w tym tygodniu.

— A dlaczego używa pan kilofa, a nie świdra?

— W takiej małej norze nie da się wiercić świdrem.

Rebus pokiwał głową, jakby doskonale rozumiał, na czym rzecz polega.

— I pracuje pan sam?

— Uznałem, że to robota dla jednego.

— Był pan tu już kiedyś?

Evans pokręcił głową. Bez namysłu wsunął następną monetę do automatu i nacisnął przycisk. Wybuchła feeria świateł i pojawiły się efekty dźwiękowe, ale wypłata nie wypadła. Robotnik znów wcisnął przycisk.

— Nie wie pan przypadkiem, kto wylewał ten beton?

Znowu pokręcił głową, znowu wrzucił monetę do automatu.

— Pewnie jest notowany u właściciela. — Przerwał. — Nie żeby był notowany przez policję czy coś takiego, ale pewnie właściciel ma jakiś rachunek czy coś w tym guście.

— To jest myśl — przyznał Rebus.

Siobhan wróciła i postawiła przed nimi drinki. Dla siebie znów wzięła wodę sodową z limonką.

— Rozmawiałam z barmanem — oznajmiła. — To sieciowy bar. — Miała na myśli to, że należał do któregoś z browarów. — Właściciel wyjechał do hurtowni, ale już wraca.

— Wie, co tu się stało?

Skinęła głową.

— Barman dzwonił do niego. Powinien tu być za kilka minut.

— Panie Evans, chciałby nam pan jeszcze coś powiedzieć?

— Tylko tyle, że powinniście tu ściągnąć tych od oszust finansowych. Ta maszyna okrada mnie w biały dzień.

— Niektórym zbrodniom nie potrafimy zapobiegać. — Rebus myślał przez chwilę. — Przychodzi panu do głowy, po co właściciel kazał rozkuwać ten beton?

— Sam to panu powie. — Evans opróżnił kieliszek. — Właśnie tu idzie.

Właściciel baru zauważył ich i ruszył w kierunku automatu. Ręce trzymał głęboko w kieszeniach długiego płaszcza z czarnej skóry. Kremowy sweter z wycięciem w serek odsłaniał jego szyję, ukazując medalion na cienkim złotym łańcuchu. Mężczyzna miał krótko obcięte włosy, postawione z przodu na żel. Nosił okulary z prostokątnymi pomarańczowymi szkłami.

— Wszystko gra, Joe? — zapytał, ściskając rękę Evansowi.

— Ujdzie, panie Mangold. Ci państwo to detektywi.

— Jestem właścicielem tego lokalu. Nazywam się Ray Mangold — powiedział, na co Rebus i Siobhan także się przedstawili. — Na razie jestem trochę pogubiony. Wiecie, te szkielety w piwnicy. Sam jeszcze nie wiem, czy to dobre dla interesów, czy nie. — Uśmiechnął się szeroko, pokazując aż nazbyt białe zęby.

— Nie wątpię, że ofiary byłyby wzruszone pańską troską, proszę pana. — Rebus sam nie wiedział, dlaczego tak szybko zraził się do tego człowieka. Może to przez te kolorowe szkła. Nie lubił sytuacji, kiedy nie widział wyrazu oczu rozmówcy. Jak gdyby czytając w jego myślach, Mangold zsunął okulary z nosa i zaczął je przecierać białą chusteczką.

— Przepraszam, jeśli wydałem się panu nieco gruboskórny, inspektorze. Po prostu jak dla mnie trochę tego za dużo naraz.

— Nie wątpię, proszę pana. Od dawna jest pan tu właścicielem?

— Zaraz stuknie pierwsza rocznica. — Zmrużył oczy w wąskie szparki.

— Pamięta pan, kiedy wylewano podłogę?

Mangold zastanawiał się przez chwilę, po czym skinął głową.

— Zdaje się, że właśnie kiedy przejmowałem ten lokal.

— A gdzie pan pracował przedtem?

— Miałem klub w Falkirk.

— Ale splajtował, tak?

Mangold pokręcił głową.

— Po prostu miałem go już powyżej uszu... kłopoty z personelem, jakieś lokalne gangi, które próbowały rozwalić mi interes...

— Nadmiar odpowiedzialności? — podsunął Rebus.

Mangold z powrotem włożył okulary.

— Pewnie do tego się to sprowadza. A przy okazji, nie noszę tych okularów dla szpanu. — I znów jak gdyby czytał w myślach Rebusa. — Mam nadwrażliwe oczy, nie znoszę jasnego światła.

Uśmiechnął się, pokazując jeszcze więcej zębów. Rebusowi przyszło do głowy, że może by tak też sprawić sobie pomarańczowe okulary. No ale skoro już potrafisz czytać w moich myślach, pomyślał, to zaproponuj mi drinka.

W tym momencie jednak barman zawołał, że potrzebuje czegoś od szefa. Evans spojrzał na zegarek i powiedział, że skoro nie mają do niego więcej pytań, będzie się zbierać. Na pytanie Rebusa, czy załatwić mu kierowcę, podziękował i odmówił.

— Wobec tego detektyw Clarke zapisze pańskie dane, na wypadek gdybyśmy musieli się jeszcze z panem skontaktować. — Podczas gdy Siobhan grzebała w torbie w poszukiwaniu notesu, inspektor podszedł do Mangolda, który pochylał się nad ladą, żeby barman nie musiał podnosić głosu. Czteroosobowa grupka — Rebus przypuszczał, że to amerykańscy turyści — stała na środku sali, uśmiechając się do siebie ze sztucznym entuzjazmem. Poza tym lokal był wymarły. Zanim Rebus dotarł do Mangolda, ten właśnie skończył rozmawiać z barmanem — prawdopodobnie oprócz zdolności telepatycznych miał także oczy z tyłu głowy.

— Jeszcze nie skończyliśmy — powiedział tylko Rebus, opierając łokcie na ladzie.

— Myślałem, że tak.

— Przepraszam, jeżeli odniósł pan takie wrażenie. Chciałem zapytać o te prace prowadzone w piwnicy. Po co to?

— Zamierzamy powiększyć lokal i przenieść tam część gości.

— Piwnica jest malutka.

— Właśnie w tym rzecz... chodzi o to, żeby ludzie poznali smak tego, jak niegdyś wyglądały tradycyjne pijalnie w Edynburgu. Przytulna ciasnota, kilka gąbczastych foteli... żadnej muzyki, nic z tych rzeczy, no i najciemniejsze oświetlenie, jakie się uda zdobyć. Myślałem o świecach, ale inspekcja przeciwpożarowa zdmuchnęła ten pomysł. — Zaśmiał się z własnego żartu. — Będziemy ją też wynajmować klientom... każdy będzie mógł mieć przez chwilę własne lokum w samym centrum Starego Miasta.

— Sam pan na to wpadł czy to pomysł browaru?

— Wszystko to moje dzieło. — Mangold omal się nie ukłonił.

— Zatrudnił pan Evansa osobiście?

— To dobry robotnik. Już wcześniej korzystałem z jego usług.

— A co z tą betonową podłogą... nie wie pan przypadkiem, kto ją wylewał?

— Jak mówiłem, kiedy przejmowałem lokal, roboty były w trakcie.

— Ale ukończono je już za pańskich czasów, dobrze rozumiem? Wobec tego ma pan pewnie jakieś dokumenty... przynajmniej chociaż faktury? — Tym razem to Rebus się uśmiechnął. — A może wszystko było płacone z rączki do rączki, pod stołem?

Mangold najeżył się.

— Tak, na pewno są jakieś dokumenty. — Przerwał na chwilę. — Oczywiście, możliwe, że już je wyrzucono albo że zabrał je browar...

— A kto był tu szefem, zanim pan przejął ten bar?

— Nie pamiętam.

— Nie wprowadzał pana w interes? Myślałem, że zwykle jest okres przejściowy?

— Pewnie tak było... ale nie pamiętam, jak się nazywał.

— Przy odrobinie wysiłku z pewnością pan sobie przypomni. — Inspektor wyciągnął z górnej kieszeni marynarki służbową wizytówkę. — A wtedy niech pan do mnie zadzwoni.

— Naturalnie. — Mangold wziął wizytówkę i zaczął ją oglądać ostentacyjnie. Rebus zauważył, że Evans zbiera się do wyjścia.

— I ostatnie pytanie, jak na razie, panie Mangold...

— Słucham, inspektorze?

Siobhan stanęła u boku Rebusa.

— Ciekaw jestem, jak się nazywał pański klub.

— Mój klub?

— Ten w Falkirk... a może miał pan ich kilka?

— Nazwałem go Albatros. Na cześć utworu Fleetwood Mac.

— A więc nie znał pan wiersza? — wtrąciła się Siobhan.

— Wtedy jeszcze nie — odparł Mangold przez zaciśnięte zęby.

Rebus podziękował i pożegnał się, ale nie podał mu ręki. Na zewnątrz rozejrzał się po ulicy, jak gdyby dumał, gdzie by tu wpaść na następnego drinka.

— O jakim wierszu mówiłaś?

— O *Pieśni o starym żeglarzu*. Marynarz strzela do albatrosa, który rzuca klątwę na jego łódź.

Rebus powoli pokiwał głową.

— I dlatego miał z tym klubem krzyż pański?

— Pewnie tak... — Jej głos zamarł. — Co o nim sądzisz?

— Elegancik.

— Myślisz, że w tym płaszczu pozuje na postać z *Matrixa*?

— Bóg raczy wiedzieć. Ale musimy przykręcić mu śrubę. Chcę wiedzieć, kto i kiedy wylewał ten beton.

— A może to była celowa robota? Żeby załatwić dla lokalu bezpłatną reklamę?

— Gdyby tak było, ktoś musiałby to zaplanować z dużym wyprzedzeniem.

— A może ten beton wcale nie jest tak stary, jak mówią?

Rebus wlepił w Siobhan wzrok.

— Czytałaś ostatnio jakieś odkrywcze powieści sensacyjne? Jak to rodzina królewska załatwiła księżniczkę Di? Albo jak mafia ukatrupiła Kennedy'ego?

— Długo zamierzasz odgrywać starego zrzędę?

Jego mina złagodniała; nagle od strony Fleshmarket Close doleciał wściekły ryk. Umundurowany policjant miał zawracać wszystkich, którzy chcieliby wejść w tę uliczkę. Poznał jednak

Rebusa i Siobhan, i kiwnął głową na znak, że mogą przejść. Inspektor już miał przekroczyć próg do piwnicy, gdy naraz zderzyła się z nim wybiegająca stamtąd postać w klubowym garniturze i muszce.

— Profesor Gates? Witam — wystękał Rebus, kiedy już złapał dech. Patolog zatrzymał się i łypnął na niego wściekle. Pod wpływem tego spojrzenia każdy student powinien paść trupem, ale Rebus był wykonany z twardszego materiału.

— John... — Nareszcie profesor go poznał. — Czy ty też masz coś wspólnego z tym cholernym draństwem?

— Będę miał, kiedy mi pan wyjaśni, o co chodzi.

Doktor Curt nieśmiało wyjrzał z piwnicy.

— Przez tego palanta — Gates wskazał swojego kolegę, piorunując go wzrokiem — straciłem cały pierwszy akt *Cyganerii*... A wszystko z powodu wygłupu jakichś cholernych studentów!

Inspektor spojrzał na Curta, oczekując wyjaśnienia.

— Są fałszywe? — domyśliła się Siobhan.

— Nie inaczej — przytaknął Gates, uspokajając się powoli. — Nie wątpię, że mój szacowny kolega po fachu wyjaśni wam to ze wszystkimi szczegółami... no chyba że to także okaże się ponad jego możliwości. A teraz państwo wybaczą... — Szybkim krokiem ruszył w górę uliczki; mundurowy odstąpił na bok, żeby go przepuścić. Curt ruchem ręki pokazał Rebusowi i Siobhan, żeby poszli za nim, i wrócił do piwnicy. W środku wciąż było dwóch techników, którzy starali się ukryć zażenowanie.

— Na swoje usprawiedliwienie powinniśmy wspomnieć o braku odpowiedniego oświetlenia — zaczął Curt. — A także o tym, że mamy do czynienia ze szkieletami, a nie ze zwłokami z krwi i ciała, co byłoby niewątpliwie bardziej interesujące...

— Skąd nagle to „my" — zadrwił Rebus. — No więc co jest z tymi szkieletami, są z plastiku czy jak? — Uklęknął przy nich i podał Siobhan jej żakiet, który profesor wcześniej odrzucił na bok.

— Szkielet dziecka tak. Z plastiku albo jakichś kompozytów. Zorientowałbym się, gdybym go tylko dotknął.

— Nikt w to nie wątpi — rzekł Rebus. Zauważył, że Siobhan stara się nie okazywać cienia radości z powodu wpadki Curta.

— Z drugiej strony szkielet osoby dorosłej jest prawdziwy — ciągnął Curt. — Ale prawdopodobnie jest bardzo stary i był używany do celów szkoleniowych. — Patolog uklęknął obok Rebusa, a Siobhan poszła w jego ślady.

— Co masz na myśli?

— Te dziury wywiercone w kościach... widzisz?

— Nie za bardzo, nawet przy tym świetle.

— No właśnie.

— A czemu miały służyć te dziury?

— Do łączenia sąsiadujących ze sobą kości za pomocą śrub albo drutu. — Podniósł kość udową i wskazał dwa starannie wywiercone otwory. — Mógł to być eksponat muzealny.

— Albo pochodzi ze szpitala klinicznego — podsunęła Siobhan.

— Racja, sierżant Clarke. Dzisiaj odtwarzanie szkieletów to już wymierająca sztuka. Dawniej robili to specjalni rzemieślnicy. — Curt wstał i otrzepał ręce, jak gdyby chciał się pozbyć wszelkich śladów swej niedawnej pomyłki. — Kiedyś bardzo często używaliśmy ich do kształcenia studentów. Teraz już rzadko. W każdym razie nie korzystamy z autentycznych. Szkielet nie musi być prawdziwy, żeby wyglądać realistycznie.

— Co było do okazania. — Rebus nie mógł się powstrzymać, żeby tego nie wtrącić. — Wobec tego co nam to daje? Uważasz, że profesor ma rację i że to czyjś dowcip?

— Jeśli tak, to ktoś musiał sobie zadać niesamowicie dużo trudu. Usunięcie śrub i kawałków drutu musiało zająć wiele godzin.

— Czy na uniwersytecie nie zgłoszono nigdy zaginięcia szkieletów? — spytała Siobhan.

Curt wyraźnie się zawahał.

— Nic mi o tym nie wiadomo.

— Ale to bardzo specjalistyczny przedmiot, prawda? Czegoś takiego nie kupuje się w supermarkecie na najbliższym rogu?

— Tak przypuszczam... chociaż ostatnio nie zaglądałem do supermarketów.

— Tak czy inaczej cholernie to dziwne — mruknął Rebus, wstając. Siobhan jednak nadal klęczała nad szkieletem dziecka.

— Chore — sprostowała.

— Pewnie masz rację, Shiv. — Rebus odwrócił się do Curta. — Zaledwie pięć minut temu zastanawiała się, czy nie chodzi tu czasem o jakiś numer w celach reklamowych.

Siobhan pokręciła głową.

— Sam pan mówił, że wymagało to dużo zachodu. Tu musi chodzić o coś więcej. — Ściskała żakiet, jakby tuliła do siebie dziecko. — Jest szansa, że uda wam się zbadać ten szkielet dorosłego? — Podniosła wzrok na Curta, który odpowiedział wzruszeniem ramion.

— Czego mielibyśmy szukać?

— Wszystkiego, co mogłoby nam odpowiedzieć na pytanie, kim ten ktoś był, skąd się tu wziął... i ile lat ma ten szkielet.

— W jakim celu? — Curt zmrużył oczy, co świadczyło, że jest zaintrygowany.

Siobhan wstała.

— Być może nie tylko profesor Gates lubi zagadki z historią w tle.

— Niech pan z nią nie dyskutuje, doktorze — poradził Rebus z uśmiechem. — To jedyny sposób, żeby dała panu spokój.

Curt spojrzał na niego.

— Mam wrażenie, jakbym już to od kogoś słyszał.

Rebus rozłożył ręce i wzruszył ramionami.

Dzień drugi
Wtorek

3

Następnego dnia rano, z braku czegoś lepszego do roboty, Rebus pojawił się w kostnicy. Trwała właśnie sekcja zwłok niezidentyfikowanej jak dotąd ofiary z Knoxland. Galeria dla widzów składała się z trzech rzędów ław odgrodzonych od sali szybą. Niektórym gościom zbierało się na wymioty. Możliwe, że powodowała to kliniczna atmosfera — stoły z nierdzewnej stali z rynienkami odpływowymi i słoje z eksponatami. Albo fakt, że cała procedura przypominała coś, co znamy z wizyt u rzeźnika — porcjowanie i filetowanie, wykonywane przez ludzi w fartuchach i butach z cholewami. Przypominało to nie tylko o tym, że człowiek jest śmiertelny, lecz także że pochodzi od zwierząt — ot, ludzkie ciało zredukowane do kawałka mięsa na stole.

Na galerii byli już dwaj widzowie — mężczyzna i kobieta. Pozdrowili Rebusa skinieniem głowy, a ona przesunęła się nieco na ławce, żeby mógł usiąść obok niej.

— Witam — powiedział i pomachał przez szybę Curtowi i Gatesowi, którzy pracowali nad zwłokami. Zasada podwójnej kontroli wymagała, by przy każdej sekcji zwłok pracowało dwóch patologów, co przeciągało procedurę w nieskończoność.

— Co cię tu sprowadza? — zapytał mężczyzna. Nazywał się Hugh Davidson, ale wszyscy zwracali się do niego „Shug". Był detektywem inspektorem z komisariatu w West Endzie przy Torphichen Place.

— Najwyraźniej ty, Shug. Zdaje się, że brakuje wam lotnych oficerów.

Twarz Davidsona wykrzywiła się w coś na kształt uśmiechu.

— A od kiedy to masz licencję pilota, John?

Rebus puścił to mimo uszu i zwrócił się do towarzyszki Davidsona:

— Nie widzieliśmy się ładny kawałek czasu, Ellen.

Ellen Wylie była detektywem w stopniu sierżanta i podwładną Davidsona. Na kolanach trzymała otwarte pudełko na akta. Wyglądało na całkiem nowe i jak dotąd zawierało ledwie kilka kartek. Na górze pierwszej kartki wypisany był numer sprawy. Rebus wiedział, że wkrótce pudło wypełni się raportami, fotografiami, wykazami rotacji pracowników. Była to Księga Morderstwa — biblia rozpoczynającego się śledztwa.

— Słyszałam, że byłeś wczoraj w Knoxland — powiedziała Wylie, patrząc prosto przed siebie, jakby oglądała film, który straciłby sens, gdyby tylko oderwała na chwilę wzrok od ekranu. — I pogadałeś sobie od serca z przedstawicielem czwartej władzy.

— A mówiąc po angielsku?

— Ze Steve'em Hollym — wyjaśniła. — A w kontekście tego śledztwa wyrażenie „po angielsku" może być poczytane za rasizm.

— Tylko dlatego, że w dzisiejszych czasach wszystko jest albo rasistowskie, albo seksistowskie. — Rebus zamilkł, ale nie doczekał się reakcji. — Ostatnio słyszałem, że nie wolno nam już mówić o „czarnych punktach" na drodze ani o „babim lecie".

— Ani o „łataniu dziur" — dorzucił Davidson, pochylając się, by spojrzeć w oczy Rebusowi, który ze smutkiem potrząsnął głową, kwitując całe to szaleństwo, po czym oparł się wygodnie i obserwował przez szybę postępy sekcji.

— I jak tam jest na Gayfield Square? — spytała Wylie.

— Lada chwila mają zmienić nazwę, bo też jest politycznie niepoprawna.

Davidson wybuchnął śmiechem, na tyle głośnym, że ludzie za szybą odwrócili się do niego. Podniósł rękę w geście skruchy, a drugą dłonią zasłonił sobie usta. Wylie zanotowała coś w Księdze Morderstwa.

— Zdaje się, że trafisz do kozy, Shug — skwitował Rebus. — Jak to wygląda? Macie już pojęcie, kim on jest?

Odpowiedziała mu Wylie.

— W kieszeniach tylko trochę drobnych... nie miał nawet kluczy do mieszkania.

— I nikt się w jego sprawie nie zgłosił — dodał Davidson.

— Przepytywaliście mieszkańców?

— John, mówimy o Knoxland. — Chodziło mu o to, że tam nikt nie puszcza pary z ust. Panowały zasady plemienne, przekazywane z ojca na syna. Cokolwiek się działo, nikt nic nie mówił policji.

— A media?

Davidson podał Rebusowi złożony brukowiec. Morderstwo nie trafiło na pierwszą stronę, dopiero na piątej kolumnie był artykuł Steve'a Holly'ego: TAJEMNICA ŚMIERCI AZYLANTA. Podczas gdy Rebus przeskakiwał wzrokiem akapity, Wylie odwróciła się do niego.

— Ciekawe, kto mu powiedział o azylantach?

— Nie ja — odparł inspektor. — Holly sam to sobie wymyślił. „Źródła zbliżone do prowadzących śledztwo". — Prychnął. — Które z was miał na myśli? A może oboje?

— Nie przysparzasz tu sobie przyjaciół, John.

Rebus oddał gazetę.

— Ilu ludzi macie do tej sprawy?

— Za mało — przyznał Davidson.

— Tylko ty i Ellen?

— Plus Charlie Reynolds.

— I, jak widzę, ty — dorzuciła Wylie.

— Nie wiem, czy mam na to ochotę.

— Kilku gorliwych mundurowych przepytuje mieszkańców — powiedział Davidson tak, jakby się tłumaczył.

— Czyli nie ma problemu, sprawa rozwiązana. — Rebus zobaczył, że sekcja dobiega końca, jeden z asystentów przystąpił do zaszywania zwłok. Curt gestem ręki pokazał detektywom, że spotka się z nimi na dole, i wyszedł, żeby się przebrać.

Patologowie nie mieli własnego pokoju, więc Curt czekał na nich w ponurym korytarzu. Z pomieszczenia personelu dobiegały rozmaite dźwięki — gwizd czajnika, w którym zagotowała się woda, odgłosy sprzeczki podczas gry w karty...

— Profesorek dał nogę? — domyślił się Rebus.

— Za dziesięć minut ma wykład.

— I co pan dla nas ma, doktorze? — zainteresowała się

Ellen Wylie. Nawet jeśli kiedyś potrafiła gadać o niczym, to dawno temu straciła tę umiejętność.

— W sumie dwanaście ran, zadanych tym samym ostrzem. Mógł to być nóż kuchenny, ostrze ząbkowane, szerokości zaledwie centymetra. Penetracja nie przekraczała pięciu centymetrów. — Przerwał, jakby spodziewając się jakichś sprośnych żartów. Wylie chrząknęła ostrzegawczo. — Śmierć nastąpiła prawdopodobnie od ciosu w gardło, który przeciął tętnicę. Krew w płucach świadczy o tym, że ten człowiek mógł się nią zadusić.

— Czy on się bronił? — spytał Davidson.

Curt skinął głową.

— Ślady na dłoniach, czubkach palców i nadgarstkach. Ten człowiek niewątpliwie walczył o życie.

— Ale pańskim zdaniem napastnik był tylko jeden?

— Jeden był nóż — sprostował Curt. — To nie to samo.

— Czas śmierci? — spytała Wylie, zapisując informację.

— Na miejscu zbrodni zmierzono mu temperaturę wnętrza ciała. Kiedy was zawiadomiono, nie żył mniej więcej od pół godziny.

— A swoją drogą, jak to było z tym zawiadomieniem? — zapytał Rebus.

— Anonimowy telefon o trzynastej pięćdziesiąt — odpowiedziała Wylie.

— Mówiąc po ludzku, za dziesięć druga. Kto dzwonił, mężczyzna?

Wylie pokręciła głową.

— Kobieta, z budki telefonicznej.

— Mamy numer?

Kolejne kiwnięcie głową.

— Mamy też nagranie. Namierzymy ją, to tylko kwestia czasu.

Curt zerknął na zegarek, dając znać, że mu się śpieszy.

— Ma pan dla nas coś jeszcze, doktorze? — spytał Davidson.

— Ogólnie rzecz biorąc, denat był w dobrej kondycji. Trochę niedożywiony, ale zęby zdrowe... albo nie dorastał w tym kraju, albo nie przeszedł na szkocką dietę. Próbki treści żołądkowej jadą dziś do laboratorium. Inna sprawa, że niewiele tego jest. Jego ostatni posiłek nie był zbyt obfity... głównie ryż i warzywa.

— Jakieś podejrzenia co do rasy?

— Nie jestem ekspertem.

— Rozumiemy to, ale...

— Bliski Wschód? Basen Morza Śródziemnego...? — Curt zawiesił głos.

— No, to już coś — rzekł Rebus.

— Jakieś tatuaże albo inne znaki szczególne? — zapytała Wylie, gorączkowo robiąc notatki.

— Brak. — Curt zamilkł. — To wszystko znajdzie pani w raporcie, sierżant Wylie.

— Proszę dać nam coś, żebyśmy tymczasem mieli nad czym pracować, doktorze.

— Takie oddanie pracy to w dzisiejszych czasach rzadkość — powiedział Curt z uśmiechem, który nie pasował do jego posępnej twarzy. — Gdyby miała pani jeszcze jakieś pytania, wie pani, gdzie mnie szukać...

— Dziękujemy, doktorze — odezwał się Davidson.

Curt odwrócił się do Rebusa.

— John, mogę cię prosić na słówko...? — Napotkał wzrok Davidsona. — To sprawa osobista, nie służbowa — wyjaśnił.

Wziął Rebusa pod rękę i poprowadził go do drzwi na końcu korytarza, a przez nie do kostnicy. Nie było tam nikogo, a w każdym razie nikogo, w kim tliłoby się życie. Przed sobą mieli ścianę metalowych szuflad; naprzeciwko była rampa, na którą z szarych karawanów nieustannie wyładowywano nieboszczyków. Jedynym dźwiękiem w pomieszczeniu był szum lodówek. Mimo to Curt rozejrzał się uważnie, jakby obawiał się, że ktoś ich usłyszy.

— Chodzi o prośbę Siobhan — powiedział.

— Tak?

— Przekaż jej, że się zgadzam. — Curt przysunął twarz do twarzy inspektora. — Ale tylko pod warunkiem, że Gates nigdy się o tym nie dowie.

— Domyślam się, że ma na ciebie teraz solidnego haka?

Lewe oko patologa drgnęło nerwowo.

— Na pewno wypapla już całą historię komu tylko się da.

— Doktorze, wszyscy daliśmy się nabrać na te kości, nie tylko ty.

Curt jednak był wyraźnie zgnębiony.

— Słuchaj, po prostu powiedz Siobhan, że zrobię to po cichu. Na ten temat może rozmawiać tylko ze mną, rozumiemy się?

— To będzie nasza tajemnica — zapewnił go Rebus, kładąc mu dłoń na ramieniu. Curt wlepił w jego rękę smutne spojrzenie.

— Jak to jest, że przypominasz mi jednego z pocieszycieli Hioba?

— Słyszę, co mówisz, doktorze.

Lekarz spojrzał mu w oczy.

— Ale nie rozumiesz z tego ani słowa, dobrze mówię?

— Jak zawsze masz rację, doktorze. Jak zawsze.

Siobhan zdała sobie sprawę, że od kilku minut gapi się na ekran komputera, ale nie widzi tekstu, który ma przed sobą. Wstała i podeszła do stolika z czajnikiem — tego, przy którym powinien siedzieć Rebus. Starszy inspektor Macrae dwukrotnie zaglądał do pokoju i za każdym razem był wyraźnie zadowolony, że Rebusa nie ma. Derek Starr siedział w swoim gabinecie i omawiał postępy śledztwa z przedstawicielem prokuratury.

— Napijesz się kawy, Col? — zapytała.

— Nie, dzięki — odrzekł Tibbet. Głaskał się po gardle, w miejscu, w którym się zaciął przy goleniu. Ani na moment nie odrywał oczu od ekranu komputera, a jego głos dochodził niczym z zaświatów, jakby duchem i ciałem przebywał zupełnie gdzie indziej.

— Masz coś ciekawego?

— Nie bardzo. Porównuję dane po ostatniej serii kradzieży w sklepach. Tak sobie pomyślałem, że mogą mieć związek z rozkładem jazdy pociągów.

— Niby jaki?

Tibbet uświadomił sobie, że powiedział o kilka słów za dużo. Jeśli chciało się zgarnąć cały zaszczyt i chwałę, trzeba było umieć trzymać język za zębami. To była zmora zawodu Siobhan. Z gliniarzami niczym nie można się było dzielić, a współpraca zwykle podszyta była głęboką nieufnością. Tibbet udał, że nie dosłyszał jej pytania.

Zastukała łyżeczką do kawy o zęby.

— Pozwól, że zgadnę — powiedziała. — Seria prawdopodobnie oznacza, że może to być robota jednego albo kilku zorganizowanych gangów... A skoro sprawdzasz rozkład jazdy pociągów, podejrzewasz, że przyjeżdżają tu na gościnne występy. Czyli że nie dojdzie do kolejnej kradzieży, dopóki nie przyjedzie właściwy pociąg, a rabunki skończą się, gdy tamci wrócą do domu? — Pokiwała głową. — I jak mi idzie?

— Ważne jest to, skąd przyjeżdżają, a nie dokąd potem jadą — odparł rozdrażniony.

— Z Newcastle? — podsunęła. Mowa ciała Tibbeta powiedziała jej, że trafiła w dziesiątkę. Woda w czajniku zagotowała się, więc zalała sobie kawę. — Newcastle? — powtórzyła, siadając przy swoim biurku.

— Przynajmniej robię coś konstruktywnego, a nie tylko surfuję po sieci.

— A sądzisz, że ja się niczym innym nie zajmuję?

— Przynajmniej na to wygląda.

— No więc dla twojej wiadomości, szukam zaginionej osoby... zaglądam na strony, które mogą być pomocne.

— Nie pamiętam, żeby zgłaszali nam jakieś zaginięcie.

Siobhan zaklęła w duchu — wpadła we własne sidła i też się wygadała.

— W każdym razie tym się zajmuję. Czy mam ci przypomnieć, kto tu jest starszy stopniem?

— Znaczy, że mam nie wtykać nosa w nie swoje sprawy?

— Właśnie, panie posterunkowy. Dokładnie to chciałam powiedzieć. Ale nie martw się, Newcastle jest twoje i tylko twoje.

— Być może będę musiał pogadać z ich dochodzeniówką i zobaczyć, co mają na miejscowe gangi.

Kiwnęła głową.

— Rób, co uważasz za stosowne, Col.

— Dzięki, Shiv, jesteś w porządku.

— Nazwij mnie tak jeszcze raz, a urwę ci łeb.

— Wszyscy tak się do ciebie zwracają — zaprotestował.

— To prawda, ale ty pierwszy się z tego wyłamiesz. Masz mnie nazywać Siobhan.

Tibbet milczał tak długo, że pomyślała, iż wrócił do studiowania rozkładów jazdy. Nagle jednak odezwał się:

— Nie lubisz, żeby nazywać cię Shiv... ale nikomu o tym nie mówisz. Ciekawe...

Chciała zapytać go, co ma na myśli, lecz uznała, że to tylko przedłuży dyskusję. Zresztą i tak chyba wiedziała, o co mu chodzi — z punktu widzenia Tibbeta ta nowa informacja dawała mu swego rodzaju poczucie władzy; oto miał bombę, którą w razie czego będzie mógł wykorzystać w przyszłości. Ale dopóki tego nie zrobi, nie miała się czym przejmować. Skupiła się więc na swoim ekranie i postanowiła rozpocząć nowe poszukiwania. Do tej pory zaglądała na strony prowadzone przez grupy poszukujące osób zaginionych. Takich, które często nie chciały, żeby rodziny je znalazły, ale którym zależało na tym, by inni wiedzieli, że nic złego im się nie stało. Dlatego ludzie tacy mogli przesyłać wiadomości za pośrednictwem tych grup bądź innych pośredników. Siobhan za trzecim podejściem przygotowała ostateczną wersję tekstu, który zamieściła teraz na kilku witrynach:

Ishbel, mama i tata tęsknią za tobą, dziewczyny z salonu też. Daj znać, czy u ciebie wszystko w porządku. Pamiętaj, że kochamy cię i tęsknimy.

Uznała, że to wystarczy. Tekst ani nie był zbyt bezosobowy, ani przesadnie emocjonalny. Nie świadczył o tym, że dziewczyny szuka ktoś spoza grona najbliższych. A nawet gdyby Jardine'owie kłamali i w domu dochodziło do spięć, wzmianka o koleżankach z salonu fryzjerskiego mogła wzbudzić w Ishbel poczucie winy z powodu tego, że tak nagle odwróciła się od przyjaciółek, na przykład od Susie.

Położyła fotografię obok klawiatury.

— Twoje przyjaciółki? — zapytał Tibbet na widok zdjęcia, wyraźnie zaciekawiony. Dziewczyny były ładne, lubiły dawać czadu w barach i na imprezach. Dla nich życie było nieustającą zabawą. Siobhan wiedziała, że nawet nie ma co marzyć, iż zrozumie ich motywację, a mimo to się nie poddawała. Wysłała kolejne e-maile, tym razem do różnych komisariatów policji. Znała detektywów z Dundee i Glasgow i zwróciła im uwagę na Ishbel — podając tylko jej nazwisko i rysopis i pisząc, że będzie im dozgonnie wdzięczna za pomoc. Niemal od razu odezwała się jej komórka. Dzwoniła Liz Hetherington, jej znajoma z Dundee — detektyw sierżant z policji w Tayside.

— Kopę lat — powiedziała Hetherington. — Dlaczego to takie ważne?

— Znam jej rodziców — wyjaśniła Siobhan. Nie mogła ściszyć głosu tak, żeby Tibbet jej nie słyszał, więc wstała zza biurka i wyszła na korytarz. Tutaj też panował ten zapaszek, jak gdyby cały komisariat gnił od środka. — Mieszkają na wsi w West Lothian.

— Dobrze, roześlę jej dane. Dlaczego myślisz, że mogła się wybrać w nasze strony?

— Słyszałaś, że tonący brzytwy się chwyta? Obiecałam jej rodzicom, że zrobię, co w mojej mocy.

— Nie sądzisz, że poszła w tango?.

— Skąd ten pomysł?

— No wiesz, dziewczyna ucieka z wioski i rusza w wielki świat... zdziwiłabyś się, ile takich jest.

— To fryzjerka.

— Taka to zawsze znajdzie robotę — oświadczyła Hetherington. — Ten zawód wszędzie ma wzięcie, prawie jak dawanie na ulicy.

— Zabawne, że to mówisz — odparła Siobhan. — Ona się zadawała z facetem, który według jej przyjaciółki wyglądał na alfonsa.

— Sama widzisz. Czy ona ma jakichś przyjaciół, u których mogłaby się zadekować?

— Tak daleko jeszcze się w to nie wgryzłam.

— Tak czy owak, gdyby ktoś z nich mieszkał w tych stronach, daj znać, a ja im złożę wizytę.

— Dzięki, Liz.

— I wpadnij kiedyś do nas, Siobhan. Pokażę ci, że Dundee to nie takie getto, jak wy, tam na południu, sobie wyobrażacie.

— W któryś z najbliższych weekendów, Liz.

— Słowo?

— Słowo. — Siobhan rozłączyła się. Tak, wybierze się do Dundee... kiedyś, kiedy będzie miała na to większą ochotę niż na weekend spędzony na kanapie w towarzystwie czekoladek i starych filmów; śniadanie w łóżku, dobra książka i pierwsza płyta Goldfrapp sącząca się z głośników; lunch na mieście, a potem może seans filmowy w Dominion albo Filmhouse... no i butelka zimnego białego wina czekająca w domu na jej powrót.

Nagle stwierdziła, że stoi znów przed swoim biurkiem, a Tibbet przygląda jej się uważnie.

— Muszę wyjść — powiedziała.

Spojrzał na zegarek, jakby ją sprawdzał.

— Długo ci zejdzie?

— Dwie godziny, jeśli nie macie nic przeciwko temu, panie posterunkowy.

— Ja tylko tak, na wypadek gdyby ktoś się o ciebie pytał — odparł pogardliwie.

— Świetnie. — Wzięła żakiet i torebkę. — Jakbyś chciał, tam jest moja kawa.

— O rany, dzięki!

Wyszła bez słowa, ruszyła w dół ulicy, pod swój dom, i wsiadła do peugeota. Samochody zaparkowane przed nią i za nią nie zostawiły jej dużo miejsca, manewrowała więc ładne kilka razy, zanim udało jej się wyjechać. Mimo iż parkowała w strefie przeznaczonej tylko dla mieszkańców okolicznych domów, zauważyła, że samochód stojący przed nią nie był tutejszy i że już dostał mandat. Zatrzymała peugeota, napisała na wyrwanej z notesu kartce: POLICJA ZAWIADOMIONA, po czym wysiadła i wetknęła kartkę za wycieraczkę bmw. Od razu poczuła się lepiej. Wróciła do peugeota i odjechała.

W mieście panował duży ruch, a nie było żadnego sprytnego skrótu, którym można by się przedrzeć na autostradę M8. Bębniąc palcami po kierownicy, podśpiewywała w takt muzyki Jackiego Levena; dostała tę płytę na urodziny od Rebusa, który zdradził jej, że on i Leven pochodzą z tych samych stron.

— I to ma być rekomendacja? — skwitowała. Album wprawdzie jej się podobał, ale nie mogła się skupić na tekstach. Jej myśli krążyły wokół szkieletów na Fleshmarket Close. Irytowało ją, że nie potrafi znaleźć żadnego sensownego wyjaśnienia, a poza tym była zła, że tak starannie przykryła własnym żakietem sztuczne kości...

Banehall leżało w pół drogi między Livingston a Whitburn, tuż na północ od autostrady. Prowadzący do wioski zjazd oznaczony był znakiem drogowym z wizerunkiem dystrybutora paliwa oraz nożem i widelcem. Siobhan wątpiła, by komukolwiek chciało się tam zjeżdżać, skoro już obejrzał sobie Banehall z autostrady. Było to przygnębiające miejsce — rzędy domów z początku dwudziestego wieku, zabity deskami kościół i opuszczony zakład przemysłowy, który wyglądał, jakby nigdy nikt w nim nie urzędował. Minąwszy tablicę z napisem „Witamy w Banehall", ujrzała stację benzynową, teraz już nieczynną i porośniętą zielskiem. Tablicę ktoś przemalował i teraz napis głosił „Witamy w Bane*". Wszyscy miejscowi, nie tylko nastolatki, nazywali tę wioskę Zmorą, i to bez cienia ironii. Nieco dalej inną tablicę, z napisem „Uwaga, dzieci!", przerobiono na „Bij dzieci!". Siobhan uśmiechnęła się, wypatrując po drodze salonu fryzjerskiego. Nie miała z tym problemu, bo w okolicy prawie nie było już czynnych sklepów i zakładów usługowych. Salon fryzjerski nazywał się po prostu „Salon". Siobhan minęła go, dojechała do końca Main Street, a tam zawróciła, pojechała z powrotem i skręciła w boczną uliczkę prowadzącą na osiedle.

Bez trudu znalazła dom Jardine'ow, ale nikogo nie zastała. W oknach sąsiadów też ani śladu życia. Kilka zaparkowanych na ulicy samochodów, dziecięcy rowerek na trzech kołach, tyle że z jednym tylnym urwanym. Na obitych płytą paździerzową ścianach mnóstwo anten satelitarnych. W oknach niektórych domów Siobhan ujrzała wypisane ręcznie tablice: TRZYMAMY Z WHITEMIRE. Przypomniała sobie, że w Whitemire, położonym kilka mil za Banehall, mieściło się niegdyś więzienie. Dwa lata temu przerobiono je na ośrodek przejściowy dla uchodźców. Obecnie był to prawdopodobnie największy pracodawca mieszkańców Banehall, w dodatku wciąż się rozwijał. Wróciła na Main Street. Jedyny bar we wsi nosił, jakżeby inaczej, dumną nazwę Zmora. Po drodze nie minęła ani jednej kawiarni, tylko samotną budkę z frytkami. Znużony podróżny, licząc na to, że uda mu się skorzystać z noża i widelca, musiałby wstąpić do baru, chociaż nic nie świadczyło o tym, że podają tam cokolwiek do jedzenia. Siobhan zaparkowała przy krawężniku i przeszła na drugą stronę ulicy, do salonu fryzjerskiego. Tutaj także wystawiono w oknie tablice z poparciem dla Whitemire.

W środku dwie kobiety popijały kawę i paliły papierosy. Nie było żadnych gości, a mimo to widok ewentualnej klientki także nie wprawił personelu w euforię. Siobhan pokazała legitymację i przedstawiła się.

— Poznaję panią — powiedziała młodsza z kobiet. — Pani jest tą policjantką, która była na pogrzebie Tracy. A w kościele obejmowała pani Ishbel. Pytałam potem o panią jej mamę.

---

* *Bane* (ang.) — tu w znaczeniu zmora, zakała.

— Masz dobrą pamięć, Susie — odparła Siobhan. Żadna z nich nie ustąpiła jej miejsca, więc stała, ponieważ nie było gdzie usiąść, jeśli nie liczyć foteli dla klientów. — Też bym się napiła kawy, jeśli to nie problem — dodała, próbując nawiązać przyjazne stosunki.

Starsza kobieta wstała powoli. Siobhan zauważyła, że paznokcie ma wymalowane w kolorowe zawijasy.

— Ale mleko się skończyło — ostrzegła fryzjerka.

— Poproszę czarną.

— Z cukrem?

— Nie, dziękuję.

Szurając nogami, kobieta przeszła do wnęki w głębi lokalu.

— A tak w ogóle, mam na imię Angie — przedstawiła się. — Jestem tu właścicielką i stylistką gwiazd.

— Chodzi o Ishbel? — spytała Susie.

Siobhan pokiwała głową, siadając na zwolnionym miejscu na wyłożonej poduszkami ławie. Jakby w reakcji na jej bliskość, Susie natychmiast wstała i zgasiła papierosa w popielniczce, wypuszczając dym nosem. Usiadła na jednym z foteli dla klientów i odpychając się nogami od podłogi, bujała się, przeglądając się w lustrze.

— Nie daje znaku życia — powiedziała.

— I nie masz pojęcia, gdzie może być?

Wzruszenie ramion.

— Wiem tyle, że jej mama i tata są wykończeni.

— A ten mężczyzna, z którym ją widziałaś?

Kolejne wzruszenie ramion. Dziewczyna zaczęła skubać grzywkę.

— Niski, gruby.

— Włosy?

— Nie pamiętam.

— Może był łysy?

— Nie wydaje mi się.

— Jak był ubrany?

— Skórzana kurtka... okulary przeciwsłoneczne.

— Nietutejszy?

Pokręciła głową.

— Miał taką bajerancką bryczkę... szybki wózek.

— Bmw? Mercedesa?

— Nie znam się na samochodach.

— Był duży, mały... a może bez dachu?

— Średni... miał dach, ale możliwe, że zdejmowany.

Angie wróciła z kawą. Podała kubek Siobhan i usiadła na miejscu, które zwolniła Susie.

Policjantka podziękowała jej skinieniem głowy.

— W jakim był wieku, Susie?

— Stary... ze czterdzieści lat, a może nawet pięćdziesiąt.

Angie parsknęła śmiechem.

— Dla kogo stary, dla tego stary. — Sama miała pewnie koło pięćdziesiątki, ale czesała się tak, jakby była ze dwadzieścia lat młodsza.

— A co powiedziała, kiedy ją o niego spytałaś?

— Kazała mi się zamknąć.

— Nie wiesz przypadkiem, gdzie go poznała?

— Nie.

— W jakich miejscach się obracała?

— W Livingston... Czasami wyskakiwała do Edynburga albo Glasgow. Do barów i klubów.

— Czy wypuszczała się z kimś oprócz ciebie?

Susie podała kilka nazwisk, które Siobhan skrzętnie zanotowała.

— Susie już z nimi rozmawiała — wtrąciła się Angie. — Nic nie wiedzą.

— Tak czy inaczej, dzięki. — Siobhan ostentacyjnie rozejrzała się po salonie. — Czy tu zawsze tak spokojnie?

— Po pierwsze, mamy kilka stałych klientek. Większy ruch jest pod koniec tygodnia.

— Ale brak Ishbel nie stanowi problemu?

— Dajemy radę.

— Tak się zastanawiam...

Angie zmrużyła oczy.

— Nad czym?

— Po co pani dwie fryzjerki?

Angie rzuciła okiem na Susie.

— A miałam jakieś wyjście?

Siobhan rozumiała, co fryzjerka chciała przez to powiedzieć. Angie zrobiło się żal Ishbel po samobójstwie jej siostry.

— Przychodzi pani do głowy, dlaczego tak nagle opuściła dom?

— Może dostała lepszą ofertę... Mnóstwo ludzi wyjeżdża stąd i nigdy nie wraca.

— Od swojego tajemniczego wielbiciela?

Tym razem to Angie wzruszyła ramionami.

— W każdym razie życzę jej powodzenia.

Siobhan odwróciła się do Susie.

— Powiedziałaś rodzicom Ishbel, że on wyglądał jak alfons.

— Naprawdę? — Dziewczyna wydawała się szczerze zdziwiona. — No, może i tak. Te okulary i kurtka... zupełnie jak z filmu. — Zrobiła wielkie oczy. — *Taksówkarz!* — zawołała. — Tam grał taki alfons, jakże mu było...? Ze dwa miesiące temu widziałam powtórkę w telewizji.

— I ten mężczyzna był do niego podobny?

— Nie, ale też nosił kapelusz. Dlatego nie zapamiętałam, jakie miał włosy!

— Jaki kapelusz?

Entuzjazm dziewczyny wyparował.

— Bo ja wiem... Normalny.

— Czapkę baseballową? Beret?

Susie pokręciła głową.

— Nie, taki z rondem.

Siobhan poszukała wzrokiem pomocy u Angie.

— Fedora? Homburg? — podsunęła starsza kobieta.

— Nawet nie wiem, co to takiego — odparła Susie.

— Taki jakie nosili gangsterzy na starych filmach? — pytała dalej Angie.

Susie zastanowiła się.

— Może i tak — przyznała.

Siobhan zapisała na kartce numer swojej komórki.

— Świetnie, Susie. Gdybyś sobie jeszcze coś przypomniała, zadzwoń do mnie, dobrze?

Dziewczyna kiwnęła głową. Siedziała za daleko, więc Siobhan podała kartkę Angie.

— Pani również — powiedziała. Angie skinęła głową i złożyła kartkę na pół.

Zatrzeszczały otwierane drzwi i weszła przygarbiona staruszka.

— Pani Prentice — przywitała ją fryzjerka.

— Jestem wcześniej, niż się umawiałam. Wciśniesz mnie jakoś, Angie?

Właścicielka salonu już stała.

— Dla pani zawsze znajdę okienko.

Susie zwolniła fotel dla klientki, która tymczasem zdejmowała płaszcz. Siobhan także wstała.

— Jeszcze jedno, Susie — powiedziała.

— Tak?

Policjantka przeszła do wnęki, a dziewczyna ruszyła jej śladem.

— Podobno Donald Cruikshank wyszedł z więzienia.

Twarz dziewczyny stężała.

— Widziałaś go? — spytała Siobhan.

— Raz czy dwa... kawał bydlaka.

— Rozmawiałaś z nim?

— Jeszcze czego! Rada miejska przydzieliła mu osobne mieszkanie, da pani wiarę? Nawet rodzice nie chcą go widzieć na oczy!

— Czy Ishbel o nim wspominała?

— Tylko tyle, że tak samo jak ja uważa go za bydlaka. Pani myśli, że to przez niego wyjechała?

— A ty jak sądzisz?

— Przez niego wszyscy powinniśmy stąd uciekać! — syknęła dziewczyna.

Siobhan przytaknęła ruchem głowy.

— No nic — powiedziała, zakładając torebkę na ramię. — Pamiętaj, żeby zadzwonić, gdyby coś ci się przypomniało.

— Jasne — odrzekła Susie, przypatrując się fryzurze policjantki. — A może zrobiłabym coś z pani włosami?

Siobhan odruchowo uniosła prawą rękę i dotknęła głowy.

— Coś z nimi nie tak?

— Bo ja wiem... Tylko że... one panią postarzają.

— Może właśnie na tym mi zależy — odparła Siobhan obronnym tonem, zmierzając do drzwi. Gdy wychodziła, Angie pytała klientkę:

— To co, trwała i może trochę podetniemy?

Na zewnątrz stała przez chwilę, zastanawiając się co dalej. Chciała jeszcze zapytać Susie o byłego chłopaka Ishbel, tego, z którym wciąż była zaprzyjaźniona, ale nie miała ochoty tam wracać. Uznała, że ta sprawa może poczekać. Zobaczyła otwarty kiosk z prasą i pomyślała o czekoladzie, zamiast tego jednak postanowiła zajrzeć do baru. Przynajmniej będzie miała co opowiedzieć Rebusowi, a może nawet zyska kilka punktów, gdyby okazało się, że jest to jeden z nielicznych barów w Szkocji, w których nikt go nigdy nie widział.

Pchnęła czarne drewniane drzwi i stanęła oko w oko z krostowatym czerwonym linoleum i taką samą włochatą tapetą. Projektant wnętrz pewnie nazwałby to kiczem i rozpływał się nad powrotem do atmosfery lat siedemdziesiątych, ale to był autentyk, nie żadna podróbka. Ściany ozdabiały konie z brązu i oprawione w ramki rysunki przedstawiające psy, sikające, tak jak mężczyźni, na mury. W telewizji leciały wyścigi konne, a między Siobhan a barem wisiała chmura dymu. Trzech mężczyzn oderwało się od gry w domino i spojrzało na nią. Jeden z nich podniósł się i stanął za barem.

— Co pani podać, moja droga?

— Sok z limonki z wodą sodową — powiedziała, siadając na stołku przy ladzie. Na tarczy do gry w strzałki wisiał szalik klubowy Glasgow Rangers; filc na stole do bilardu był podziurawiony i poplamiony. Nic nie usprawiedliwiało znaku z nożem i widelcem stojącego przy zjeździe z autostrady.

— Osiemdziesiąt pięć pensów — rzekł barman, stawiając przed nią szklaneczkę. W tym momencie wiedziała, że ma tylko jedną możliwość nawiązania rozmowy („Czy zagląda tu czasem Ishbel Jardine?"), a nie sądziła, żeby mogła odnieść z tego jakieś korzyści. Po pierwsze, od razu uczuliłaby wszystkich w barze na to, że jest policjantką. Po drugie zaś, nie wierzyła, żeby ci ludzie mogli pogłębić jej wiedzę, nawet gdyby znali Ishbel. Podniosła szklankę do ust i przekonała się, że barman potraktował ją nazbyt serdecznie — drink był słodki jak ulepek, za to prawie bez gazu.

— I jak? — rzucił barman; nie tyle pytał ją o zdanie, ile domagał się uznania.

— Pycha — odparła.

Zadowolony, wyszedł zza baru i wrócił do gry. Na stole stał słój na drobne, zawierający głównie monety o nominale dziesięciu i dwudziestu pięciu pensów. Mężczyźni, z którymi grał barman, wyglądali na emerytów. Trzaskali kostkami domina z przesadną siłą i stukali w blat trzy razy, jeśli musieli pauzować. Nie interesowali się nią zupełnie. Rozejrzała się za damską toaletą, zobaczyła ją po lewej stronie tablicy do strzałek i weszła do środka. Tamci pewnie pomyśleli, że zajrzała do baru tylko po to, żeby skorzystać z ubikacji, a napój zamówiła jedynie przez grzeczność. Toaleta była czysta, ale lustro nad umywalką zniknęło, a w jego miejsce pojawiły się nabazgrane długopisem graffiti:

Sean to kutas
Kenny Reilly daje w dupę!!!
Kurwiszony wszystkich krajów łączcie się!
W Zmorze panienek jest morze

Siobhan uśmiechnęła się i weszła do kabiny. Zamek był wyłamany. Usiadła na sedesie, żeby poczytać kolejne graffiti.

Donny Cruikshank do gazu!
Donny Zboczony
Zajebać zboczka
Powiesić Cruika za chujka
Krew za krew, siostry!!!
Boże, pobłogosław Tracy Jardine

Było tego więcej, o wiele więcej, i nie wyszło to spod ręki tej samej osoby. Część napisano czarnym flamastrem, część niebieskim długopisem, inne znów złotym cienkopisem. Siobhan uznała, że teksty z trzema wykrzyknikami to dzieło tej samej osoby co napis nad umywalką. Wchodząc do toalety, myślała, że kobiety rzadko tu zaglądają, teraz jednak wiedziała, że to nieprawda. Zastanawiała się, czy niektóre z tych graffiti nie wyszły spod ręki Ishbel Jardine — odpowiedź dałoby porównanie charakteru pisma. Pogrzebała w torebce i przypomniała sobie, że jej aparat cyfrowy został w skrytce peugeota. Trudno, wróci po niego. Pal licho, co sobie pomyślą gracze w domino.

Otwierając drzwi toalety, zauważyła, że pojawił się nowy klient. Siedział przy barze ze spuszczoną głową, podpierając się łokciami i wiercąc na stołku. Jej miejsce było następne po prawej. Słysząc skrzypienie otwieranych drzwi, mężczyzna odwrócił się do niej. Zobaczyła wygoloną na łyso głowę, obwisłą bladą twarz, dwudniowy zarost...

Trzy kreski na prawym policzku — blizny.

Donny Cruikshank.

Po raz ostatni widziała go w edynburskim sądzie. Nie mógł jej poznać. Nie występowała jako świadek, nie przesłuchiwała go. Fakt, że wyglądał tak marnie, sprawił jej przyjemność. Nawet krótki pobyt w więzieniu wystarczył, żeby pozbawić go nieco młodości i wigoru. Wiedziała, że w każdym więzieniu obowiązuje ścisła hierarchia, a skazani za przestępstwa na tle seksualnym są na samym dole drabinki.

Cruikshank powoli otworzył usta w uśmiechu, nie zwracając uwagi na kufel piwa, który właśnie dostał. Barman stał przed nim z kamienną miną i ręką wyciągniętą po zapłatę. Siobhan nie miała wątpliwości, że nie jest zachwycony obecnością takiego gościa w swoim barze. Jedno oko Cruikshanka było przekrwione, jak gdyby uderzenie zostawiło trwały ślad.

— Co u ciebie, kochanie? — zawołał. Siobhan podeszła do niego.

— Nie waż się tak do mnie mówić — powiedziała lodowato.

— Ojejku! „Nie waż się tak do mnie mówić". — Jego próba kpiny była żałosna, jedynie on się roześmiał. — Lubię laski z jajami.

— Jeszcze słowo, a stracisz swoje.

Cruikshank nie wierzył własnym uszom. Po chwili osłupienia odrzucił głowę do tyłu i zawył jak wilk.

— Słyszałeś coś podobnego, Malky?

— Wyluzuj, Donny — ostrzegł go barman.

— Bo co? Znowu dasz mi czerwoną kartkę? — Rozejrzał się. — Fakt, żal by mi było tej budy, bez dwóch zdań. — Spojrzał na Siobhan, lustrując ją wzrokiem od stóp do głów. — Inna sprawa, że ostatnio poprawiło się tu z dupencjami.

Pobyt w więzieniu zniszczył go fizycznie, za to dał mu swego rodzaju zadziorność i pozę, że na niczym mu nie zależy. Siobhan zdawała sobie sprawę, że jeśli zostanie jeszcze trochę, to mu po prostu przywali. Wiedziała, że dałaby mu radę, ale wiedziała też, że wyrządzenie mu krzywdy fizycznej nie pozwoli jej dołożyć mu w inny sposób. A wtedy wygrałby, bo okazałaby swoją słabość. Dlatego wyszła, usiłując nie słuchać słów, które padały pod adresem jej oddalających się pleców.

— No i dupa blada, co, Malky? Wracaj, ślicznotko. Pokażę ci coś takiego, że gały ci wyjdą na wierzch!

Na dworze Siobhan ruszyła do swojego wozu. Serce łomotało jej z nadmiaru adrenaliny. Usiadła za kierownicą i próbowała uspokoić oddech. Skurwysyn jeden, myślała. Kawał ostatniego skurwysyna!

Zerknęła na skrytkę. Trudno, wróci zrobić zdjęcia innym razem. Zadzwoniła jej komórka. Wyciągnęła ją i na wyświetlaczu zobaczyła numer Rebusa. Odetchnęła głęboko, żeby nic nie poznał po jej głosie.

— Co się dzieje, John?

— To raczej ty powiedz, co u ciebie?

— Dlaczego?

— Głos masz taki, jakbyś właśnie obiegła całą Arthur's Seat.

— Śpieszyłam się do samochodu. — Spojrzała na błękit nieba. — Okropnie tu pada.

— Pada? To gdzie ty jesteś?

— W Banehall.

— A gdzież to jest, na litość boską?

— W West Lothian, ostatni zjazd z autostrady przed Whitburn.

— A, już wiem... mają tam bar Zmora?

Uśmiechnęła się mimowolnie.

— Właśnie tam — przytaknęła.

— A cóż cię tam wywiało?

— To długa historia. Co u ciebie?

— Nic takiego, czego nie mógłbym odłożyć, skoro szykuje się długa ciekawa historia. Wracasz do miasta?

— Tak.

— Wobec tego będziesz mijać Knoxland.

— Tam cię znajdę?

— Nie przegapisz mnie... Ustawili tu wozy w koło, żeby trzymać tubylców na miejscu.

Siobhan zobaczyła, że drzwi baru otwierają się od środka i Donny Cruikshank od progu miota przekleństwa w głąb lokalu. Zasalutował dwoma palcami i splunął. Wyglądało na to, że Malky miał go już dość. Uruchomiła silnik.

— Spotkamy się za jakieś czterdzieści minut.

— Przywieź mi amunicję, dobrze? Dwie paczki bensonów goldów.

— John, wiesz, że u mnie masz szlaban na papierosy.

— Nie spełnisz ostatniej prośby konającego, Shiv? — W głosie Rebusa zabrzmiała błagalna nuta.

Patrząc na mieszaninę rozpaczy i złości na twarzy Donny'ego Cruikshanka, Siobhan nie mogła powstrzymać uśmiechu.

4

„Ustawione w koło wozy" okazały się przenośnym biurem Portakabin, stojącym na parkingu obok najbliższego bloku mieszkalnego. Pomalowane z zewnątrz na ciemnozielono, jedyne okno miało okratowane, a drzwi specjalnie wzmocnione. Gdy inspektor zaparkował swój samochód, obstąpiła go gromada wszechobecnych dzieciaków domagających się pieniędzy za popilnowanie auta. Rebus wycelował w nich palec.

— Jeżeli jakiś ptak obesra mi szybę, będziecie zlizywać to gówno.

Teraz stał w progu biura i palił papierosa. Ellen Wylie stukała coś na laptopie. Komputer w biurze musiał być przenośny, żeby po pracy mogli go zabrać ze sobą, inaczej trzeba by na noc zostawić w środku stróża. Nie było możliwości podciągnięcia linii telefonicznej, więc korzystali tylko z komórek. Od strony jednego z wysokich bloków nadchodził właśnie detektyw posterunkowy Charlie Reynolds, zwany za plecami Dupą Wołową. Dobiegał pięćdziesiątki i był niemal tak szeroki jak wysoki. Swego czasu grał w rugby i nawet wystąpił w krajowych mistrzostwach drużyn policyjnych. W rezultacie jego zmasakrowana twarz była przykładem lekarskiej fuszerki, a fryzura pasowałaby do ulicznika z lat dwudziestych dwudziestego wieku. Reynolds uchodził za świetnego sprzedawcę kitu, ale teraz nie było mu do śmiechu.

— Cholerna strata czasu! — warknął.

— Nikt nie chce gadać? — domyślił się inspektor.

— Problem jest właśnie z tymi, którzy gadają.

— Jak to? — zdziwił się Rebus, częstując Reynoldsa papierosem, którego wielkolud wziął, nie dziękując.

— Żaden z nich, psiakrew, nie zna słowa po angielsku! Ich tam jest pięćdziesiąt siedem odmian i gatunków, do jasnej ciasnej. — Wskazał na wielki blok. — A ten smród... Bóg jeden wie, co oni tam gotują, ale w okolicy jakoś nie widać żadnych kotów. — Reynolds zauważył minę Rebusa. — Nie zrozum mnie źle, John, nie jestem rasistą. Ale tak się zastanawiam...

— Nad czym?

— Nad szopką z tym całym azylem. No bo weź coś takiego... powiedzmy, że musiałbyś opuścić Szkocję. Bo cię torturowali czy coś... To wziąłbyś i wyjechał do najbliższego bezpiecznego kraju, żeby być jak najbliżej ojczyzny, no nie? A ci tutaj... — Spojrzał na blok i pokręcił głową. — Rozumiesz, o co mi chodzi?

— Chyba tak, Charlie.

— Co drugiemu z nich nawet się nie chce nauczyć języka... ciągną tylko kasę od rządu i cześć pieśni. — Reynolds zajął się papierosem. Zaciągał się gwałtownie, ze złością, przygryzając ustnik i krzywiąc się z gniewu. — Ty przynajmniej możesz w razie czego spadać na Gayfield, kiedy tylko chcesz, a my tu utknęliśmy na wieki wieków.

— Przestań, Charlie, bo się rozpłaczę — rzekł Rebus. Podjechał jakiś samochód i wysiadł z niego Shug Davidson. Wracał ze spotkania w sprawie ustalenia budżetu tego dochodzenia i widać było, że nie jest zachwycony rezultatami.

— Nie ma tłumaczy? — domyślił się Rebus.

— E tam, tłumaczy możemy mieć, jakich chcemy — odrzekł Davidson. — Tyle tylko, że nie mamy im czym zapłacić. Szacowny zastępca starego zaproponował, żebyśmy popytali tu i ówdzie, może rada miejska załatwi nam jakiegoś tłumacza za darmo.

— I wszystko inne też — mruknął Reynolds.

— Że jak? — warknął Davidson.

— Nic takiego, Shug. — Reynolds rozdeptał niedopałek, jak gdyby wgniatał w ziemię robaka.

— Charlie uważa, że miejscowi trochę za bardzo liczą na zapomogi — wyjaśnił Rebus.

— Nic takiego nie mówiłem.

— Potrafię czytać w myślach. W mojej rodzinie to przechodzi z ojca na syna. Dziadek pewnie przekazał to mojemu ojcu... — Rebus też zdusił niedopałek butem. — Nawiasem mówiąc, był Polakiem, znaczy się mój dziadek. Jesteśmy narodem bękartów, Charlie... przywyknij do tego. — Rebus odszedł, by powitać następnego przyjezdnego: Siobhan Clarke, która przez dłuższą chwilę stała, rozglądając się po otoczeniu.

— I pomyśleć, że w latach sześćdziesiątych beton wydawał się tak interesujący — zauważyła. — A jeśli chodzi o graffiti...

Rebus przestał już zwracać na nie uwagę. BRUDASY DO DOMU... PAKISTAŃCZYCY ŚMIERDZĄ... BIAŁA SIŁA... Ktoś próbował przerobić „siła" na „kiła". Rebus był ciekaw, czy handlarze narkotyków mają tu duży rynek zbytu. Możliwe, że był to jeden z powodów niechęci wobec miejscowych — imigrantów prawdopodobnie nie było stać na narkotyki, nawet jeśli ich potrzebowali. SZKOCJA DLA SZKOTÓW... Jakieś sędziwe graffiti przemalowano z PRECZ Z ĆPUNAMI na PRECZ Z CZARNYMI.

— Milutko tu — orzekła Siobhan. — Dzięki, że mnie zaprosiłeś.

— A masz ze sobą zaproszenie?

Podała mu dwie paczki papierosów. Ucałował je i schował do kieszeni. Davidson i Reynolds zniknęli w biurze.

— Opowiesz mi swoją historię? — zapytał.

— Może mnie najpierw oprowadzisz?

Wzruszył ramionami.

— Czemu nie? — Ruszyli przed siebie. W Knoxland były cztery główne bloki mieszkalne, wszystkie ośmiopiętrowe; rozmieszczone tak, że wyglądało to, jakby stały w rogach kwadratu, otaczając centralny, zdewastowany plac zabaw. Na każdym piętrze przez całą szerokość budynku biegły wspólne balkony, przy czym każde mieszkanie miało też osobny balkon, wychodzący z drugiej strony na podwójną szosę.

— Dużo tych anten satelitarnych — zauważyła Siobhan, na co Rebus przytaknął ruchem głowy. On też zastanawiał się nad tymi antenami, nad tym, jaką wizję świata przekazują do mieszkań i życia tych ludzi. W ciągu dnia — ogłoszenia firm ubezpieczeniowych; w nocy — reklamy alkoholu. Pokolenie wzrastające w przekonaniu, że życiem można sterować za pomocą pilota do telewizora.

Wokół nich krążyli teraz gówniarze na rowerach. Inni zebrali się pod murem, dzieląc się jednym papierosem i popijając z butelki po lemoniadzie coś, co zupełnie na lemoniadę nie wyglądało. Nosili baseballówki i bojówki — moda, którą przyswoili sobie z innej kultury.

— On dla ciebie za stary! — warknął czyjś głos, po czym rozległ się rechot i przypominające świnię pochrząkiwania. — Ja nie stary, ale jary, dupodajko! — zawołał jeszcze ten sam chłopak.

Nie zwracając na nich uwagi, szli dalej. Miejsca zbrodni z obu stron pilnowali umundurowani policjanci, wykazujący anielską cierpliwość, gdy miejscowi nieustannie nagabywali ich, dlaczego nie mogą korzystać z łącznika.

— No to co, że jakiś żółtek dostał kosę, człowieku...

— Nie żółtek... słyszałem, że to jakiś turban.

Głosy przybrały na sile.

— Hej, ty tam, dlaczego oni mogą przejść, a my nie? To normalna dyskryminacja...

Rebus z Siobhan minęli funkcjonariusza w mundurze. Niewiele było tam do oglądania. Na ziemi wciąż widniały plamy krwi, wokół nadal unosił się lekki zapach moczu. Każdy cal kwadratowy ściany pokryty był bazgrołami.

— Kimkolwiek był, ktoś za nim jednak tęskni — powiedział cicho Rebus, patrząc na małą wiązankę kwiatów na miejscu zbrodni. Choć tak naprawdę nie były to kwiaty, tylko trochę dzikiej trawy i mleczu. Zerwane pod blokami.

— Ktoś nam coś sugeruje? — spytała Siobhan.

Rebus wzruszył ramionami.

— Może nie stać ich było na kwiaty... albo nie wiedzieli, gdzie i jak je kupić.

— Czy w Knoxland naprawdę jest aż tylu imigrantów?

Rebus pokręcił głową.

— Najwyżej sześćdziesięciu, może siedemdziesięciu.

— Czyli o sześćdziesięciu albo siedemdziesięciu więcej niż kilka lat temu.

— Mam nadzieję, że nie bierzesz przykładu z Dupy Wołowej Reynoldsa.

— Ja tylko próbuję patrzeć na to z punktu widzenia miejscowych. Ludzie nie lubią przyjezdnych... imigrantów, turystów, wszystkich, którzy choć trochę różnią się od nich... Nawet angielski akcent, taki jak mój, może człowieka wpędzić w kłopoty.

— To co innego. Szkoci mają aż nadto historycznych powodów, żeby nienawidzić Anglików.

— I *vice versa*, rzecz jasna.

Dotarli na drugi koniec łącznika. Tutaj było skupisko niższych bloków, czteropiętrowych, a do tego kilka rzędów domków z tarasami.

— Te domki postawiono dla emerytów — wyjaśnił Rebus. — Ponoć chodziło o to, żeby stworzyć im osobną wspólnotę.

— Piękne marzenie, jak by powiedział Thom Yorke*.

Rzeczywiście, tym właśnie było całe Knoxland — pięknym marzeniem. W mieście było zresztą takich miejsc dużo więcej. Jakże ich architekci byli dumni ze swoich rysunków i makiet! W końcu nikt przecież nie planuje budowy getta.

— A skąd się wzięła nazwa Knoxland? — spytała Siobhan po dłuższym milczeniu. — Chyba nie od Knoxa, tego kalwina?

— Nie przypuszczam. Knox chciał przekształcić Szkocję w nową Jerozolimę. Wątpię, żeby Knoxland się do tego nadawało.

— Wiem o nim tylko tyle, że w swoich kościołach nie życzył sobie żadnych posągów, no i nie przepadał za kobietami.

— Poza tym odmawiał ludziom prawa do zabawy. A na winnych czekały procesy czarownic i stołki, do których przywiązywano sekutnice, topione następnie w wodzie. — Rebus przerwał na chwilę. — Czyli jednak miał swoje dobre strony.

Nie wiedział, dokąd właściwie zmierzają. Ale Siobhan rozsadzała energia, która potrzebowała jakiegoś ujścia. Zawróciła i ruszyła w kierunku jednego z wysokich bloków.

— Wejdziemy? — spytała, próbując otworzyć drzwi. Były jednak zamknięte na klucz.

---

* Thom Yorke (właśc. Thomas Edward Yorke) — wokalista, autor tekstów i lider zespołu Radiohead. *Piękne marzenie* (*Nice Dream*) to jego ballada z płyty *The Bends*.

— Taka nowość — wyjaśnił Rebus. — Przy windach mają też kamery bezpieczeństwa. Żeby odstraszyć barbarzyńców.

— Kamery? — Siobhan patrzyła, jak Rebus wstukuje czterocyfrowy kod na domofonie przy drzwiach i kręci głową w odpowiedzi na jej pytanie.

— Okazuje się, że nigdy ich nie włączają. Miasta nie stać na operatora, który by się nimi zajmował. — Otworzył drzwi. W korytarzu były dwie windy i obie działały, może więc jednak domofon spełniał swoją funkcję.

— Na samą górę — powiedziała Siobhan, gdy weszli do windy po lewej. Rebus nacisnął przycisk i drzwi zasunęły się z szumem.

— A wracając do twojej historii... — mruknął, więc opowiedziała mu co i jak. Nie trwało to długo. Gdy skończyła, szli jednym ze wspólnych balkonów, przy samej ścianie. Wokół nich hulał i gwizdał wiatr. Mieli stamtąd widok na północ i wschód, na Corstorphine Hill i Craiglockhart.

— Popatrz, ile tu wolnego miejsca — powiedziała. — Dlaczego nie zbudowali po prostu domków dla wszystkich?

— Co? Mieliby zburzyć poczucie wspólnoty? — Rebus odwrócił się do niej na znak, że słucha uważnie. Nawet nie miał papierosa w ręku. — Chcesz ściągnąć Cruikshanka na przesłuchanie? — zapytał. — Jakby co, mógłbym ci go potrzymać, żebyś mogła mu skopać dupsko.

— Stare dobre metody, co?

— Zawsze miałem do nich sentyment.

— To nie będzie konieczne, ja już mu nakładłam... tutaj. — Poklepała się po głowie. — Ale dzięki, że o mnie pomyślałeś.

Rebus wzruszył ramionami i odwrócił się, spoglądając na otoczenie.

— Zdajesz sobie sprawę, że ona wróci, jeśli tylko zechce?

— Tak.

— Nie kwalifikuje się jako osoba zaginiona.

— A ty nigdy nie wyświadczałeś przysług znajomym?

— Co racja, to racja — przyznał. — Ale nie licz na wyniki.

— Nic się nie martw. — Wskazała na wysoki blok na skos od nich. — Zauważyłeś coś?

— Nic, co by było warte złamanego pensa.

— Tam prawie nie ma graffiti. Oczywiście w porównaniu z innymi blokami.

Rebus spojrzał w dół. Rzeczywiście, obite płytą paździerzową ściany tego bloku były o wiele czyściejsze od pozostałych.

— To Dom Stevensona. Być może ktoś z rady miejskiej czule wspomina *Wyspę skarbów*. Następnym razem, jak nam wlepią mandat za parkowanie, zarobią na kolejną puszkę farby.

Za ich plecami otworzyły się drzwi windy i wysiadło dwóch mundurowych, z nieszczęśliwymi minami i podkładkami do pisania w rękach.

— Całe szczęście, że to już ostatnie piętro — zrzędził jeden z nich. Zauważył Rebusa i Siobhan. — Mieszkacie tutaj? — zapytał, szykując się, by dopisać ich do listy.

Rebus podchwycił wzrok Siobhan.

— Widać wyglądamy o wiele gorzej, niż sądziłem — mruknął i zwrócił się do policjanta: — Wydział śledczy, synu.

Drugi mundurowy parsknął śmiechem, ubawiony pomyłką partnera. Pukał już do najbliższych drzwi. Rebus słyszał narastający dźwięk awantury w mieszkaniu, gdy ktoś podchodził do wejścia. Drzwi otworzyły się do wewnątrz.

Powitał ich rozjuszony facet. Za nim stała żona zaciskająca pięści. Na widok policjantów facet wywrócił oczami.

— Tego mi jeszcze, kurwa, brakowało!

— Proszę pana, niech pan się uspokoi...

Rebus mógłby powiedzieć młodemu posterunkowemu, że nie tak należy się obchodzić z nitrogliceryną... nie mówi się jej, co ma zrobić.

— Uspokoić się? Jasne, wam to łatwo mówić. Chodzi o tego sukinsyna, co to dał się załatwić, tak? Tutaj ludzie mogą wołać o pomoc do usranej śmierci, samochody się fajczą, na każdym kroku przewalają się ćpuny... Ale was to se możemy obejrzeć tylko wtedy, jak któryś z tamtych zacznie jękolić. I to ma być sprawiedliwość?

— Oni zasługują na to, co ich spotyka! — syknęła jego żona. Miała na sobie szare spodnie do biegania i górę z kapturem w takim samym kolorze. Ale nie dlatego, że lubiła sport; podobnie jak stojący przed nią posterunkowi, nosiła swego rodzaju mundur.

— Pozwolą sobie państwo przypomnieć, że ktoś tu został zamordowany. — Na policzkach posterunkowego wykwitł rumieniec. Rozzłościli go i chciał, żeby o tym wiedzieli. Inspektor postanowił interweniować.

— Detektyw inspektor Rebus — powiedział, pokazując legitymację. — Mamy tu robotę do wykonania, po prostu, i bylibyśmy wdzięczni za współpracę.

— A co my z tego będziemy mieli? — Kobieta stanęła obok męża; razem całkowicie wypełniali światło drzwi. Wyglądało to, jakby wcześniej wcale się nie kłócili; teraz stanowili zespół, ramię w ramię stawiali czoło światu.

— Poczucie obywatelskiej odpowiedzialności — odparł Rebus. — Że robicie coś dla tego osiedla... A może nie obchodzi was to, że jakiś morderca szarogęsi się tu, jakby to wszystko należało do niego?

— Kimkolwiek jest, do nas nic nie ma, no nie?

— Tamtych niech sobie załatwia, ilu zechce... niech ich stąd przepędzi — przytaknął jej mąż.

— Nie wierzę własnym uszom — mruknęła Siobhan. Być może nie było to przeznaczone dla nich, ale ją usłyszeli.

— A pani coś za jedna, do kurwy nędzy? — spytał mężczyzna.

— To jest, do kurwy nędzy, moja partnerka — wypalił Rebus. — Na mnie pan patrz... — Spojrzeli na niego, a on nagle jakby urósł. — Albo będziecie gadać po dobroci, albo załatwimy to inaczej, wasza wola.

Mężczyzna ocenił Rebusa wzrokiem. W końcu nieco się rozluźnił.

— My nic nie wiemy — powiedział. — Zadowolony?

— Ale nie jest wam przykro, że zginął niewinny człowiek?

Kobieta prychnęła.

— Tak się prowadził, że i tak dziw, że nie doszło do tego wcześniej... — Urwała pod wpływem wściekłego wzroku jej męża.

— Durna baba! — burknął cicho. — Teraz będziemy tak gadać całą noc. — Znów spojrzał na Rebusa.

— Wasz wybór — rzekł inspektor. — Albo pogadamy u was, albo na komisariacie.

— U nas — oświadczyli mąż i żona jednym głosem.

Wkrótce w mieszkaniu zrobił się tłok. Posterunkowych odesłano, ale kazano im dalej przesłuchiwać mieszkańców i nie wspominać ani słowem o tym, co tu zaszło.

— To znaczy, że zanim wrócimy na posterunek, wszyscy będą o tym gadali — skwitował Shug Davidson. Najpierw wziął przesłuchanie na siebie, a Wylie i Reynolds robili za pomocników, ale Rebus odciągnął go na stronę.

— Zrób tak, żeby to Dupa Wołowa z nimi gadał — poradził mu. Davidson spojrzał na niego, oczekując wyjaśnienia. — Powiedzmy, że przed nim się otworzą. Moim zdaniem łączy ich wspólnota poglądów na tematy społeczne i polityczne. Gadając z Dupą Wołową, zapomną o podziale na „my" i „oni".

Davidson przystał na to i jak dotąd pomysł Rebusa się sprawdzał. Cokolwiek mówili mąż i żona, Reynolds im przytakiwał.

— Tak, to konflikt kulturowy — mówił na przykład. Albo: — Chyba wszyscy rozumiemy państwa stanowisko.

Pokój przyprawiał o klaustrofobię. Rebus wątpił, by kiedykolwiek w nim wietrzono. Między podwójnymi szybami okien osiadała para, zostawiając plamy przypominające płynące łzy. Kominek elektryczny był włączony, lecz żarówki podświetlające sztuczny węgiel już dawno się przepaliły, co tylko podkreślało ponurą atmosferę pomieszczenia. Ton nadawały trzy meble — olbrzymia brązowa kanapa otoczona przez dwa przepastne brązowe fotele, w których rozsiedli się gospodarze. Nie zaproponowali im herbaty ani kawy, a kiedy Siobhan wykonała gest, jakby piła z kubka, Rebus pokręcił głową — Bóg raczy wiedzieć, jakie choróbsko mogliby złapać. Przez cały czas przesłuchania tkwił przy regale pod ścianą, oglądając to, co stało na półkach. Kasety wideo — dla damy komedie romantyczne, dla pana domu fikołki i mecze piłkarskie. Większość z nich stanowiły kopie pirackie z tandetnie podrobionymi okładkami. Było też kilka książek w tanich wydaniach — biografie aktorów oraz poradnik dietetyczny, który podobno „odmienił życie pięciu milionów ludzi". Pięć milionów... z grubsza tyle wynosi liczba mieszkańców Szkocji. Rebus nie zauważył jednak, żeby ta książka odmieniła życie gospodarzy tego mieszkania.

Sedno sprawy sprowadzało się do tego, że zabity zajmował sąsiednie mieszkanie. Nie, nigdy z nim nie rozmawiali, no chyba że musieli kazać mu się zamknąć. Dlaczego? Bo potrafił wyć całymi nocami. I godzinami łaził po mieszkaniu, tupiąc jak słoń. Nie wiedzą, czy miał jakąś rodzinę albo przyjaciół, nigdy nie widzieli ani nie słyszeli, żeby przyjmował gości.

— Ale potrafił narobić takiego rabanu, jakby urządzał konkurs stepowania w drewniakach.

— Hałaśliwi sąsiedzi bywają upierdliwi — zgodził się Reynolds, bez krztyny ironii.

Niewiele więcej się dowiedzieli: mieszkanie stało puste, zanim tamten wprowadził się jakieś... pięć, może sześć miesięcy temu, nie są pewni. Nie, nie wiedzą, jak się nazywał ani gdzie pracował.

— Można obstawiać w ciemno, że nigdzie... to kupa leni, cała ta hołota.

W tym momencie Rebus nie wytrzymał i wyszedł na papierosa. Inaczej nie pohamowałby się i spytał: „A wy czym się zajmujecie? Jaki jest wasz wkład dla dobra ludzkości?". Spoglądając w dół na osiedle, myślał o tym, że jakoś nigdzie nie widzi tych ludzi, na których pozostali tak się wściekają. Domyślał się, że kryją się za drzwiami, uciekając przed nienawiścią i próbując stworzyć własną społeczność. Gdyby im się udało, nienawiść tylko by się spotęgowała. Ale to nieważne — ewentualny sukces być może pozwoliłby im się wyrwać z Knoxland. A wówczas miejscowi znów byliby szczęśliwi za swoimi barykadami i żaluzjami.

— W takich chwilach żałuję, że nie palę — powiedziała Siobhan, dołączając do niego.

— Nigdy nie jest za późno na naukę. — Sięgnął do kieszeni, jakby chciał wyjąć paczkę, lecz pokręciła głową.

— Miałabym jednak ochotę na drinka.

— Takiego, jaki cię ominął wczoraj wieczorem?

Kiwnęła głową.

— Ale u siebie w domu... w wannie... może nawet przy świecach.

— Myślisz, że potrafiłabyś tak olewać innych jak tamci? — Rebus wskazał mieszkanie, z którego wyszli.

— Bez obaw, na pewno nie.

— Życie jest przebogate, a ludziska różne, Shiv.

— Miło wiedzieć.

Otworzyły się drzwi windy. Kolejni mundurowi, ale inni — kamizelki kuloodporne i specjalne kaski. Czterech ludzi, wyszkolonych tak, żeby potrafili być wredni. Ściągnięto ich z oddziałów specjalnych. Ci akurat byli od narkotyków i nieśli swój znak firmowy — „klucz", czyli kawał stalowej rury, której używali w charakterze łomu i która miała za zadanie pomóc im jak najszybciej dostać się do mieszkań dealerów, zanim dowody rzeczowe spłyną do kanalizacji.

— Tu wystarczy porządnie kopnąć — poinformował ich Rebus. Dowódca oddziału popatrzył na niego beznamiętnie.

— Które drzwi?

Inspektor pokazał palcem. Dowódca odwrócił się do swojego oddziału i skinął głową. Przyłożyli rurę, obrócili...

Posypały się drzazgi i drzwi stanęły otworem.

— Właśnie coś sobie przypomniałam — odezwała się Siobhan. — Ten zabity nie miał przy sobie kluczy.

Rebus przyjrzał się obłupanej framudze drzwi, przekręcił klamkę i potwierdził jej teorię:

— Niezamknięte na klucz.

Na korytarzu pojawili się wywabieni hałasem ludzie — nie tylko sąsiedzi, lecz także Davidson i Wylie.

— Zajrzymy tam — zaproponował Rebus. Davidson kiwnął głową na znak, że się zgadza.

— Chwileczkę — wtrąciła się Wylie. — Shiv nie ma z tym nic wspólnego.

— Nie ma to jak twój duch pracy zespołowej, Ellen — przyciął jej Rebus.

Davidson ruchem głowy pokazał Wylie, że chce ją widzieć z powrotem przy przesłuchaniu. Oboje wrócili do mieszkania. Rebus odwrócił się do dowódcy zespołu, który wyszedł właśnie z mieszkania zabitego. Było tam ciemno, ale ekipa miała ze sobą latarki.

— Czysto — oznajmił dowódca.

Rebus sięgnął do kontaktu w korytarzu i przekręcił — nic się nie zapaliło.

— Możecie mi pożyczyć latarkę? — zapytał. Widział, że dowódca nie ma na to najmniejszej ochoty. — Oddam ją, obiecuję. — Wyciągnął rękę.

— Allan, daj mu swoją — warknął dowódca.

— Tak jest. — Latarka zmieniła właściciela.

— Jutro rano — przykazał dowódca.

— Skoro świt — zapewnił Rebus. Dowódca obrzucił go wściekłym wzrokiem, po czym dał znak swoim ludziom, że skończyli robotę. Odmaszerowali do wind. Gdy tylko drzwi zamknęły się za nimi, Siobhan parsknęła śmiechem.

— Czy oni istnieją naprawdę?

Rebus sprawdził latarkę i z zadowoleniem stwierdził, że działa.

— Nie zapominaj, z czym oni mają do czynienia. Domy pełne broni palnej i strzykawek. Gdzie byś wolała się wdzierać najpierw?

— Cofam to, co powiedziałam — mruknęła ze skruchą.

Weszli do środka. W mieszkaniu nie dość, że było ciemno, to jeszcze zimno. W pokoju dziennym znaleźli stare gazety, które wyglądały na wyciągnięte ze śmietników, a także puste puszki po jedzeniu i kartony mleka. Żadnych mebli. Kuchnia była nędzna, ale czysta. Siobhan wskazała palcem na coś wiszącego na ścianie pod sufitem — licznik na monety. Wyjęła drobne z kieszeni, wrzuciła monetę, przekręciła pokrętło i w mieszkaniu zapaliły się światła.

— Od razu lepiej — rzekł Rebus, odkładając latarkę na blat kuchenny. — Chociaż niewiele tu do oglądania.

— Nie przypuszczam, żeby często gotował. — Siobhan otworzyła szafki, w których było kilka talerzy i misek, paczki ryżu i przyprawy, dwie wyszczerbione filiżanki i puszka, wypełniona do połowy liśćmi herbaty. Na blacie obok zlewozmywaka stała paczka cukru, z której wystawała łyżeczka. Rebus zajrzał do zlewu i zobaczył obierki po marchewce. Ryż i warzywa — ostatni posiłek zamordowanego.

Łazienka sprawiała wrażenie, jakby ktoś próbował w niej pobieżnie przeprać odzież — na skraju wanny, obok mydła, wisiały koszulki i majtki. Na umywalce leżała szczoteczka do zębów, ale pasty nie było.

Została jeszcze sypialnia. Rebus zapalił światło. Tu także nie było mebli. Na podłodze leżał rozwinięty śpiwór. Podobnie jak w pierwszym pokoju tu również podłogę pokrywała ciemnobrązowa wykładzina, która kleiła się inspektorowi do butów, gdy podchodził do śpiwora. Nie było zasłon, ale okno wychodziło tylko na inny blok, oddalony o siedemdziesiąt, może osiemdziesiąt stóp.

— Widzisz tu coś, co by tłumaczyło te jego hałasy? — zapytał Rebus.

— Sama nie wiem... Gdybym musiała tu mieszkać, pewnie też prędzej czy później wpadłabym w szał i zaczęła wrzeszczeć.

— Co racja, to racja. — Zamiast szuflad właściciel mieszkania miał plastikową skrzynię. Rebus postawił ją na sztorc i ujrzał starannie złożone obszarpane ubrania. — To chyba pochodzi z jakiejś wyprzedaży starzyzny.

— Albo od organizacji charytatywnych... wiele z nich zajmuje się azylantami.

— Myślisz, że on się starał o azyl?

— W każdym razie nie wygląda na to, żeby się tu zadomowił. Powiedziałabym, że przyjechał z absolutnym minimum rzeczy osobistych.

Rebus podniósł śpiwór i potrząsnął. Był to staromodny model, szeroki i cienki. Wypadło z niego kilka fotografii. Inspektor podniósł je — nieostre zdjęcia kobiety i dwojga dzieci.

— Jego rodzina? — spytała Siobhan.

— Jak myślisz, gdzie je zrobiono?

— Nie w Szkocji.

Na pewno nie, o czym świadczyło tło — białe gipsowane ściany mieszkania i wychodzące na dachy miasta okna. Rebus wyczuwał w tym jakiś gorący kraj i bezchmurne błękitne niebo. Dzieci wyglądały na zaskoczone, jedno z nich trzymało palec w buzi. Kobieta i córka, obejmując się ramionami, śmiały się szeroko.

— Może ktoś je rozpozna? — podsunęła Siobhan.

— Chyba to nie będzie konieczne — odrzekł Rebus. — Pamiętaj, że to mieszkanie od miasta.

— Czyli że rada miejska powinna wiedzieć, kim on był?

Inspektor skinął głową.

— Przede wszystkim trzeba tu zdjąć odciski palców, żeby nie wyciągać pochopnych wniosków. A potem pozostaje pytanie, czy rada miasta poda nam jego nazwisko.

— Myślisz, że to nas przybliży do złapania zabójcy?

Rebus wzruszył ramionami.

— Ktokolwiek go zabił, wracał do siebie utytłany krwią. Nie ma mowy, żeby nikt w Knoxland go nie zauważył. — Przerwał na chwilę. — Co nie znaczy, że ktoś zechce mówić.

— Nawet jeżeli zabił, to jest jednym z nas, tak? — domyśliła się Siobhan.

— Albo to, albo po prostu się go boją. W Knoxland nie brakuje typów spod ciemnej gwiazdy.

— Czyli niewiele to nam daje?

Rebus podniósł jedną z fotografii.

— Co widzisz? — zapytał.

— Rodzinę.

Pokręcił głową.

— Widzisz wdowę i dwoje osieroconych dzieci, które już nigdy nie zobaczą ojca. To o nich powinniśmy myśleć, nie o sobie.

Siobhan przytaknęła ruchem głowy.

— Można by opublikować te zdjęcia w prasie.

— Też o tym myślałem. Chyba nawet wiem, kto by się do tego nadawał.

— Steve Holly?

— To prawda, że pisze dla szmatławca, ale mnóstwo ludzi go czyta. — Rozejrzał się. — Napatrzyłaś się? — spytał, na co Siobhan kiwnęła głową. — No to wracamy, trzeba powiedzieć Shugowi, co znaleźliśmy.

Davidson wezwał przez telefon techników, żeby zdjęli odciski palców, a Rebus przekonał go, żeby zostawił mu jedno zdjęcie do publikacji w prasie.

— Pewnie nie zaszkodzi — przyznał Davidson niechętnie. Za to podniosła go na duchu wiadomość, że rada miasta powinna mieć nazwisko zabitego na umowie wynajmu mieszkania.

— A przy okazji, nie wiem, jaki jest budżet tego śledztwa, ale właśnie się zmniejszył o jednego funta — powiedział Rebus, wskazując na Siobhan. — Musiała wrzucić pieniądze do licznika.

Davidson uśmiechnął się, sięgnął do kieszeni i wyciągnął garść drobnych.

— Proszę, Siobhan. Za resztę postaw sobie drinka.

— A ja? — wtrącił Rebus z żalem w głosie. — Co to ma być, dyskryminacja seksualna?

— Ty, John, za chwilę przekażesz Holly'emu materiał na prawach wyłączności. Jeżeli nie postawi ci za to kilka kufelków, powinien stracić prawo wykonywania zawodu.

Wyjeżdżając z osiedla, Rebus nagle coś sobie przypomniał. Zadzwonił na komórkę Siobhan. Ona też wracała do miasta.

— Umówię się z Hollym w barze — powiedział. — Nie masz ochoty się przyłączyć?

— Kusząca propozycja, niestety muszę być gdzie indziej. Ale dzięki za zaproszenie.

— Właściwie nie dlatego dzwonię... Nie miałabyś ochoty wrócić do mieszkania tego zabitego?

— Nie. — Milczała przez chwilę, aż nagle ją oświeciło. — Obiecałeś, że oddasz im latarkę!

— Otóż to, tylko że została na blacie kuchennym.

— Zadzwoń do Davidsona albo do Wylie.

Rebus zmarszczył nos.

— E tam, można z tym poczekać. Co jej się stanie? W końcu leży sobie na wierzchu w mieszkaniu z wyłamanymi drzwiami, a przecież tam żyją tylko uczciwi, praworządni obywatele...

— Ty naprawdę masz nadzieję, że ktoś ją zwinie, prawda? — powiedziała. Rebus niemal słyszał, jak się uśmiecha. — Tylko po to, żeby się przekonać, co oni poczną z tym fantem.

— Jak sądzisz, zrobią mi nalot o świcie, żeby zgarnąć coś w zamian za tę latarkę?

— Zdajesz sobie sprawę, że siedzi w tobie diabeł?

— Oczywiście, że tak... dlaczego mam być inny niż reszta ludzkości?

Rozłączył się, pojechał do baru Oxford i zamówił kufel deuchara, żeby popić ostatnią kanapkę z wołowiną i buraczkami, jaka się uchowała w lodówce. Barman Harry zapytał go, czy wie coś o tych rytuałach satanistycznych.

— Satanistyczne rytuały? Gdzie, jakie?

— Te na Fleshmarket Close. Jakiś sabat czarownic czy coś...

— Chryste, Harry, czy ty naprawdę wierzysz we wszystko, co tu wygadują?

Barman próbował ukryć rozczarowanie.

— Ale ten szkielet dziecka...

— Był sztuczny... Ktoś go tam podrzucił.

— Po co ktoś miałby robić coś takiego?

Rebus w końcu znalazł odpowiedź.

— Może i masz rację, Harry... pewnie to zrobił barman, który zaprzedał duszę diabłu.

Usta Harry'ego drgnęły w uśmiechu.

— Myśli pan, że dałoby się sprzedać moją?

— W piekle? Zapomnij o tym. — Rebus podniósł kufel do ust, myśląc o słowach Siobhan: „Niestety, muszę być gdzie indziej". Pewnie chodziło jej o to, że chce przydusić doktora Curta. Wyciągnął komórkę i sprawdził, czy ma zasięg, żeby zadzwonić. Numer telefonu dziennikarza miał w portfelu.

Holly odebrał natychmiast.

— Inspektor Rebus, cóż za nieoczekiwana przyjemność... — Znaczyło to, że na jego wyświetlaczu pokazał się numer inspektora, a także że był w towarzystwie, na którym chciał zrobić wrażenie informacją o tym, któż to dzwoni do niego ni stąd, ni zowąd.

— Przepraszam, że przeszkadzam ci w spotkaniu z wydawcą — rzekł Rebus. Przez chwilę panowała cisza i uśmiechnął się szeroko. Usłyszał, jak Holly przeprasza i wymyka się z pokoju. W końcu dziennikarz syknął do telefonu:

— Inwigilujecie mnie, tak?

— Jasne, Steve, grasz w tej samej lidze co ci dwaj od Watergate. — Rebus zamilkł na chwilę. — Domyśliłem się.

— Coś takiego? — Holly nie wydawał się przekonany.

— Słuchaj, mam coś dla ciebie, ale możemy z tym poczekać, aż cię wyleczą z paranoi.

— Zaraz, moment... co jest grane?

— Znaleźliśmy zdjęcia należące do ofiary zabójstwa w Knoxland... zdaje się, że miał żonę i dzieci.

— I dajesz to do prasy?

— Na razie proponuję to tylko tobie. Jeśli chcesz, możesz je opublikować, gdy tylko laboratorium potwierdzi, że faktycznie należały do ofiary.

— Dlaczego ja?

— Szczerze? Dlatego że materiał na wyłączność ma więcej czytelników, większy zasięg, może nawet trafi na pierwszą stronę...

— Niczego nie obiecuję — zastrzegł się Holly. — A kiedy dostaną to inne gazety?

— Dwadzieścia cztery godziny później.

Dziennikarz przetrawiał to, co usłyszał.

— Ponawiam pytanie: dlaczego ja?

Nie ty, tylko twoja gazeta, a konkretnie jej nakład, chciał mu odpowiedzieć inspektor. Ale trzymał buzię na kłódkę, słuchając, jak Holly oddycha głośno.

— Dobra, zgoda. Jestem teraz w Glasgow. Możesz mi je jakoś podrzucić?

— Zostawię je u barmana w Oxford, możesz sobie odebrać na miejscu. Nawiasem mówiąc, dostaniesz też rachunek, który zapłacisz.

— Oczywiście.

— No to na razie. — Rebus zatrzasnął klapkę telefonu i zajął się przypalaniem papierosa. Jasne, że Holly weźmie to zdjęcie... bo gdyby tego nie zrobił, a opublikowałaby je konkurencja, musiałby się gęsto tłumaczyć przed szefem.

— Jeszcze jedno? — pytał Harry, czekając z błyszczącym kuflem w ręku. Rebusowi nie wypadało odmówić... przecież nie mógł obrazić barmana.

5

— Pobieżne badanie szkieletu kobiety wskazuje, że jest bardzo stary.

— Pobieżne?

Doktor Curt niespokojnie poruszył się na krześle. Siedzieli w jego gabinecie na wydziale medycznym uniwersytetu, upchniętym na dziedzińcu na tyłach McEwan Hall. Od czasu do czasu — zwłaszcza kiedy przesiadywali w barze — Rebus przypominał Siobhan, że wiele wspaniałych budowli edynburskich, szczególnie Usher Hall i McEwan Hall, wzniosły dynastie browarników, co nie byłoby możliwe, gdyby nie tacy pijacy jak on.

— Pobieżne? — powtórzyła w zapadłej ciszy. Curt ostentacyjnie zaczął porządkować długopisy na biurku.

— Widzisz, nie mogłem nikogo prosić o pomoc... To jest szkielet do celów szkoleniowych, Siobhan.

— Ale prawdziwy?

— Jak najbardziej. W mniej wydelikaconych czasach niż obecne nauka medycyny musiała opierać się na takich rzeczach.

— Ale teraz już nie?

Pokręcił głową.

— Dawne metody zostały wyparte przez nowe technologie. — W jego głosie zabrzmiał żal.

— A więc ta czaszka nie jest prawdziwa? — spytała, mając na myśli stojącą na półce za jego plecami czaszkę, w wyłożonej zielonym suknem gablocie ze szkła i drewna.

— Nie, ta jest autentyczna. Należała kiedyś do doktora Roberta Knoxa, anatoma.

— Tego, który miał konszachty ze złodziejami zwłok?

Curt się skrzywił.

— On wcale im nie pomagał, a oni go zniszczyli.

— No dobrze, więc do nauczania korzystano z prawdziwych szkieletów... — Siobhan zauważyła, że myśli Curta zajmują wspomnienia o jego poprzedniku sprzed lat. — Kiedy to się skończyło?

— Pewnie z pięć, dziesięć lat temu, ale niektóre, hm... okazy trzymaliśmy jeszcze przez jakiś czas.

— I ta nasza tajemnicza kobieta jest jednym z waszych okazów?

Curt otworzył usta, ale się nie odezwał.

— Wystarczy proste „tak" albo „nie" — naciskała Siobhan.

— Nie potrafię potwierdzić ani zaprzeczyć... Po prostu nie mam pewności.

— No dobrze, a jak się pozbywano tych szkieletów?

— Posłuchaj, Siobhan...

— Co pana tak gryzie, doktorze?

Spojrzał na nią i w końcu podjął decyzję. Oparł ramiona na biurku i splótł dłonie.

— Cztery lata temu, pewnie tego nie pamiętasz, w mieście znaleziono części ciała.

— Części ciała?

— Tu rękę, tam nogę... Po zbadaniu ich wyszło na jaw, że były zakonserwowane w formalinie.

Siobhan powoli pokiwała głową.

— Coś sobie przypominam.

— Okazało się, że zostały wyniesione z laboratorium w ramach dowcipu. Nikogo nie złapano, ale prasa sobie na nas pożywała, no i zostaliśmy zdrowo ochrzanieni przez różnych ludzi na górze, od wiceministra w dół.

— Nie widzę związku.

Curt uniósł rękę.

— Minęły dwa lata i nagle z korytarza przed gabinetem profesora Gatesa zniknął eksponat...

— Szkielet kobiety?

Tym razem to Curt pokiwał głową.

— Przykro mi to mówić, ale wyciszyliśmy sprawę. W tamtym okresie pozbywaliśmy się wielu starych pomocy naukowych... — Zerknął na nią i powrócił wzrokiem do swoich długopisów. — Wydaje mi się, że wyrzuciliśmy wtedy także kilka plastikowych szkieletów.

— W tym szkielet dziecka?

— Tak.

— Wcześniej mówił mi pan, że żaden eksponat nie zginął — powiedziała, na co tylko wzruszył ramionami. — Pan mnie okłamał, doktorze.

— *Mea culpa*, Siobhan.

Przez chwilę zastanawiała się, pocierając grzbiet nosa.

— Nie jestem pewna, czy wszystko dobrze rozumiem. Po co trzymano szkielet tej kobiety?

Curt znów poruszył się niespokojnie.

— Ponieważ tak postanowił jeden z poprzedników profesora Gatesa. Ta kobieta nazywała się Mag Lennox. Słyszałaś o niej?

Siobhan pokręciła głową.

— Mag Lennox uchodziła za czarownicę... to było dwieście pięćdziesiąt lat temu. Zabili ją mieszkańcy miasta, którzy później nie zgodzili się, żeby ją pochować... chyba się bali, że może wygrzebać się z trumny. Zostawiono ją, żeby zgniła, a potem wszyscy zainteresowani mogli do woli badać szczątki... pewnie szukając śladów diabła. W końcu właścicielem szkieletu został Alexander Monro i podarował go wydziałowi medycyny.

— A potem ktoś go ukradł, a wy wyciszyliście sprawę?

Curt wzruszył ramionami i przekręcił głowę, spoglądając na sufit.

— Wiedzieliście, kto to zrobił?

— O tak, mieliśmy podejrzenia. Studenci medycyny słyną z czarnego humoru. Chodziły słuchy, że ten szkielet wylądował w salonie mieszkania wynajmowanego przez dwóch studentów. Wysłaliśmy kogoś, żeby to zbadał... — Spojrzał na nią. — Oczywiście po cichu, rozumiesz...

— Prywatnego detektywa? Doktorze! — Pokręciła głową, zniesmaczona takim wyborem sposobu działania.

— Eksponatu nie odnaleziono. Oczywiście, tamci mogli się go tymczasem pozbyć...

— Chowając go na Fleshmarket Close?

Curt wzruszył ramionami. Cóż za małomówny i pedantyczny człowiek... Siobhan widziała, że ta rozmowa sprawia mu niemal fizyczny ból.

— Jak oni się nazywali?

— Takie dwie papużki nierozłączki. Alfred McAteer i Alexis Cater. Zdaje się, że pozowali na postacie z serialu *M*A*S*H*. Oglądałaś go?

Siobhan przytaknęła.

— Czy wciąż tu studiują?

— Teraz pracują w izbie chorych, niech Bóg ma nas w swojej opiece.

— Alexis Cater... czy to jakiś krewny?

— Zdaje się, że jego syn.

Siobhan ułożyła usta w kształt litery O. Gordon Cater był jednym z nielicznych szkockich aktorów swojego pokolenia, który odniósł prawdziwy sukces w Hollywood. Grał głównie role charakterystyczne, za to w samych przebojach kasowych. Swego czasu powiadano, że to on miał zagrać Jamesa Bonda po odejściu Rogera Moore'a, ale w ostatniej chwili zwyciężył Timothy Dalton. W swoim najlepszym okresie był birbantem i aktorem, którego kobiety zawsze chętnie oglądały, nawet w najgorszych szmirach.

— Domyślam się, że należysz do grona jego wielbicielek — mruknął Curt. — Nie robiliśmy rozgłosu z tego, że Alexis studiował u nas. Jest synem Gordona z drugiego czy trzeciego małżeństwa.

— I według pana to on ukradł Mag Lennox?

— Był jednym z podejrzanych. Rozumiesz teraz, dlaczego nie wszczęliśmy oficjalnego śledztwa?

— Bo pan i profesor znów wyszlibyście na nieodpowiedzialnych bubków? — Siobhan uśmiechnęła się, widząc dyskomfort Curta. Nagle doktor zgarnął długopisy i wrzucił je do szuflady, jakby zrobiły mu coś złego. — Czy to pański sposób na radzenie sobie z agresją, doktorze?

Patolog popatrzył na nią beznamiętnie i westchnął.

— To jeszcze nie wszystko. Jakaś miejscowa historyczka poszła do prasy i nagadała, że pochodzenie szkieletów z Fleshmarket Close da się wytłumaczyć w sposób nadprzyrodzony.

— Nadprzyrodzony?

— Jakiś czas temu, w trakcie prac wykopaliskowych w pałacu Holyrood, odkryto pod ziemią jakieś szkielety... wysnuwano teorie, że tych ludzi złożono w ofierze.

— Niby kto? Maria, królowa Szkotów?

— Nie mam pojęcia kto, ale ta „historyczka" próbuje powiązać tamte szkielety z tymi z Fleshmarket Close. Nie od rzeczy będzie wspomnieć, że kiedyś pracowała dla firmy z High Street, organizującej „wakacje z duchami".

Siobhan wybrała się kiedyś na coś takiego. Kilka firm organizowało piesze wycieczki po Królewskiej Mili i okolicznych zaułkach, podczas których turyści mogli nasłuchać się krwawych opowieści, przemieszanych z lżejszym programem rozrywkowym i efektami specjalnymi rodem z domu strachów w wesołym miasteczku.

— Czyli że ona może w tym mieć jakiś ukryty cel?

— Mogę się tylko domyślać. — Lekarz zerknął na zegarek. — Być może w popołudniówce wydrukowali część z tych jej bredni.

— Miał pan już z nią do czynienia?

— Chciała się dowiedzieć, gdzie się podział szkielet Mag Lennox. Powiedzieliśmy, że to nie jej interes. Próbowała zainteresować tym prasę... — Curt machnął ręką przed nosem, jakby odpędzał się od wspomnień.

— Jak ona się nazywa?

— Judith Lennox... tak, twierdzi, że jest potomkinią Mag.

Siobhan zapisała jej nazwisko pod nazwiskami Alfreda McAteera i Alexisa Catera. Po chwili dopisała jeszcze jedno — Mag Lennox — i połączyła je strzałką z Judith.

— Czyżby moje męki dobiegały końca? — wycedził Curt.

— Chyba tak. — Postukała długopisem o zęby. — I co zamierzacie zrobić w sprawie szkieletu Mag?

Patolog wzruszył ramionami.

— Wygląda na to, że wróciła do domu, prawda? Może znowu wpakujemy ją do gabloty.

— Mówił pan już profesorowi?

— Po południu wysłałem mu e-mail.

— E-mail? On pracuje dwadzieścia jardów dalej, w tym samym korytarzu.

— Nieważne, tak właśnie postąpiłem. — Lekarz zaczął wstawać z krzesła.

— Pan się go boi? — zadrwiła.

Curt nie zaszczycił tej uwagi odpowiedzią. Otworzył drzwi, przytrzymał je przed Siobhan, i lekko skłonił głowę. Możliwe, że to te jego staroświeckie maniery, pomyślała. Ale raczej wolał uniknąć jej wzroku.

Trasa powrotna prowadziła przez most George'a IV. Siobhan skręciła na światłach w prawo. Postanowiła nadłożyć nieco drogi i przejechać High Street. Przed katedrą St Giles stały na chodniku tablice reklamujące dzisiejsze nocne „wakacje z duchami". Wycieczki miały się rozpocząć dopiero za dwie godziny, ale turyści już czytali reklamy. Nieco dalej, przed starym Tron Kirk, stało jeszcze więcej tablic namawiających na przeżycie „mrocznej przeszłości Edynburga". Siobhan bardziej interesowała mroczna teraźniejszość. Rzuciła okiem na Fleshmarket Close — ani śladu życia. Ale przewodnicy wycieczek z pewnością chętnie włączą tę uliczkę do swoich planów. Na Broughton Street zaparkowała przy krawężniku, wstąpiła do sklepiku i wyszła z torbą jedzenia oraz ostatnim wydaniem gazety. Do swojego mieszkania miała niedaleko. Nie znalazła wolnych miejsc parkingowych w strefie dla mieszkańców, więc zostawiła peugeota na żółtej linii, pewna, że zabierze go stamtąd, zanim straż miejska zacznie rano pracę.

Mieszkała w trzypiętrowej czynszówce. Miała szczęście do sąsiadów — nikt nie imprezował po nocy, nikt nie miał ambicji zostać perkusistą rockowym. Znała twarze niektórych, ale nie nazwiska. W Edynburgu charakter stosunków między sąsiadami był tylko przelotny, no chyba że trzeba było rozwiązać jakiś wspólny problem, na przykład przeciekający dach albo wyszczerbione krawężniki. Pomyślała o Knoxland, gdzie przez cienkie jak papier ściany wszyscy słyszeli wszystkich. Ona miała pretensje tylko o jedno — w jej domu ktoś trzymał koty, czuła ich zapach na klatce schodowej. Ale gdy wchodziła do swojego mieszkania, świat zewnętrzny zostawał za drzwiami.

Schowała lody do zamrażalnika, a mleko do lodówki. Rozpakowała gotową potrawę i wsadziła ją do kuchenki mikrofalowej. Było to danie niskotłuszczowe, więc potem pewnie najdzie ją ochota na lody miętowe z czekoladą. Na suszarce stała butelka wina. Poprzednio wypiła z niej dwie szklaneczki. Odkorkowała ją ponownie, skosztowała i stwierdziła, że raczej się nie otruje. Usiadła z gazetą w ręku, czekając, aż jedzenie się podgrzeje. Dla siebie prawie nigdy nie przyrządzała innych dań niż gotowe; co innego, gdy miała gości. Siedząc przy stole, uświadomiła sobie, że kilka funtów, o które ostatnio przybrała na wadze, sprawiło, że jej spodnie stały się za ciasne. Bluzka też piła ją pod pachami. Wstała, a dwie minuty później wróciła do stołu przebrana w szlafrok i w klapkach na nogach. Jedzenie było już gotowe, toteż zaniosła je do pokoju na tacy, wraz ze szklanką i gazetą.

Judith Lennox udało się trafić na dalsze strony. Gazeta zamieściła jej zdjęcie u wejścia na Fleshmarket Close, prawdopodobnie zrobione tego dnia po południu. Tylko twarz i ramiona. Patrząc na burzę kręconych czarnych włosów i rzucającą się w oczy bliznę, Siobhan nie potrafiła się domyślić, jak Judith starała się wypaść przed obiektywem, lecz jej usta i oczy zdradzały jedno — cwaniactwo. Kochała występować przed kamerą i gotowa była przybrać dowolną pozę, jakiej od niej wymagano. Obok widniało kolejne upozowane zdjęcie, tym razem przedstawiające Raya Mangolda, który ze splecionymi na piersi rękami i miną właściciela stał przed wejściem do klubu Czarnoksiężnik.

Mniejsze zdjęcie przedstawiało wykopaliska na terenie Holyrood, gdzie odkryto inne szkielety. Ktoś ze Szkockiego Towarzystwa Historycznego oburzał się na sugestie Lennox, że ludzie ci zginęli śmiercią rytualną, i na to, że w ułożeniu zwłok było coś dziwnego. To jednak był już ostatni akapit artykułu, który głównie skupiał się na twierdzeniu Lennox, iż szkielety z Fleshmarket Close, obojętne czy prawdziwe, czy nie, prawdopodobnie zostały ułożone tak samo jak te w Holyrood i że ktoś naśladuje wcześniejsze pogrzeby. Siobhan parsknęła śmiechem i wróciła do jedzenia. Pobieżnie przejrzała pozostałe kolumny gazety, najdłużej zatrzymując się przy programie telewizyjnym. Stwierdziła, że nie ma nic, co chciałaby obejrzeć przed snem, a zatem zostawała jej tylko muzyka i książka. Sprawdziła, że w komórce nie ma nowych wiadomości, podłączyła ją do ładowarki i przyniosła sobie z sypialni książkę i kołdrę. Nastawiła płytę Johna Martyna, którą pożyczył jej Rebus. Pomyślała o tym, jak on spędzi ten wieczór — w barze, może ze Steve'em Hollym, a może sam ze sobą. A ona będzie mieć spokojny wieczór, dzięki czemu rano wstanie w lepszej formie. Postanowiła, że przeczyta całe dwa rozdziały, zanim rzuci się na lody...

Obudził ją dzwonek telefonu. Zwlokła się z kanapy i odebrała.

— Halo?

— Nie obudziłem cię chyba? — Dzwonił Rebus.

— Która godzina? — Próbowała dojrzeć coś na zegarku.

— Wpół do dwunastej. Przepraszam, jeżeli już spałaś...

— Nie spałam. Pali się?

— Palić to się może nie pali, raczej dymi. Ci ludzie, których córka zniknęła z domu...

— Co z nimi?

— Pytali o ciebie.

Przetarła twarz.

— Nie bardzo rozumiem.

— Zwinęli ich w Leith.

— Zostali aresztowani?

— Zaczepiali panienki na ulicy. Matka wpadła w histerię... Odstawili ich na komisariat w Leith, żeby sobie czegoś nie zrobiła.

— A ty skąd o tym wiesz?

— Dzwonili tu z Leith, szukali ciebie.

Zmarszczyła brwi.

— Wciąż siedzisz na Gayfield Square?

— Kiedy nie ma ludzi, jest tu całkiem miło... Mam dowolne biurko do dyspozycji.

— Czasami powinieneś pomieszkać u siebie.

— Prawdę mówiąc, kiedy zadzwonili, właśnie się zbierałem. — Zachichotał. — Nie wiesz czasem, czym się zajmuje Tibbet? W jego komputerze są tylko rozkłady jazdy pociągów.

— Aha, czyli że po prostu nas szpiegujesz?

— To moja metoda na oswojenie się z nowym otoczeniem, Shiv. Przyjechać po ciebie czy spotkamy się w Leith?

— Myślałam, że się wybierasz do domu?

— To się zapowiada dużo ciekawiej.

— Wobec tego do zobaczenia w Leith.

Odłożyła słuchawkę i poszła się przebrać do łazienki. Pozostałe pół opakowania lodów miętowych z czekoladą rozpuściło się, mimo to schowała je z powrotem do zamrażalnika.

Komisariat policji w Leith mieścił się przy Constitution Street. Był to ponury kamienny budynek, równie twardy jak otoczenie. Leith, niegdyś dobrze prosperujący port o zupełnie innym obliczu niż centrum miasta, w ostatnich dekadach nie miało szczęścia — załamanie się przemysłu, narkotyki, prostytucja. Część dzielnicy przebudowano, część uprzątnięto. Nowi przybysze, którzy się tam osiedlali, nie chcieli starego brudnego Leith. Siobhan pomyślała, że byłoby szkoda, gdyby dzielnica całkiem straciła swój charakter... no ale ona nie musiała tam mieszkać.

Leith przez wiele lat było „strefą tolerancji" dla prostytutek. Nawet nie dlatego, że policja przymykała na nie oko, po prostu nie chciała się mieszać. Te czasy należały już jednak do przeszłości i prostytutki się rozproszyły, przez co były coraz bardziej narażone na napaści. Niektóre starały się wrócić na swoje dawne tereny łowieckie, inne zaś przechadzały się po Salamander Street albo Leith Walk w kierunku centrum. Siobhan przypuszczała, że wie, co Jardine'owie próbowali osiągnąć, ale i tak chciała usłyszeć to od nich.

Rebus czekał na nią przed biurem przepustek. Wydawał się zmęczony, ale w końcu on zawsze tak wyglądał — ciemne wory pod oczami, fryzura w nieładzie. Wiedziała, że przez cały tydzień chodzi w tym samym garniturze, a w soboty oddaje go do prania na sucho. Teraz rozmawiał z oficerem dyżurnym, lecz przerwał na jej widok. Dyżurny nacisnął brzęczyk i otworzył drzwi, które Rebus jej przytrzymał.

— Nie aresztowali ich ani nic takiego — podkreślił z naciskiem. — Przywieźli ich tylko na rozmowę. Są tutaj... — Tutaj, czyli w PP1, to znaczy pokoju przesłuchań numer jeden. Była to ciasna klitka bez okien, w której stał stół i dwa krzesła. John i Alice Jardine'owie siedzieli naprzeciwko siebie, trzymając się za ręce ponad stołem. Na blacie stały dwa opróżnione kubki. Gdy otworzyły się drzwi, Alice zerwała się z miejsca, przewracając jeden z nich.

— Nie możecie nas tu trzymać całą noc! — Na widok Siobhan urwała, gapiąc się na nią z otwartymi ustami. Jej twarz nieco złagodniała, a tymczasem John Jardine z nieśmiałym uśmiechem postawił kubek na blacie.

— Przepraszam, że panią tu fatygowaliśmy — odezwał się. — Mieliśmy nadzieję, że nas wypuszczą, kiedy się powołamy na panią.

— O ile wiem, John, nie jesteście zatrzymani. A przy okazji, poznajcie inspektora Rebusa.

Przywitali się skinieniem głowy. Alice Jardine usiadła, a Siobhan stanęła przy stole, ze splecionymi na piersi rękami.

— Z tego, co słyszałam, terroryzowaliście uczciwe, ciężko pracujące damy w Leith.

— My je tylko wypytywaliśmy — zaprotestowała Alice.

— Niestety, one nie żyją z pogaduszek — uświadomił ich Rebus.

— Wczoraj w nocy byliśmy w Glasgow — powiedział cicho John Jardine. — Tam nie było problemów...

Siobhan i Rebus porozumieli się wzrokiem.

— A wszystko dlatego, że według Susie Ishbel spotykała się z mężczyzną, który wyglądał na alfonsa? — rzekła Siobhan. — Widzę, że muszę was uświadomić. Dziewczyny z Leith czasami biorą narkotyki, ale pieniędzmi z nikim się nie dzielą... nie mają alfonsów jak panienki z hollywoodzkich filmów.

— Starsi mężczyźni — rzekł John Jardine, ze wzrokiem utkwionym w blat stołu — podrywają takie dziewczęta jak Ishbel, a potem je wykorzystują. Stale się o tym czyta.

— Widocznie czytuje pan nie te gazety, co trzeba — wtrącił Rebus.

— To był mój pomysł — wyjaśniła Alice. — Pomyślałam, że...

— A właściwie co panią tak wzburzyło? — spytała Siobhan.

— Te dwie noce, kiedy próbowaliśmy namówić dziwki, żeby nam coś powiedziały — wyjaśnił John Jardine, lecz Alice pokręciła głową.

— Siobhan nie będziemy okłamywać — zbeształa go i zwróciła się do policjantki: — Ta ostatnia kobieta, z którą rozmawialiśmy... ona powiedziała, że Ishbel może być w... muszę sobie przypomnieć jej słowa...

— W trójkącie łonowym — wybawił ją z kłopotu mąż.

Jego żona pokiwała głową sama do siebie.

— A kiedy zapytaliśmy, co to znaczy, roześmiała nam się w twarz i kazała nam wracać do domu. No i wtedy straciłam cierpliwość.

— Akurat przejeżdżał radiowóz — dorzucił jej mąż, wzruszając ramionami. — Przywieźli nas tutaj. Przepraszamy za kłopot, Siobhan.

— Nie ma za co — uspokoiła go, choć sama nie wierzyła w to, co mówi.

Rebus schował ręce do kieszeni.

— Trójkąt Łonowy to obszar tuż przy Lothian Road — wyjaśnił. — Bary z tańcami przy rurze, sex shopy...

Siobhan posłała mu ostrzegawcze spojrzenie, lecz było już za późno.

— Wobec tego może ona tam jest! — zawołała Alice roztrzęsionym ze zdenerwowania głosem. Chwyciła skraj stołu, jak gdyby chciała wstać i ruszać w drogę.

— Poczekajcie chwilę. — Siobhan uniosła dłoń. — Jakaś kobieta mówi wam, pewnie żartem, że Ishbel być może tańczy przy rurze, a wy od razu chcecie tam gnać?

— A czemu nie? — spytała Alice.

Odpowiedzi udzielił jej Rebus:

— Proszę pani, te lokale najczęściej są prowadzone przez niezbyt sympatycznych ludzi. I wyjątkowo mało cierpliwych, zwłaszcza gdy ktoś zaczyna u nich węszyć...

John Jardine przytakiwał mu ruchem głowy.

— Byłoby prościej, gdyby ta młoda dama miała na myśli jakiś konkretny lokal... — dorzucił inspektor.

— I to zakładając, że was nie nabierała — przestrzegła Siobhan.

— Jest tylko jeden sposób, żeby się o tym przekonać — powiedział Rebus. Siobhan odwróciła się do niego. — Twój samochód czy mój?

Pojechali jej wozem; Jardine'owie zajęli miejsca z tyłu. Nie ujechali daleko, gdy John Jardine pokazał, że „młoda dama" stała po drugiej stronie ulicy przy ścianie opuszczonego magazynu. Teraz już jej nie było, chociaż koleżanki po fachu spacerowały po chodniku, kuląc się przed zimnem.

— Dajmy jej dziesięć minut — powiedział Rebus. — Dzisiaj nie ma wielu klientów. Jeżeli dopisze nam szczęście, za chwilę wróci.

Tak więc Siobhan pojechała dalej Seafield Road, aż do obwodnicy Portobello, a potem skręciła w prawo przy Inchview Terrace i jeszcze raz przy Craigentinny Avenue. Były to spokojne uliczki willowe. W większości domów światła były pogaszone, a właściciele smacznie spali.

— Lubię jeździć po nocy — rzucił Rebus takim tonem, jakby zebrało mu się na pogaduszki.

Jardine najwyraźniej się z nim zgadzał.

— Wszystko wygląda całkiem inaczej, kiedy nie ma ruchu. Spokojniej.

Inspektor skinął głową.

— Poza tym łatwiej można wypatrzyć drapieżniki...

Po tych słowach na tylnych siedzeniach zapadła cisza, dopóki nie wrócili do Leith.

— O, jest — odezwał się John Jardine.

Chuda, krótkie czarne włosy, wpadające jej do oczu przy każdym podmuchu wiatru. Miała na sobie botki do kolan, czarną mini i zapinaną na guziki dżinsową kurtkę. Twarz blada, bez makijażu. Nawet z daleka widać było siniaki na jej nogach.

— Znasz ją? — spytała Siobhan.

Rebus pokręcił głową.

— Zdaje się, że ta mała jest tu nowa. Tamta — wskazał na kobietę, którą właśnie minęli — stoi dwadzieścia stóp dalej, a nie rozmawiają.

Siobhan kiwnęła głową. Kiedy panienki na ulicach nie miały akurat nic lepszego do roboty, często odnosiły się do siebie życzliwie, ale nie te. A zatem starsza z kobiet uważała, że nowa dziewczyna zajęła jej teren. Siobhan zawróciła „na trzy" i podjechała do krawężnika, a Rebus opuścił szybę. Prostytutka podeszła ostrożnie, wystraszona liczbą pasażerów.

— Grupowych nie obsługuję — oświadczyła i nagle rozpoznała twarze na tylnym siedzeniu. — Chryste, to znowu wy! — Odwróciła się i odeszła. Rebus wysiadł z samochodu, chwycił ją za ramię i odwrócił do siebie. W drugiej ręce trzymał otwartą legitymację.

— Wydział śledczy — powiedział. — Jak ci na imię?

— Cheyanne — odparła i zadarła głowę. — A co, nie podoba się? — Próbowała grać twardszą, niż była w rzeczywistości.

— To twoja stała śpiewka? Jak długo jesteś w tym mieście?

— Wystarczająco długo.

— Czy to aby nie akcent z Birmingham?

— Nie pańska sprawa.

— To się okaże. Może by tak sprawdzić, ile naprawdę masz lat...

— Osiemnaście!

— Ale trzeba by zajrzeć ci do metryki, a więc też pogadać z twoimi rodzicami — ciągnął Rebus, jakby się nie odezwała. — Z drugiej strony mogłabyś nam pomóc. Ci ludzie stracili córkę... — Ruchem głowy wskazał samochód i pasażerów. — Dała nogę z domu.

— Życzę jej powodzenia — rzuciła zaczepnie, lecz jej głos zdradzał, że nagle posmutniała.

— Tylko że o nią rodzice się martwią... nie tak jak twoi o ciebie. — Przerwał, by jego słowa dotarły do niej w pełni, i obserwował ją ukradkiem. Nie zauważył, żeby była pod wpływem narkotyków, choć może tylko dlatego, że jeszcze nie zarobiła na działkę. — Ale dla ciebie to może być szczęśliwa noc — podjął. — Bo niewykluczone, że będziesz mogła im pomóc... zakładając, że nie ściemniałaś o Trójkącie Łonowym.

— Wiem tylko, że zatrudnili trochę nowych dziewczyn.

— Konkretnie gdzie?

— W Dziurce. Wiem, bo sama tam pytałam... ale powiedzieli, że jestem za chuda.

Rebus odwrócił się do pasażerów samochodu. Jardine'owie opuścili szybę.

— Pokazywaliście Cheyanne zdjęcie Ishbel? — spytał inspektor. Alice Jardine kiwnęła głową, na co Rebus odwrócił się do dziewczyny, której uwaga tymczasem osłabła. Rozglądała się na prawo i lewo, jakby szukała potencjalnych klientów. Stojąca nieco dalej kobieta udawała, że nie interesuje jej nic poza ulicą. — Rozpoznałaś ją? — zapytał Cheyanne.

— Kogo? — Wciąż na niego nie patrzyła.

— Dziewczynę ze zdjęcia.

Szybko pokręciła głową i odrzuciła włosy z oczu.

— Interes kiepsko się kręci, co? — spytał Rebus.

— Jak dla mnie, ujdzie. — Próbowała schować dłonie do kieszeni obcisłej kurtki.

— Możesz nam jeszcze coś powiedzieć? Coś, co by pomogło Ishbel?

Cheyanne znów pokręciła głową, wpatrując się w drogę.

— Ja... przepraszam za to, co było wcześniej. Sama nie wiem, dlaczego się z nich nabijałam... tak to bywa.

— Uważaj na siebie! — zawołał John Jardine z tylnego siedzenia. Jego żona wystawiła zdjęcie Ishbel przez okno.

— Gdybyś ją zobaczyła... — Zawiesiła głos.

Cheyanne pokiwała głową, a nawet wzięła od Rebusa służbową wizytówkę. Inspektor wsiadł do samochodu i zatrzasnął drzwi. Siobhan wrzuciła kierunkowskaz i zwolniła hamulec ręczny.

— Gdzie zaparkowaliście? — zapytała Jardine'ów. Podali jej nazwę ulicy po drugiej stronie Leith, więc znów zawróciła. Kiedy mijali Cheyanne, dziewczyna nawet na nich nie spojrzała. Za to druga kobieta przyjrzała im się uważnie, podchodząc do Cheyanne, by wypytać ją, o co chodziło.

— Czyżby to był początek pięknej przyjaźni? — mruknął Rebus, splatając ręce na piersi. Siobhan go nie słuchała. Patrzyła w lusterko wsteczne.

— Ani się ważcie tam jechać, zgoda?

Nikt nie odpowiedział.

— Będzie lepiej, jeśli ja i inspektor Rebus zajmiemy się tym za was. Oczywiście jeżeli inspektor się zgodzi.

— Ja? Na wyprawę do klubu z panienkami? — Rebus usiłował być zabawny. — No, skoro uważa pani, że to konieczne, sierżant Clarke...

— A więc pojedziemy tam jutro — oświadczyła Siobhan. — Przed otwarciem. — Dopiero teraz spojrzała na niego.

I uśmiechnęła się.

Dzień trzeci
Środa

6

Następnego dnia rano detektyw posterunkowy Tibbet stwierdził, że na podkładkę pod mysz ktoś mu położył małą lokomotywę. Mysz natomiast, odłączona od klawiatury, leżała w szufladzie jego biurka... w szufladzie, którą przed wyjściem z pracy poprzedniego dnia wieczorem zamknął na klucz. Powinien ją otworzyć dopiero dziś rano, a jednak mysz leżała w środku. Wlepił wzrok w Siobhan Clarke i już miał się odezwać, gdy uciszyła go ruchem głowy.

— Cokolwiek do mnie masz, można z tym zaczekać — powiedziała. — Ja znikam.

I poszła sobie. Tibbet napatoczył się, gdy wychodziła z gabinetu inspektora, i usłyszał ostatnie słowa Dereka Starra: „Dzień, góra dwa, Siobhan, nie więcej...". Zakładał, że miało to coś wspólnego z Fleshmarket Close, ale nie domyślał się, o co chodzi. Pewien był tylko jednego — Siobhan wiedziała, że zajmuje się rozkładami jazdy pociągów, co czyniło z niej główną podejrzaną. Ale w rachubę wchodzili też inni: Phyllida Hawes także nie stroniła od dowcipów. Podobnie jak detektyw posterunkowy Paddy Connolly i detektyw posterunkowy Tommy Daniels. A może nawet sam starszy inspektor Macrae zniżył się do sztubackiego dowcipu? A ten facet popijający kawę przy małym składanym stoliku w rogu? Tibbet znał Rebusa tylko ze słyszenia, ale reputacja tego inspektora była przerażająca. Hawes ostrzegała go, żeby nie dał się uwieść urokowi gwiazdora.

— Jeśli chodzi o Rebusa, zasada numer jeden: nie pożyczaj mu pieniędzy i nie stawiaj mu drinków — uświadomiła go.

— Czy to nie dwie zasady?

— Niekoniecznie... w barze jedno i drugie jest równie możliwe.

Tego dnia rano Rebus wyglądał całkiem niewinnie — podkrążone oczy i kępka szarej szczeciny na brodzie w miejscu, które ominął maszynką do golenia. Krawat nosił tak, jak niektórzy uczniowie — jak gdyby straszliwie przy tym cierpiał. Co rano, przychodząc do pracy, gwizdał jakiś irytujący lejtmotyw starego przeboju. Przed południem przestawał, ale wtedy było za późno — piosenka chodziła już za Tibbetem, który gwizdał ją potem dalej, zamiast inspektora.

Słysząc, jak Tibbet nuci pierwsze takty *Wichita Linesman*, Rebus powstrzymał uśmiech. Jego praca na posterunku dobiegła końca. Wstał od stolika i włożył marynarkę.

— Muszę wyjść — powiedział.

— Aha...

— Ładna kolejka — rzucił Rebus, ruchem głowy wskazując zieloną lokomotywę. — Twoje hobby?

— Prezent od siostrzeńca — skłamał Tibbet.

Inspektor z uznaniem pokiwał głową. Mina Tibbeta niczego nie zdradzała. Chłopak szybko myślał i był obłudnie przymilny, a to nader przydatne cechy u detektywa.

— No to na razie.

— A gdyby ktoś pana szukał...? — Posterunkowy próbował zdobyć więcej informacji.

— Nikt mnie nie będzie szukał, możesz mi wierzyć na słowo. — Rebus puścił do Tibbeta oko i wyszedł.

W korytarzu nadział się na starszego inspektora Macraego, który z plikiem papierów udawał się na spotkanie.

— A ty dokąd, John?

— Sprawa z Knoxland, proszę pana. Nie wiem, dlaczego uznali, że im się przydam.

— Nie wątpię, że starałeś się ich zniechęcić ze wszystkich sił.

— Ależ oczywiście.

— No to jedź, ale pamiętaj... jesteś nasz, nie ich. Gdyby coś się tu działo, ściągniemy cię w jednej chwili.

— Nie odmówiłbym sobie takiej przyjemności. — Rebus wygrzebał z kieszeni kluczyki do samochodu i ruszył do wyjścia.

Gdy dotarł na parking, odezwała się jego komórka. Dzwonił Shug Davidson.

— Czytałeś dzisiejszą gazetę, John?

— A piszą coś, o czym powinienem wiedzieć?

— Pewnie chciałbyś się przekonać, co wypisuje o nas twój przyjaciel, Steve Holly.

Rebus zacisnął zęby.

— Oddzwonię — rzucił do telefonu, a pięć minut później parkował przy krawężniku przed stoiskiem z gazetami. Wrócił za kierownicę i zaczął czytać. Holly zamieścił fotografię, ale opatrzył ją komentarzem na temat nieuczciwych praktyk imigrantów, którzy pod fałszywymi pretekstami starają się o azyl. Wspomniał, że udając uchodźców, na teren Wielkiej Brytanii przedostają się osobnicy podejrzewani o terroryzm. Przytoczył anegdotki o tym, jak to rozmaici szarlatani pasożytują na innych, a także zacytował mieszkańców Knoxland. Z artykułu płynęło dwojakie przesłanie — po pierwsze, że Wielka Brytania jest łatwym celem, a po drugie, że taki stan rzeczy nie może dłużej trwać.

Pośrodku takiego tekstu fotografia sprawiała wrażenie, jakby znalazła się tam tylko dla ozdoby.

Rebus zadzwonił do Holly'ego na komórkę, lecz połączył się z pocztą głosową. Nagrał mu parę co bardziej zjadliwych przekleństw i rozłączył się.

Pojechał do wydziału lokalowego rady miasta przy Waterloo Place, gdzie był umówiony z niejaką panią Mackenzie. Była to drobna, zabiegana kobieta po pięćdziesiątce. Shug Davidson wcześniej przesłał jej faksem oficjalną prośbę o udzielenie informacji, ale nie była tym zachwycona.

— Chodzi o prawo do zachowania prywatności — wyjaśniła Rebusowi, prowadząc go przez duże otwarte biuro. — W dzisiejszych czasach jest tyle rozmaitych przepisów i ograniczeń.

— Nie przypuszczam, żeby ten zabity się skarżył, proszę pani. A dzięki temu może złapiemy jego zabójcę.

— Mimo wszystko... — Zaprowadziła go do małej przeszklonej wnęki, która, jak sobie Rebus uświadomił, była jej gabinetem.

— A mnie się zdawało, że to w Knoxland są cienkie ściany. — Postukał palcem w szkło. Kobieta zdjęła z krzesła jakieś papiery i pokazała mu, żeby usiadł. Potem wcisnęła się za biurko i także usiadła, włożyła dwuogniskowe okulary i zaczęła przerzucać papiery.

Rebus nie sądził, żeby ta kobieta dała się wziąć na jego urok. No i dobrze, to akurat nieszczególnie mu wychodziło. Postanowił odwołać się do jej profesjonalizmu.

— Pani Mackenzie, przecież oboje staramy się wykonywać naszą robotę jak najlepiej — zagaił, na co rzuciła mu spojrzenie sponad szkieł. — Dzisiaj tak się złożyło, że ja mam na głowie śledztwo w sprawie morderstwa. Nie możemy przystąpić do dochodzenia jak należy, dopóki nie dowiemy się, kim jest ofiara zabójcy. Z samego rana otrzymaliśmy wynik daktyloskopii, z którego wynika niezbicie, że zabity był pani lokatorem.

— Widzi pan, inspektorze, i tu z kolei ja mam problem. Ten biedak nie był moim lokatorem.

Rebus zmarszczył brwi.

— Nie rozumiem.

Kobieta podała mu jakąś kartkę.

— Tu ma pan szczegóły. Zabity był, zdaje się, Azjatą czy kimś w tym rodzaju. Czy to możliwe, żeby nazywał się Robert Baird?

Rebus zawiesił wzrok na tym nazwisku. Numer mieszkania się zgadzał... numer bloku także. Jako najemca figurował Robert Baird.

— Widocznie się przeprowadził.

Mackenzie pokręciła głową.

— Te akta są absolutnie aktualne. Ostatnią ratę czynszu otrzymaliśmy w zeszłym tygodniu. Wpłaty dokonał pan Baird.

— Myśli pani, że podnajmował mieszkanie?

Twarz kobiety rozświetlił szeroki uśmiech.

— Czego umowa najmu absolutnie zakazuje — powiedziała.

— Ale ludzie to robią?

— Oczywiście, że tak. Sama próbowałam się w tym trochę rozeznać... — Była z siebie wyraźnie zadowolona. Rebus pochylił się na krześle, by atmosfera ocipliła się jeszcze bardziej.

— Proszę mi o tym opowiedzieć — poprosił.

— Sprawdziłam, jak to wygląda w innych dzielnicach. Na listach jest kilku Robertów Bairdów. A także wielu Bairdów z innymi imionami.

— Niektóre mogą być prawdziwe — rzekł Rebus, odgrywając rolę adwokata diabła.

— A inne nie.

— Myśli pani, że ten Baird wyłudza mieszkania komunalne na wielką skalę?

Wzruszyła ramionami.

— Jest tylko jeden sposób, żeby się przekonać...

Pierwszym adresem, pod który pojechali, był wysoki blok mieszkalny w Dumbiedykes, niedaleko dawnego posterunku Rebusa. Kobieta, która otworzyła drzwi, wyglądała na Afrykankę. Wokół niej kręciły się dzieci.

— Szukamy pana Bairda — odezwała się Mackenzie. Kobieta tylko pokręciła głową. Mackenzie powtórzyła nazwisko.

— Człowiek, któremu płacicie czynsz — dodał Rebus. Kobieta nadal kręciła głową, powoli zamykając im drzwi przed nosem.

— Chyba na coś trafiliśmy — powiedziała Mackenzie. — Jedziemy.

Dotychczas energiczna i profesjonalna, w samochodzie odprężyła się i zaczęła wypytywać Rebusa o jego pracę, o to, gdzie mieszka i czy jest żonaty.

— W separacji — odrzekł. — Od lat. A pani?

Uniosła rękę, pokazując obrączkę.

— Czasami kobiety noszą obrączki, żeby nikt ich nie napastował — powiedział.

Parsknęła śmiechem.

— A myślałam, że to ja jestem podejrzliwa.

— To pewnie nieodłączna cecha pracy w naszych zawodach.

Westchnęła.

— Bez nich moja praca byłaby o wiele łatwiejsza.

— Ma pani na myśli imigrantów?

Kiwnęła głową.

— Czasami, patrząc im w oczy, widzę, przez co musieli przejść, żeby się tutaj dostać. — Przerwała. — A ja im mogę zaproponować tylko takie coś jak Knoxland.

— Lepsze to niż nic — rzekł Rebus.

— Mam nadzieję...

Następnym przystankiem był blok mieszkalny w Leith. Windy nie działały, więc musieli wejść po schodach na czwarte piętro. Mackenzie parła do przodu jak czołg, stukając obcasami. Rebus zatrzymał się, by uspokoić oddech, po czym dał jej znak, że może zastukać do drzwi. Otworzył im mężczyzna. Był śniady, nieogolony, ubrany w białą kamizelkę i spodnie do biegania. Przesuwał palcami po ciemnych włosach.

— A wy, kurwa, kto? — zapytał z ciężkim akcentem.

— Widzę, że ma tu pani mistrza elokwencji — powiedział Rebus równie twardym głosem jak lokator. Ten wlepił w niego wzrok, nic nie rozumiejąc.

Mackenzie odwróciła się do inspektora.

— Może Słowianin? Z Europy Wschodniej? — Odwróciła się do lokatora. — Kim pan jest?

— Wal się — odparł mężczyzna. W jego głosie nie było złości; albo chciał sprawdzić efekt swoich słów, albo powiedział to, bo często sprawdzało się w przeszłości.

— Robert Baird — rzekł Rebus. — Zna go pan? — Mężczyzna zmrużył oczy, a inspektor powtórzył nazwisko. — Pan mu płaci. — Potarł kciukiem o palec wskazujący, licząc na to, że tamten zrozumie gest. Tymczasem on tylko się wściekł.

— Spierdalać, ale już!

— Nie chcemy od pana pieniędzy — próbował tłumaczyć Rebus. — Szukamy Roberta Bairda. To jego mieszkanie. — Wskazał palcem w głąb lokalu.

— Lokator — spróbowała Mackenzie, ale to też było na nic. Twarz mężczyzny drgała, na jego czole perlił się pot.

— Spokojnie — powiedział Rebus, unosząc otwarte dłonie; liczył na to, że mężczyzna zrozumie ten gest. Nagle w głębi mrocznego korytarza zobaczył inną postać. — Może ty mówisz po angielsku? — zawołał.

Mężczyzna obejrzał się i warknął coś głębokim głosem. Ale postać zbliżała się, aż w końcu inspektor zobaczył, że to nastolatek.

— Mówisz po angielsku? — powtórzył pytanie.

— Trochę — przyznał chłopak. Był chudy i przystojny, ubrany w niebieską koszulkę z krótkimi rękawami i dżinsy.

— Jesteście imigrantami? — pytał dalej inspektor.

— Tu nasz kraj — odparł chłopak obronnym tonem.

— Nie martw się, synu, nie jesteśmy z Urzędu Imigracyjnego. Płacicie za to mieszkanie, prawda?

— Płacimy, tak.

— Człowiek, któremu dajecie pieniądze... to z nim chcemy pogadać.

Chłopak przetłumaczył to ojcu, który spojrzał na Rebusa i pokręcił głową.

— Powiedz ojcu, że jeżeli woli rozmawiać z Urzędem Imigracyjnym, możemy mu to załatwić — rzekł Rebus.

Oczy chłopca rozszerzyły się ze strachu. Tym razem tłumaczenie trwało dłużej. Mężczyzna znów spojrzał na Rebusa, ale teraz smutno, zrezygnowany, jakby przywykł do tego, że władze wciąż kopią go w dupę, choć nie traci nadziei, że kiedyś im się zrewanżuje. Burknął coś, na co chłopiec cofnął się korytarzem i wrócił ze złożoną kartką.

— On sam przychodzi po pieniądze. A w razie kłopotów mamy...

Rebus rozłożył kartkę. Numer telefonu komórkowego i imię: Gareth. Inspektor pokazał kartkę Mackenzie.

— Gareth Baird to jedno z nazwisk na liście — powiedziała.

— W Edynburgu nie ma ich chyba zbyt wielu. Jest szansa, że to ten sam.

Rebus wziął od niej kartkę, zastanawiając się, jaki efekt wywarłby telefon. Nagle zobaczył, że mężczyzna w mieszkaniu coś mu próbuje wcisnąć — garść banknotów.

— Czy on nas chce przekupić? — zapytał chłopca, który pokręcił głową.

— On nie rozumie.

Chłopak znów zwrócił się do ojca. Mężczyzna wymamrotał coś, spojrzał na Rebusa, a inspektor natychmiast przypomniał sobie, co Mackenzie powiedziała w samochodzie: w ich oczach rzeczywiście malował się ból.

— Dzisiaj — rzekł chłopak. — Pieniądze... dzisiaj.

Inspektor zmrużył oczy.

— Gareth przychodzi dzisiaj po czynsz?

Syn porozumiał się z ojcem i kiwnął głową.

— O której? — zapytał Rebus.

Kolejna narada.

— Może zaraz... niedługo — przetłumaczył chłopiec.

Inspektor odwrócił się do Mackenzie.

— Mogę wezwać samochód, żeby odwiózł panią do biura.

— Zaczeka pan na niego?

— Taki mam zamiar.

— Jeżeli narusza zasady wynajmu, ja też powinnam tu być.

— To może potrwać... Opowiem pani później co i jak.
Inaczej może będzie musiała mnie pani znosić przez cały dzień. — Wzruszył ramionami na znak, że wybór należy do niej.

— Zadzwoni pan do mnie? — spytała.

Skinął głową.

— A pani przez ten czas może sprawdzić inne adresy.

Dostrzegła w tym sens.

— Zgoda.

Rebus wyciągnął komórkę.

— Przyślę radiowóz.

— A jeżeli go to wystraszy?

— Racja... Wobec tego zamówię pani taksówkę. — Zadzwonił, a Mackenzie zeszła po schodach, zostawiając go sam na sam z ojcem i synem. — Zaczekam na Garetha — powiedział im i zajrzał w głąb mieszkania. — Mogę wejść?

— Bardzo proszę — odparł chłopak. Inspektor wszedł do środka.

Mieszkanie wymagało odnowienia — szpary w oknach zatkano ręcznikami i kawałkami materiału, żeby uniknąć przeciągów. Ale było umeblowane i czyste. Jeden wąski pręt kominka elektrycznego w salonie był zapalony.

— Kawy? — zapytał chłopak.

— Chętnie — odparł Rebus. Wskazał na kanapę i widząc, że ojciec kiwa głową, usiadł. Ale za chwilę wstał, by obejrzeć fotografie na kominku. Trzy albo i cztery pokolenia tej samej rodziny. Z uśmiechem na twarzy odwrócił się do ojca, kiwając głową. Mina mężczyzny nieco złagodniała. Poza tym nic w pokoju nie zwróciło uwagi inspektora — żadnych ozdób, książek, telewizora ani aparatury stereo. Na podłodze obok krzesła ojca stało małe przenośne radio, owinięte taśmą klejącą, żeby się nie rozpadło. Rebus nie zauważył popielniczki, dlatego nie wyciągał papierosów. Gdy chłopiec wrócił z kuchni, wziął od niego malutką filiżankę. Nie zaproponowano mu mleka. Kawa była gęsta i czarna. Po pierwszym łyku Rebus nie mógł się zorientować, czy dostał nagłego kopa od nadmiaru kofeiny czy cukru. Z uznaniem pokiwał głową, dając znak gospodarzom, że mu smakuje. Patrzyli na niego tak, jakby był eksponatem na wystawie. Postanowił, że zapyta chłopca o imię i poprosi, żeby opowiedział mu coś o historii rodziny. Ale w tym momencie zabrzmiała jego komórka. Wybąkał przeprosiny i odebrał. Dzwoniła Siobhan.

— Dzieje się coś wstrząsającego? — rzuciła do telefonu. Siedziała w poczekalni. Nie liczyła na to, że zobaczy się z lekarzami natychmiast, ale spodziewała się, że przynajmniej wpuszczą ją do środka. Tymczasem dookoła miała wypisywanych pacjentów, odwiedzających, rozwrzeszczane bachory i personel, który nie zwracał uwagi na obcych, kupujących przekąski z dwóch automatów. Dłuższy czas spędziła na badaniu zawartości tych automatów. W jednym leżały cienkie trójkątne plasterki białego pieczywa, z upchaną sałatą, pomidorami, tuńczykiem, szynką i serem. Drugi cieszył się większym powodzeniem — batoniki i czekolada. Był też automat z napojami, tyle że z wywieszką „Nieczynny".

Kiedy już czar automatów przeminął, zajęła się czasopismami na stoliku do kawy — stare, rozlatujące się magazyny dla kobiet, z powyrywanymi zdjęciami i ogłoszeniami. Było też kilka komiksów dla dzieci, ale te zostawiła sobie na później. Chwilowo zajęła się swoją komórką, usuwając niepotrzebne wiadomości i oczyszczając wykaz połączeń. Następnie wysłała SMS-y do kilku przyjaciół. Aż w końcu załamała się zupełnie i zadzwoniła do Rebusa.

— Nie narzekam — odparł zwięźle. — A co u ciebie?

— Siedzę w izbie przyjęć. A ty?

— Ja utknąłem w Leith.

— Ktoś mógłby sobie pomyśleć, że nie podoba nam się na Gayfield.

— Ale my wiemy, że to nieprawda.

Uśmiechnęła się. Wszedł kolejny dzieciak, tak mały, że z trudem otworzył sobie drzwi. Stanął na palcach, żeby wrzucić monetę do automatu ze słodyczami, ale potem nie mógł się zdecydować, co wybrać. Jak zahipnotyzowany stał z nosem i dłońmi przyciśniętymi do szklanej wystawki.

— To co, widzimy się później? — spytała Siobhan.

— Gdybym nie mógł, dam ci znać.

— Nie mów, że masz lepszą propozycję.

— Nigdy nic nie wiadomo. Widziałaś poranne wydanie szmatławca Holly'ego?

— Ja czytam tylko prasę dla dorosłych. Opublikował zdjęcie?

— Tak... a potem obsmarował starających się o azyl.

— O cholera!

— Tak że jeżeli następny skurczybyk wyląduje w zamrażarce, będziemy wiedzieli, do kogo mieć pretensje.

Znowu otworzyły się drzwi poczekalni. Siobhan spodziewała się, że to matka dziecka, a tymczasem weszła recepcjonistka i skinęła ręką na policjantkę, żeby poszła za nią.

— John, pogadamy później.

— To ty do mnie dzwoniłaś, już nie pamiętasz?

— Przepraszam, ale jestem teraz potrzebna.

— A mnie to już nikt nie potrzebuje, tak? Na razie, Siobhan.

— Do zobaczenia po południu...

Ale Rebus już się rozłączył. Siobhan szła za recepcjonistką jednym korytarzem, potem następnym; kobieta poruszała się tak żwawo, że nie było okazji do pogadania. W końcu wskazała na drzwi. Siobhan podziękowała jej skinieniem głowy, zapukała i weszła.

Znalazła się w czymś w rodzaju gabinetu — półki na ścianach, biurko i komputer. Na jedynym krześle bujał się lekarz w białym kitlu. Drugi lekarz opierał się o biurko, z rękami splecionymi nad głową. Obaj byli bardzo przystojni i dobrze o tym wiedzieli.

— Detektyw sierżant Clarke — przedstawiła się Siobhan, wymieniając uścisk dłoni z pierwszym z nich.

— Alf McAteer — odparł, muskając jej dłoń palcami. Odwrócił się do kolegi, który właśnie wstawał z krzesła. — Czy to nie oznaka starości? — zapytał.

— Co?

— To, że policjantki wydają ci się coraz bardziej olśniewające.

Drugi lekarz uśmiechnął się szeroko i uścisnął dłoń Siobhan.

— Alexis Cater. Niech się pani nim nie przejmuje, viagra już mu się kończy.

— Naprawdę? — W głosie McAteera zabrzmiało przerażenie. — To chyba czas skołować następną receptę?

— Wie pani, jeśli chodzi o tę dziecięcą pornografię w komputerze Alfa, to... — zwrócił się Cater do Siobhan, lecz ona patrzyła na niego beznamiętnie. Nachylił się ku niej. — Żartowałem. — No cóż... — mruknęła. — Możemy was zgarnąć na posterunek, skonfiskować komputery i oprogramowanie... oczywiście przejrzenie tego potrwa kilka dni. — Przerwała. — A swoją drogą, możliwe, że policjantki są teraz przystojniejsze, ale jeżeli chodzi o poczucie humoru, to pierwszego dnia pracy wszczepiają nam by-passy.

Gapili się na nią, stojąc ramię w ramię, oparci o skraj biurka.

— No i dostało nam się — powiedział Cater do kolegi.

— Po całości — przytaknął McAteer.

Obaj byli wysocy i szczupli, ale barczyści. Prywatne szkoły i rugby, domyślała się Siobhan. No i sporty zimowe, sądząc po opaleniźnie. McAteer miał ciemniejszą cerę, grube, niemal zrastające się brwi, niesforne czarne włosy i ciemny ślad zarostu na twarzy. Cater, podobnie jak ojciec, był blondynem, chociaż podejrzewała, że może rozjaśnia sobie włosy. Zauważyła początki męskiej łysiny. Miał te same zielone oczy co ojciec, ale poza tym nie był do niego podobny. Zamiast luzu i uroku Gordona Catera miał coś o wiele mniej pociągającego — absolutną pewność, że będzie panem świata, tyle że nie ze względu na swoje kwalifikacje i charakter, lecz na pochodzenie.

McAteer odwrócił się do przyjaciela.

— Pewnie chodzi o te taśmy z naszymi pokojówkami z Filipin...

Cater poklepał go po ramieniu, nie spuszczając wzroku z Siobhan.

— Naprawdę jesteśmy ciekawi, o co chodzi — powiedział.

— Mów za siebie, kochaniutki — rzucił McAteer, zgrywając prostaczka. Siobhan od razu zrozumiała, jak działa ich układ: McAteer robi za nadwornego błazna, a Cater odgrywa rolę mecenasa. Dlatego że to Cater miał władzę — każdy chciał zostać jego przyjacielem. Jak magnes przyciągał wszystko to, czego pożądał McAteer — zaproszenia na imprezki, dziewczyny... Jakby dla podkreślenia tego faktu Cater spojrzał na przyjaciela, który teatralnie pokazał, że zamyka buzię na kłódkę.

— Czym możemy pani służyć? — zapytał Cater z przesadną uprzejmością. — Niestety, mamy tylko kilka minut, pacjenci czekają...

Kolejne sprytne posunięcie, podwyższające jego status — jestem synem gwiazdora, ale tutaj, w pracy, moje zadanie polega na pomaganiu ludziom, na ratowaniu im życia. Jestem tu niezbędny i nic pani na to nie poradzi...

— Mag Lennox — rzuciła Siobhan.

— Nic nam to nie mówi. — Cater przestał jej patrzeć w oczy i przestąpił z nogi na nogę.

— Mówi wam, mówi, jeszcze jak — odparła Siobhan. — To wy ukradliście jej szkielet z wydziału medycyny.

— Czyżby?

— A teraz pojawił się znowu... pochowany na Fleshmarket Close.

— Czytałem o tym. — Cater ledwie dostrzegalnie skinął głową. — Paskudne znalezisko, co? Zdaje się, że w artykule wspominano, że chodziło o przywoływanie diabła?

Siobhan pokręciła głową.

— W tym mieście diabełków nie brakuje, co, Lex? — rzucił McAteer.

Cater puścił to mimo uszu.

— Uważa pani, że zabraliśmy szkielet z wydziału medycyny i pogrzebaliśmy go w piwnicy? — Zamilkł na chwilę. — Czy w owym czasie ta sprawa została zgłoszona policji? Jakoś nie pamiętam, żebym o tym czytał. Uniwersytet z pewnością zawiadomił stosowne władze...

McAteer przytakiwał mu ruchem głowy.

— Dobrze wiecie, że do tego nie doszło — odparła Siobhan cicho. — I tak już mieli kłopoty, bo pozwolili wam wynieść części ciała z patologii.

— To poważne oskarżenia. — Cater zdobył się na uśmiech. — Czy nie powinienem wezwać adwokata?

— Ja tylko chcę wiedzieć, co zrobiliście ze szkieletem.

Wpatrywał się w nią wzrokiem, pod którego wpływem pewnie niejedna kobieta traciła pewność siebie. Siobhan nawet nie mrugnęła. Lekarz pociągnął nosem i odetchnął głęboko.

— Czy pogrzebanie eksponatu muzealnego pod barem to poważne przestępstwo? — Przechylił głowę i jeszcze raz przywołał uśmiech na twarz. — Czy nie lepiej ścigać dealerów narkotyków albo gwałcicieli?

Siobhan przypomniał się Donny Cruikshank, blizny i kompletny brak skruchy na jego gębie...

— Nie macie kłopotów — powiedziała po chwili. — Wszystko, czego się dowiem, zostanie między nami.

— Jak rozmowy do poduszki? — wyrwał się McAteer, lecz pod wpływem spojrzenia Catera zdusił chichot.

— A zatem wyświadczymy pani grzeczność, sierżant Clarke. Być może za przysługę trzeba się będzie odpłacić.

McAteer skwitował to uśmiechem, ale trzymał język za zębami.

— To zależy — odparła Siobhan.

Cater pochylił się ku niej.

— Umówmy się wieczorem na drinka, wtedy pani powiem.

— Niech pan mówi teraz.

Pokręcił głową, nie spuszczając z niej oczu.

— Wieczorem.

McAteer wydawał się rozczarowany, widocznie mieli na wieczór jakieś plany.

— Nic z tego — powiedziała Siobhan.

Cater rzucił okiem na zegarek.

— Musimy wracać na oddział... — Podał jej rękę. — Spotkanie z panią było niezmiernie ciekawe. Założę się, że mielibyśmy o czym pogadać... — Uniósł brew, widząc, że ona nie wyciąga ręki. Było to ulubione zagranie jego ojca, widziała je w wielu filmach. Lekkie zaskoczenie, a jednocześnie zawód...

— Tylko na jednego drinka — powiedziała.

— Ale z dwiema słomkami — dorzucił Cater. Wróciło mu poczucie władzy; nie dał się policjantce. Jeszcze jedna wiktoria, którą będzie można się chwalić. — Opal Lounge o ósmej? — zaproponował.

Pokręciła głową.

— Bar Oxford, siódma trzydzieści.

— Ja go nie... To nowy lokal?

— Wręcz przeciwnie. Niech pan poszuka w książce telefonicznej. — Już miała otworzyć drzwi i wyjść, lecz zatrzymała się, jak gdyby nagle coś jej przyszło do głowy. — Ale swojego błazna zostaw tutaj. — Ruchem głowy wskazała Alfa McAteera.

Gdy wychodziła, Alexis Cater zanosił się śmiechem.

7

Gdy otworzyły się drzwi, Gareth śmiał się, rozmawiając przez telefon komórkowy. Na każdym palcu miał złote sygnety, a na szyi i nadgarstkach łańcuchy. Nie był wysoki, za to szeroki, ale Rebus odniósł wrażenie, że to głównie tłuszcz — brzuch wylewał mu się ze spodni. Mocno wyłysiały, nie podcinał resztek włosów, które opadały mu na kołnierzyk i zwisały poniżej karku. Miał na sobie czarny skórzany płaszcz i czarny T-shirt, a do tego bojówki i zdarte adidasy. Wolną rękę wyciągał po pieniądze. Nie spodziewał się, że czyjaś dłoń chwyci go i wciągnie do mieszkania. Sypiąc przekleństwami, upuścił telefon i w końcu zauważył Rebusa.

— Coś pan za jeden?

— Witaj, Gareth. Wybacz, że byłem trochę niedelikatny... nadmiar kawy czasem tak na mnie działa.

Gareth zbierał siły; widocznie uznał, że nie da sobą pomiatać. Schylił się po telefon, lecz Rebus stanął nad nim i pokręcił głową.

— Potem — powiedział, wykopując komórkę za próg i zatrzaskując za nią drzwi.

— Co jest grane, do kurwy nędzy?

— Rozmawiamy sobie, nic więcej.

— Dla mnie jesteś śmieciem.

— Widać, że znasz się na ludziach. — Rebus gestem zaprosił Garetha w głąb mieszkania, popychając go od tyłu. Mijając siedzących w kuchni ojca i syna, zobaczył, że chłopak kiwa

112

głową na znak, że ma właściwego człowieka. — Siadaj — polecił. Gareth przysiadł na oparciu kanapy, a inspektor stanął przed nim. — To twoje mieszkanie?

— A co ci do tego?

— Tylko tyle, że twojego imienia nie ma w umowie najmu.

— Naprawdę? — Gareth bawił się łańcuchami na lewym nadgarstku. Rebus nachylił się nad nim i spojrzał mu prosto w oczy.

— Czy Baird to twoje prawdziwe nazwisko?

— Tak. — Jego ton prowokował, by Rebus zarzucił mu kłamstwo. — Co cię tak śmieszy?

— Dałeś się zrobić na szaro, Gareth. Widzisz, nie znałem twojego nazwiska. — Rebus przerwał i wyprostował się. — Ale teraz już znam. A kim jest Robert? Twoim ojcem? Bratem?

— O czym ty gadasz?

Rebus znów się uśmiechnął.

— Trochę już na to za późno, chłopcze.

Gareth najwyraźniej się z nim zgadzał. Wycelował palec w kierunku kuchni.

— To oni nas zakapowali? Tak?

Rebus pokręcił głową i odczekał, aż chłopak poświęci mu całą uwagę.

— Nie — powiedział. — Wiemy to od jednego sztywnego...

Potem zostawił młodego człowieka, żeby parował sobie powoli, jak zbyt gorący rosół. Demonstracyjnie zaczął sprawdzać wiadomości w komórce. Otworzył paczkę papierosów i włożył jednego do ust.

— Ja też mogę dostać? — poprosił Gareth.

— Ależ oczywiście... jak tylko mi powiesz, czy Robert jest twoim bratem, czy ojcem. Domyślam się, że ojcem, ale mogę się mylić. Nawiasem mówiąc, nie potrafię zliczyć, ile zarzutów ciąży na tobie w tej chwili. Podnajmowanie mieszkań to tylko początek. Czy Robert płaci podatek dochodowy od tej nielegalnej działalności? Rozumiesz, jak urząd podatkowy dobierze ci się do dupy, to gorzej, niż gdyby cię dorwał tygrys bengalski. Możesz mi wierzyć na słowo... widziałem rezultaty. — Przerwał. — Do tego dochodzi wymuszanie pieniędzy za pomocą gróźb karalnych... to akurat dotyczy głównie ciebie.

— Ja nic nie zrobiłem!

— Nic?

— Nic w tym rodzaju... Ja tylko zbieram pieniądze, nic więcej. — W jego głosie pojawiła się błagalna nuta. Rebus domyślał się, że w szkole Gareth był ociężałym chłopakiem, bez przyjaciół, a ludzie tolerowali go tylko ze względu na jego masę, z której korzystał w razie potrzeby.

— Ty mnie nie interesujesz — zapewnił go Rebus. — Chcę tylko mieć adres twojego ojca... adres, który zdobędę tak czy inaczej. Ale wolałbym oszczędzić nam obu kłopotu...

Gareth spojrzał na niego, zaskoczony tym „nam obu”. Rebus ze skruchą wzruszył ramionami.

— Teraz pojedziesz ze mną na komisariat. Potrzymamy cię, aż dasz nam ten adres... a potem złożymy wizytę...

— On mieszka w Porty — wybuchnął chłopak. Miał na myśli Portobello, nadmorską dzielnicę na południowym wschodzie miasta.

— I jest twoim ojcem?

Gareth przytaknął.

— No i widzisz, nawet nieźle poszło — rzekł Rebus. — To teraz wstawaj...

— Po co?

— Bo jedziemy do niego z wizytą.

Inspektor widział, że chłopakowi ani trochę się to nie podoba, tyle że nie miał się jak opierać, zwłaszcza gdy Rebus postawił go na nogi. Inspektor podał ręce gospodarzom i podziękował im za kawę, ale pokręcił głową, gdy ojciec zaczął wtykać Garethowi pieniądze.

— Nie musicie już więcej płacić czynszu — oznajmił. — Prawda, Gareth?

Młody człowiek machnął tylko ręką, bez słowa. Za drzwiami okazało się, że jego komórka zniknęła. Rebusowi przypomniała się latarka...

— Ktoś mi zwinął komórę — poskarżył się Gareth.

— Powinieneś to zgłosić — doradził mu Rebus. — Niech zajmie się tym ubezpieczenie. — A widząc minę chłopaka, dorzucił: — Zakładając, rzecz jasna, że nie była kradziona.

Na dworze japoński sportowy samochód Garetha otaczała grupka dzieciaków, których rodzice już dawno zrezygnowali z posyłania ich do szkoły.

— Ile wam dał? — zapytał Rebus.
— Parkę. — Czyli dwa funty.
— I na ile to starczy?
Wlepili wzrok w inspektora.
— To nie parking — odparł jeden z nich. — Nie wystawiamy biletów. — Jego kumple skwitowali to śmiechem.
Rebus kiwnął głową i zwrócił się do Garetha:
— Pojedziemy moim samochodem. Możesz tylko liczyć na to, że kiedy wrócisz, twój jeszcze tu będzie...
— A jeśli nie?
— To z powrotem na komisariat, po zaświadczenie dla ubezpieczyciela... Zakładając, rzecz jasna, że jesteś ubezpieczony.
— Rzecz jasna — powtórzył Gareth, zrezygnowany.
Jazda do Portobello nie trwała długo. Na Seafield Road nie spotkali prostytutek pracujących na dziennej zmianie. Gareth skierował Rebusa w boczną uliczkę przy promenadzie.
— Musimy zaparkować tutaj i podejść pieszo — wyjaśnił.
Tak też zrobili. Morze miało barwę ciemnoszarą. Na plaży psy łapały rzucane im patyki. Rebus miał wrażenie, że cofnął się w czasie — budy z frytkami i wesołe miasteczko. Kiedy był dzieckiem, razem z bratem i rodzicami przez lata spędzał letnie wakacje w przyczepie kempingowej w St Andrews albo w tanim pensjonacie w Blackpool. Od tej pory wszystkie nadmorskie mieściny powodowały, że wracał myślami do tamtych czasów.
— Dorastałeś tutaj? — spytał Garetha.
— Wychowywałem się w czynszówce w Gorgie.
— Czyli że spotkał cię awans społeczny.
Chłopak tylko wzruszył ramionami i pchnął furtkę.
— To tu.
Podeszli ścieżką przez ogród do drzwi trzypiętrowego bliźniaka z tarasami. Rebus przystanął i przyjrzał mu się. Z każdego okna rozciągał się piękny widok na plażę.
— Tak, stąd do Gorgie jest bardzo daleko — mruknął, idąc ścieżką za Garethem. Młody człowiek otworzył kluczem drzwi i wrzasnął, że już jest w domu. Krótki i wąski hol wejściowy prowadził do kilkorga drzwi i schodów. Nie zaglądając do pokoi, Gareth ruszył od razu na pierwsze piętro. Rebus deptał mu po piętach.

Weszli do salonu długości dwudziestu sześciu stóp, z wielkim, sięgającym od sufitu do podłogi półokrągłym oknem. Pokój był umeblowany i urządzony ze smakiem, chociaż nieco zbyt nowocześnie — chrom, skóra i sztuka abstrakcyjna. Rozmiary i kształt pomieszczenia zupełnie do tego nie pasowały. Tylko oryginalny kandelabr i gzymsy dawały pojęcie o tym, jak mogłoby tu wyglądać. Przy oknie, na drewnianym statywie, stał mosiężny teleskop.

— Kogoś ty mi tu przywlókł, do cholery?

Przy stoliku obok teleskopu siedział mężczyzna. Na szyi zwisała mu na łańcuszku para okularów. Miał siwe, starannie przystrzyżone włosy; zmarszczki na jego twarzy były wynikiem nie tyle wieku, ile działania słońca i wiatru.

— Panie Baird, jestem detektyw inspektor Rebus...

— Co on zmalował tym razem? — Baird złożył gazetę i spojrzał wściekle na syna. W jego głosie pobrzmiewała raczej rezygnacja niż złość. Rebus domyślił się, że w rodzinnym interesie akcje syna nie stoją najlepiej.

— Nie chodzi o Garetha, tylko o pana.

— O mnie?

Inspektor obszedł pokój.

— Nareszcie rada miejska wynajmuje lokale z klasą.

— O co panu właściwie chodzi? — Pytanie skierowane było do Rebusa, ale ojciec nie spuszczał wzroku z syna, domagając się wyjaśnień.

— On na mnie czekał, tato! — wybuchnął Gareth. — Zmusił mnie, żebym zostawił tam swój samochód, i w ogóle.

— Oszustwo to nie przelewki, panie Baird — rzekł Rebus. — Wciąż mnie to zadziwia, ale sądy najwyraźniej traktują je bardziej surowo niż włamania czy rozbój. A zresztą kogo pan oszukuje? Nie konkretnych ludzi, tylko wielką bezosobową masę zwaną radą miejską. — Pokręcił głową. — Ale i tak zwalą się panu na głowę jak gówno z jasnego nieba.

Baird odchylił się na krześle i splótł ręce na piersi.

— Poza tym nie zadowalał się pan byle czym — ciągnął Rebus. — Ile mieszkań pan podnajmuje? Dziesięć? Dwadzieścia? Powiedziałbym, że wciągnął pan w to całą rodzinę... może nawet doszukają się w papierach świętej pamięci ciotek i wujków.

— Przyszedł mnie pan aresztować?

Inspektor pokręcił głową.

— Jeżeli dostanę to, po co przyszedłem, zniknę z pana życia raz na zawsze.

Na widok człowieka, z którym można ubić interes, Baird od razu okazał zainteresowanie. Nie był jednak do końca przekonany.

— Gareth, czy ktoś jeszcze z nim jest?

Jego syn pokręcił głową.

— Czekał na mnie w mieszkaniu...

— A na dworze? Nie było kierowcy czy kogoś innego?

Chłopak cały czas kręcił głową.

— Przyjechaliśmy jego samochodem... tylko ja i on.

Baird przemyślał to sobie.

— No dobrze, ile mnie to będzie kosztowało?

— Odpowiedź na kilka pytań. Niedawno jeden z pańskich lokatorów został zabity.

— Ciągle im powtarzam, żeby załatwiali swoje sprawy we własnym zakresie — zaprotestował Baird, gotów bronić się przed zarzutami, że nie dba o lokatorów. Rebus stał przy oknie, wyglądając na plażę i promenadę. Para starszych ludzi szła, trzymając się za ręce. Zirytowała go myśl, że być może oni też finansują takiego rekina jak Baird. Albo że ich wnuki czekają w kolejce na mieszkanie komunalne.

— Godna podziwu postawa obywatelska — rzekł Rebus. — Chcę wiedzieć, jak się nazywał i skąd przyjechał.

Baird prychnął.

— Nie pytam ich, skąd są... raz popełniłem ten błąd i dostałem w ucho. Mnie interesuje tylko to, że potrzebny im jest dach nad głową. Więc jeżeli rada miejska nie chce albo nie może im pomóc... no cóż, ja mogę.

— Za opłatą.

— Ale godziwą.

— Jasne, z pana jest chodząca dobroć. Czyli nie zna pan jego nazwiska?

— Mówiłem mu po imieniu, Jim.

— Jim? Kto to wymyślił, on czy pan?

— Ja.

— Jak go pan znalazł?

— Klienci sami do mnie docierają. Znają mnie ze słyszenia, że tak powiem. Nie przychodziliby, gdyby nie podobało im się to, co dostają.
— Dostają mieszkania komunalne... tyle że przepłacają panu za ten przywilej. — Rebus na próżno czekał na jakąś reakcję Bairda. Odpowiedź wyczytał w jego oczach: „No i co, ulżyłeś sobie?". — I nie wie pan, jakiej był narodowości? Skąd przyjechał? Jak się tu dostał?
Baird na wszystkie pytania tylko kręcił głową.
— Gareth, przynieś nam piwa z lodówki — powiedział, na co jego syn czym prędzej wyszedł spełnić polecenie. Rebus nie dał się zwieść liczbie mnogiej... wiedział, że „nam" nie oznacza, że i on dostanie coś do picia.
— W jaki sposób porozumiewa się pan z tymi ludźmi, skoro nie zna pan ich języka?
— Mam swoje sposoby. Kilka gestów, na migi... — Syn wrócił z jedną puszką piwa, którą podał ojcu. — Gareth uczył się w szkole francuskiego, sądziłem, że nam się przyda. — Pod koniec zdania zawiesił głos i Rebus znów pomyślał, że syn nie spełnił pokładanych w nim oczekiwań.
— Ale Jim nie musiał się porozumiewać na migi — rzekł chłopak, zadowolony, że może się wtrącić do rozmowy. — Mówił trochę po angielsku. Może nie tak dobrze jak jego kumpela, ale... — Urwał, gdy ojciec przeszył go wściekłym wzrokiem, lecz Rebus szybko stanął między nimi.
— Co za kumpela? — spytał chłopaka.
— Normalnie, kobieta... mniej więcej w moim wieku.
— Mieszkali razem?
— Jim mieszkał sam. Miałem wrażenie, że oni po prostu się znali.
— Z osiedla?
— Pewnie tak...
Tymczasem Baird wstał z fotela.
— Dostał pan już to, o co panu chodziło.
— Czyżby?
— Dobrze, ujmę to inaczej... niczego więcej pan się nie dowie.
— O tym ja zadecyduję, drogi panie. — Po czym inspektor zwrócił się do syna: — Jak ona wyglądała?

Ale Gareth zrozumiał przesłanie ojca.

— Nie pamiętam.

— Co? Nawet koloru jej skóry? A jednak zapamiętałeś, w jakim była wieku.

— Była dużo ciemniejsza niż Jim... Nic więcej nie wiem.

— I mówiła po angielsku?

Gareth próbował szukać rady w spojrzeniu ojca, lecz Rebus za wszelką cenę starał się blokować im kontakt wzrokowy.

— Mówi po angielsku i była przyjaciółką Jima — naciskał inspektor. — I mieszka na osiedlu... Słucham dalej.

Baird minął Rebusa i objął syna ramieniem.

— Namieszał pan tylko chłopakowi w głowie — oświadczył ze skargą w głosie. — Jeśli coś sobie przypomni, da panu znać.

— Nie wątpię — odrzekł inspektor.

— I naprawdę zostawi nas pan w spokoju?

— Ja? Oczywiście, panie Baird... Rzecz jasna wydział spraw lokalowych może mieć na ten temat własne zdanie.

Twarz Bairda wykrzywił drwiący grymas.

— Sam trafię do wyjścia — powiedział Rebus.

Na promenadzie wiał silny wiatr, więc próbował cztery razy, zanim udało mu się zapalić papierosa. Przez chwilę stał, patrząc na okna salonu, z którego właśnie wyszedł, po czym przypomniał sobie, że od śniadania nic nie jadł. Na High Street było mnóstwo barów, toteż zostawił samochód i przeszedł pieszo do najbliższego. Zadzwonił do pani Mackenzie, opowiedział jej o Bairdzie i rozłączył się, wchodząc do baru. Zamówił bułkę z sałatką z kurczaka i małe IPA na popitkę. Wcześniej podawali zupę i ciepłe dania, których zapach wciąż wisiał w powietrzu. Jeden ze stałych bywalców poprosił barmana, żeby przełączył telewizję na wyścigi konne. Przerzucając pilotem kanały, barman minął coś, na widok czego Rebusowi bułka stanęła w gardle.

— Wróć pan! — polecił, pryskając jedzeniem z ust.

— Na który?

— Zaraz, już! — Był to lokalny program informacyjny; na ekranie pokazywano demonstrację z Knoxland. Dookoła wszędzie pośpiesznie wymalowane plakaty i tablice:

ZOSTAWIENI SAMI SOBIE
NIE MOŻEMY ŻYĆ W TYCH WARUNKACH
MIEJSCOWI TEŻ POTRZEBUJĄ POMOCY...

Reporter przeprowadzał wywiad z parą mieszkającą obok zabitego. Do Rebusa dolatywały strzępy zdań: „rada miasta też ma obowiązki...", „ignorują nasze uczucia...", „to śmietnik...", „nikt nas nie pyta o zdanie...". Zupełnie jakby ktoś nauczył ich, co mają mówić. Dziennikarz odwrócił się do starannie ubranego Azjaty, noszącego okulary w srebrnej oprawie. Na ekranie pojawiło się jego nazwisko: Mohammad Dirwan. Reprezentował on Kolektyw Nowych Mieszkańców Glasgow.

— Świrów tam nie brakuje — zauważył barman.

— A niech ich wpakują do Knoxland, ilu chcą — przytaknął stały bywalec.

— Ich? To znaczy?

Mężczyzna wzruszył ramionami.

— A bo to wiadomo... Uciekinierzy, oszuści. Nieważne, grunt, że dobrze wiem, kto za nich wszystkich płaci.

— Co racja, to racja, Matty — rzekł barman i zwrócił się do Rebusa: — Napatrzył się pan?

— Aż za bardzo — odparł inspektor i nie dopijając piwa, ruszył do wyjścia.

8

Gdy Rebus dotarł do Knoxland, wciąż było tam niespokojnie. Fotografowie prasowi porównywali zdjęcia, skuleni nad ekranami aparatów cyfrowych. Reporter z radia przeprowadzał wywiad z Ellen Wylie. Dupa Wołowa Reynolds kręcił głową, zmierzając przez plac do swojego samochodu.

— Co się dzieje, Charlie? — zapytał Rebus.

— Atmosfera byłaby lżejsza, gdybyśmy zostawili ich samych sobie — burknął Reynolds, zatrzasnął drzwiczki, odcinając się od świata, i sięgnął po otwartą paczkę chipsów.

Przed biurem Portakabin panowało zamieszanie. Rebus rozpoznał twarze z relacji telewizyjnej. Plakaty najwyraźniej poszły już w odstawkę, teraz zawzięcie wymachiwano rękami podczas dyskusji z Mohammadem Dirwanem. Z bliska Dirwan wyglądał na adwokata — czarny wełniany płaszcz, na oko nowy, wypolerowane buty, siwy wąsik. Gestykulował, usiłując przekrzyczeć ogólny harmider. Rebus zajrzał przez kraty ochraniające okno biura. Tak jak podejrzewał, w środku nie było nikogo. Rozejrzał się i przeszedł na drugą stronę bloku. Przypomniał sobie wiązankę kwiatów na miejscu zbrodni. Teraz leżały rozrzucone, podeptane. Może położyła je tu przyjaciółka Jima...

W strefie otoczonej taśmą policyjną, na miejscu, w którym normalnie był parking dla mieszkańców, stała samotna furgonetka. W szoferce nie było nikogo, więc Rebus zastukał w tylne drzwiczki. Okna były zaciemnione, ale wiedział, że z wnętrza pojazdu go widać. Otworzyły się drzwi i Rebus wsiadł do wozu.

— Witaj w pudełku na zabawki — powitał go Shug Davidson, siadając z powrotem obok kamerzysty. Tył furgonetki pełen był sprzętu nagrywającego i obserwacyjnego. Gdy w mieście dochodziło do zamieszek, policja chciała mieć to zarejestrowane na taśmie. Dzięki temu łatwiej było zidentyfikować prowodyrów, a także przedstawić dowody w sądzie, jeśli zachodziła taka konieczność. Patrząc na ekran wideo, Rebus miał wrażenie, że ktoś filmował zajście z balkonu na drugim albo trzecim piętrze. Najazdy i odjazdy kamery, zamazane zbliżenia, które po chwili odzyskiwały ostrość. — Na razie nie doszło do przemocy — mruknął Davidson i zwrócił się do operatora: — Cofnij trochę... o, tutaj... daj stop-klatkę, Chris.

Stop-klatka migotała, więc Chris usiłował poprawić obraz.

— Kogoś wypatrzył, Shug? — spytał Rebus.

— Jesteś bystry jak zawsze, John... — Davidson wskazał jedną z postaci w głębi kadru: mężczyznę w oliwkowej kurtce, z kapturem nasuniętym na głowę tak, że widać było tylko jego brodę i usta. — Zdaje się, że był tu kilka miesięcy temu... Gang z Belfastu próbował przejąć handel narkotykami.

— Przecież ich wsadziliście?

— Większość siedzi, ale kilku jest już w domu.

— Po co wrócił?

— Nie jestem pewny.

— Próbowałeś go spytać?

— Zwiał, kiedy zobaczył nasze kamery.

— Jak się nazywa?

Davidson pokręcił głową.

— Musiałbym pogrzebać w pamięci... — Potarł czoło. — A tobie jak minął dzień, John?

Rebus opowiedział mu o Robercie Bairdzie.

Davidson pokiwał głową.

— Dobra robota — pochwalił, nawet nie próbując wykrzesać z siebie entuzjazmu.

— Wiem, że nie posuwa nas to do przodu...

— Przepraszam cię, John, chodzi o to, że... — Davidson powoli pokręcił głową. — Potrzebujemy kogoś, kto sam się zgłosi. Narzędzie zbrodni, zakrwawione ubranie zabójcy... to musi gdzieś tu być. I ktoś wie gdzie.

122

— Przyjaciółka Jima mogłaby coś wiedzieć. Ściągnijmy Garetha, może ją tu rozpozna.

— Jest to jakiś pomysł — przyznał Davidson w zadumie. — Tymczasem popatrzmy sobie na eksplodujące Knoxland...

Obraz przesuwał się na czterech ekranach. Na jednym widać było grupkę młodzieży, stojącą daleko za tłumem. Wszyscy mieli przesłonięte chustkami twarze i kaptury na głowach. Na widok kamerzysty odwrócili się i wypięli na niego tyłki. Ktoś podniósł kamień i cisnął, lecz rzut był o wiele za krótki.

— Widzisz — powiedział Davidson. — Coś takiego może podpalić lont.

— Czy doszło już do jakichś ataków?

— Tylko słownych. — Davidson przeciągnął się. — Skończyliśmy z przesłuchaniami mieszkańców... A przynajmniej skończyliśmy z tymi, którzy chcieli z nami gadać. To miejsce przypomina wieżę Babel... na początek przydałaby nam się brygada tłumaczy. — Zaczął się wiercić na trzeszczącym stołku, by ukryć fakt, że burczy mu w brzuchu.

— Może by sobie zrobić przerwę? — zaproponował Rebus, ale Davidson pokręcił głową. — Co to za jeden, ten Dirwan?

— Adwokat z Glasgow, zajmuje się uciekinierami mieszkającymi w tamtejszych osiedlach.

— To co on tu robi?

— Poza tym, że szuka reklamy, pewnie liczy na zdobycie mnóstwa nowych klientów. Chce, żeby burmistrz przyjechał do Knoxland i na własne oczy przekonał się, jak tu jest. Żąda też spotkania polityków ze społecznością imigrantów. Domaga się wielu rzeczy.

— Na razie stanowi jednoosobową mniejszość.

— Wiem.

— Rzucisz go na pożarcie lwom?

Davidson wlepił w niego wzrok.

— Mamy tam swoich ludzi, John.

— Ale robiło się już gorąco.

— Proponujesz swoje usługi w charakterze ochroniarza, John?

Rebus wzruszył ramionami.

— Zrobię, co każesz, Shug. To twój występ...

Davidson znowu pomasował czoło.

— Przepraszam, John, przepraszam...

— Zrób sobie przerwę, Shug. Przynajmniej wyjdź na powietrze... — Rebus otworzył drzwi z tyłu furgonetki.

— A właśnie, John, mam dla ciebie wiadomość. Ci od narkotyków chcą dostać z powrotem latarkę. Mam ci przekazać, że to pilne.

Rebus kiwnął głową, wysiadł, zamknął za sobą drzwi i ruszył do mieszkania Jima. Drzwi były otwarte na oścież. Latarka nie leżała ani w kuchni, ani nigdzie indziej. Wcześniej była tam wprawdzie ekipa techników, ale nie sądził, żeby to oni ją wzięli. Wychodząc, wpadł na Steve'a Holly'ego, który opuszczał sąsiednie mieszkanie; dziennikarz trzymał przy uchu dyktafon, sprawdzając jakość nagrania.

„Ten kraj jest za miękki, w tym cały problem...".

— Zakładam, że podzielasz to zdanie — odezwał się Rebus. Zaskoczony dziennikarz zatrzymał taśmę i schował dyktafon do kieszeni.

— To się nazywa obiektywne dziennikarstwo, Rebus... Pozwalasz wypowiedzieć się obu stronom.

— Więc rozmawiałeś z pechowcami, którzy trafili do tej jaskini lwa?

Holly przytaknął. Wyglądał ponad barierką, ciekawy, czy na dole dzieje się coś, o czym powinien wiedzieć.

— Pewnie się zdziwisz, mnie to w każdym razie zaskoczyło, ale znalazłem nawet tubylców, którzy nie mają nic przeciwko nowo przybyłym. — Zapalił papierosa i poczęstował inspektora.

— Właśnie zgasiłem — skłamał Rebus, odmawiając ruchem głowy.

— Czy publikacja tego zdjęcia dała już jakieś rezultaty?

— Pewnie nikt go nie zauważył... ludzi za bardzo wciągnęła lektura o unikaniu podatków, łapówkach, przyznawaniu mieszkań wedle uznania.

— Bo to wszystko prawda — zaprotestował Holly. — Nie napisałem, że to dotyczy akurat tego osiedla, ale gdzie indziej się zdarza.

— Gdybyś był tylko trochę niższy, zrobiłbym sobie z ciebie podstawkę pod piłkę do golfa.

— Dobry greps. — Holly uśmiechnął się szeroko. — Może go kiedyś wykorzystam...

Zabrzęczała jego komórka i dziennikarz odebrał, odwracając się od Rebusa i odchodząc, jak gdyby inspektor nie istniał.

Rebus przypuszczał, że człowiek pokroju Holly'ego zawsze tak pracuje. Żyje chwilą, skupia uwagę tylko dopóty, dopóki coś dotyczy konkretnego wydarzenia. A kiedy już napisze artykuł, kiedy sprawa przejdzie do historii, rzuca się na coś nowego, by wypełnić pustkę. Nasuwało się oczywiste porównanie ze sposobem, w jaki pracowali niektórzy koledzy Rebusa — odfajkowaną sprawę wyrzucali z głowy, bo czekała następna, i mieli nadzieję, że okaże się ciekawsza lub bardziej niezwykła od poprzedniej. Wiedział, że istnieją też dobrzy dziennikarze, nie wszyscy byli tacy jak Steve Holly, którego zresztą część kolegów po fachu nie znosiła.

Rebus zszedł za Hollym po schodach i znalazł się na dworze, gdzie zamieszanie było coraz mniejsze. Najwyżej dziesięciu najbardziej zatwardziałych tubylców wciąż wylewało swoje żale przed prawnikiem, po którego stronie stanęło kilku imigrantów. Stworzyło to nowe możliwości fotografom, którzy znów puścili w ruch aparaty i kamery, na co niektórzy imigranci zasłonili twarze. Rebus usłyszał za sobą jakiś hałas i ktoś krzyknął: „Załatw go, Howie!". Odwrócił się i ujrzał młodego człowieka, który energicznie zmierzał w kierunku tłumu; jego koledzy zagrzewali go, stojąc w bezpiecznej odległości. Chłopak nie zwrócił uwagi na Rebusa. Miał zakrytą twarz, a ręce schowane w kieszeniach kurtki. Szedł coraz szybciej. Gdy mijał Rebusa, inspektor usłyszał jego chrapliwy oddech i niemal poczuł buzującą w nim adrenalinę.

Rebus chwycił chłopaka za ramię i wykręcił do tyłu. Chłopak odwrócił się na pięcie, wyjął ręce z kieszeni i coś spadło na ziemię — kamień. Zawył z bólu, gdy inspektor szarpnął jego rękę i wykręcił mu ją za plecami jeszcze wyżej, zmuszając go, by opadł na kolana. Tłum odwrócił się do nich, migawki aparatów zaczęły trzaskać, lecz Rebus nie spuszczał wzroku z bandy, sprawdzając, czy nie przystąpią do masowego ataku. Ale nie, zamiast tego odeszli — nie zamierzali przyjść z pomocą kompanowi. Ktoś wsiadał do sfatygowanego bmw — mężczyzna w oliwkowej kurtce z kapturem.

Jeniec Rebusa to klął, to skarżył się, że go boli. Inspektor wiedział, że za jego plecami pojawił się mundurowy i zakuł chłopaka w kajdanki. Wyprostował się więc i stanął oko w oko z Ellen Wylie.

— Co się stało? — spytała.

— Miał w kieszeni kamień... chciał zaatakować Dirwana.

— On łże jak pies! — syknął chłopak. — Wrabia mnie! — Kiedy ściągnięto mu kaptur i chustę, Rebus zobaczył wygoloną na łyso głowę i zniszczoną przez trądzik twarz. Brak przedniego zęba, usta otwarte ze zdziwienia takim obrotem wypadków. Inspektor schylił się i podniósł kamień.

— Jeszcze ciepły — powiedział.

— Zabierzcie go na posterunek — poleciła Wylie mundurowym, po czym zwróciła się do chłopaka: — Zanim cię przeszukamy, przyznaj się, czy masz w kieszeniach coś ostrego?

— Gówno ci powiem.

— Do samochodu z nim, chłopaki.

Kamery śledziły protestującego aresztanta, gdy prowadzono go do radiowozu. Rebus uświadomił sobie, że stoi przed nim prawnik.

— Pan mi uratował życie! — Adwokat oburącz chwycił dłonie inspektora.

— Przesadza pan...

Ale Dirwan odwrócił się do tłumu.

— Widzicie? Widzicie, jak nienawiść przechodzi z ojca na syna? To działa jak powolna trucizna, powodując skażenie ziemi, która powinna nas żywić! — Spróbował uścisnąć Rebusa, napotkał opór, ale wcale się tym nie przejął. — Pan jest oficerem policji, tak?

— Detektywem inspektorem — przyznał Rebus.

— Nazywa się Rebus! — zawołał ktoś. Inspektor obejrzał się i zobaczył Steve'a Holly'ego, który uśmiechał się drwiąco.

— Panie Rebus, jestem panu wdzięczny do grobowej deski. My wszyscy jesteśmy panu wdzięczni. — Dirwan miał na myśli stojącą w pobliżu grupę imigrantów, którzy nie bardzo wiedzieli, co się dzieje. Pojawił się Shug Davidson, zaskoczony rozgrywającym się przed nim spektaklem. Za nim szedł Dupa Wołowa Reynolds, szczerząc zęby w uśmiechu.

— Jak zwykle jesteś w centrum uwagi, John — rzekł Reynolds.

— Co jest grane? — zapytał Davidson.

126

— Jakiś szczeniak chciał przywalić panu Dirwanowi, więc go powstrzymałem — mruknął Rebus. Wzruszył ramionami, jakby na znak, że teraz tego żałuje. Jeden z mundurowych, którzy odprowadzili chłopaka do radiowozu, właśnie do nich wracał.

— Niech pan sam popatrzy, inspektorze — zwrócił się do Davidsona, podając mu foliową torbę na dowody rzeczowe. Był w niej jakiś niewielki przedmiot.

Nóż kuchenny o sześciocalowym ostrzu.

Ni stąd, ni zowąd Rebus został nianką swojego nowego najlepszego przyjaciela.

Siedzieli w wydziale śledczym przy Torphichen Place. Shug Davidson i Ellen Wylie przesłuchiwali chłopaka w innym pokoju. Nóż wysłano do zbadania w laboratorium w Howdenhall. Rebus próbował wysłać SMS-a do Siobhan, by zawiadomić ją, że muszą przesunąć spotkanie. Zaproponował osiemnastą.

Mohammad Dirwan złożył już zeznania, a teraz siedział przy biurku i popijał słodką jak ulep kawę, nie spuszczając wzroku z inspektora.

— Jakoś nie udało mi się opanować zawiłości tych nowych technologii — oświadczył.

— Mnie też nie — przyznał Rebus.

— A jednak stały się nieodłącznym elementem naszego życia.

— Na to wygląda.

— Nie jest pan zbyt rozmownym człowiekiem, inspektorze. A może ja pana denerwuję?

— Po prostu muszę przesunąć spotkanie, panie Dirwan.

— Ależ proszę... — Prawnik uniósł rękę. — Miał mi pan mówić Mo. — Uśmiechnął się, pokazując rząd nieskazitelnych zębów. — Ludzie mówią mi, że to kobiece imię... kojarzy im się z postacią z serialu *EastEnders*. Oglądał go pan? — spytał, na co Rebus pokręcił głową. — Wtedy ich pytam, czy nie pamiętają piłkarza Mo Johnstona. Grał i w Celticach, i w Rangersach, a więc dwukrotnie był bohaterem i złoczyńcą... czyli wywinął numer, na który stać byłoby nawet niewielu najlepszych prawników.

Rebus zdobył się na uśmiech. Rangersi i Celtics — drużyny protestancka i katolicka. Nagle coś mu przyszło do głowy.

— Niech mi pan... — Urwał pod wpływem spojrzenia prawnika. — Mo, powiedz mi, ty się zajmujesz imigrantami starającymi się o azyl w Glasgow, dobrze mówię?

— Owszem.

— Jeden z tych dzisiejszych demonstrantów... mam wrażenie, że on jest z Belfastu.

— Wcale by mnie to nie zdziwiło. Podobnie jest na osiedlach w Glasgow. To odpryski po problemach w Irlandii Północnej.

— Jak to?

— Imigranci zaczęli przenosić się w takie miejsca jak Belfast... widzą tam dla siebie możliwości. A ludziom zaangażowanym tam w konflikt religijny nie za bardzo się to podoba. Wszystko postrzegają w kategoriach katolickich albo protestanckich... i prawdopodobnie boją się napływu tych nowych religii. Według mnie to pierwotny instynkt, owa potrzeba alienacji wówczas, gdy czegoś nie rozumiemy. — Uniósł palec. — Natomiast nie chcę przez to powiedzieć, że im wybaczam.

— Ale co mogło sprowadzić tych ludzi z Belfastu do Szkocji?

— Być może chcą namówić tutejszych niezadowolonych mieszkańców, żeby zaczęli walczyć o swoją sprawę. — Wzruszył ramionami. — Dla niektórych wywoływanie niepokojów społecznych jest celem samym w sobie.

— Przypuszczam, że ma pan rację. — Rebus widział to na własne oczy: tę potrzebę wzniecania rozruchów, sprawiania kłopotów, a wszystko to jedynie po to, żeby mieć poczucie władzy.

Prawnik dopił kawę.

— Sądzi pan, że ten chłopak jest zabójcą?

— Niewykluczone.

— Wygląda na to, że w tym kraju wszyscy noszą noże. Czy pan wie, że Glasgow jest najbardziej niebezpiecznym miastem w Europie?

— Tak słyszałem.

— Nożownicy... to zawsze są nożownicy. — Dirwan pokręcił głową. — A mimo to ludzie wciąż za wszelką cenę starają się dostać do Szkocji.

— Ma pan na myśli imigrantów?

— Waszego premiera martwi spadek liczby ludności. Ma rację. Potrzeba nam młodych ludzi do pracy, bo jak inaczej utrzymamy starzejące się społeczeństwo? Poza tym potrzebujemy ludzi o wysokich kwalifikacjach. A jednocześnie rząd tak bardzo utrudnia napływ ludzi z innych krajów... Jeśli chodzi o starających się o azyl... — Znowu pokręcił głową, powoli, jakby z niedowierzaniem. — Zna pan Whitemire?

— Ten ośrodek przejściowy dla uchodźców?

— Inspektorze, to miejsce zapomniane przez Boga i ludzi. Ja nie jestem tam mile widziany. Zapewne domyśla się pan dlaczego.

— Ma pan tam klientów?

— Kilku, a wszyscy oczekują na wynik apelacji. Wie pan, że w Whitemire kiedyś było więzienie, a obecnie mieszkają tam całe rodziny, ludzie śmiertelnie przerażeni... ludzie, którzy zdają sobie sprawę, że odesłanie ich z powrotem do krajów ojczystych oznacza dla nich wyrok śmierci.

— A trzymają ich w Whitemire dlatego, że inaczej zignorowaliby wyrok sądu i dali nogę?

Dirwan spojrzał na Rebusa z kwaśnym uśmiechem.

— No jasne, przecież pan jest częścią tego samego aparatu państwowego.

— Niby co chce pan przez to powiedzieć? — najeżył się Rebus.

— Wybaczy pan mój cynizm... ale pan też uważa, że powinniśmy odesłać tych biednych sukinsynów do domu, czyż nie? Że gdyby nie smoluchy, brudasy i Cyganie Szkocja stałaby się prawdziwą Utopią?

— Chryste Panie...

— No, chyba że ma pan jakichś przyjaciół pośród Arabów albo Afrykanów, inspektorze? Wyskakuje pan na drinka z Azjatami? Czy raczej są dla pana tylko twarzami za ladą kiosku z gazetami?

— Nie dam się wmanewrować w taką dyskusję — oświadczył Rebus, ciskając pusty kubek po kawie do kosza.

— Naturalnie, to bardzo drażliwy temat... a jednak muszę się nim zajmować codziennie. Moim zdaniem Szkocja przez lata trwała w błogim samozadowoleniu... u nas nie ma miejsca na rasizm, zbyt wiele czasu pochłania nam bigoteria! Niestety, nie o to tu chodzi.

— Nie jestem rasistą.

— Ja tylko wykładałem swoje racje. Proszę się nie denerwować.

— Wcale się nie denerwuję.

— Przepraszam... jak już raz zacznę, trudno mi się zamknąć. — Dirwan wzruszył ramionami. — Przypadłość zawodowa. — Omiótł wzrokiem pokój, jakby szukał innego tematu. — Myśli pan, że znajdziecie zabójcę?

— Zrobimy, co w naszej mocy.

— To dobrze. Nie wątpię, że wszyscy jesteście oddanymi pracy profesjonalistami.

Rebus pomyślał o Reynoldsie, ale się nie odezwał.

— Jeżeli w jakikolwiek sposób mógłbym osobiście służyć swoją pomocą, to...

Inspektor skinął głową, a po chwili namysłu rzucił:

— Właściwie to...

— Tak?

— Zdaje się, że zabity miał przyjaciółkę... w każdym razie młodą znajomą. Dobrze byłoby ją odszukać.

— Czy ona mieszka w Knoxland?

— Prawdopodobnie. Ma skórę ciemniejszą niż denat i lepiej niż on zna angielski.

— Nic więcej pan nie wie?

— Nic — przyznał Rebus.

— Mogę zasięgnąć języka... być może mnie ci nowo przybyli nie będą się tak bali. — Przerwał. — Dziękuję, że zwrócił się pan do mnie o pomoc. — Spojrzał na inspektora ciepło. — Zapewniam, że dołożę wszelkich starań.

Obaj odwrócili się, gdy do pokoju wtarabanił się Reynolds, żując kruche ciasto, którego resztki osiadły mu na krawacie i koszuli.

— Stawiamy go w stan oskarżenia — oświadczył i zamilkł dla większego efektu. — Ale nie za zabójstwo. Laboratorium twierdzi, że to nie ten sam nóż.

— Uwinęli się — mruknął Rebus.

— W sekcji zwłok jest mowa o ząbkowanym ostrzu, a ten ma gładkie. Przeprowadzą jeszcze badania na obecność śladów krwi, ale nie ma co robić sobie nadziei. — Reynolds zerknął na Dirwana. — Być może uda się go oskarżyć o próbę napaści i posiadanie ukrytej broni.

— Tak wygląda sprawiedliwość — rzekł prawnik z westchnieniem.

— A co według pana mamy zrobić? Odrąbać mu ręce?

— Czy ta uwaga była adresowana do mnie? — Prawnik zerwał się na nogi. — Trudno się domyślić, skoro odwraca pan ode mnie wzrok.

— Przecież teraz na pana patrzę — odciął się Reynolds.

— I co pan widzi?

Rebus postanowił interweniować.

— To, co widzi posterunkowy Reynolds, a czego nie widzi, nie ma tu nic do rzeczy.

— Skoro mu na tym zależy, to mu powiem — warknął Reynolds, pryskając kawałkami ciasta, ale Rebus odciągnął go do drzwi.

— Dziękuję, panie posterunkowy. — Za wszelką cenę starał się nie wypychać go na korytarz na siłę.

Reynolds po raz ostatni przeszył prawnika wściekłym wzrokiem, po czym odwrócił się i wyszedł.

— Niech mi pan powie, czy przysparza pan sobie czasem przyjaciół, czy wyłącznie wrogów? — zapytał Rebus Dirwana.

— Oceniam ludzi według własnych kryteriów.

— I podejmuje pan decyzje w ciągu dwóch sekund?

Dirwan zastanowił się.

— Prawdę mówiąc, tak... czasami.

— Wobec tego na mój temat też wyrobił pan sobie opinię? — Rebus założył ręce na piersi.

— Niezupełnie, inspektorze... Pana trudno jest rozgryźć.

— Ale wszyscy gliniarze są rasistami?

— Wszyscy jesteśmy rasistami, inspektorze... nawet ja. Ważne jest to, jak sobie z tym niemiłym faktem radzimy.

Na biurku Wylie zadzwonił telefon. Rebus odebrał.

— Wydział śledczy, mówi inspektor Rebus.

— O... cześć. — Niepewny kobiecy głos. — Czy to pan bada sprawę tego morderstwa? Tego azylanta na osiedlu?

— Owszem.

— W porannej gazecie...

— Chodzi o zdjęcie? — Rebus usiadł i czym prędzej sięgnął po notatnik i długopis.

— Ja chyba wiem, kim oni są... to znaczy, wiem to na pewno. — Głos tak jej się łamał, że Rebus obawiał się, iż w każdej chwili może pęknąć i się rozłączyć.

— Będziemy bardzo wdzięczni za wszelką pomoc, panno...

— Słucham?

— Pytam o pani nazwisko.

— Po co?

— Chodzi o to, że jeśli ktoś dzwoni i się nie przedstawia, takich informacji nie traktuje się poważnie.

— Ale ja...

— Zapewniam, że to zostanie tylko między nami.

Przez chwilę panowała cisza. Aż w końcu kobieta wykrztusiła:

— Eylot. Janet Eylot.

Inspektor pośpiesznie zapisał nazwisko wielkimi literami.

— Czy mogę zapytać, skąd pani zna ludzi na tym zdjęciu, panno Eylot?

— No... oni tu są.

Rebus patrzył na prawnika niewidzącym wzrokiem.

— Tu, to znaczy gdzie?

— Wie pan, może najpierw powinnam spytać ich o zgodę...

Inspektor wiedział, że jeszcze chwila i wszystko przepadnie.

— Panno Eylot, postąpiła pani ze wszech miar słusznie. Potrzebuję tylko kilku szczegółów. Chcemy złapać zabójcę, ale na razie błądzimy po omacku i wygląda na to, że cała nasza nadzieja w pani. — Starał się mówić lekkim tonem, żeby jej nie wystraszyć.

— Nazywają się... — Znowu urwała. Rebus z całych sił hamował się, żeby nie wrzasnąć: „Jak?!". — Yurgii.

Poprosił, żeby przeliterowała, i zapisał nazwisko.

— Sądząc z brzmienia, są z Europy Wschodniej?

— To tureccy Kurdowie.

— Pani pracuje z uchodźcami, prawda, panno Eylot?

— Można i tak powiedzieć. — Teraz, kiedy już podała mu nazwisko, nabrała nieco pewności. — Dzwonię z Whitemire... zna je pan?

Rebus skupił wzrok na Dirwanie.

— Tak się składa, że przed chwilą właśnie rozmawiałem o tym ośrodku. Rozumiem, że ma pani na myśli obóz dla uchodźców.

— Właściwie jesteśmy obozem przejściowym, dla imigrantów czekających na wydalenie z kraju.

— A ta rodzina na fotografii... oni są tam z panią?

— Matka z dwójką dzieci, tak.

— A mąż?

— Uciekł tuż przedtem, zanim rodzinę złapano i przywieziono tutaj. Czasami tak bywa.

— Nie wątpię... — Rebus stukał długopisem w notatnik. — Czy mogłaby pani podać mi jakiś numer kontaktowy do siebie?

— No...

— Do domu albo do pracy, jak pani wygodniej.

— Czy ja wiem...

— O co chodzi, panno Eylot? Czego się pani boi?

— Najpierw powinnam porozmawiać z moim szefem. — Przerwała. — A teraz pan tu przyjedzie, prawda?

— Dlaczego pani z nim nie porozmawiała?

— Sama nie wiem.

— Czy gdyby pani szef się o tym dowiedział, groziłoby pani wyrzucenie z pracy?

Zastanowiła się nad tym.

— Czy oni muszą się dowiedzieć, że to ja do pana zadzwoniłam?

— Nie, absolutnie nie. Mimo wszystko chciałbym mieć możliwość skontaktowania się z panią.

W końcu ustąpiła i podała mu numer telefonu komórkowego. Rebus podziękował i zapowiedział, że być może jeszcze raz będzie musiał z nią porozmawiać.

— W cztery oczy — zapewnił, chociaż wcale nie miał pewności, że tak właśnie będzie. Gdy zakończyli rozmowę, wydarł kartkę z notesu.

— Jego rodzina jest w Whitemire — rzekł Dirwan.

— Proszę, żeby chwilowo zatrzymał pan to dla siebie.

Prawnik wzruszył ramionami.

— Uratował mi pan życie... przynajmniej tyle mogę dla pana zrobić. Czy chciałby pan, żebym tam z panem pojechał?

Rebus pokręcił głową. Tego mu tylko brakowało, żeby Dirwan wdał się tam w utarczki ze strażnikami. Wyszedł, by poszukać Shuga Davidsona, i znalazł go w korytarzu obok pokoju przesłuchań, pogrążonego w rozmowie z Ellen Wylie.

— Reynolds ci powiedział? — spytał Davidson.

Rebus kiwnął głową.

— To nie ten nóż.

— Mimo to potrzymamy tu gówniarza jeszcze trochę, może wie coś, co nam się przyda. Na ramieniu ma świeży tatuaż... czerwona dłoń i litery UVF. — Czyli Ulster Volunteer Force, nielegalna lojalistyczna grupa paramilitarna.

— To nieważne, Shug. — Rebus podniósł kartkę. — Nasza ofiara to zbieg z Whitemire. Jego rodzina wciąż tam siedzi.

Davidson wlepił w niego wzrok.

— Ktoś widział zdjęcie?

— Trafiłeś w dziesiątkę. Czas wybrać się tam z wizytą, nie sądzisz? Twoim samochodem czy moim?

Davidson jednak pocierał szczękę.

— John...

— Co takiego?

— Żona... dzieci... oni nie wiedzą o jego śmierci. Myślisz, że nadajesz się do czegoś takiego?

— Potrafię parzyć herbatę i zdobyć się na współczucie.

— Nie wątpię, ale pojedzie z tobą Ellen. Ellen, co ty na to?

Wylie skinęła głową i zwróciła się do Rebusa:

— Jedziemy moim.

9

Jej samochodem było volvo S40, zaledwie z dwoma tysiącami mil na liczniku. Na fotelu pasażera leżały płyty kompaktowe, które Rebus przejrzał szybko.

— Nastaw coś, jeśli chcesz — powiedziała Wylie.

— Najpierw muszę wysłać wiadomość Siobhan. — Wymówka, żeby nie musiał wybierać między Norah Jones, Beastie Boys i Mariah Carey. Kilka minut zabrało mu wysłanie tekstu: „sorki nie dam rady na szosta moze dopiero osma". Potem zastanawiał się, dlaczego właściwie do niej pisał, zamiast zadzwonić, co trwałoby dwa razy krócej. Oddzwoniła niemal natychmiast.

— Żarty sobie robisz?

— Właśnie jadę do Whitemire.

— Do tego obozu dla uchodźców?

— Dowiedziałem się z wiarygodnego źródła, że to właściwie ośrodek przejściowy dla imigrantów czekających na wydalenie z kraju. Tak się składa, że mieszkają tam żona i dzieci zabitego.

Milczała przez chwilę.

— O ósmej nie mogę. Jestem z kimś umówiona na drinka. Miałam nadzieję, że do nas dołączysz.

— Kto wie, może mi się uda, jeżeli ci na tym zależy. A potem moglibyśmy zajrzeć na Trójkąt Łonowy.

— Kiedy już zacznie się ruch w interesie, tak?

— Siobhan, to po prostu zwykła zbieżność w czasie, nic więcej.

— W każdym razie obchodź się z nimi delikatnie.

— Co masz na myśli?

— Zakładam, że w Whitemire będziesz posłańcem, który przynosi złe wieści.

— Co to jest, że nikomu nie przychodzi do głowy, że stać mnie na współczucie? — burknął, na co Wylie zerknęła na niego i uśmiechnęła się. — Jeśli chcę, potrafię być nowoczesnym gliną, takim że do rany przyłóż.

— Jasne, John. Do zobaczenia o ósmej w Ox.

Schował telefon i skupił się na drodze przed sobą. Wyjeżdżali z Edynburga w kierunku zachodnim. Whitemire leżało między Banehall i Bo'ness, jakieś szesnaście mil od centrum miasta. Do końca lat siedemdziesiątych znajdowało się tam więzienie, które Rebus miał okazję odwiedzić raz, krótko po wstąpieniu do służby. Powiedział o tym Ellen Wylie.

— To nie za moich czasów — skwitowała.

— Wkrótce potem więzienie zamknęli. Pamiętam jedynie, że pokazywali mi, gdzie wieszano skazańców.

— Urocze. — Wylie zahamowała gwałtownie. O tej porze panował największy ruch, ludzie w żółwim tempie wracali z pracy do podmiejskich dzielnic i miasteczek. Nie było żadnego skrótu ani objazdu, w dodatku wyglądało na to, że światła na każdym skrzyżowaniu sprzysięgły się przeciwko nim.

— Ja bym tak nie mógł codziennie — rzekł Rebus.

— Ale miło jest mieszkać na wsi.

Spojrzał na nią.

— Dlaczego?

— Więcej przestrzeni, mniej psiego gówna.

— Czyżby na wsi zakazano trzymania psów?

Znowu się uśmiechnęła.

— Poza tym za cenę dwuosobowego pokoju na Nowym Mieście można kupić dwanaście akrów ziemi i dom z salą bilardową.

— Nie gram w bilard.

— Ja też nie, ale mogłabym się nauczyć. — Przerwała. — To jaki mamy plan, kiedy już tam dotrzemy?

Rebus zastanowił się.

— Pewnie będziemy potrzebowali tłumacza.

— Nie pomyślałam o tym.

— Może mają jakiegoś na miejscu... wtedy to on mógłby przekazać złe wieści...

— Ona i tak będzie musiała zidentyfikować zwłoki męża.

Rebus skinął głową.

— O tym też może jej powiedzieć tłumacz.

— Po naszym wyjeździe?

Wzruszył ramionami.

— Popytamy o to, co nas interesuje, i wynosimy się stamtąd.

Spojrzała na niego.

— A ludzie mówią, że ciebie nie stać na współczucie...

Dalej jechali w milczeniu. Rebus nastawił radio na wiadomości, ale nie było nic o zamieszaniu w Knoxland. Miał nadzieję, że nikt nie podchwyci tego tematu. W końcu dotarli do drogowskazu pokazującego zjazd na Whitemire.

— Właśnie coś mi przyszło do głowy — odezwała się Wylie. — Czy nie powinniśmy ich uprzedzić o naszym przyjeździe?

— Trochę na to za późno. — Teraz jechali najeżoną dziurami jednopasmówką. Przydrożne znaki informowały o zakazie wjazdu pod odpowiedzialnością karną. Wysokie na dwanaście stóp ogrodzenie było wzmocnione płytami z jasnozielonej blachy falistej.

— Żeby nikt nie mógł zajrzeć do środka — mruknęła Wylie.

— Ani wyjrzeć na zewnątrz — dodał Rebus. Wiedział, że wielokrotnie demonstrowano przeciwko istnieniu obozu, i domyślał się, że to dlatego założono ostatnio tę blachę.

— A to co, na miłość boską? — spytała Wylie. Na poboczu drogi stała samotna postać: kobieta, grubo opatulona przed zimnem. Za plecami miała jednoosobowy namiot, a przed nim dymiło ognisko, nad którym wisiał czajnik. Kobieta trzymała zapaloną świecę, osłaniając dłonią migotliwy płomień. Rebus przyglądał się jej, kiedy ją mijali. Poruszała ustami, ze wzrokiem utkwionym w ziemi. Pięćdziesiąt jardów dalej była wartownia. Wylie zahamowała i nacisnęła klakson, ale nikt do nich nie wyszedł. Rebus wysiadł i podszedł do budki. Za okienkiem siedział wartownik i jadł kanapkę.

— Dobry wieczór — rzekł Rebus. Facet nacisnął przycisk i z głośnika popłynął jego głos:

— Jesteście umówieni?

— Nie musimy się umawiać — odparł inspektor, pokazując legitymację. — Policja.

Na wartowniku nie zrobiło to wrażenia.

— Pan ją tu wsunie.

Rebus włożył legitymację do metalowej szuflady i patrzył, jak wartownik bierze ją, ogląda uważnie i sięga po telefon. Inspektor nie słyszał rozmowy. Po chwili wartownik zapisał dane Rebusa i znów wcisnął przycisk.

— Rejestracja samochodu.

Rebus podał mu numer, przy okazji zauważając, że ostatnie trzy litery to WYL. Wylie sprawiła sobie płatną rejestrację.

— Jest ktoś z panem? — zapytał wartownik.

— Detektyw sierżant Ellen Wylie.

Wartownik kazał mu przeliterować nazwisko i zapisał dane. Rebus obejrzał się na stojącą przy drodze kobietę.

— Ona tak stale?

Wartownik pokręcił głową.

— Ma w środku kogoś z rodziny czy co?

— Nie, to wariatka — odparł wartownik, oddając Rebusowi legitymację. — Na parkingu stańcie na miejscu dla odwiedzających. Ktoś po was wyjdzie.

Inspektor podziękował skinieniem głowy i wrócił do volvo. Szlaban podniósł się automatycznie, ale wartownik musiał wyjść z budki, żeby otworzyć bramę. Machnął ręką na znak, że mogą jechać. Rebus wskazał Wylie miejsce na parkingu.

— Masz płatne tablice — powiedział.

— I co z tego?

— Myślałem, że to zabawka dla chłopców.

— Prezent od mojego chłopaka — wyznała. — Co miałam z nią zrobić?

— A kim jest ten chłopak?

— Nie twój interes — burknęła; jej wzrok świadczył o tym, że rozmowę na ten temat uważa za skończoną.

Parking od głównego terenu oddzielało kolejne ogrodzenie. Obok prowadzono jakieś prace budowlane — wylewano fundamenty.

— Miło widzieć, że w West Lothian coś się jednak buduje — mruknął Rebus.

Z głównego budynku wyszedł strażnik. Otworzył furtkę w ogrodzeniu i spytał Wylie, czy zamknęła drzwiczki wozu.

— Tak, alarm też włączyłam — odparła. — Często tu kradną samochody?

Nie zrozumiał żartu.

— Mamy tu niezłych desperatów. — Zaprowadził ich do głównego wejścia. Czekający tam mężczyzna miał na sobie garnitur, a nie mundur. Ruchem głowy pokazał strażnikowi, że teraz on przejmuje gości.

Rebus przyglądał się pozbawionemu ozdób, wyłożonemu kamieniem budynkowi, z wysoko umieszczonymi oknami. Po bokach znajdowały się nowe, bielone wapnem dobudówki.

— Nazywam się Alan Traynor — mówił tymczasem mężczyzna. Najpierw podał rękę Rebusowi, potem Wylie. — Czym mogę służyć?

Rebus wyciągnął z kieszeni poranne wydanie gazety, złożonej tak, że widać było fotografię.

— Sądzimy, że ci ludzie przebywają tutaj.

— Doprawdy? Jak pan doszedł do takiego wniosku?

Inspektor nie odpowiedział.

— Ta rodzina nazywa się Yurgii.

Traynor jeszcze raz przyjrzał się zdjęciu i powoli pokiwał głową.

— Chodźcie ze mną.

Zaprowadził ich do więzienia, bo w oczach Rebusa, bez względu na oficjalną nazwę, było to nic innego tylko więzienie. Po drodze objaśniał im środki bezpieczeństwa. Gdyby byli normalnymi odwiedzającymi, pobrano by od nich odciski palców, zrobiono im zdjęcia i sprawdzono wykrywaczem metali. Pracownicy, których mijali, nosili niebieskie mundury, a przy pasie mieli pęki kluczy. Zupełnie jak w więzieniu. Traynor ledwie przekroczył trzydziestkę. Jego granatowy garnitur był chyba szyty na miarę, a włosy z przedziałkiem na lewą stronę tak długie, że od czasu do czasu musiał je odgarniać z oczu. Powiedział im, że jest zastępcą, a jego szef poszedł na chorobowe.

— Coś poważnego?

— Stres. — Traynor wzruszył ramionami, jakby należało się tego spodziewać. Weszli za nim po kilku schodkach do niedużego otwartego biura. Nad komputerem siedziała pochylona młoda kobieta.

— Znowu pracujesz po godzinach, Janet? — zapytał Traynor z uśmiechem. Nie odpowiedziała, tylko czekała bez słowa. Rebus, stojąc za plecami Traynora, puścił oko do Janet Eylot.

Gabinet Traynora był mały i funkcjonalny. Za szybą miał szereg ekranów telewizji przemysłowej, na których co chwila zmieniały się obrazki z kilkunastu miejsc na terenie ośrodka.

— Niestety, jest tylko jedno krzesło — powiedział, siadając za biurkiem.

— Chętnie postoję — odrzekł Rebus, ruchem głowy wskazując Wylie, żeby usiadła. Ona jednak także postanowiła stać. Traynor, który usiadł na swoim fotelu, musiał teraz zadzierać głowę, by móc patrzeć na detektywów. — Macie tu Yurgiich? — spytał inspektor, udając, że interesuje go to, co pojawia się na ekranach.

— Są tutaj, owszem.

— Ale bez męża?

— Wymknął się... — Wzruszył ramionami. — Nie nasz problem. To służby imigracyjne dały ciała.

— A wy nie należycie do służb imigracyjnych?

Traynor prychnął.

— Whitemire podlega Cencrast Security, która z kolei wchodzi w skład ForeTrust.

— Innymi słowy, sektor prywatny?

— Otóż to.

— ForeTrust to firma amerykańska, prawda? — spytała Wylie.

— Owszem. W Stanach Zjednoczonych prowadzi prywatne więzienia.

— W Wielkiej Brytanii też?

Traynor przytaknął lekkim skinieniem głowy.

— Wróćmy może do Yurgiich... — Bawił się paskiem od zegarka, na znak, że ma lepsze pomysły na to, co robić z czasem.

— Widzi pan, kiedy pokazałem panu tę gazetę, nawet nie mrugnął pan okiem — zaczął Rebus. — Nie interesował pana ani tytuł, ani treść artykułu. — Przerwał. — Dlatego odnoszę wrażenie, że pan już o tym wiedział. — Oparł kciuki o blat biurka i pochylił się. — Co nasuwa mi pytanie, dlaczego pan się z nami nie skontaktował.

Traynor na sekundę spojrzał Rebusowi w oczy, po czym przeniósł uwagę na ekrany.

— Czy zdaje pan sobie sprawę, inspektorze, jaką mamy złą prasę? O wiele gorszą, niż na to zasługujemy. Niech pan zapyta inspekcję... sprawdzają nas co kwartał. Dowie się pan, że ośrodek jest efektywnie zarządzany, panują tu ludzkie warunki, a my się nie obijamy. — Wskazał na ekran, na którym grupka mężczyzn grała przy stole w karty. — Mamy świadomość, że to ludzie, i traktujemy ich po ludzku.

— Panie Traynor, gdyby potrzebny mi był wasz folder reklamowy, tobym kogoś po niego przysłał. — Rebus pochylił się jeszcze bardziej, żeby młody człowiek nie mógł uciec wzrokiem. — Czytając między wierszami, widzę, że bał się pan, iż Whitemire zostanie uwikłane w tę historię... a to, panie Traynor, podpada pod utrudnianie pracy wymiarowi sprawiedliwości. Myśli pan, że długo utrzyma się pan na stołku, kiedy Cencrast dowie się, że ma pan na koncie przestępstwo?

Twarz i szyję Traynora zalał rumieniec.

— Nie udowodni mi pan, że cokolwiek wiedziałem! — wybuchnął.

— Ale zawsze mogę spróbować, prawda? — Młody człowiek prawdopodobnie nigdy nie spotkał się z tak nieprzyjemnym uśmiechem, jakim obdarzył go Rebus. Inspektor wyprostował się, odwrócił do Wylie i posłał jej zupełnie inny uśmiech, po czym znów zajął się Traynorem. — Wróćmy może do rodziny Yurgii.

— Co chcecie wiedzieć?

— Wszystko.

— Nie znam historii wszystkich ludzi, których tu mamy — powiedział Traynor obronnym tonem.

— Może przydadzą się panu ich akta.

Traynor skinął głową, wstał i wyszedł, by poprosić Janet Eylot o odpowiednie dokumenty.

— Ładna robota — mruknęła Wylie pod nosem.

— A do tego ubaw po pachy.

Gdy Traynor wrócił, wyraz twarzy Rebusa stwardniał. Młody człowiek usiadł i zaczął przerzucać papiery. To, co im opowiedział, na pozór wydawało się proste. Rodzina Yurgii to tureccy Kurdowie. Najpierw przybyli do Niemiec, gdzie twierdzili, że w ich ojczyźnie grozi im niebezpieczeństwo. Kilku członków

rodziny przepadło bez śladu. Ojciec podał, że na imię ma Stef...
Mówiąc to, Traynor podniósł wzrok.

— Nie mieli na nich żadnych papierów, żadnych dowodów, że mówił prawdę. Stef to raczej nie jest imię kurdyjskie, prawda? I jeszcze coś... twierdził, że jest dziennikarzem...

Tak, dziennikarzem, który w swoich artykułach krytykował rząd. Pisywał pod różnymi pseudonimami, by nie narażać rodziny. Kiedy jego wujek i kuzyn przepadli bez wieści, założył, że aresztowano ich i torturowano, żeby podali jakieś szczegóły na jego temat.

— Powiedział, że ma dwadzieścia dziewięć lat... ale oczywiście w tej sprawie także mógł kłamać.

Żona lat dwadzieścia pięć, dzieci w wieku lat czterech i sześciu. Władzom niemieckim oświadczyli, że chcą zamieszkać w Wielkiej Brytanii, na co Niemcy chętnie przystali... zawsze to mniej uchodźców na głowie. Jednakże Urząd Imigracyjny w Glasgow po zapoznaniu się z ich sprawą uznał, że należy ich deportować — najpierw do Niemiec, a potem zapewne do Turcji.

— Z jakiego powodu? — spytał Rebus.

— Nie udowodnili, że nie są imigrantami ekonomicznymi.

— Trudna sprawa — wtrąciła Wylie, splatając ręce na piersi. — To tak, jak udowodnić, że nie jest się wielbłądem.

— Takie sprawy rozstrzyga się z największą starannością — rzekł Traynor obronnym tonem.

— Długo tu przebywają? — spytał Rebus.

— Siedem miesięcy.

— Kawał czasu.

— Pani Yurgii nie zgadza się na deportację.

— Ma do tego prawo?

— Wynajęła prawnika.

— Czyżby Mo Dirwana?

— Skąd pan wie?

Rebus zaklął w duchu; gdyby przystał na propozycję Dirwana, to wtedy prawnik przekazałby wieści wdowie.

— Czy pani Yurgii mówi po angielsku?

— Słabo.

— Będzie musiała pojechać do Edynburga, żeby zidentyfikować zwłoki. Myśli pan, że to zrozumie?

— Nie mam pojęcia.

— Macie tu kogoś, kto mógłby tłumaczyć?

Traynor pokręcił głową.

— Dzieci są razem z nią? — spytała Wylie.

— Tak.

— Przez cały dzień? — Patrzyła, jak przytakuje. — Nie chodzą do szkoły?

— Nauczyciel przyjeżdża tutaj.

— Ile właściwie macie dzieci?

— Różnie, od pięciorga do dwadzieściorga. Zależy, kogo akurat tu przyślą.

— A wszystkie w różnym wieku, różnych narodowości?

— Z Nigerii, Rosji, Somalii...

— I tylko jeden nauczyciel?

Traynor uśmiechnął się.

— Niech się pani nie daje nabierać na ten medialny bełkot, pani sierżant. Wiem, że nazywano nas „szkockim obozem rentgenowskim"... demonstranci otaczali nasz teren, trzymając się za ręce... — Przerwał; nagle wyglądał na zmęczonego. — My ich tylko przechowujemy, to tyle. Nie jesteśmy potworami, a to nie jest obóz dla więźniów. Te nowe budynki, które widzieliście przy wjeździe, zostały specjalnie dobudowane dla rodzin. Mają tu telewizję i bar samoobsługowy, stoły do ping--ponga i automaty z kanapkami...

— A której z tych rzeczy nie ma w więzieniu? — wtrącił Rebus.

— Nie trafiliby tutaj, gdyby opuścili kraj wtedy, kiedy im kazano. — Traynor poklepał akta. — Urzędnicy podjęli decyzję. — Odetchnął głęboko. — No nic, zakładam, że chcecie się zobaczyć z panią Yurgii...

— Za chwilę — rzekł Rebus. — Co pańskie akta mówią na temat ucieczki Stefa?

— Tylko tyle, że kiedy funkcjonariusze pojechali do mieszkania Yurgiich...

— To znaczy gdzie?

— Do Sighthill w Glasgow.

— Milutkie miejsce.

— Znam gorsze, inspektorze... W każdym razie kiedy tam przyjechali, pana Yurgii nie było w domu. Według jego żony wyszedł poprzedniej nocy.

— Dostał cynk, że się tam wybieracie?

— Nie robiliśmy z tego tajemnicy. Wydano postanowienie i adwokat powiadomił ich o jego treści.

— Czy on miał jakieś źródło utrzymania?

Traynor wzruszył ramionami.

— Nie, chyba że Dirwan mu pomógł.

No właśnie, Rebus powinien był zapytać o to adwokata.

— Nie próbował kontaktować się z rodziną?

— Nic mi o tym nie wiadomo.

Rebus zastanawiał się przez chwilę; obejrzał się na Wylie, sprawdzając, czy ona ma jakieś pytania. Kiedy skrzywiła się lekko, skinął głową.

— Dobrze, to chodźmy teraz do pani Yurgii.

Właśnie skończyła się kolacja i ludzie wychodzili z baru.

— Wszyscy jedzą o tej samej porze — zauważyła Wylie.

Umundurowany strażnik kłócił się z kobietą. Miała zakrytą szalem głowę i trzymała dziecko na rękach. Strażnik miętosił jakiś owoc.

— Czasami próbują przemycić jedzenie do pokoi — wyjaśnił Traynor.

— A to jest zabronione?

Przytaknął ruchem głowy.

— Nie widzę ich tu... pewnie skończyli wcześniej. Tędy... — Poprowadził ich korytarzem wyposażonym w kamery. Możliwe, że ten budynek był nowy i czysty, ale w przekonaniu Rebusa był to po prostu obóz w obozie.

— Mieliście tu jakieś samobójstwa? — zapytał.

Traynor zmierzył go wściekłym wzrokiem.

— Kilka prób. I strajk głodowy. To zależy od tego, skąd pochodzą... — Zatrzymał się przy otwartych drzwiach i skinął na nich ręką. Rebus zajrzał do środka. Pokój miał wymiary piętnaście stóp na dwanaście, nie był więc mały, ale stało w nim jedno łóżko piętrowe, jedno pojedyncze, szafa i biurko, przy którym dwoje małych dzieci kolorowało obrazki, szepcząc coś do siebie. Matka siedziała na łóżku, z rękami splecionymi na kolanach, i wpatrywała się w dal.

— Pani Yurgii? — rzekł Rebus, wchodząc w głąb pomieszczenia. Obrazki przedstawiały drzewa i żółte kuliste słońca. W pokoju nie było okna, wentylacja docierała przez kratkę w suficie.

Kobieta spojrzała na niego pozbawionym wyrazu wzrokiem.

— Pani Yurgii, jestem oficerem policji. — Natychmiast przykuł uwagę dzieci. — To moja koleżanka. Czy moglibyśmy porozmawiać gdzieś bez dzieci?

Patrząc mu w oczy, nawet nie mrugnęła. Po jej twarzy zaczęły spływać łzy; wydęła wargi, powstrzymując szloch. Dzieci podeszły i przytuliły się do niej, żeby ją pocieszyć. Wyglądało to tak, jakby robiły to regularnie. Chłopiec mógł mieć sześć albo siedem lat. Spojrzał na dorosłych intruzów z zaciętą miną, jakby był znacznie starszy.

— Idźcie sobie, nie róbcie nam tego.

— Muszę porozmawiać z twoją mamą — odrzekł cicho Rebus.

— Nie wolno. Spadaj pan, ale już. — Chłopczyk wypowiedział te słowa precyzyjnie, ze śladem miejscowego akcentu, który, jak przypuszczał Rebus, podłapał od strażników.

— Naprawdę muszę porozmawiać z...

— Ja wszystko wiem — odezwała się nagle pani Yurgii. — On... on nie... — Patrzyła na Rebusa błagalnym wzrokiem, lecz on mógł tylko skinąć głową. Przytuliła dzieci. — On nie — powtórzyła. Dziewczynka także zaczęła płakać, ale nie chłopiec. Zupełnie jakby zdawał sobie sprawę, że w jego świecie znowu zaszła zmiana, że świat rzucił mu kolejne wyzwanie.

— Co tu się dzieje? — W progu stanęła kobieta z baru.

— Zna pani panią Yurgii? — spytał Rebus.

— To moja przyjaciółka. — Teraz już nie trzymała dziecka na rękach, została po nim tylko plama zaschniętego mleka albo śliny. Kobieta wcisnęła się do pokoju i przykucnęła przed wdową. — Co się stało? — spytała głębokim, nieznoszącym sprzeciwu tonem.

— Przynosimy złe wieści — powiedział Rebus.

— Jakie?

— Chodzi o męża pani Yurgii — wtrąciła Wylie.

— Co się stało? — W jej oczach pojawił się strach, gdy zaczęła docierać do niej prawda.

— Nic dobrego — rzekł Rebus. — Nie żyje.

— Nie żyje?

— Został zabity. Ktoś musi zidentyfikować zwłoki. Czy znała pani tę rodzinę, zanim się tu znaleźliście?

Popatrzyła na niego jak na idiotę.

— Nikt z nas się nie znał, dopóki nie trafiliśmy do tego... miejsca. — Ostatnie słowo wypluła jak coś, co weszło jej między zęby.

— Czy może jej pani powiedzieć, że będzie musiała zidentyfikować zwłoki? Możemy przysłać po nią samochód jutro rano...

Traynor uniósł rękę.

— Nie ma potrzeby. Mamy własny transport...

— Naprawdę? — rzuciła Wylie sceptycznie. — Taki z okratowanymi szybami?

— Pani Yurgii została uznana za potencjalnego zbiega. To ja za nią odpowiadam.

— Zawieziecie ją do kostnicy więzienną suką?

Traynor przeszył Wylie wściekłym wzrokiem.

— Odwiozą ją strażnicy.

— Nie wątpię, że społeczeństwo od razu poczuje się bezpieczniej.

Rebus położył dłoń na jej ramieniu. Chciała coś jeszcze dodać, ale odwróciła się i odeszła korytarzem. Inspektor wzruszył ramionami.

— Dziesiąta rano? — spytał, na co Traynor skinął głową. — Dałoby się załatwić, żeby przyjaciółka pani Yurgii mogła z nią pojechać?

— Czemu nie? — odparł Traynor.

— Dzięki. — Rebus wyszedł za Wylie na parking. Krążyła tam i z powrotem, kopiąc nieistniejące kamienie. Strażnik, który pomimo jaskrawego oświetlenia patrolował teren z latarką, obserwował ją uważnie.

Rebus zapalił papierosa.

— Lepiej ci, Ellen?

— A jak tu można czuć się lepiej?

Podniósł ręce, jak gdyby się poddawał.

— To nie ja cię wkurzyłem.

Dźwięk, który wydobył się z jej ust, zaczął się parsknięciem, a skończył westchnieniem.

— No właśnie o to chodzi. Na kogo tak naprawdę jestem wkurzona?

— Na tych, którzy tu rządzą? — podsunął Rebus. — Tych,

146

których nigdy nie zobaczymy? — Poczekał, aż się z nim zgodzi, i ciągnął: — Mam taką teorię. Większość czasu poświęcamy ściganiu ludzi z tak zwanego podziemia, a tak naprawdę powinniśmy się zainteresować tymi na samej górze.

Przemyślała sobie jego słowa i ledwie dostrzegalnie skinęła głową. Strażnik ruszył w ich kierunku.

— Tu się nie pali! — warknął. Rebus spojrzał na niego bez słowa. — Nie wolno.

Inspektor zaciągnął się jeszcze raz i zmrużył oczy. Wylie wskazała na bladożółtą linię na ziemi.

— Co to jest? — spytała.

— Strefa skażenia — odpowiedział strażnik. — Zatrzymanym nie wolno jej przekraczać.

— Dlaczego, do ciężkiej cholery?

Strażnik przeniósł wzrok na nią.

— Mogliby próbować ucieczki.

— Oglądał pan ostatnio waszą bramę? Mówi panu coś wysokość ogrodzenia? Drut kolczasty i te blachy...?

Kiedy ruszyła w jego stronę, zaczął się wycofywać. Rebus znów dotknął jej ramienia.

— Myślę, że powinniśmy już jechać — powiedział i pstryknął niedopałkiem tak, że odbił się od czubka wypolerowanego buta strażnika, rzucając iskry w noc. Gdy wyjeżdżali, samotna kobieta obserwowała ich, stojąc przy swoim ognisku.

10

— Jak by to powiedzieć... ten lokal cechuje prostota — oznajmił Alexis Cater, patrząc na zabarwione nikotyną ściany tylnej sali baru Oxford.

— Miło, że raczył pan spotkać się tutaj.

Pogroził jej palcem.

— Masz w sobie ogień, to mi się podoba. Zdarzało mi się już kilka razy gasić ogień, ale tylko taki, który najpierw sam rozpaliłem. — Uśmiechnął się sztucznie, podniósł kufel i przepłukał piwem usta. — No, ale browar jest niezły, w dodatku niewiarygodnie tani. Muszę sobie zapamiętać to miejsce. To twój stały bar?

Pokręciła głową, lecz w tym momencie pojawił się barman Harry, by sprzątnąć puste naczynia.

— Jak leci, Shiv? — zawołał. W odpowiedzi skinęła mu głową.

Cater wyszczerzył zęby w uśmiechu.

— No i się wydało, Shiv.

— Siobhan — sprostowała.

— Coś ci powiem: będę ci mówił Siobhan, jeżeli ty będziesz mi mówiła Lex.

— Chcesz się targować z oficerem policji?

Zamrugał ponad krawędzią kufla.

— Nie potrafię wyobrazić sobie ciebie w mundurze... ale warto spróbować.

Siobhan postanowiła usiąść na ławie, zakładając, że on zajmie krzesło naprzeciwko, tymczasem usiadł na ławie obok niej i coraz bardziej się przysuwał.

— Powiedz mi, czy to atakowanie urokiem osobistym działa?

— Nie narzekam. Z drugiej strony... — spojrzał na zegarek — siedzimy tu już blisko dziesięć minut, a ty nie spytałaś mnie jeszcze o ojca... to chyba rekord.

— Chcesz powiedzieć, że kobiety lecą na ciebie dlatego, że jesteś synalkiem tatusia?

Skrzywił się.

— To oczywiste.

— Pamiętasz jeszcze, po co się tu spotkaliśmy?

— O Boże, dlaczego jesteś taka oficjalna?

— Jeżeli chcesz się przekonać, co znaczy „oficjalna", możemy pogadać na Gayfield Square.

Uniósł brew.

— W twoim mieszkaniu?

— Na moim posterunku — sprostowała.

— Cholera, to średnia przyjemność.

— Właśnie myślałam dokładnie o tym samym.

— Muszę zakurzyć. Palisz? — Gdy Siobhan pokręciła głową, rozejrzał się. Do baru wszedł kolejny gość, zajął stolik naprzeciwko nich i rozłożył wieczorne wydanie gazety. Cater spojrzał na paczkę papierosów na jego stoliku. — Przepraszam pana! — zawołał. — Nie ma pan przypadkiem zbędnego papierosa?

— Zbędnego? Nie. Potrzebny mi każdy papieros, jaki mi wpadnie w łapy — odparł mężczyzna i wrócił do lektury. Cater odwrócił się do Siobhan.

— Miła klientela.

Wzruszyła ramionami. Nie miała ochoty informować go, że za rogiem, obok toalet, stoi automat z papierosami.

— Szkielet — przypomniała mu.

— I co z nim? — Rozparł się na ławie z taką miną, jakby wolał być gdzie indziej.

— Zabraliście go sprzed gabinetu profesora Gatesa.

— I co z tego?

— Chciałabym wiedzieć, jakim cudem trafił pod betonową podłogę na Fleshmarket Close.

— Ja też. — Parsknął śmiechem. — Może mógłbym sprzedać ojcu pomysł na miniserial.

— Zabraliście go i... — ponagliła.

Zakręcił kuflem tak, że na wierzchu pojawiła się świeża piana.

— Myślisz, że ze mną uda ci się tani podryw... postawisz mi jednego, a ja ci wywalę kawę na ławę?

— Nie ma sprawy — odparła, wstając.

— Przynajmniej dopij — zaprotestował.

— Nie, dzięki.

Pokręcił głową.

— Trudno, niech ci będzie... — Machnął rękami. — Siadaj, opowiem ci. — Zawahała się, po czym odsunęła krzesło naprzeciwko niego i usiadła. Podsunął jej szklankę. — Chryste, ty to masz charakterek!

— Ty też. — Podniosła szklankę z tonikiem. Gdy przyszli do baru, Cater zamówił jej gin z tonikiem, ale udało jej się dać znak Harry'emu, że nie chce ginu. Dostała tylko tonik... i dlatego ta kolejka była taka tania.

— Jeżeli ci powiem, pójdziemy potem na kolację? — spytał, na co zmierzyła go wściekłym wzrokiem. — Umieram z głodu — naciskał.

— Na Broughton Street dają dobre frytki.

— Czy to blisko twojego mieszkania? Wzięlibyśmy frytki i rybę na górę...

Tym razem nie mogła powstrzymać uśmiechu.

— Ty nigdy nie rezygnujesz, co?

— Nie, chyba że jestem całkiem, ale to całkiem pewny.

— Pewny czego?

— Że kobieta nie jest zainteresowana. — Uśmiechnął się do niej promiennie.

Siedzący przy sąsiednim stoliku za jej plecami mężczyzna chrząknął, przewracając strony gazety.

— Zobaczymy — odparła. — Na razie opowiedz mi o kościach Mag Lennox.

Spojrzał na sufit, przywołując wspomnienia.

— Kochana stara Mags... — Nagle przerwał. — Rzecz jasna rozmawiamy nieoficjalnie?

— Nic się nie martw.

— Racja... No więc postanowiliśmy „pożyczyć" sobie Mags. Urządzaliśmy przyjęcie i pomyśleliśmy, że byłoby zabawnie, gdyby u szczytu stołu zasiadła Mags. Pomysł wzięliśmy z imprezy u studenta weterynarii. Wykradł z laboratorium martwego psa i posadził go na sedesie, tak że jeśli ktoś chciał skorzystać z...

— Rozumiem.

Wzruszył ramionami.

— Tak samo zrobiliśmy z Mags. Podczas kolacji posadziliśmy ją u szczytu stołu. Zdaje się, że potem nawet z nią tańczyliśmy. Ot, taki wyskok, droga pani. Później chcieliśmy ją zanieść z powrotem...

— Ale tego nie zrobiliście?

— Bo kiedy obudziliśmy się rano, okazało się, że sama nas opuściła.

— To raczej mało prawdopodobne.

— Zgoda, a zatem ktoś ją wyniósł.

— A ten szkielet dziecka... też go zabraliście, kiedy wydział pozbywał się staroci? — zapytała. Lekarz skinął głową. — Czy dowiedzieliście się, kto zabrał szkielet?

Pokręcił głową.

— Na kolacji było siedmioro gości, ale kiedy impreza się rozkręciła, przyszło z dwadzieścia albo i trzydzieści osób. Mógł to zrobić każdy.

— Podejrzewaliście kogoś?

Zastanowił się.

— Pippa Greenlaw przyprowadziła jakiegoś prostaka. Ale okazało się, że to był numerek na jedną noc i więcej się z nim nie widziała.

— Czy on się jakoś nazywał?

— Pewnie tak. — Spojrzał jej w oczy. — Ale na pewno nie tak seksownie jak ty.

— A ta Pippa? Też jest lekarzem?

— Chryste Panie, gdzie tam! Pracuje w public relations. Właśnie w ten sposób poznała tamtego kochasia. Był piłkarzem. — Przerwał. — A raczej chciał nim zostać.

— Masz numer telefonu Pippy?

— Gdzieś mam... ale nie wiem, czy aktualny. — Pochylił się. — Ale oczywiście nie noszę go przy sobie. To znaczy, że musimy się umówić raz jeszcze.

— To znaczy, że zadzwonisz do mnie i mi go podasz. — Wręczyła mu wizytówkę. — Gdyby mnie nie było, zostaw wiadomość na posterunku.

Jego uśmiech złagodniał, gdy przyglądał się jej, przechylając głowę raz w jedną, raz w drugą stronę.

— O co chodzi? — spytała.

— Zastanawiam się, ile z tej Lodowatej Damy to tylko poza... Czy ty nigdy nie wypadasz z roli? — Wyciągnął rękę nad stołem, chwycił ją za nadgarstek i pocałował w dłoń. Wyszarpnęła rękę. Cofnął się, zadowolony. — Ogień i lód — mruknął. — Wyjątkowo udana kombinacja.

— Chcesz zobaczyć inną udaną kombinację? — odezwał się siedzący przy sąsiednim stole mężczyzna, gwałtownie składając gazetę. — Co powiesz na fangę w dziób i kopa w dupę?

— Jasna cholera, sir Galahad! — Cater wybuchnął śmiechem. — Niestety, stary, w okolicy nie ma damy, która potrzebowałaby twoich usług.

Mężczyzna wstał i wyszedł na środek ciasnego pomieszczenia. Siobhan też wstała i zasłoniła Catera.

— W porządku, John — powiedziała i rzuciła do lekarza: — Myślę, że powinieneś salwować się ucieczką.

— Znasz tego goryla?

— To jeden z moich kolegów z pracy — odparła.

Rebus przekrzywiał głowę, by mieć widok na Catera, i patrzył na niego z furią.

— Lepiej znajdź ten numer telefonu, kolego. A swoje dowcipy zachowaj dla kogo innego.

Cater wstał i nieśpiesznie, ostentacyjnie dopił piwo.

— Dziękuję za uroczy wieczór, Siobhan... Musimy to kiedyś powtórzyć, z małpką cyrkową albo i bez niej.

W progu pojawił się barman Harry.

— To twój aston stoi przed barem, kolego?

Twarz Catera złagodniała.

— Ekstra bryczka, no nie?

— Tego to ja nie wiem, ale jakiś łazęga pomylił ją z kiblem.

Cater rozdziawił usta i popędził schodami do wyjścia. Harry puścił oko i wrócił za ladę. Siobhan i Rebus wymienili spojrzenia i wybuchnęli śmiechem.

— Kawał lizusa i skurwysyna — podsumował Rebus.

— Gdybyś miał takiego ojca, może byłbyś taki sam.

— Jasne, w czepku urodzony. — Rebus usiadł przy swoim stoliku, a Siobhan odwróciła krzesło przodem do niego.

— Może to jego poza?

— Taka jak twoja Lodowata Dama?

— Albo twój Pan Groźny.

Rebus puścił oko i podniósł kufel do ust. Siobhan już dawno zwróciła uwagę na to, jak otwierał usta, gdy pił — szczerzył zęby, jak gdyby atakował kufel.

— Napijesz się jeszcze? — spytała.

— Chcesz odwlec koszmarne chwile? — zażartował. — Czemu nie? Tu będzie taniej niż tam.

Przyniosła picie.

— I jak poszło w Whitemire?

— Tak jak można się było spodziewać. Ellen Wylie raz puściły nerwy. — Opisał jej wizytę, kończąc utarczką Wylie ze strażnikiem. — Jak sądzisz, dlaczego to zrobiła?

— Z wrodzonego poczucia sprawiedliwości? — podsunęła. — A może sama wywodzi się z imigrantów?

— Chcesz powiedzieć, że tak jak ja?

— Przypominam sobie, jak mówiłeś, że pochodzisz z Polski.

— Nie ja, mój dziadek.

— Ale pewnie wciąż masz tam jakąś rodzinę.

— Bóg raczy wiedzieć.

— Nie zapominaj, że ja też jestem imigrantką. Rodzice są Anglikami... wychowałam się za południową granicą.

— Ale urodziłaś się tutaj.

— I zaraz mnie wywieźli, kiedy jeszcze nosiłam pieluchy.

— Mimo to jesteś Szkotką... nie próbuj od tego uciekać.

— Ja tylko mówię...

— Jesteśmy narodem kundli, Siobhan. Zawsze tak było. Osiedlili nas tu Irlandczycy, potem wikingowie gwałcili nas i łupili. Kiedy byłem dzieckiem, wszystkie budy z frytkami prowadzili Włosi. Koledzy w szkole nosili polskie i rosyjskie nazwiska... — Wpatrzył się w kufel. — Ale nie pamiętam, żeby z tego powodu kogoś zasztyletowano.

— Ty się wychowywałeś w wiosce.

— I co z tego?

— Tylko tyle, że może w Knoxland jest inaczej.

Przyznał jej rację ruchem głowy i dopił piwo.

— Chodźmy — powiedział.

— Mam jeszcze pół szklanki.

— Procenty się zmarnują, sierżant Clarke?

Warknęła w proteście, lecz wstała od stołu.

— Byłeś kiedyś w takim lokalu?

— Kilka razy — przyznał się. — Na wieczorkach kawalerskich.

Zostawili samochód na Bread Street, przed jednym z najbardziej szykownych hoteli w mieście. Rebus zastanawiał się, co sobie myślą hotelowi goście, gdy wychodzą ze swoich apartamentów wprost na Trójkąt Łonowy — teren obejmujący obszar od barów ze striptizem przy Tollcross i Lothian Road aż po Lady Lawson Street. Bary reklamowały się „największymi cyckami" w mieście, „ekskluzywnym tańcem na stołach" oraz „akcją non stop". Jak dotąd minęli tylko jeden dyskretny sex shop; nie zauważyli, żeby prostytutki z Leith zadomowiły się tutaj.

— Przypominają mi się dawne czasy — rzekł Rebus. — Nie było cię tu w latach siedemdziesiątych, prawda? W barach w porze lunchu tańczyły tancerki topless, koło uniwersytetu było kino ze świńskimi filmami...

— Miło słyszeć, że ogarnęła cię nostalgia — powiedziała chłodno Siobhan.

Celem ich wyprawy był odnowiony bar mieszczący się naprzeciwko zlikwidowanego sklepu. Rebus przypomniał sobie jego wcześniejsze nazwy: Tawerna Laurie, Pszeniczna Oberża, Wężowa Jama. Teraz nazywał się Dziurka. Tablica w wielkim, zamalowanym na czarno oknie zachęcała: „Najlepsze dziurki w mieście" i proponowała „złotą kartę członkowską od ręki". Dwóch wykidajłów pilnowało wejścia przed pijakami i osobami niepożądanymi. Obaj mieli nadwagę i byli wygoleni na łyso. Obaj mieli na sobie identyczne grafitowe garnitury i czarne koszulki, a w uchu mikrofony, by można ich było wezwać na wypadek jakichś kłopotów w środku.

— Głupi i głupszy — mruknęła Siobhan pod nosem. Wlepili w nią wzrok, nie interesując się Rebusem, bo kobiety nie były pożądaną klientelą lokalu.

— Niestety, par nie wpuszczamy — odezwał się jeden z nich.

— Sie masz, Bob — rzekł Rebus. — Kiedy wyszedłeś?

Wykidajło nie rozpoznał go od razu.

— Dobrze pan wygląda, inspektorze.

— Ty też. Pewnie w Saughton pakowałeś na siłowni. — Rebus zwrócił się do Siobhan: — Pozwolisz, że przedstawię ci Boba Doddsa. Odsiedział sześć lat za napad z ciężkim pobiciem.

— Po apelacji zmniejszyli mi wyrok — sprecyzował Dodds. — A tamtemu skurwielowi się należało.

— Rzucił twoją siostrę... zdaje się, że o to poszło? Potraktowałeś go kijem baseballowym i nożem. A teraz stoisz tu sobie zdrów i cały. — Rebus uśmiechnął się szeroko. — I pełnisz społecznie pożyteczną funkcję.

— Pan z policji? — Drugi wykidajło nareszcie załapał.

— Ja też — powiedziała Siobhan. — Co oznacza, że wchodzimy tak czy inaczej.

— Chcecie się widzieć z kierownikiem? — spytał Dodds.

— Z grubsza o to chodzi.

Dodds wyciągnął z marynarki krótkofalówkę.

— Brama do biura.

Rozległy się trzaski, po czym czyjś głos zaskrzeczał:

— O co znów chodzi, do kurwy nędzy?

— Policja do pana.

— Przyszli po łapówkę czy co?

Rebus wziął krótkofalówkę od Doddsa.

— Chcemy z panem zamienić dwa słowa na osobności. Ale jeżeli chce nas pan przekupić, możemy o tym porozmawiać na komisariacie.

— Na miłość boską, żartowałem! Niech Bob was przyprowadzi.

Rebus oddał krótkofalówkę.

— Zdaje się, że właśnie dostaliśmy złotą kartę członkowską — powiedział.

Za drzwiami ustawiono cienką ściankę, by nikt z zewnątrz nie mógł zajrzeć do środka, dopóki nie zapłaci za wstęp. Za staroświecką kasą urzędowała kobieta w średnim wieku. Wykładziny utrzymane były w kolorze jasnoczerwonym i fioletowym, ściany były czarne, a małe lampki punktowe miały na celu albo imitować rozgwieżdżone niebo, albo utrudniać pijakom studiowanie cen drinków i pilnowanie barmanów, żeby nalewali uczciwą miarkę. Bar wyglądał prawie tak samo, jak go Rebus zapamiętał z czasów, gdy lokal nazywał się Taverna Laurie. Niestety, nie podawano piwa z beczki, tylko przynoszące większe zyski puszkowe. Na środku sali ustawiono niewielką scenę z dwiema błyszczącymi srebrnymi rurami, sięgającymi aż po sufit. Młoda ciemnoskóra kobieta tańczyła w rytm zbyt głośnej muzyki instrumentalnej, obserwowana raptem przez kilku mężczyzn. Siobhan zwróciła uwagę, że dziewczyna przez cały czas ma zamknięte oczy, tak pochłonięta jest muzyką. Na kanapie siedziało dwóch mężczyzn, a inna dziewczyna tańczyła między nimi bez stanika. Strzałka wskazywała drogę do „prywatnych lóż VIP-owskich", oddzielonych od sali czarnymi zasłonami. Na stołkach przy barze siedzieli trzej biznesmeni w garniturach i raczyli się szampanem.

— Ruch zaczyna się później — wyjaśnił Dodds Rebusowi. — A w weekendy jest jak w domu wariatów. — Zaprowadził ich do drzwi z napisem „Wstęp wzbroniony", wstukał kod i ruchem głowy zaprosił do środka.

Znaleźli się w krótkim i wąskim korytarzu zakończonym drzwiami. Dodds zapukał i czekał.

— Skoro już musicie, to wchodźcie! — zawołał ktoś z drugiej strony. Rebus skinął głową na znak, że dalej poradzą już sobie bez Doddsa, i przekręcił gałkę.

Gabinet był wielkości pudełka na buty i niemożliwie zagracony. Półki uginały się pod ciężarem papierzysk oraz rozmaitych części niesprawnych sprzętów, poczynając od kurka do nalewania piwa po kulkową maszynę do pisania. Na wyłożonej linoleum podłodze leżały ułożone w stosy czasopisma, przede wszystkim branżowe. Dystrybutor wody służył za podporę dla zafoliowanych podstawek pod piwo. Sędziwa zielona szafa pancerna stała otworem, a w niej leżały paczki słomek do drinków i papierowych serwetek. Za biurkiem znajdowało się malutkie okratowane okno; Rebus przypuszczał, że za dnia wpada przez nie nieco światła. Resztki wolnego miejsca na ścianach zajmowały oprawione w ramki wycinki z prasy — imitujące styl paparazzich zdjęcia mężczyzn, którzy odwiedzili Dziurkę. Inspektor rozpoznał dwóch piłkarzy, którzy zaprzepaścili swoje kariery.

Siedzący za biurkiem mężczyzna miał trzydzieści kilka lat. Obcisły biały podkoszulek podkreślał muskulaturę jego torsu

156

i ramion. Facet był mocno opalony i miał krótko przycięte kruczoczarne włosy. Nie nosił żadnej biżuterii, jedynie złoty zegarek ze zbyt wieloma pokrętłami. Nawet w tym mrocznym oświetleniu jego niebieskie oczy błyszczały.

— Stuart Bullen — powiedział, wyciągając rękę, ale nie pofatygował się, by wstać.

Rebus przedstawił najpierw siebie, a potem Siobhan. Kiedy już podali sobie ręce, Bullen przeprosił ich, że nie ma krzeseł.

— Nie zmieściłyby się — wyjaśnił, wzruszając ramionami.

— Chętnie postoimy — uspokoił go Rebus.

— Jak widzicie, Dziurka nie ma nic do ukrycia... dlatego tym bardziej dziwi mnie wasza wizyta.

— Nie mówi pan z tutejszym akcentem — zauważył inspektor.

— Pochodzę z zachodniego wybrzeża.

Rebus skinął głową.

— Skądś znam pańskie nazwisko...

Usta Bullena drgnęły.

— Niech pan się nie męczy. Owszem, moim ojcem był Rab Bullen.

— Gangster z Glasgow — wyjaśnił Rebus Siobhan.

— Szanowany biznesmen — sprostował właściciel klubu.

— Który zginął, kiedy ktoś na progu jego domu przystawił mu lufę do głowy i strzelił — dodał Rebus. — Kiedy to było... pięć, sześć lat temu?

— Gdybym wiedział, że przyszliście rozmawiać o moim ojcu... — Bullen zmierzył Rebusa twardym spojrzeniem.

— Wcale nie — przerwał mu inspektor.

— Proszę pana, szukamy pewnej dziewczyny, która uciekła z domu — odezwała się Siobhan. — Nazywa się Ishbel Jardine. — Podała mu fotografię. — Może ją pan widział?

— A dlaczego miałbym ją widzieć?

Wzruszyła ramionami.

— Pewnie potrzebowała pieniędzy. Słyszeliśmy, że zatrudnił pan nowe tancerki.

— Każdy klub zatrudnia nowe tancerki. — Tym razem to on wzruszył ramionami. — Dziewczyny przychodzą i odchodzą... A tak dla porządku, wszystkie moje tancerki są pełnoletnie i zajmują się wyłącznie tańcem.

— Nawet w lożach VIP-owskich? — spytał Rebus.

— Mówimy o gospodyniach domowych i studentkach... kobietach, które potrzebują sobie dorobić.

— Mógłby pan spojrzeć na tę fotografię? — spytała Siobhan. — To Ishbel, ma osiemnaście lat.

— Nigdy w życiu jej nie widziałem. — Wyciągnął rękę, żeby oddać zdjęcie. — Kto wam powiedział o naborze dziewczyn?

— Dostaliśmy taką informację — rzekł Rebus.

— Widziałem, że przyglądał się pan mojej kolekcji. — Bullen ruchem głowy wskazał zdjęcia na ścianie. — To lokal z klasą, naszym zdaniem jesteśmy z wyższej półki niż inne kluby w okolicy. Dlatego przyjmując dziewczyny do pracy, jesteśmy bardzo wybredni. Nie zatrudniamy ćpunek.

— Nikt nie mówił, że ona bierze narkotyki. I bardzo wątpię, czy ta diwa na scenie ma klasę.

Bullen oparł się wygodnie, by mu się lepiej przyjrzeć.

— Emerytura zbliża się wielkimi krokami, inspektorze. Z utęsknieniem wyczekuję dnia, gdy będę miał do czynienia z takimi glinami jak pańska koleżanka. — Uśmiechnął się do Siobhan. — Bardzo miła perspektywa.

— Od dawna prowadzi pan ten lokal? — spytał Rebus, wyciągając papierosy.

— Tu się nie pali — powiedział Bullen. — Ryzyko zaprószenia ognia. — Rebus zawahał się i schował paczkę. Bullen podziękował mu skinieniem głowy. — A odpowiadając na pańskie pytanie: od czterech lat.

— Dlaczego wyniósł się pan z Glasgow?

— No cóż, może śmierć mojego ojca coś panu podpowie.

— Nigdy nie złapali mordercy, prawda?

— Dlaczego „nie złapali"? Chyba „nie złapaliśmy"?

— Policja z Glasgow i z Edynburga to dwie różne parafie.

— Chce pan powiedzieć, że wy mielibyście więcej szczęścia?

— Szczęście nie ma tu nic do rzeczy.

— No cóż, inspektorze, jeżeli to już wszystko... Domyślam się, że chcecie zajrzeć jeszcze do innych lokali.

— Czy możemy porozmawiać z dziewczynami? — zapytała nagle Siobhan.

158

— Po co?

— Chcemy pokazać im zdjęcie. Czy mają tu jakąś garderobę?

Bullen skinął głową.

— Za tą czarną zasłoną. Ale zaglądają tam tylko w przerwach między zmianami.

— To pogadamy z nimi tam, gdzie je znajdziemy.

— Skoro musicie... — warknął Bullen.

Siobhan ruszyła do wyjścia, lecz nagle zatrzymała się raptownie. Za drzwiami wisiała czarna skórzana marynarka. Potarła jej kołnierz palcami.

— Jakim samochodem pan jeździ? — spytała znienacka.

— A co to ma do rzeczy?

— To proste pytanie, ale jeśli woli pan to załatwić inaczej... — Spojrzała na niego ostro.

Bullen westchnął.

— Bmw X pięć.

— To sportowy model?

Bullen parsknął śmiechem.

— Terenówka z napędem na cztery koła. Kawał czołgu.

Ze zrozumieniem pokiwała głową.

— Mężczyźni kupują takie wozy, żeby zrekompensować sobie za małe... — Z tymi słowami wyszła. Rebus uśmiechnął się do Bullena.

— Nadal podoba się panu ta „miła perspektywa", o której pan wspominał?

— Ja cię znam! — warknął Bullen, grożąc mu palcem. — To ty jesteś tym gliniarzem, którego Ger Cafferty ma w kieszeni.

— Czyżby?

— Wszyscy tak mówią.

— Wobec tego nie mogę z tym dyskutować, prawda?

Rebus odwrócił się i wyszedł za Siobhan. Uznał, że dobrze zrobił, nie dając się sprowokować temu fiutowi. Duży Ger Cafferty przez lata był królem edynburskiego podziemia. Obecnie prowadził spokojne życie, przynajmniej na pozór. Ale z Caffertym nigdy nic nie wiadomo. To prawda, że Rebus go znał. W sumie właściciel Dziurki podsunął Rebusowi myśl, bo jeżeli ktokolwiek wiedział, co taki drobny cwaniaczek z Glasgow jak Stuart Bullen robi po drugiej stronie kraju, z dala od swego naturalnego terytorium, to tylko Morris Gerald Cafferty.

Biznesmeni przenieśli się do stolika, więc Siobhan usiadła na stołku przy barze. Rebus dołączył do niej, dzięki czemu barman odetchnął spokojniej — prawdopodobnie nigdy jeszcze nie obsługiwał samotnej kobiety.

— Butelkę najlepszego piwa — zamówił Rebus. — A dla pani to, co sobie życzy.

— Dietetyczną colę — rzuciła do barmana, który podał im drinki.

— Sześć funtów — powiedział.

— Pan Bullen mówił, że to na koszt firmy. — Rebus puścił do niego oko. — Chce, żebyśmy się tu dobrze czuli.

— Widział pan tu kiedyś tę dziewczynę? — spytała barmana Siobhan, pokazując mu fotografię.

— Wygląda znajomo... ale takich dziewczyn jest co niemiara.

— Jak się nazywasz, synu? — spytał Rebus.

Na słowo „synu" barman się najeżył. Był ledwie po dwudziestce, niski i żylasty. Miał na sobie biały T-shirt, pewnie naśladował styl ubierania się szefa. Włosy postawione na żel. W jednym uchu taka sama słuchawka, jaką miał wykidajło, w drugim dwa ciężkie kolczyki.

— Barney Grant.

— Długo tu pracujesz, Barney?

— Dwa lata.

— W takim lokalu pewnie jesteś rekordzistą.

— Faktycznie, nikt nie pracuje tu tak długo jak ja — przyznał młody człowiek.

— Założę się, że widziałeś niemało.

Grant skinął głową.

— Ale przez cały ten czas ani razu nie widziałem, żeby Stuart postawił komuś drinka. — Wyciągnął rękę. — Poproszę sześć funtów.

— Podoba mi się twój upór, synu. — Rebus zapłacił. — Skąd ten akcent?

— Z Australii. I jeszcze coś panu powiem... mam dobrą pamięć do twarzy i tak mi się zdaje, że już pana widziałem.

— Byłem tu kilka miesięcy temu na wieczorku kawalerskim. Nie zabawiłem długo.

— Wróćmy może do Ishbel Jardine — wtrąciła Siobhan. — Mówisz, że ją tu widziałeś?

Grant jeszcze raz spojrzał na zdjęcie.

— Widziałem, ale niekoniecznie tutaj. Tyle jest klubów i barów... to mogło być wszędzie. — Wrzucił pieniądze do kasy. Siobhan odwróciła się, by rzucić okiem na salę, i natychmiast tego pożałowała. Jedna z tancerek prowadziła któregoś z biznesmenów do loży VIP-owskiej. Inna, ta, która wcześniej tak koncentrowała się na muzyce, wspinała się i zsuwała po rurze, tyle że teraz już bez stringów.

— Chryste Panie, przecież to obrzydliwe — powiedziała do Rebusa. — Co wy z tego macie?

— Lżejsze portfele — odrzekł.

Odwróciła się z powrotem do Granta.

— Ile one biorą? — spytała.

— Dziesięć funtów od tańca. Trwa to dwie minuty, ale nie wolno dotykać.

— A w lożach dla VIP-ów?

— Tego już wam nie powiem.

— Dlaczego?

— Bo nigdy tam nie byłem. Napije się pani jeszcze? — Wskazał na jej szklankę, w której zostało tylko mnóstwo kostek lodu.

— Branżowa sztuczka — uświadomił ją Rebus. — Im więcej dasz lodu, tym mniej zostaje miejsca na drinka.

— Nie, dziękuję — odpowiedziała Grantowi. — Myślisz, że dziewczyny zechcą z nami pogadać?

— Niby po co?

— A gdybym zostawiła ci zdjęcie... mógłbyś je im pokazać?

— Da się zrobić.

— I jeszcze moja wizytówka. — Podała mu ją razem ze zdjęciem. — Zadzwoń, gdybyś się czegoś dowiedział.

— Dobra. — Schował jedno i drugie pod ladę i zapytał Rebusa: — A pan? Ma pan ochotę na jeszcze jeden browar?

— Nie przy waszych cenach, Barney, ale dzięki za propozycję.

— Pamiętaj, zadzwoń — rzekła Siobhan.

Zsunęła się ze stołka i ruszyła do wyjścia. Rebus zatrzymał się, by obejrzeć jeszcze jeden rząd zdjęć — kopie wycinków prasowych z gabinetu Bullena. Postukał w jedno z nich. Siobhan przyjrzała się fotografii — Lex Cater i jego ojciec gwiazdor;

w świetle flesza ich twarze wydawały się upiornie blade. Gordon Cater podnosił rękę, by zasłonić twarz, ale za późno. Wyglądał na zaszczutego, za to jego syn uśmiechał się szeroko, zadowolony, że został uwieczniony dla potomności.

— Przeczytaj podpis — rzekł Rebus. Każdy artykuł zaopatrzony był w adnotację „materiał na prawach wyłączności", a pod tytułami widniało wydrukowane grubą czcionką zawsze to samo nazwisko: Steve Holly.

— Ciekawe, że on zawsze jest w odpowiednim miejscu we właściwym czasie — zauważyła Siobhan.

— Prawda?

Na zewnątrz Rebus przystanął, żeby zapalić papierosa. Siobhan poszła dalej, otworzyła samochód, wsiadła i zacisnęła ręce na kierownicy. Rebus podchodził powoli, zaciągając się głęboko. Gdy doszedł do peugeota, wciąż miał jeszcze pół papierosa, lecz pstryknął go na ulicę i usiadł na przednim fotelu.

— Wiem, o czym myślisz — powiedział.

— Czyżby? — Wrzuciła kierunkowskaz.

Odwrócił się do niej.

— Handel żywym towarem odbywa się na wielu rynkach — oświadczył. — Dlaczego pytałaś go, jakim samochodem jeździ?

Siobhan zastanowiła się nad odpowiedzią.

— Bo wyglądał jak alfons — odparła, a w głowie kotłowały jej się słowa Rebusa:

„Handel żywym towarem odbywa się na wielu rynkach...".

Dzień czwarty

Czwartek

11

Następnego dnia rano Rebus znów pojechał do Knoxland. Niektóre plakaty i afisze z poprzedniego dnia walały się na ziemi, zadeptane i mało czytelne. Inspektor siedział w biurze Portakabin, popijając kawę, którą wziął ze sobą, i kończąc lekturę gazety. Poprzedniego dnia wieczorem, na konferencji prasowej, ujawniono mediom dane Stefa Yurgii. W brukowcu Steve'a Holly'ego zasłużyło to na krótką wzmiankę, za to Mo Dirwanowi poświęcono kilka akapitów. Opublikowano także serię zdjęć Rebusa: jak wykręca chłopakowi rękę, przyciskając go do ziemi, oraz jak Dirwan, z rękami wzniesionymi do nieba, okrzykuje go bohaterem, a poplecznicy adwokata przyglądają się całej scenie. Tytuł — niewątpliwie robota Steve'a Holly'ego — brzmiał: UKAMIENOWANY!

Rebus cisnął szmatławiec do kosza na śmieci, wiedząc, że prawdopodobnie ktoś i tak go wyciągnie. Znalazł kubek z niedopitą lurą, wylał zawartość na gazetę i od razu poczuł się lepiej. Jego zegarek wskazywał dziewiątą piętnaście. Wcześniej poprosił, żeby wysłano radiowóz do Portobello, przypuszczał więc, że powinien tu dotrzeć lada chwila. W biurze panował spokój. Rada miejska w mądrości swojej uznała, że przywożenie komputera do Knoxland byłoby czystą głupotą, dlatego wyniki rozmów przeprowadzonych z mieszkańcami zbierano w komisariacie przy Torphichen. Rebus podszedł do okna i zgarnął na kupkę odłamki szkła — pomimo kraty ktoś wybił szybę patykiem albo cienkim metalowym prętem. A potem prysnął do środka czymś, co oblepiło podłogę i najbliższe biurko. Na koniec w każdym wolnym miejscu na zewnętrznych ścianach wymalowano sprayem jedno słowo: PLUGASTWO. Rebus wiedział, że zanim dzień dobiegnie końca, okno zostanie zabite deską. A kto wie, może uznają nawet, że przenośne biuro nie jest dłużej potrzebne. Zebrali już przecież wszelkie informacje i dowody rzeczowe. Rebus znał główną strategię Shuga Davidsona — zawstydzić mieszkańców osiedla tak, żeby w końcu wskazali kogoś palcem. Może więc jednak artykuły Steve'a Holly'ego na coś się przydadzą.

Hm, miło byłoby tak sądzić, ale Rebus wiedział, że mieszkańcy Knoxland, przeczytawszy te artykuły o rasizmie, tylko poczują się rozgrzeszeni. Davidson liczył jednak, że choć jedna osoba dostrzeże światełko w tunelu... wystarczyłby mu jeden świadek.

Jedno nazwisko.

Była przecież krew; narzędzie zbrodni, którego trzeba się było pozbyć; ubranie, które należało spalić albo wyrzucić. Ktoś wiedział. Ktoś ukryty w jednym z tych bloków i — oby! — gnębiony poczuciem winy.

Z samego rana Rebus zadzwonił do Steve'a Holly'ego i zapytał, jakim cudem udaje mu się być przed wejściem do Dziurki zawsze wtedy, gdy akurat wytacza się stamtąd jakaś znana osobistość.

— Dobre dziennikarstwo śledcze, ot co. Ale mówisz o czasach przedpotopowych.

— Jak to?

— Ten lokal miał wzięcie przez kilka miesięcy po otwarciu. Wtedy robiłem te zdjęcia. Często tam zaglądasz?

Rebus rozłączył się bez słowa.

Teraz usłyszał nadjeżdżający samochód, wyjrzał przez rozbite okno i pozwolił sobie na uśmieszek, dopijając kawę.

Wyszedł na zewnątrz, by powitać Garetha Bairda, i ruchem głowy pozdrowił dwóch mundurowych, którzy doprowadzili chłopaka.

— Witaj, Gareth.

— O co tu biega? — Chłopak zacisnął pięści i wepchnął do kieszeni spodni. — To się nazywa napastowanie.

— Nie podobnego. Chodzi o to, że jesteś cennym świadkiem.

Pamiętasz, tylko ty jeden wiesz, jak wygląda dziewczyna Stefa Yurgii.

— Chryste, ledwie ją widziałem!

— Ale rozmawiała z tobą — odparł Rebus chłodno. — A ja mam wrażenie, że rozpoznałbyś ją, gdybyś ją teraz zobaczył.

— Chcecie, żebym wam zrobił portret pamięciowy, tak?

— To później. Na razie pójdziesz z tymi panami na rekonesans.

— Rekonesans?

— Obejdziecie mieszkania. Poznasz smak pracy w policji.

— Dużo tych mieszkań? — Gareth rozejrzał się po blokowisku.

— Wszystkie.

Wlepił w Rebusa szeroko otwarte oczy, jak dzieciak ukarany za błahe przewinienie.

— Im prędzej zaczniecie... — Rebus poklepał go po ramieniu i zwrócił się do mundurowych: — Bierzecie go, chłopaki.

Patrząc, jak Gareth lezie ze spuszczoną głową do najbliższego bloku, otoczony przez dwóch posterunkowych, Rebus poczuł przypływ satysfakcji. Miło wiedzieć, że ta praca wciąż jeszcze może wprawić człowieka w dobry humor...

Pojawiły się dwa kolejne samochody — w jednym Davidson i Wylie, w drugim Reynolds. Pewnie jechali razem z Torphichen. Davidson miał ze sobą poranną gazetę, otwartą na artykule UKAMIENOWANY!

— Czytałeś to? — zapytał.

— Nie zniżyłbym się do tego, Shug.

— Dlaczego nie? — wtrącił Reynolds, szczerząc zęby. — Zostałeś nowym bohaterem turbanów.

Davidson poczerwieniał.

— Charlie, jeszcze jeden taki wyskok i staniesz do raportu... Jasne?

Reynolds wyprężył się.

— Przejęzyczyłem się, inspektorze.

— Coś za często ci się to zdarza. Na przyszłość uważaj, żeby znów ci się nie przytrafiło.

— Tak jest.

Przez chwilę Davidson nie przerywał ciszy, aż wreszcie zapytał:

— Czy masz coś pożytecznego do roboty?

Reynolds nieco się odprężył.

— W jednym z tych mieszkań jest taka kobieta... częstuje herbatą i biszkoptami.

— No, no.

— Poznałem ją wczoraj, inspektorze. Powiedziała, że chętnie zrobi nam coś do picia.

Davidson skinął głową.

— To leć do niej — polecił. Reynolds już miał odejść, gdy Shug dorzucił: — Aha, Charlie... czas biegnie. Żebyś się tam nie zasiedział...

— Proszę się nie martwić, inspektorze, będę jak najbardziej profesjonalny. — Mijając Rebusa, Dupa Wołowa uśmiechnął się do niego drwiąco.

Davidson odwrócił się do Rebusa.

— Kto był z tymi mundurowymi?

Rebus zapalił papierosa.

— Gareth Baird. Sprawdzają, czy przyjaciółka zabitego nie kryje się gdzieś tam za drzwiami.

— Trochę to jak szukanie igły w stogu siana — mruknął Davidson.

Rebus wzruszył ramionami. Ellen Wylie zniknęła w biurze. Davidson dopiero teraz zauważył bazgroły na ścianie.

— Plugastwo, tak? A mnie się zdawało, że to cecha tych, którzy tak nas określają. — Odgarnął włosy z czoła i podrapał się po głowie. — Masz jeszcze coś nowego?

— Żona ofiary ma zidentyfikować zwłoki. Pomyślałem, że się tam wybiorę. — Przerwał. — Chyba że sam wolisz pojechać.

— To twoja sprawa. W Gayfield nic na ciebie nie czeka?

— Nic, nawet porządne biurko.

— Liczą na to, że zrozumiesz aluzję?

Rebus kiwnął głową.

— A według ciebie powinienem?

Davidson spojrzał na niego sceptycznie.

— A co cię czeka na emeryturze?

— Pewnie marskość wątroby. Wykupiłem już sobie z góry kwaterę...

Davidson uśmiechnął się.

— Cóż, u nas wciąż brak rąk do pracy, dlatego cieszę się, że cię tu mamy. — Rebus chciał się odezwać, zapewne, żeby podziękować, lecz Davidson uniósł palec. — Ale tylko dopóki nie zaczniesz rozrabiać i działać na własną rękę, rozumiemy się?

— Jasne jak słońce, Shug.

Obydwaj odwrócili się nagle, gdy z drugiego piętra ktoś ryknął:

— Dzień dobry, inspektorze!

Był to Mo Dirwan; stał na balkonie i machał do Rebusa. Inspektor od niechcenia odpowiedział tym samym gestem, nagle jednak przypomniał sobie, że ma do prawnika parę pytań.

— Niech pan zaczeka, zaraz tam będę! — zawołał.

— Jestem w mieszkaniu dwieście dwa.

— Dirwan reprezentował rodzinę Yurgii — przypomniał Rebus Davidsonowi. — Muszę z nim wyjaśnić to i owo.

— Nie zatrzymuję. — Davidson położył rękę na ramieniu Rebusa. — Ale twoje zdjęcia nie trafią znowu do prasy, co?

— Nic się nie martw, Shug, nie trafią.

Rebus wjechał windą na drugie piętro i podszedł do mieszkania numer 202. Spojrzał na dół i zobaczył, że Davidson ogląda uszkodzenia biura. Reynoldsa z obiecaną herbatą jakoś nie było widać.

Drzwi były otwarte na oścież, toteż wszedł do środka. Wykładzina na podłodze wyglądała, jakby była złożona ze ścinków. W korytarzu stała oparta o ścianę miotła. Na kremowym suficie widniała wielka plama — pamiątka po zalaniu mieszkania przez sąsiadów z góry.

— Tutaj! — zawołał Dirwan. Siedział na kanapie w pokoju dziennym. Tu także okna były zaparowane. Oba pręty kominka elektrycznego były włączone. Z magnetofonu dobiegały ciche dźwięki jakiejś muzyki etnicznej. Przed kanapą stała para starszych ludzi. — Niech pan siada — powiedział Dirwan, poklepując kanapę obok siebie, a drugą ręką trzymając spodek z filiżanką.

Rebus usiadł i uśmiechnął się na powitanie, co staruszkowie skwitowali lekkim ukłonem. Dopiero gdy już siedział, uświadomił sobie, że nie ma tam krzeseł, więc starsi ludzie z braku wyboru musieli stać. Prawnik jakoś się tym nie przejmował.

— Państwo Singh mieszkają tu od jedenastu lat — rzekł adwokat. — Ale już niedługo.

— Przykro mi — odparł Rebus.

Dirwan zachichotał.

— Nie deportują ich, inspektorze. Ich synowi powiodło się w interesach. Ma wielki dom w Barnton...

— Cramond — sprostował Singh, podając nazwę jednej z lepszych dzielnic w mieście.

— Wielki dom w Cramond — ciągnął prawnik. — Przenoszą się do niego.

— Do mieszkania wnuczki — sprostowała pani Singh, delektując się tym zwrotem. — Napije się pan herbaty albo kawy?

— Nie, dziękuję — odparł Rebus. — Ale chciałbym zamienić słowo z panem Dirwanem.

— Czy chciałby pan, żebyśmy wyszli?

— Nie, nie, porozmawiamy na zewnątrz. — Rebus spojrzał na prawnika znacząco, a ten oddał filiżankę pani Singh.

— Proszę przekazać synowi, że życzę mu wszystkiego tego, czego sam by sobie życzył — huknął tubalnym głosem, zupełnie nielicującym z treścią. Jego słowa odbiły się echem w pokoju.

Rebus wstał, a Singhowie znowu się ukłonili. Zanim mógł wyprowadzić Dirwana na wspólny balkon, należało obowiązkowo wymienić uścisk rąk.

— Przyzna pan, że to urocza rodzina — powiedział adwokat, kiedy drzwi się za nimi zamknęły. — Widzi pan, że imigranci mogą w istotny sposób wzbogacić społeczność, kiedy są na wolności.

— Nigdy w to nie wątpiłem. Wie pan, że mamy już nazwisko tego zabitego? Stef Yurgii.

Dirwan westchnął.

— Dowiedziałem się o tym dziś rano.

— Nie widział pan zdjęć, które zamieściliśmy w brukowcach?

— Nie czytuję prasy brukowej.

— Ale zamierzał pan zgłosić się do nas i powiedzieć, że pan go znał?

— Ja go nie znałem, znam jego żonę i dzieci.

— Nigdy pan się z nim nie kontaktował? Nie próbował przekazać rodzinie żadnej wiadomości?

Prawnik pokręcił głową.

— Nie za moim pośrednictwem. Powiedziałbym panu od razu. — Wbił wzrok w Rebusa. — Musisz mi uwierzyć, John.

— Tylko najbliżsi przyjaciele mówią do mnie po imieniu — ostrzegł go Rebus. — Na zaufanie trzeba sobie zasłużyć, panie Dirwan. — Przerwał, żeby jego słowa dotarły do adresata. — Nie wiedział pan, że on jest w Edynburgu?

— Nie.

— Ale reprezentował pan jego żonę?

Adwokat skinął głową.

— Widzi pan, to nie w porządku. Uważamy siebie za ludzi cywilizowanych, a jednocześnie nie mamy nic przeciwko temu, że ta kobieta gnije wraz z dziećmi w Whitemire. Widział ich pan? — spytał, na co Rebus przytaknął. — Więc sam pan wie... brak drzew, zero wolności, edukacja i wyżywienie na minimalnym poziomie...

Rebus poczuł, że musi się wtrącić:

— Ale to nie ma nic wspólnego z naszym śledztwem.

— Mój Boże, nie wierzę własnym uszom! Przecież osobiście zetknął się pan z problemami rasizmu w tym kraju.

— Singhów raczej ten problem nie dotknął.

— To, że się wciąż uśmiechają, o niczym jeszcze nie świadczy. — Prawnik urwał raptownie i zaczął masować kark. — Nie powinienem pić tyle herbaty. Wie pan, rozgrzewa krew.

— Proszę posłuchać, ja naprawdę doceniam to, co pan robi... to, że rozmawia pan z tymi wszystkimi ludźmi...

— Skoro już o tym mowa, nie jest pan ciekaw, czego udało mi się dowiedzieć?

— Ależ oczywiście.

— Wczoraj przez cały wieczór pukałem do drzwi, dziś zresztą też, od samego rana... Oczywiście nie wszyscy chcieli ze mną rozmawiać, a z niektórymi nie było sensu...

— Ale dzięki, że pan próbował.

Dirwan zbył podziękowania machnięciem ręki.

— Czy pan wie, że Stef Yurgii był w swoim kraju dziennikarzem?

— Tak.

— Otóż tutejsi mieszkańcy... ci, którzy go znali... nie wiedzieli o tym. On jednak miał dobre podejście do ludzi, potrafił namówić ich do zwierzeń... to cecha dobrego dziennikarza, prawda?

Rebus przytaknął.

— Tak więc Stef rozmawiał z wieloma ludźmi o ich życiu, ale o sobie mówił niewiele — ciągnął prawnik.

— Myśli pan, że chciał to opisać?

— Istnieje taka możliwość.

— A co z jego przyjaciółką?

Dirwan pokręcił głową.

— Wygląda na to, że nikt o niej nie słyszał. Oczywiście, ponieważ ma rodzinę w Whitemire, prawdopodobnie chciał utrzymać jej istnienie w tajemnicy.

Rebus znowu przytaknął.

— Coś jeszcze? — spytał.

— Na razie nic. Chce pan, żebym nadal chodził po ludziach?

— Wiem, że to niewdzięczne zadanie...

— Ależ wręcz przeciwnie! Dzięki temu wczuwam się w to miejsce, a poza tym spotykam ludzi, którzy może zechcą założyć własny kolektyw.

— Taki jak ten w Glasgow?

— Otóż to. Ludzie są silniejsi, gdy działają zespołowo.

Rebus przemyślał to sobie.

— No cóż, powodzenia... i jeszcze raz dziękuję. — Uścisnął adwokatowi dłoń, nie wiedząc, na ile może mu ufać. Bądź co bądź Dirwan był prawnikiem, w dodatku miał w tym osobisty interes.

Ktoś nadchodził w ich kierunku; usunęli się na bok, żeby mógł przejść. Rebus poznał, że to ten chłopak, którego wsadzili wczoraj, ten od kamienia. Szczeniak łypnął na nich wilkiem, zatrzymał się przy windach i dźgnął przycisk.

— Słyszałem, że lubisz tatuaże! — zawołał Rebus i skinął głową prawnikowi na znak, że już skończyli. Podszedł do chłopaka, który cofnął się, jakby się bał, że się czymś zarazi. Podobnie jak on inspektor patrzył na drzwi windy. Tymczasem Dirwan nie dodzwonił się do mieszkania numer 203, przeszedł więc do 204.

— Czego pan chce? — mruknął chłopak.

— Spędzić miło dzień. Wiesz, ludzie tak robią... porozumiewają się ze sobą.

— Wal się.

— Poza tym robimy coś jeszcze... tolerujemy zdanie innych. W końcu każdy z nas jest inny.

Rozległ się cichy brzęk i otworzyły się drzwi windy po lewej. Rebus chciał wsiąść, lecz zobaczył, że chłopak zamierza

172

zostać na piętrze. Chwycił go więc za kurtkę, wepchnął do windy i przytrzymał, dopóki drzwi się nie zamknęły. Gówniarz odepchnął go i spróbował wcisnąć przycisk otwierający drzwi, ale było za późno. Winda ze zgrzytem ruszyła w dół.

— Lubisz bojówki paramilitarne? — ciągnął Rebus. — UVF i tym podobne?

Chłopak milczał, przygryzając wargi.

— Pewnie daje ci to poczucie, że masz się za czym schować — rzekł Rebus takim tonem, jakby mówił sam do siebie. — Każdy tchórz potrzebuje jakiejś tarczy... No a potem, kiedy już będziesz żonaty i dzieciaty, takie tatuaże będą w sam raz... Sąsiedzi katolicy, a szef muzułmanin...

— Akurat, ja bym się tak nie wpakował.

— Synu, w życiu spotka cię wiele rzeczy, na które nie będziesz miał wpływu. Uwierz weteranowi.

Winda zatrzymała się i chłopak zaczął szarpać drzwi, żeby szybciej się otworzyły. W końcu przecisnął się przez lukę i dał nogę. Rebus patrzył, jak przechodzi przez boisko. Shug Davidson także obserwował chłopaka od progu biura.

— Brataleś się z miejscowymi? — zapytał.

— Udzieliłem mu życiowej rady — przyznał Rebus. — A swoją drogą, jak on się nazywa?

Davidson musiał się zastanowić.

— Howard Slowther... przedstawia się jako Howie.

— Wiek?

— Niecałe piętnaście. Kuratorium ściga go za wagarowanie. Młody Howie stacza się po równi pochyłej. — Davidson wzruszył ramionami. — A my gówno możemy zrobić, dopóki nie wpakuje się w coś naprawdę paskudnego.

— Co może nastąpić lada dzień — rzekł Rebus, nie odrywając oczu od oddalającej się szybko postaci, która zbiegała po zboczu do podziemnego przejścia.

— Lada dzień — przytaknął Davidson. — O której masz to spotkanie w kostnicy?

— O dziesiątej. — Rebus spojrzał na zegarek. — Czas się zbierać.

— Pamiętaj, bądź w kontakcie.

— Przyślę ci pocztówkę, Shug. „Żałuj, że cię tu nie było".

12

Siobhan nie miała powodu sądzić, że „alfonsem" Ishbel jest Stuart Bullen — on był za młody. Miał wprawdzie skórzaną kurtkę, ale nie jeździł sportowym samochodem. Sprawdziła model X5 w Internecie i faktycznie, można by powiedzieć o nim wszystko, tylko nie to, że jest sportowy.

Z drugiej strony zadała mu konkretne pytanie: jakim samochodem jeździ? Możliwe przecież, że miał więcej wozów — X5 na co dzień, a w garażu coś specjalnego na wieczory i weekendy. Czy warto to sprawdzać? Czy warto jeszcze raz pojechać do Dziurki? Uznała, że na razie nie.

Znalazłszy miejsce do zaparkowania na Bockburn Street, szła teraz Fleshmarket Close. Para turystów w średnim wieku patrzyła na drzwi piwnicy. Mężczyzna trzymał kamerę wideo, a kobieta przewodnik.

— Przepraszam panią — odezwała się kobieta. Mówiła z akcentem ze środkowej Anglii, pewnie z Yorkshire. — Nie wie pani, czy to tutaj znaleziono te szkielety?

— Owszem, tutaj — potwierdziła Siobhan.

— Opowiadała nam o tym przewodniczka — wyjaśniła kobieta. — Wczoraj w nocy.

— Na „wakacjach z duchami"? — domyśliła się Siobhan.

— Właśnie. Mówiła, że ma to coś wspólnego z czarami.

— Nie może być.

Mąż kobiety zaczął tymczasem filmować nabite ćwiekami drewniane drzwi. Siobhan przeprosiła i przecisnęła się obok niego. Bar nie był jeszcze otwarty, ale sądziła, że ktoś już tam urzęduje, dlatego zastukała w drzwi nogą. Dolna połowa drzwi była lita, w górnej zaś widniały okrągłe szyby z zielonego szkła, niczym denka butelek po winie. Siobhan zobaczyła, jak za szkłem przesuwa się cień, i usłyszała zgrzyt klucza w zamku.

— Otwieramy o jedenastej.

— Pan Mangold? Sierżant Clarke... pamięta mnie pan?

— Chryste, o co znowu chodzi?

— Wpuści mnie pan?

— Mam spotkanie.

— Nie zajmę panu dużo czasu...

Mangold zawahał się i otworzył drzwi.

— Dziękuję — powiedziała Siobhan, wchodząc do środka. — Co się stało z pańską twarzą?

Dotknął siniaka na lewym policzku. Oko miał zapuchnięte.

— Różnica zdań z klientem — wyjaśnił. — Jedno z zagrożeń, jakie niesie ten zawód.

Siobhan spojrzała na barmana, który powitał ją skinieniem głowy, przekładając kostki lodu z jednego kubełka do drugiego. W powietrzu unosił się zapach środka dezynfekcyjnego i politury. W popielniczce na ladzie baru palił się papieros, a obok stał kubek kawy. Leżały tam też jakieś papiery — na pierwszy rzut oka poranna poczta.

— Widzę, że panu się nie dostało — powiedziała. Barman wzruszył ramionami.

— To nie było na mojej zmianie.

Przy stoliku w rogu zauważyła jeszcze dwa kubki kawy — jeden z nich trzymała oburącz jakaś kobieta. Przed nią piętrzył się niewielki stos książek. Siobhan zdołała odczytać niektóre tytuły: *Edinburgh Haunts* i *The City Above and Below*.

— Tylko proszę się streszczać. Dzisiaj mam roboty potąd. — Mangold nie kwapił się, by przedstawić jej swojego drugiego gościa, mimo to Siobhan uśmiechnęła się do niej, a kobieta odpowiedziała tym samym. Była po czterdziestce; ciemne kędzierzawe włosy miała związane na karku czarną aksamitną wstążką. Nie zdjęła wełnianego płaszcza. Siobhan widziała pod stołem jej nagie kostki i skórzane sandały.

Mangold stał na środku pomieszczenia z rękami splecionymi na piersi i szeroko rozstawionymi nogami.

— Miał pan pogrzebać w papierach — przypomniała mu Siobhan.

— W papierach?

— Sprawdzić, kto wylewał podłogę w piwnicy.

— Dzień jest stanowczo za krótki — powiedział właściciel baru ze skargą w głosie.

— Mimo wszystko...

— To tylko dwa sztuczne szkielety... w czym problem? — Błagalnie rozłożył ręce.

Siobhan wyczuła, że kobieta do nich podchodzi.

— Czy pani interesuje się pochówkami? — spytała cicho świszczącym głosem.

— Owszem — odparła Siobhan. — Jestem detektyw sierżant Clarke, a pani jest Judith Lennox. — Kobieta zrobiła wielkie oczy. — Widziałam pani zdjęcie w gazecie — wyjaśniła policjantka.

Lennox nie tyle podała, ile ścisnęła rękę Siobhan.

— Ma pani w sobie tyle energii, panno Clarke. Jak elektryczność.

— A pani udziela panu Mangoldowi lekcji historii.

— Zgadza się. — Oczy kobiety znów się rozszerzyły.

— Tytuły na grzbietach — wyjaśniła Siobhan, ruchem głowy wskazując książki na stole. — Bardzo znaczące.

Lennox spojrzała na Mangolda.

— Pomagam Rayowi opracować jego nowy bar tematyczny... to szalenie ekscytujące.

— Piwnicę? — domyśliła się Siobhan.

— Chciałby, żeby wystrój był osadzony w historii.

Mangold odkaszlnął, żeby im przerwać.

— Pani sierżant Clarke z pewnością ma ciekawsze rzeczy do roboty niż... — powiedział, sugerując, że on także nie cierpi na nadmiar czasu, po czym zwrócił się do Siobhan: — Poszperałem trochę w dokumentach, ale nic nie znalazłem. Może to była płatność gotówką. Nie brakuje tu takich, którzy wyleją podłogę bez zbędnych pytań i podpisywania papierków...

— Bez podpisywania papierków? — powtórzyła Siobhan.

— Była tu pani, kiedy znaleziono te szkielety? — spytała Judith Lennox.

Siobhan udała, że nie słyszy, wpatrując się w Mangolda.

— Chce mi pan powiedzieć, że...

— To była Mag Lennox, prawda? To jej szkielet znaleźliście.

Siobhan spojrzała na kobietę.

— Skąd takie przypuszczenie?

Judith Lennox zacisnęła powieki.

— Miałam objawienie. Próbowałam zorganizować wycieczki po wydziale medycyny, ale mi zabronili. Szkieletu też nie pozwolili mi obejrzeć... — Jej oczy płonęły żarem. — Wie pani, ona była moim przodkiem.

— Naprawdę?

— Rzuciła klątwę na ten kraj i na każdego, kto chciałby ją skrzywdzić albo jej zaszkodzić. — Lennox pokiwała głową.

Siobhan przyszli na myśl Cater i McAteer — jakoś nie zauważyła, żeby klątwa ich dopadła. Już miała to na końcu języka, lecz przypomniała sobie obietnicę złożoną Curtowi.

— Wiem tylko, że te szkielety były sztuczne — powiedziała z naciskiem.

— Właśnie o tym mówiłem — wtrącił Mangold. — Wobec tego co panią w tym tak interesuje?

— Byłoby miło uzyskać wyjaśnienie — odparła Siobhan cicho. Wróciła pamięcią do sceny w piwnicy, do tego, jak jej ciało zareagowało na widok kości dziecka... do tego, jak okrywała je delikatnie żakietem.

— Na terenach Holyrood też znaleźli szkielety — mówiła tymczasem Lennox. — Tamte były jak najbardziej prawdziwe. I sabat czarownic w Gilmerton.

Siobhan słyszała o tym „sabacie czarownic" — było to kilka komnat ukrytych pod punktem bukmacherskim. Ostatnie badania dowiodły, że należały do pewnego kowala. Nie sądziła jednak, by historyczka podzielała ten pogląd.

— A zatem nic więcej nie może mi pan powiedzieć? — spytała Mangolda.

Znowu rozłożył ręce; bransoletki przesunęły się na jego nadgarstkach.

— W takim razie niech pan wraca do pracy — ciągnęła Siobhan. — Miło było panią poznać, panno Lennox.

— I wzajemnie — odparła historyczka, wyciągając do niej otwartą dłoń takim gestem, jakby ją odpychała. Siobhan cofnęła

się o krok. Lennox znowu zamknęła oczy; jej rzęsy drżały. — Niech pani korzysta z tej energii. Jej zapas można odnawiać.
— Dobrze wiedzieć.
Lennox otworzyła oczy i skupiła wzrok na policjantce.
— Część naszej energii życiowej przekazujemy dzieciom. To w nich się odnawiamy...
Mangold spojrzał na Siobhan ni to ze skruchą, ni to żałośnie — najwyraźniej jego nasiadówka z Judith Lennox miała jeszcze potrwać...

Rebus po raz pierwszy w życiu zobaczył w kostnicy dziecko, i ten widok go oburzył. To było miejsce dla zawodowców, dla dorosłych, dla wdów i wdowców. Było to miejsce, gdzie odkrywano niechcianą prawdę o ludzkim ciele. Czegoś takiego nie należy oglądać w dzieciństwie.

Z drugiej strony, czym było dzieciństwo dla małych Yurgiich, jeśli nie pasmem nieszczęść i jednym wielkim chaosem?

Świadomość tego nie powstrzymała jednak Rebusa przed przyparciem jednego ze strażników do ściany. Oczywiście nie zaatakował go fizycznie, nie użył rąk. Po prostu stanął niebezpiecznie blisko i napierał na niego, aż strażnik oparł się plecami o ścianę poczekalni.

— Przywieźliście tu dzieci?! — syknął.

Strażnik był młody; jego źle dopasowany mundur nie zapewniał ochrony przed kimś takim jak Rebus.

— Nie chciały zostać — wyjąkał. — Wrzeszczały, czepiały się jej sukienki... — Rebus obejrzał się na kobietę, która siedząc na składanym krzesełku, przygarniała dzieci do siebie i zupełnie nie interesowała się otoczeniem; ją z kolei obejmowała przyjaciółka z zakrytą szalem twarzą, ta z Whitemire. Chłopczyk jednak patrzył uważnie. — Pan Traynor uznał, że będzie najlepiej, jeśli pojadą.

— Można je było zostawić w furgonetce. — Rebus zauważył ją przed wejściem: niebieską więzienną sukę z okratowanymi szybami i wzmocnioną kratą oddzielającą przednie siedzenia od ławek z tyłu.

— Bez mamy nie chciały...

Otworzyły się drzwi i wszedł drugi strażnik. Starszy od

178

pierwszego, trzymał w ręku podkładkę do pisania. Za nim wszedł odziany w biały fartuch Bill Ness, który prowadził kostnicę. Ness był po pięćdziesiątce i nosił takie okulary jak Buddy Holly. Jak zawsze żuł gumę. Podszedł do rodziny i zaproponował resztkę paczki dzieciom, które widząc to, jeszcze bardziej kurczowo uczepiły się matki. W progu stanęła Ellen Wylie, która miała nadzorować identyfikację zwłok. Nie spodziewała się Rebusa, bo wcześniej powiedział jej, że to na nią spada ten obowiązek.

— Wszystko w porządku? — pytał starszy strażnik Rebusa.

— W dechę — odparł inspektor, robiąc dwa kroki w tył.

— Jesteśmy gotowi, pani Yurgii — powiedział przymilnie Ness.

Kobieta kiwnęła głową i spróbowała wstać, lecz bez pomocy przyjaciółki nie dałaby rady. Położyła dłonie na główkach dzieci.

— Zostanę tu z nimi, jeśli pani chce — rzekł Rebus. Spojrzała na niego i szepnęła coś do dzieci, które wpiły się w nią kurczowo.

— Wasza mama będzie za tymi drzwiami — powiedział Ness, wskazując palcem. — To potrwa tylko chwilkę...

Pani Yurgii przykucnęła przed synem i córką i znów zaczęła coś do nich szeptać. Oczy miała szkliste od łez. Potem posadziła oboje na krześle, uśmiechnęła się do nich i ruszyła do wyjścia. Ness przytrzymał jej drzwi. Kiedy strażnicy wychodzili za nią, starszy rzucił Rebusowi ostrzegawcze spojrzenie: „Nie spuszczaj ich z oczu". Inspektor nawet nie mrugnął.

Gdy drzwi się zamknęły, dziewczynka podbiegła do nich i oparła się o nie rękami. Nie odezwała się, nie płakała. Jej brat podszedł do niej, objął ją i odprowadził z powrotem na krzesło. Rebus przykucnął i oparł się plecami o ścianę. Było tam kompletnie pusto — ani plakatów na ścianach, ani urzędowych ogłoszeń czy pism do czytania. Nic, co pomogłoby zabić czas, bo tutaj nikt nie przesiadywał. Zwykle czekało się tylko minutę, tyle, ile czasu zajmowało wyciągnięcie zwłok z lodówki i przeniesienie ich do sali oględzin. Później zaś wychodziło się czym prędzej, bo nikt nie chciał spędzać tam ani chwili dłużej niż to konieczne. Nie było nawet zegara, bo — jak to kiedyś Ness wyjaśnił Rebusowi — „naszych klientów czas się nie ima". Ot, jeden z licznych żarcików, które pomagały jemu i jego kolegom wytrzymać w tej robocie.

— Mam na imię John — odezwał się Rebus. Dziewczynka jak zahipnotyzowana wpatrywała się w drzwi, ale chłopczyk chyba go zrozumiał.

— Policja zła — oświadczył z pasją.

— Nie tutaj — odrzekł inspektor. — Nie w tym kraju.

— W Turcji bardzo zła.

Rebus kiwnął głową na znak, że rozumie.

— Ale nie tutaj — powtórzył. — Tutaj policja dobra.

Chłopczyk popatrzył na niego sceptycznie, czego inspektor nie miał mu za złe. W końcu co on wiedział o policjantach? Tyle, że towarzyszyli urzędnikom imigracyjnym, kiedy zabierali ich do aresztu. Strażnicy w Whitemire pewnie również wyglądali na policjantów — każdy, kto nosił mundur, był podejrzany. Każdy, kto reprezentował władzę.

To przez takich ludzi jego matka płakała, a ojciec zniknął.

— Chcesz zostać tutaj? W tym kraju? — zapytał Rebus.

Taki problem przekraczał możliwości pojmowania chłopca. Zamrugał kilka razy i widać było, że nie zamierza odpowiadać.

— Jakie zabawki lubisz?

— Zabawki?

— Rzeczy, którymi się bawisz.

— Ja się bawię z siostrą.

— A grasz w coś albo czytasz książki?

I znów pytanie okazało się za trudne. Zupełnie jakby inspektor przepytywał go z historii Szkocji albo zasad gry w rugby.

Otworzyły się drzwi. Pani Yurgii szlochała cicho, podtrzymywana przez przyjaciółkę. Urzędnicy za nimi zachowywali stosowną do okoliczności powagę. Ellen Wylie kiwnęła głową do Rebusa na znak, że identyfikacja przebiegła pomyślnie.

— No i już jesteśmy — oświadczył starszy ze strażników. Dzieci znów uczepiły się matki. Strażnicy zaczęli popychać cztery osoby w kierunku drzwi po drugiej stronie pokoju, prowadzących na zewnątrz, do krainy żywych.

Chłopiec odwrócił się raz, jak gdyby chciał wysondować reakcję Rebusa. Inspektor zdobył się na uśmiech, ale nie doczekał się rewanżu.

Ness wrócił w głąb budynku i w poczekalni zostali tylko Rebus i Wylie.

— Powinniśmy z nią porozmawiać? — zapytała.

— Po co?

— Żeby ustalić, kiedy ostatnio miała kontakt z mężem...

Wzruszył ramionami.

— To już zależy od ciebie, Ellen.

Spojrzała na niego.

— Co się stało?

Powoli pokręcił głową.

— Dla dzieci to okrutne — wyjaśniła.

— A twoim zdaniem, kiedy ostatnio życie nie było dla nich okrutne? — odpowiedział pytaniem.

Wzruszyła ramionami.

— Nikt im nie kazał tu przyjeżdżać.

— Pewnie masz rację.

Nie odrywała od niego wzroku.

— Ale nie o to ci chodzi?

— Po prostu uważam, że należy im się trochę dzieciństwa, i tyle — oświadczył.

Wyszedł na zewnątrz, żeby zapalić papierosa, i patrzył, jak Wylie odjeżdża swoim volvo. Przeszedł przez mały parking, na którym stały trzy nieoznakowane furgonetki kostnicy czekające na wezwanie. W budynku pracownicy pewnie grają w karty i popijają herbatę. Po drugiej stronie ulicy mieściło się przedszkole i inspektor zastanawiał się przez chwilę, czyby tam nie zajrzeć, po czym zdusił niedopałek papierosa obcasem i wsiadł do swojego samochodu. Ruszył w kierunku Gayfield Square, lecz minął komisariat i pojechał do znajomego sklepu z zabawkami — Harburn Hobbies na Elm Row. Zaparkował przed wejściem i wszedł do środka. Nie patrząc na ceny, wybrał kilka rzeczy: prostą kolejkę, dwa modele do składania, lalkę i odpowiedni dla niej domek. Sprzedawca pomógł mu zanieść zakupy do samochodu. Gdy usiadł za kierownicą, przyszedł mu do głowy pewien pomysł, więc pojechał do siebie, na Arden Street. W pawlaczu miał pudło ze starymi pismami i książkami obrazkowymi z czasów, gdy jego córka była o dwadzieścia lat młodsza. Po co je trzymał? Może dla wnuków, których jak dotąd się nie doczekał. Wsadził pudło na tylne siedzenie, obok zabawek, i wyjechał z miasta na zachód. Ruch był niewielki i pół godziny później dotarł do zjazdu na Whitemire. Z ogniska buchał dym, ale kobieta składała namiot, nie zwracając na niego uwagi. W wartowni siedział teraz inny strażnik. Rebus musiał się wylegitymować, podjechać na parking i zaczekać na kolejnego strażnika, który nie kwapił się z pomocą przy taszczeniu zabawek.

Traynora nigdzie nie było, no i dobrze. Wnieśli zabawki do środka.

— Będziemy musieli je sprawdzić — powiedział strażnik.

— Sprawdzić?

— Nie może być tak, żeby ludzie wnosili tu sobie, co chcą.

— Myśli pan, że schowałem w lalce narkotyki?

— To standardowa procedura, inspektorze. — Strażnik zniżył głos. — Obaj wiemy, że to kompletna głupota, ale i tak musimy to zrobić.

Spojrzeli na siebie znacząco; w końcu Rebus kiwnął głową.

— Ale dzieciaki dostaną te zabawki? — zapytał.

— Jeszcze dziś wieczorem, jeżeli tylko będę miał coś do powiedzenia w tej sprawie.

— Dzięki. — Rebus potrząsnął dłonią strażnika i rozejrzał się. — Jak pan tu wytrzymuje?

— Wolałby pan, żeby pracowali tu ludzie innego pokroju? Bóg mi świadkiem, że nie brak tu takich...

Inspektor zdobył się na uśmiech.

— Co racja, to racja. — Jeszcze raz podziękował strażnikowi, który tylko wzruszył ramionami.

Wyjeżdżając, Rebus zauważył, że namiot zniknął. Jego właścicielka, objuczona plecakiem, wlokła się poboczem szosy. Inspektor zatrzymał się i opuścił szybę.

— Podrzucić panią? — spytał. — Jadę do Edynburga.

— Był pan tu wczoraj — oświadczyła, na co skinął głową. — Kim pan jest?

— Oficerem policji.

— Chodzi o to morderstwo w Knoxland? — domyśliła się. Znów kiwnął głową. Zajrzała na tył samochodu.

— Wystarczy miejsca na plecak — powiedział.

— Nie dlatego zaglądałam.

— O?

— Ciekawa jestem, co się stało z tym domkiem dla lalek. Widziałam taki domek, kiedy pan wjeżdżał.

— Widocznie wzrok spłatał pani figla.

— Widocznie — odparła. — Bo i po co policjant miałby przywozić zabawki do obozu dla uchodźców?

— No właśnie, po co? — Rebus wysiadł, by pomóc jej wrzucić graty do wozu.

Pierwsze pół mili przejechali w milczeniu, po czym Rebus zapytał ją, czy pali.

— Nie, ale proszę się nie krępować, jeśli ma pan ochotę.

— Na razie nie — skłamał. — Często pani tu czuwa?

— Tak często, jak tylko mogę.

— I zawsze sama?

— Na początku było nas więcej.

— Przypominam sobie, że widziałem was w telewizji.

— Inni dołączają do mnie, kiedy czas im na to pozwala... przeważnie w weekendy.

— Muszą chodzić do pracy?

— Ja także pracuję — warknęła. — Tyle że potrafię żonglować swoim czasem.

— Jest pani akrobatką?

Uśmiechnęła się.

— Jestem malarką. — Przerwała, czekając na jakąś reakcję. — Dziękuję, że nie parsknął pan śmiechem.

— Dlaczego miałbym to zrobić?

— Większość ludzi pańskiego pokroju tak by zareagowała.

— Mojego pokroju?

— Ludzie, którzy każdego, kto się od nich różni, postrzegają jako zagrożenie.

Rebus zamyślił się ostentacyjnie.

— A więc to taki jestem... Zawsze się zastanawiałem...

Uśmiechnęła się ponownie.

— Zgoda, może i wyciągam pochopne wnioski, ale nie całkiem bezpodstawnie. Może mi pan wierzyć. — Pochyliła się, żeby zmienić ustawienie fotela, i odsunęła go jak najdalej, dzięki czemu mogła wyciągnąć nogi i oprzeć stopy na desce rozdzielczej. Rebus oceniał ją na czterdzieści kilka lat. Popielatobrązowe włosy miała splecione w warkoczyki. W uszach nosiła po trzy złote kolczyki w kształcie kół. Piegi na bladej twarzy i zachodzące na siebie przednie zęby nadawały jej wygląd figlarnej uczennicy.

— Wierzę pani — odparł. — Domyślam się, że nie jest pani wielbicielką naszych praw dotyczących przyznawania azylu?

— To dlatego, że śmierdzą.

— Czym?

Przestała wyglądać przez szybę i odwróciła się do niego.

— Na początek, hipokryzją — powiedziała. — W tym kraju paszport można sobie kupić, trzeba tylko znać właściwego polityka. Ale jeżeli nie znasz takiego, a nam nie podoba się twój kolor skóry albo poglądy polityczne, nie masz szans.

— A więc nie uważa pani, że jesteśmy łatwowierni?

— Niech mi pan da spokój — zbyła go i z powrotem zajęła się obserwacją krajobrazu.

— Ja tylko pytam.

— Po co, skoro i tak zna pan odpowiedź?

— Wiem, że u nas stopa życiowa jest wyższa niż w wielu innych krajach.

— Tak, jasne. I dlatego ludzie wydają oszczędności całego życia na opłacanie gangów, które przemycają ich przez granicę? Dlatego umierają z braku powietrza, upchnięci na pakach ciężarówek albo w kontenerach?

— Niech pani nie zapomina o pociągu Eurostar. Czy oni aby nie przyczepiają się pod podwoziem?

— Jak pan śmie nabijać się ze mnie?!

— Po prostu sobie rozmawiamy. — Przez chwilę skupiał się na prowadzeniu wozu. — Co konkretnie pani maluje?

— Głównie portrety... — odpowiedziała po dłuższej chwili. — Czasami pejzaże...

— Czy mogłem o pani słyszeć?

— Nie wygląda pan na kolekcjonera.

— Kiedyś miałem na ścianie H. R. Gigera.

— Oryginał?

Pokręcił głową.

— Okładkę longplaya... *Brain Salad Surgery*.

— Dobrze chociaż, że pamięta pan nazwisko artysty. — Pociągnęła nosem i otarła go dłonią. — Ja jestem Caro Quinn.

— Caro to skrót od Caroline? — spytał. Kiwnęła głową. Niezdarnie wyciągnął do niej prawą rękę. — John Rebus.

184

Quinn ściągnęła szarą wełnianą rękawiczkę i wymienili uścisk rąk; samochód przekroczył linię środkową, oddzielającą kierunki ruchu. Rebus szybko skorygował kurs.

— Obiecuje pan, że dowiezie nas do Edynburga w jednym kawałku? — spytała błagalnie.

— Gdzie panią wysadzić?

— Czy będzie pan przejeżdżał w pobliżu Leith Walk?

— Mam bazę w Gayfield.

— Doskonale... Ja potrzebuję nieco w bok od Pilrig Street, jeśli to dla pana nie kłopot.

— Najmniejszy. — Przez pewien czas milczeli, aż w końcu Quinn odezwała się:

— W Europie owiec nie wolno transportować w taki sposób, jak przerzuca się tych ludzi z miejsca na miejsce... W obozach na terenie Wielkiej Brytanii jest ich blisko dwa tysiące.

— Ale wielu z nich zostaje, prawda?

— Za mało. Holandia ma właśnie deportować dwadzieścia sześć tysięcy.

— Sporo. A Szkocja?

— Tylko w Glasgow czeka jedenaście tysięcy.

Rebus zagwizdał.

— A jeszcze ze dwa lata temu przyjmowaliśmy więcej azylantów niż jakikolwiek inny kraj na świecie.

— Sądziłem, że nadal tak jest.

— Ich liczba szybko spada.

— Dlatego że świat stał się bezpieczniejszy?

Spojrzała na niego i dopatrzyła się w jego słowach ironii.

— Kontrola jest coraz ostrzejsza.

— Możemy zapewnić tylko tyle pracy, ile mamy — rzekł Rebus, wzruszając ramionami.

— I to nas zwalnia z obowiązku współczucia tym ludziom?

— W mojej pracy nie mam wiele miejsca na współczucie.

— I dlatego pojechał pan do Whitemire samochodem wyładowanym zabawkami?

— Przyjaciele mówią na mnie Święty...

Zgodnie z jej wskazówkami Rebus zaparkował w drugiej linii przed jej mieszkaniem w czynszówce.

— Wejdzie pan na górę? — spytała.

— Po co?

— Chciałabym panu coś pokazać.

Zamknął samochód, mając nadzieję, że właściciel zastawionego przez niego mini nie będzie miał pretensji. Quinn mieszkała na samej górze — doświadczenie Rebusa wskazywało, że takie lokale najczęściej biorą ludzie odnajmujący pokoje studentom. Quinn miała jednak inne wyjaśnienie.

— Mam dzięki temu dwa piętra — powiedziała. — Są tu schody na dach, gdzie wygospodarowałam trochę miejsca. — Otworzyła drzwi. Rebus wlókł się pół piętra za nią. Zdawało mu się, że coś zawołała, chyba jakieś imię, ale gdy wszedł do przedpokoju, nikogo tam nie było. Quinn oparła plecak o ścianę i kiwnęła na niego ręką, żeby wszedł po schodkach na dach. Odetchnął kilka razy i znów zaczął się wspinać.

Było tam tylko jedno pomieszczenie, oświetlone naturalnym światłem wpadającym przez cztery wielkie okna firmy Velux. Pod ścianami stały upchnięte płótna, a każdy cal kwadratowy ścian zajmowały czarno-białe fotografie.

— Lubię malować ze zdjęć — wyjaśniła Quinn. — Te chciałam panu pokazać.

Były to zbliżenia twarzy; fotograf skupiał się głównie na oczach. Rebus dojrzał w nich nieufność, strach, ciekawość, pobłażanie, dobry humor. W otoczeniu tylu par oczu sam poczuł się jak eksponat na wystawie. Kiedy powiedział to malarce, przyjęła jego słowa z wdzięcznością.

— Na następnej wystawie nie chcę ani kawałka pustej ściany, tylko namalowane twarze jedna obok drugiej, domagające się, żebyśmy poświęcili im trochę uwagi.

— I gapiące się na nas z góry. — Rebus powoli pokiwał głową, a Quinn zrobiła to samo. — Gdzie pani robiła te zdjęcia?

— Wszędzie... w Dundee, w Glasgow, w Knoxland.

— Czy to wyłącznie imigranci?

Przytaknęła ruchem głowy, podziwiając swe dzieło.

— Kiedy była pani w Knoxland?

— Jakieś trzy, cztery miesiące temu. Po dwóch dniach mnie stamtąd wykopali...

— Wykopali?

Odwróciła się do niego.

— Powiedzmy, że dano mi do zrozumienia, że nie jestem tam mile widziana.

— Kto?

— Miejscowi... bigoci... ludzie z pretensjami do świata.

Rebus uważniej przyjrzał się zdjęciom, ale nikogo nie rozpoznał.

— Oczywiście, niektórzy nie dają się fotografować, a ja muszę uszanować ich wolę.

— Pytała ich pani, jak się nazywają? — Patrzył, jak kobieta przytakuje ruchem głowy. — Nie spotkała tam pani Stefa Yurgii?

Pokręciła głową, lecz nagle zesztywniała i otworzyła szeroko oczy.

— Pan mnie przesłuchuje!

— Po prostu zadaję pytania — sprostował.

— Na pozór przyjazny, proponuje pan, że mnie podrzuci... — Pokręciła głową, nie wierząc we własną głupotę. — Chryste, i pomyśleć, że zaprosiłam pana do domu!

— Caro, ja próbuję wyjaśnić sprawę morderstwa. A żeby wszystko było jasne, podwiozłem panią ze zwykłej ciekawości... nie miałem nic złego na myśli.

Wlepiła w niego wzrok.

— Z ciekawości? A co pana tak interesuje? — Obronnym ruchem splotła ręce na piersi.

— Sam nie wiem... Może chciałem się dowiedzieć, dlaczego pani tam czuwa? Nie wygląda pani na taką.

Zmrużyła oczy.

— Na jaką?

Wzruszył ramionami.

— Nie ma pani dredów ani wojskowej kurtki, nie trzyma pani złego psa na parcianej smyczy... no i na pierwszy rzut oka kolczyków na całym ciele też pani nie nosi. — Próbował rozbroić napiętą atmosferę i z ulgą zobaczył, że nieco się odprężyła. Jej usta drgnęły w uśmiechu, rozplotła ręce i schowała dłonie do kieszeni.

Z dołu doleciał jakiś hałas — płacz dziecka.

— To pani dziecko? — spytał Rebus.

— Od jakiegoś czasu nawet nie jestem mężatką... — Odwróciła się i ruszyła w dół wąskimi schodkami. Inspektor po chwili poszedł w jej ślady, czując na sobie spojrzenie tych wszystkich oczu.

Jedne z drzwi odchodzących z przedpokoju były otwarte. Prowadziły do małej sypialni, w której na pojedynczym łóżku siedziała ciemnoskóra zaspana kobieta i karmiła piersią niemowlę.

— Nic jej nie jest? — spytała Quinn kobietę.

— Nic — padła odpowiedź.

— Wobec tego zostawiam was w spokoju. — Quinn zaczęła zamykać drzwi.

— W spokoju — dobiegły ich ciche słowa.

— Niech pan zgadnie, gdzie ją znalazłam — zwróciła się malarka do Rebusa.

— Na ulicy?

Pokręciła głową.

— W Whitemire. Jest wykwalifikowaną pielęgniarką, ale u nas nie ma prawa wykonywania zawodu. W Whitemire przebywają lekarze, nauczyciele... — Uśmiechnęła się, widząc jego minę. — Niech pan się nie martwi, nie porwałam jej stamtąd. Jeżeli poda się swój adres i wpłaci kaucję, można uwolnić stamtąd, ilu się chce.

— Naprawdę? Nie wiedziałem. Ile to kosztuje?

Uśmiechnęła się jeszcze szerzej.

— Czyżby miał pan na myśli kogoś, komu chciałby pan pomóc, inspektorze?

— Nie... Tak się tylko zastanawiałem.

— Wielu już wyszło za kaucją dzięki ludziom takim jak ja... Czasem nawet któryś z posłów do szkockiego parlamentu się w to bawi. — Przerwała. — Chodzi o panią Yurgii, prawda? Widziałam, jak odwozili ją z dziećmi. A niecałą godzinę później pan przyjeżdża z domkiem dla lalek. — Znowu zamilkła na chwilę. — Ale jej nie wypuszczą za kaucją.

— Dlaczego?

— Figuruje w papierach jako „potencjalna uciekinierka"... pewnie dlatego, że jej mąż im zwiał.

— Tyle że on już nie żyje.

— Wątpię, żeby w związku z tym zmienili zdanie. — Przekrzywiła głowę, jakby oceniała go w roli potencjalnego modela. — Wie pan co? Może rzeczywiście zbyt pochopnie pana osądziłam. Ma pan czas na kawę?

Rebus długo spoglądał na zegarek.

— Mam robotę — powiedział, a jednocześnie z dołu doleciał dźwięk klaksonu. — Poza tym muszę udobruchać kierowcę tego mini.

— To może innym razem.

— Chętnie. — Dał jej swoją wizytówkę. — Z tyłu jest numer mojej komórki.

Położyła wizytówkę na otwartej dłoni, jakby ją ważyła.

— Dziękuję za podwiezienie.

— Proszę mnie zawiadomić o otwarciu wystawy.

— Będzie pan musiał wziąć dwie rzeczy... po pierwsze, książeczkę czekową...

— A po drugie?

— Sumienie — powiedziała, otwierając mu drzwi wyjściowe.

13

Siobhan miała powyżej uszu czekania. Wcześniej zadzwoniła do szpitala, skąd próbowali złapać doktora Catera, ale jego pager nie odpowiadał. Wobec tego pojechała tam i spytała o niego w recepcji. Znowu zadzwonili na jego pager — i znów nie odebrał.

— Na pewno gdzieś tu jest — powiedziała przechodząca obok pielęgniarka. — Widziałam go pół godziny temu.

— Gdzie? — spytała Siobhan.

Pielęgniarka jednak nie była pewna i plątała się w zeznaniach, dlatego też Siobhan krążyła teraz po różnych oddziałach i korytarzach, nasłuchując pod drzwiami, zaglądając za przepierzenia, czekając pod gabinetami na wyjście pacjenta, po to tylko, by się przekonać, że lekarzem udzielającym konsultacji nie był Alexis Cater.

— Można pani jakoś pomóc? — Słyszała to pytanie przynajmniej kilkanaście razy. I za każdym razem, gdy wyjaśniała, że szuka Catera, dostawała sprzeczne odpowiedzi.

— Uciekaj, ale przede mną i tak się nie ukryjesz — mruknęła pod nosem, wchodząc w korytarz, w którym była zaledwie dziesięć minut wcześniej. Zatrzymała się przy automacie z napojami, wybrała puszkę irn-bru i popijała z niej, kontynuując pościg. Kiedy odezwała się jej komórka, nie poznała numeru — ot, ktoś dzwonił z innej komórki.

— Halo? — powiedziała, skręcając za róg.

— Shiv? To ty?

Zatrzymała się jak wryta.

— Oczywiście, że ja... w końcu dzwonisz na moją komórkę!

— No, skoro masz takie nastawienie...

— Zaraz, poczekaj! — Westchnęła głośno. — Właśnie próbuję cię znaleźć.

Alexis Cater zachichotał.

— Coś mi się obiło o uszy. Miło wiedzieć, że mam takie wzięcie...

— Ale z każdą chwilą twoje akcje spadają. Zdaje się, że miałeś się do mnie odezwać?

— Naprawdę?

— I podać mi namiary na Pippę — dodała Siobhan, nie próbując ukrywać irytacji. Podniosła puszkę do ust.

— Od tego popsują ci się zęby — ostrzegł ją.

— Od czego...? — Urwała nagle i okręciła się o sto osiemdziesiąt stopni. Cater obserwował ją przez szklane wahadłowe drzwi w połowie korytarza. Ruszyła ku niemu zdecydowanym krokiem.

— Ładne biodra — powiedział jego głos.

— Od dawna mnie śledzisz? — rzuciła do swojego telefonu.

— Nie. — Otworzył jej drzwi i zamknął klapkę komórki w chwili, gdy ona wyłączała swoją. Pod rozpiętym białym fartuchem miał na sobie szarą koszulę i wąski krawat w kolorze zielonego groszku.

— Ty może masz czas na takie gierki, ale ja nie.

— To po co fatygowałaś się aż tutaj? Nie lepiej było zadzwonić?

— Nie odbierałeś.

Zrobił taką minę, jakby się dąsał.

— Czy ty przypadkiem nie umierałaś z pragnienia, żeby mnie zobaczyć?

Zmrużyła oczy.

— Chodzi mi o Pippę — przypomniała mu.

Kiwnął głową.

— Co powiesz na drinka po pracy? Wtedy ci powiem.

— Powiesz mi teraz.

— Dobra myśl... dzięki temu nie będziemy mieszali przyjemności z interesem. — Wsunął ręce do kieszeni. — Pippa pracuje dla Billa Lindquista... znasz go?

— Nie.

— Gruba ryba w public relations. Przez pewien czas działał w Londynie, ale polubił golfa i zakochał się w Edynburgu. Ma na koncie parę dołków z moim ojcem... — Zobaczył, że na Siobhan nie zrobiło to najmniejszego wrażenia.

— Adres do pracy?

— Znajdziesz w książce telefonicznej pod „Agencja public relations Lindquista". Gdzieś na Nowym Mieście... zdaje się, że przy India Street. Na twoim miejscu najpierw bym zadzwonił... ludzie z tej branży nie siedzą na tyłkach w biurze.

— Dzięki za radę.

— Świetnie... To jak z tym drinkiem?

Siobhan kiwnęła głową.

— W Opal Lounge o dziewiątej?

— Jak dla mnie, może być.

— Świetnie. — Uśmiechnęła się do niego i ruszyła do wyjścia, lecz zatrzymała się, kiedy ją zawołał.

— Chyba nie masz zamiaru zostawić mnie na lodzie, co?

— Przyjdziesz o dziewiątej, to się przekonasz — odparła i pomachała mu, oddalając się korytarzem. Zadzwoniła jej komórka. Odebrała i usłyszała głos Catera:

— Wciąż masz wspaniałe biodra, Shiv. Wstyd, że nie dajesz im odetchnąć świeżym powietrzem i poćwiczyć...

Pojechała prosto na India Street; wcześniej zadzwoniła, by sprawdzić, czy Pippa Greenlaw jest w pracy. Nie było jej, miała spotkanie z klientami przy Lothian Road, ale spodziewali się, że wróci przed upływem godziny. Siobhan oceniła, że przy tym ruchu ona także dotrze do biura „Agencji public relations Lindquista" mniej więcej w tym samym czasie. Agencja mieściła się w podziemiach tradycyjnej georgiańskiej kamienicy; prowadziły do niej kręte kamienne schody. Siobhan wiedziała, że liczne nieruchomości na Nowym Mieście przerobiono na biura, ale wiele z nich wracało teraz do pierwotnej roli prywatnych domów. Na tej i na sąsiednich uliczkach widniało wiele tablic z napisem „Na sprzedaż". Okazało się, że budynków na Nowym Mieście nie można zaadaptować zgodnie z wymogami nowego stulecia — większość miała wnętrza skatalogowane przez konserwatora. Tak więc nie można było po prostu zerwać ścian, by puścić nowe okablowanie, ani przerobić rozkładu wnętrz czy dobudować nowych pomieszczeń. Biurokracja rady gminy zapewniała zachowanie sławetnej „elegancji" Nowego Miasta, a jeśli nawet udałoby się wygrać z radą, to czekałby jeszcze bój z innymi lokalnymi grupami nacisku...

Siobhan pogadała sobie na ten temat z recepcjonistką, która przepraszała, że Pippę widocznie coś zatrzymało. Nalała policjantce kawy z ekspresu, poczęstowała ją własnym biszkoptem, który wyjęła z szuflady, i plotkowała z nią w przerwach między odbieraniem telefonów.

— Wspaniały sufit, prawda? — powiedziała. Siobhan przytaknęła, spoglądając na ozdobne gzymsy. — Szkoda, że nie widziała pani kominka w gabinecie pana Lindquista... — Recepcjonistka zamknęła oczy w ekstazie. — Jest absolutnie...

— Wspaniały? — podsunęła Siobhan. Kobieta kiwnęła głową.

— Jeszcze trochę kawy?

Siobhan podziękowała, bo jeszcze nie zaczęła pierwszej filiżanki. Otworzyły się drzwi i jakiś mężczyzna wystawił głowę.

— Pippa wróciła?

— Chyba coś ją zatrzymało, Bill — wysapała recepcjonistka bez tchu. Lindquist spojrzał na Siobhan, nic nie powiedział i wycofał się do swojego gabinetu.

Recepcjonistka uśmiechnęła się do policjantki i lekko uniosła brwi, na znak, że jej zdaniem Lindquist także jest wspaniały. Siobhan uznała, że widocznie w tej branży wszyscy są wspaniali... wszyscy i wszystko.

Drzwi wejściowe otworzyły się gwałtownie.

— Pojebańce... kupa odmóżdżonych pojebańców! — Do biura weszła młoda kobieta. Szczupła, miała na sobie garsonkę, która znakomicie podkreślała jej figurę. Długie rude włosy i błyszcząca czerwona szminka. Czarne szpilki i czarne pończochy... było w niej coś takiego, że Siobhan od razu wiedziała, że to pończochy, a nie rajstopy. — Niby jak mamy im pomóc, skoro dostali złote medale w konkurencji bezmózgów... odpowiedz mi na to, Sherlocku! — Cisnęła teczkę na biurko recepcji. — Bóg mi świadkiem, Zara, jeżeli Bill jeszcze raz mnie tam wyśle, wezmę ze sobą uzi i tyle amunicji, ile się zmieści w tej kurewskiej teczce. — Trzasnęła dłonią w neseser i dopiero teraz zobaczyła, że Zara zerka na rząd krzeseł pod oknem.

— Pippa... — odezwała się Zara drżącym głosem. — Ta pani czeka na ciebie...

— Nazywam się Siobhan Clarke — powiedziała policjantka, podchodząc do niej. — Jestem potencjalną nową klientką... — Widząc wyraz przerażenia na twarzy Greenlaw, szybko uniosła rękę. — Tylko żartowałam.

Greenlaw z ulgą wywróciła oczami.

— Dzięki ci za to, słodki panie Jezu.

— Naprawdę jestem z policji.

— Z tym uzi to ja żartowałam...

— Słusznie, uzi słynie z tego, że się zacina. Heckler and Koch jest o wiele lepszy.

Pippa Greenlaw uśmiechnęła się.

— Zapraszam do mojego gabinetu, zapiszę to sobie.

Jej gabinet mieścił się w czymś, co pierwotnie zapewne należało do pokojówki w tym wielopiętrowym domu — wąskie i niezbyt długie pomieszczenie, z okratowanymi oknami wychodzącymi na zapchany parking, na którym Siobhan ujrzała maserati i porsche.

— Domyślam się, że porsche należy do pani — powiedziała.

— No jasne... to dlatego pani tu przyszła?

— Skąd taki pomysł?

— Bo w zeszłym tygodniu te cholerne kamery przy zoo znowu cyknęły mnie za przekroczenie szybkości.

— To nie moja sprawa. Mogę usiąść?

Greenlaw zmarszczyła brwi, jednocześnie potakując głową. Siobhan zdjęła z krzesła jakieś papiery.

— Mam pytanie w związku z imprezą u Leksa Catera — powiedziała.

— Którą?

— Gdzieś tak sprzed roku. Tą ze szkieletami.

— Ba... właśnie miałam powiedzieć, że z imprezek u Leksa nikt nic nie pamięta... po tej ilości gorzały człowiek sam nie wie, jak się nazywa... ale to akurat zapamiętałam. W każdym razie pamiętam szkielet. — Skrzywiła się. — Sukinsyn nie powiedział mi, że jest prawdziwy, dopiero po tym, jak go pocałowałam.

— Pocałowała go pani?

— Dla zgrywy. — Przerwała. — Po dziesięciu kieliszkach szampana... A, i był też szkielet dziecka. — Znów się skrzywiła. — Teraz już sobie przypominam.

— A pamięta pani, kto jeszcze tam był?

— Pewnie ci, co zawsze. A o co chodzi?

— Po imprezie szkielety zniknęły.

— Nie może być.

— Lex pani o tym nie mówił?

Pippa pokręciła głową. Z bliska widać było jej piegi, których opalenizna nie potrafiła zatuszować.

— Myślałam, że po prostu się ich pozbył.

— Tego dnia przyszła pani z jakimś partnerem.

— Skarbie, mnie nigdy nie brakuje partnerów.

Otworzyły się drzwi i ukazała się głowa Lindquista.

— Pippa? — powiedział. — U mnie za pięć minut?

— Nie ma sprawy, Bill — odparła.

— A co z tym spotkaniem po południu...?

Greenlaw wzruszyła ramionami.

— Wszystko po staremu, Bill, tak jak mówiłeś.

Uśmiechnął się i wycofał do gabinetu. Siobhan zdjęła ciekawość, czy oprócz głowy i szyi ma jeszcze resztę ciała... a może poza tym składał się tylko z kabli i metalu? Odczekała chwilę, zanim się znów odezwała.

— Pewnie słyszał, co pani mówiła po wejściu, chyba że jego gabinet jest dźwiękoszczelny.

— Bill słyszy tylko pomyślne wieści, to jego złota zasada... Dlaczego pyta pani o imprezę u Leksa?

— Te szkielety znów się pojawiły... w piwnicy przy Fleshmarket Close.

Greenlaw zrobiła wielkie oczy.

— Słyszałam o tym w radiu!

— I co pani sobie pomyślała?

— Myślałam, że chodzi o reklamę... to pierwsze, co mi przyszło do głowy.

— Były ukryte pod betonową podłogą.

— Ale je wykopali.

— Tylko że przeleżały tam prawie rok.

— Dowód rzeczowy albo z góry zaplanowana akcja... — Greenlaw straciła pewność siebie. — Wciąż jednak nie rozumiem, co to ma wspólnego ze mną. — Pochyliła się i oparła łokciami na biurku. Stał na nim tylko cienki srebrny laptop; żadnych kabli czy drukarki.

— Ktoś pani towarzyszył. Lex uważa, że być może to on zabrał szkielety.

Twarz Greenlaw skurczyła się.

— A niby z kim byłam?

— Miałam nadzieję, że dowiem się tego od pani. Lex pamięta tylko, że to był jakiś piłkarz.

— Piłkarz?

— Podobno w ten sposób go pani poznała...

Greenlaw zadumała się.

— Chyba nigdy nie byłam z... zaraz, chwileczkę... był taki jeden... — Zwróciła głowę ku niebu, prezentując smukłą szyję. — Ale on właściwie nie był piłkarzem... grał w jakiejś amatorskiej lidze. Chryste, jak mu było...? — Nagle triumfalnie spojrzała Siobhan w oczy. — Barry.

— Barry?

— Albo Gary... coś w tym guście.

— Pani pewnie zna wielu mężczyzn.

— Tak naprawdę mężczyzn to niewielu. Za to mnóstwo takich nieudaczników jak Barry czy Gary.

— A jego nazwisko?

— Chyba mi nie podał.

— Gdzie go pani poznała?

Greenlaw próbowała przywołać wspomnienia.

— Prawie na pewno w barze... na jakimś przyjęciu albo na lunchu z klientem. — Uśmiechnęła się ze skruchą. — Ja byłam tam po raz pierwszy i ostatni, a on tak na oko nadawał się na niezobowiązującą randkę. Tak, chyba go pamiętam. Zdaje się, że zaszokował Leksa.

— Czym?

— Wie pani... był trochę nieokrzesany.

— To znaczy?

— Chryste, nie twierdzę, że był jakimś ziomalem czy coś w tym guście. Po prostu był... — Szukała właściwego słowa. — Był prostakiem, z jakim normalnie bym się nie zadawała.

Ponownie ze skruchą wzruszyła ramionami, rozparła się wygodnie na krześle, złączyła palce dłoni i zaczęła się bujać.

— Wie pani, skąd pochodził? Gdzie mieszkał? Jak zarabiał na życie?

— Pamiętam, że podobno miał mieszkanie w Corstorphine... ale ja tam nigdy nie byłam. On... — Na chwilę zamknęła oczy. — Nie, nie pamiętam, czym się zajmował. W każdym razie obracał gotówką.

— Jak wyglądał?

— Tlenione blond włosy i ciemne okulary. Chudy, ale umięśniony, chętnie popisywał się kaloryferem na brzuchu... W łóżku pełen wigoru, ale bez fantazji. No i wyposażony też był nieszczególnie.

— Jak na początek, to chyba nie najgorzej.

Kobiety uśmiechnęły się porozumiewawczo.

— Mam wrażenie, że to było całe wieki temu — mruknęła Greenlaw.

— I potem już go pani nie widziała?

— Nie.

— A ma pani przypadkiem jego numer telefonu?

— W Nowy Rok zawsze robię stos pogrzebowy z tych karteczek... wie pani, numery, inicjały, ludzie, do których nigdy pani nie zadzwoni, a w ogóle może ich pani nawet nie poznała. Ci upiorni, odpicowani hipokryci, którzy łapią cię za tyłek na parkiecie albo obmacują ci cycki na przyjęciu... PR to chyba skrót od Patentowani Rogacze. — Greenlaw jęknęła.

— Pippa, czy pani czasem nie wypiła czegoś na tym spotkaniu, z którego właśnie pani wróciła?

— Tylko szampana.

— I przyjechała tu pani swoim porsche?

— Chryste, czy mam pani dmuchnąć w balonik?

— Ależ gdzie tam, po prostu jestem pod wrażeniem... dopiero teraz się zorientowałam.

— Szampan ma to do siebie, że po nim zawsze chce mi się pić. — Spojrzała na zegarek. — Napije się pani ze mną?

— Zdaje się, że Zara ma dla nas kawę — odparła Siobhan.

Greenlaw skrzywiła się.

— Muszę jeszcze pogadać z Billem, ale potem już mam wolne.

— Pani to dobrze.

Greenlaw wysunęła dolną wargę.

— Więc może potem?

— Zdradzę pani tajemnicę: Lex o dziewiątej będzie w Opal Lounge.

— Naprawdę?

— Na pewno postawi pani jednego.

— Ale do wieczora jeszcze tyle czasu — zaprotestowała Greenlaw.

— Jakoś to pani przetrzyma — powiedziała Siobhan, wstając.

— Dziękuję, że zgodziła się pani ze mną porozmawiać.

Już miała wyjść, lecz Greenlaw ruchem ręki pokazała jej, żeby usiadła. Zaczęła grzebać w szufladzie, aż w końcu wyjęła kartkę i długopis.

— Ta broń, o której pani mówiła... — powiedziała. — Jak ona się nazywa?

W Knoxland przenoszono dźwigiem biuro Portakabin na pakę ciężarówki. Z okien sterczały głowy — to mieszkańcy blokowiska obserwowali całą operację. Od czasu ostatniej wizyty Rebusa na ścianach biura pojawiło się jeszcze więcej graffiti, okno zostało doszczętnie rozbite, a ktoś próbował podpalić drzwi.

— Dach też — wyjaśnił Shug Davidson Rebusowi. — Płynem do zapalniczek, gazetami i starą oponą samochodową.

— Nie do wiary.

— Niby co?

— Gazety... Chcesz powiedzieć, że w Knoxland ktoś czyta?

Davidson uśmiechnął się, lecz zaraz spoważniał i splótł ręce na piersi.

— Czasami się zastanawiam, po co w ogóle zawracamy sobie głowę.

W tym momencie ci sami dwaj mundurowi wyprowadzili z bloku Garetha Bairda. Cała trójka padała ze zmęczenia.

— I co, nic? — zapytał Davidson. Jeden z mundurowych pokręcił głową.

— Czterdzieści albo i pięćdziesiąt mieszkań i żadnej odpowiedzi.

— Ja już tam nie wracam, nie ma mowy! — jęknął Gareth.

— Wrócisz, jeśli ci każemy — zapowiedział mu Rebus.

— Podrzucić go do domu? — spytał mundurowy.

Rebus pokręcił głową, nie spuszczając wzroku z chłopaka.

— Autobusy też są dla ludzi. Odchodzą stąd co pół godziny.

Gareth z niedowierzaniem zmarszczył brwi.

— Po tym wszystkim, co dla was zrobiłem?

— Nie, synu. Właśnie z powodu tego wszystkiego, co zrobiłeś — sprostował Rebus. — Dopiero zaczynasz za to płacić. Zdaje się, że przystanek jest tam. — Wskazał ręką w kierunku autostrady. — Za tym podziemnym przejściem, jeśli masz dość odwagi.

Chłopak rozejrzał się, ale na niczyjej twarzy nie dostrzegł śladu współczucia.

— Wielkie dzięki — burknął i odszedł ciężkim krokiem.

— Wracajcie na posterunek, chłopaki — polecił Davidson mundurowym. — Przykro mi, że akurat na was trafiło.

Policjanci kiwnęli głowami i ruszyli do radiowozu.

— Czeka ich niespodzianka — powiedział Davidson do Rebusa. — Ktoś rozbił im na przedniej szybie cały karton jajek.

Rebus pokręcił głową, udając, że nie wierzy własnym uszom.

— Chcesz powiedzieć, że ktoś w Knoxland kupuje świeże jedzenie?

Tym razem Davidson się nie uśmiechnął. Sięgnął po komórkę. Rebus rozpoznał sygnał: *Scots Wha Hae*. Shug wzruszył ramionami.

— Jeden z moich dzieciaków majstrował przy tym wczoraj wieczorem... Zapomniałem przestawić dzwonek.

Odebrał telefon. Rebus słuchał uważnie.

— Tak, to ja... A, witam, panie Allan. — Wywrócił oczami. — Tak, zgadza się... Co pan powie? — Davidson spojrzał w oczy Rebusowi. — To bardzo ciekawe. Czy moglibyśmy się jakoś spotkać? — Zerknął na zegarek. — Najlepiej jeszcze dzisiaj... Nie, to na pewno nie potrwa długo... Możemy tam być za dwadzieścia minut... Tak, jestem pewny. Wobec tego dziękuję. Na razie. — Davidson rozłączył się i patrzył tępo na komórkę.

— Co to za Allan? — zapytał Rebus.

— Rory Allan — odparł Davidson, nadal roztargniony.

— Naczelny „Scotsmana"?

— Dowiedział się właśnie od któregoś ze swoich dziennikarzy, że mniej więcej tydzień temu dzwonił do nich jakiś cudzoziemiec, który przedstawił się jako Stef.

— Tak jak Stef Yurgii?

— Na to wygląda... Podawał się za dziennikarza i mówił, że chciałby zamieścić u nich artykuł.

— Na jaki temat?

Davidson wzruszył ramionami.

— Właśnie w tej sprawie mam się spotkać z Rorym Allanem.

— Nie potrzebujesz aby wsparcia, staruszku? — Rebus posłał mu uśmiech zwycięzcy.

Davidson zastanawiał się przez chwilę.

— Właściwie to powinienem zabrać Ellen...

— Tyle że jej tu nie ma.

— Mógłbym po nią zadzwonić.

Rebus przybrał obrażoną minę.

— Czyżbyś chciał wzgardzić moją pomocą, Shug?

Davidson zastanawiał się jeszcze przez moment, po czym schował komórkę do kieszeni.

— Pod warunkiem że będziesz się sprawował.

— Słowo skauta. — Rebus zasalutował.

— Boże dopomóż! — jęknął Davidson, już żałując chwilowej słabości.

Główny dziennik Edynburga mieścił się w nowym gmachu naprzeciwko stacji BBC przy Holyrood Road. Był stamtąd dobry widok na dźwigi, które wciąż dominowały na niebie ponad ciągle jeszcze budowanym kompleksem budynków szkockiego parlamentu.

— Ciekawe, czy dokończą tę budowę, zanim koszty wykończą nas wszystkich — mruknął Davidson w drodze do gmachu „Scotsmana". Wartownik przepuścił ich przez bramkę i kazał im wjechać windą na pierwsze piętro, skąd mogli obejrzeć dziennikarzy pracujących w wielkiej otwartej sali na parterze. Z tyłu była szklana ściana, za którą rozciągał się widok na Salisbury Crags. Na balkonie nałogowcy palili papierosy — Rebus zorientował się, że w środku sobie nie pofolguje.

Podszedł do nich Rory Allan.

— Inspektorze Davidson — odezwał się, instynktownie zwracając się do Rebusa.

— Ja jestem inspektor Rebus. Fakt, że wyglądam na jego ojca, wcale jeszcze nie świadczy, że to nie on jest szefem.

— Trafiony, zatopiony — odparł Allan i najpierw podał rękę Rebusowi, a potem Davidsonowi. — Chodźcie, akurat jest wolna sala konferencyjna.

Weszli do długiego i wąskiego pokoju z owalnym stołem na środku.

— Pachną jak fabrycznie nowe — rzekł Rebus, mając na myśli meble.

— Rzadko korzystamy z tego pomieszczenia — wyjaśnił naczelny. Rory Allan był po trzydziestce; miał przedwcześnie posiwiałe, przerzedzone włosy i okulary w stylu Johna Lennona. Marynarkę zostawił w gabinecie i teraz miał na sobie jasnoniebieską koszulę, z rękawami podwiniętymi jak przystało na człowieka pracy, a do tego czerwony jedwabny krawat. — Siadajcie, proszę. Napijecie się kawy?

— Nie, panie Allan, dziękujemy.

Dziennikarz z zadowoleniem pokiwał głową.

— A zatem do rzeczy... Doceniacie zapewne, że mogliśmy to opublikować, a wy dowiedzielibyście się wszystkiego z prasy?

Davidson przytaknął lekkim skinieniem głowy. Ktoś zapukał do drzwi.

— Wejść! — warknął Allan.

Weszła nieco mniejsza wersja naczelnego — taka sama fryzura, podobne okulary, zakasane rękawy.

— To Danny Watling, nasz nowy pracownik. Poprosiłem go tutaj, żeby sam wam opowiedział. — Allan gestem wskazał dziennikarzowi, żeby usiadł.

— Niewiele mam do powiedzenia — rzekł Danny Watling. Mówił tak cicho, że Rebus, siedzący naprzeciwko niego, ledwie go słyszał. — Pracowałem przy biurku, odebrałem telefon... facet powiedział, że jest reporterem i chce zamieścić u nas artykuł.

Shug Davidson siedział ze złączonymi na blacie stołu palcami.

— Czy mówił, na jaki temat?

Watling zaprzeczył ruchem głowy.

— Był bardzo ostrożny... A jego angielski nie najlepszy. Zupełnie jakby mówił, posługując się słownikiem.

— A może czytał z kartki? — wtrącił Rebus.

Watling zastanowił się.

— Tak, to całkiem możliwe.

Davidson poprosił o wyjaśnienia.

— Tekst mogła mu napisać jego dziewczyna — odparł Rebus. — Podobno mówi po angielsku lepiej niż Stef.

— Czy on się panu przedstawił? — zapytał Davidson reportera.

— Tak, jako Stef.

— A nazwisko?

— Chyba nie chciał podawać. — Watling spojrzał na naczelnego. — Chodzi o to, że ciągle dzwonią do nas rozmaite świry...

— Możliwe, że Danny nie potraktował go tak poważnie, jak na to zasługiwał — zauważył Allan, skubiąc niewidoczną nitkę na spodniach.

— Nie, ja... — Watling oblał się rumieńcem po samą szyję. — Wyjaśniłem mu, że zwykle nie korzystamy z wolnych strzelców, ale jeżeli zechce komuś opowiedzieć swoją historię, możemy podpisać go jako współautora artykułu.

— I co on na to? — zapytał Rebus.

— Najwyraźniej nie zrozumiał. Co tylko wzmogło moje podejrzenia.

— Nie zrozumiał, kto to jest „wolny strzelec"? — domyślił się Davidson.

— A może w jego języku nie ma odpowiednika — podsunął Rebus.

Watling zamrugał.

— Przeczucie mi mówi, że ma pan rację — zwrócił się do Rebusa.

— I ani słowem nie wspomniał, czego ma dotyczyć artykuł?

— Nie. Najpierw chciał ze mną pogadać w cztery oczy.

— A pan odrzucił jego propozycję?

Dziennikarz zesztywniał.

— Nic podobnego, umówiłem się z nim na spotkanie. O dziesiątej wieczorem tego samego dnia, przed Jenner's.

— Domem towarowym Jenner's? — upewnił się Davidson.

Watling skinął głową.

— Zdaje się, że to jedno z niewielu miejsc, jakie znał. Proponowałem różne bary, nawet najbardziej popularne, do których zaglądają wyłącznie turyści, ale on chyba wcale nie znał miasta.

— Czy poprosił go pan, żeby to on wybrał miejsce spotkania?

— Powiedziałem, że zjawię się, gdzie będzie chciał, ale jemu nic nie przychodziło do głowy. Wspomniałem więc o Princess Street. Wiedział, gdzie to jest, więc wybrałem najbardziej widoczny punkt na tej ulicy.

— Ale on się nie zjawił? — domyślił się Rebus.

Dziennikarz powoli pokręcił głową.

— To było chyba w noc przed jego śmiercią.

Przez chwilę w pokoju panowała cisza.

— Może coś w tym jest, a może nie — wydusił w końcu Davidson.

— Kto wie, czy to nie motyw — dorzucił Rory Allan.

— Kolejny motyw — sprostował Davidson. — Zdaje się, że gazety, w tym także pańska, panie Allan, jak dotąd zadowalają się wersją zbrodni na tle rasistowskim.

Naczelny wzruszył ramionami.

— Ja tylko rozważam różne możliwości...

Rebus patrzył na młodego dziennikarza.

— Czy ma pan jakieś notatki? — spytał. Watling przytaknął i spojrzał na szefa, który ruchem głowy wyraził zgodę. Watling podał Davidsonowi wyrwaną z notatnika kartkę. Davidson przez kilka sekund przetrawiał treść i pchnął kartkę po stole do Rebusa.

Steph... wschodnia Europa???
Dzienn., artykuł
10 wiecz. Jenrs.

— Raczej nie wnosi to nic nowego — rzekł Rebus bez ogródek. — Więcej już nie zadzwonił?

— Nie.

— A może połączył się z kimś innym? — Kolejny przeczący ruch głowy. — Dzwonił do was po raz pierwszy, gdy rozmawiał z panem? — Kiwnięcie głową. — Przypuszczam, że nie poprosił go pan o numer telefonu ani nie sprawdził pan, skąd dzwonił?

— Chyba z budki telefonicznej. W tle słyszałem odgłosy ruchu ulicznego.

Rebus przypomniał sobie przystanek autobusowy na skraju Knoxland... piętnaście jardów od niego stała budka telefoniczna, przy samej szosie.

— Czy wiemy, skąd zawiadomiono policję? — spytał Davidsona.

— Z budki koło przejścia podziemnego — odparł Shug.

— Może dzwonił z tej samej? — podsunął Watling.

— To samo w sobie nadawałoby się na artykuł — zażartował naczelny. — W Knoxland znaleziono działającą budkę telefoniczną.

Shug Davidson patrzył na Rebusa, który wzruszył ramieniem na znak, że nie ma więcej pytań. Policjanci wstali z miejsc.

— No cóż, dziękujemy, że nas pan zawiadomił, panie Allan. Jesteśmy wdzięczni.

— Wiem, że to niewiele...

— Ale zawsze to kolejny fragment układanki.

— A jak się ma ta układanka, inspektorze?

— Powiedziałbym, że ułożyliśmy brzegi, teraz trzeba tylko wypełnić środek.

— Czyli że najtrudniejsze przed wami — rzekł Allan ze współczuciem. Podali sobie ręce, Watling pognał z powrotem do roboty, a Allan pomachał im na pożegnanie, gdy zamykały się za nimi drzwi windy.

Na dworze Davidson wskazał na kawiarnię po drugiej stronie ulicy.

— Ja stawiam — powiedział.

Rebus zapalał papierosa.

— Świetnie, ale daj mi chwilę, żebym wypalił... — Zaciągnął się głęboko, wypuścił dym nosem i zdjął z języka kawałek tytoniu. — A więc mamy układankę, tak?

— Ludzie pokroju Allana posługują się wyświechtanymi zwrotami... podrzuciłem mu coś, żeby miał się nad czym zastanawiać.

— Problem z układankami polega na tym, z ilu elementów się składają.

— To prawda, John.

— A ile my mamy elementów?

— Szczerze mówiąc, połowa leży na podłodze, a niektóre może nawet pod kanapą i dywanem. Mógłbyś się pośpieszyć i dopalić to świństwo? Potrzebuję espresso, i to szybko.

— To straszne, patrzeć na takiego nałogowca — odparł Rebus i znów zaciągnął się głęboko.

Pięć minut później siedzieli i mieszali kawę. Davidson pochłaniał lepkie kęsy ciasta z wiśniami.

— A swoją drogą... — rzucił z pełnymi ustami — mam coś dla ciebie. — Poklepał kieszeń marynarki i wyciągnął kasetę magnetofonową. — To nagranie wezwania policji do zabitego.

— Dzięki.

— Dałem to do posłuchania Garethowi Bairdowi.

— I to dziewczyna Yurgiiego?

— Nie był pewny. Jak powiedział, nie nagrano tego w systemie Dolby Pro Logic.

— Mimo wszystko dzięki. — Rebus schował taśmę do kieszeni.

14

Odsłuchał ją w samochodzie, wracając do domu. Próbował regulować niskie i wysokie tony, ale nie udało mu się poprawić jakości nagrania. Usłyszał głos roztrzęsionej kobiety, której dla kontrastu wtórowało zawodowe opanowanie dyżurnej policyjnej telefonistki.

Umiera... on umiera... O Boże!
Czy może nam pani podać adres?
Knoxland... między blokami... tymi wysokimi... on jest chodnik...
Czy przysłać karetkę?
Nie żyje... nie żyje... — Głos przeszedł w łkanie i szloch.
Policjanci są już zawiadomieni. Czy mogłaby pani tam pozostać do ich przyjazdu? Proszę pani? Halo, proszę pani...?
Co? Co?
Poproszę o pani nazwisko.
Zabili go... tak powiedział... O Boże!
Wysyłamy karetkę. Czy może pani podać bardziej konkretny adres? Proszę pani? Halo, jest pani tam...?

Ale jej już nie było. Połączenie zostało przerwane. Rebus był ciekaw, czy dziewczyna skorzystała z tej samej budki telefonicznej, z której Stef dzwonił do Danny'ego Watlinga. Zachodził też w głowę, czego mógł dotyczyć ów artykuł, skoro wymagał aż spotkania w cztery oczy... Stef Yurgii, wiedziony dziennikarskim instynktem, rozmawiał z imigrantami w Knoxland... i nie chciał, żeby jego historię ukradł kto inny. Rebus przewinął taśmę.

„Zabili go... tak powiedział...".

Co właściwie powiedział? Ostrzegł ją, że do tego dojdzie? Powiedział jej, że jego życie jest w niebezpieczeństwie? Z powodu artykułu?

Włączył kierunkowskaz i zjechał na pobocze. Ustawił głośniej odtwarzacz i jeszcze raz przesłuchał całą taśmę. Miał wrażenie, że słyszy szumy w tle długo po tym, jak zatrzymał nagranie. Czuł się jak podczas startu samolotu, jakby musiał odetkać uszy.

Była to zbrodnia rasowa, zbrodnia z nienawiści. Paskudna, ale prosta, zgorzkniały i szurnięty zabójca, który w ten sposób wyładował swój gniew.

Proste, prawda?

Dzieci pozbawione ojca... wartownik, który po praniu mózgu obawia się zabawek... płonące na dachu opony samochodowe...

— Co tu się dzieje, na miłość boską? — zapytał sam siebie. Świat przepływał obok, zdecydowany niczego nie zauważać: samochody przebijające się przez korki do domu, piesi wpatrujący się tylko w chodnik przed sobą, bo to, czego nie widzisz, nie wyrządzi ci krzywdy. Wspaniały dzielny świat, czekający na nowy parlament. Starzejące się społeczeństwo, którego najbardziej utalentowani przedstawiciele rozjeżdżają się w cztery strony świata... tak samo przeciwne turystom, jak imigrantom. — Co jest, na miłość boską? — szepnął, zaciskając dłonie na kierownicy. Kilka jardów przed sobą zauważył bar. Parkując w tym miejscu, narażałby się na mandat, ale mógłby zaryzykować.

Nie... gdyby chciał się napić, pojechałby do baru Ox. Tymczasem zaś zmierzał do domu, podobnie jak inni ludzie pracy. Długa gorąca kąpiel i może łyczek czy dwa z butelki słodowej whisky. Miał nowy plik kompaktów, których jeszcze nie przesłuchał, a które kupił w ubiegły weekend — Jackie Leven, Lou Reed, Bluesbreakers John Mayall... Plus te, które pożyczyła mu Siobhan — Snow Patrol i Grant-Lee Phillips... obiecał, że odda je w zeszłym tygodniu.

A może by do niej zadzwonić i sprawdzić, czy nie jest zajęta? Nie musieli wychodzić, żeby się napić — curry i piwo u niego albo u niej, jakaś muzyka i rozmowa. Od czasu gdy wziął ją w ramiona i pocałował, ich stosunki cechowała pewna niezręczność. Inna sprawa, że nigdy na ten temat nie mówili; uznał więc, że ona nie chce do tego wracać. Co nie oznacza, że nie mogliby posiedzieć razem nad curry i piwem.

Prawda?

Ale ona pewnie ma inne plany, ma przecież własny krąg przyjaciół. A kogo on miał? Całe życie spędził w tym mieście, w tym zawodzie, i kto czekał na niego w domu?

Upiory.

Czuwające pod jego oknem, gapiące się na jego odbicie.

Pomyślał o Caro Quinn, otoczonej przez pary oczu... to z kolei były jej upiory. Interesowała go ta kobieta, po części dlatego, że stanowiła wyzwanie — on miał swoje uprzedzenia, ona swoje. Ciekaw był, ile tak naprawdę mają ze sobą wspólnego. Dał jej numer telefonu, wątpił jednak, by zadzwoniła. A jeżeli mimo wszystko pojedzie się napić, to będzie pił sam, zamieniając się — jak to określał jego ojciec — w „króla jęczmienia”: jednego z tych zgorzkniałych twardzieli siedzących przy barze, naprzeciw wiszących do góry dnem butelek, i wlewających w siebie najtańszą whisky. Którzy z nikim nie rozmawiają, bo już dawno odsunęli się od społeczeństwa, od dialogu i śmiechu. Ich królestwa były zamieszkane tylko przez jedną osobę.

W końcu wyjął taśmę z odtwarzacza. Może ją oddać Shugowi. Nie zdradzała żadnych istotnych tajemnic. Dowiedział się z niej tylko tyle, że dzwoniła kobieta, której zależało na Stefie Yurgii.

Kobieta, która może wiedzieć, z jakiego powodu zginął.

Kobieta, która zeszła do podziemia.

W takim razie czym tu się martwić? Zostaw pracę w biurze, John. Dla ciebie powinna to być tylko praca, nic innego. Dranie, które zesłały cię na Gayfield Square, na nic więcej nie zasługują. Inspektor pokręcił głową i podrapał się po niej oburącz, usiłując pozbyć się tych myśli. Potem wrzucił kierunkowskaz i znów włączył się do ruchu.

Jedzie do domu, a świat niech się wypcha.

— John Rebus?

Mężczyzna był czarny, wysoki, a także potężnie umięśniony. Gdy wychodził z cienia, inspektor zobaczył najpierw białka jego oczu.

Czekał na klatce schodowej w kamienicy Rebusa, przy tylnych drzwiach wychodzących na niestrzyżony suchy trawnik. Było to typowe dla rzezimieszków planujących napad, dlatego Rebus spiął się, mimo że tamten wymienił jego nazwisko.

— Detektyw inspektor John Rebus?

Czarny miał krótko obcięte włosy i nosił drogi już na pierwszy rzut oka garnitur i rozpiętą pod szyją fioletową koszulę. Jego uszy były niczym małe trójkąciki, prawie bez płatków. Stanął naprzeciwko Rebusa; przez ostatnie dwadzieścia sekund żaden z nich nawet nie mrugnął.

Inspektor trzymał w prawej ręce torbę z zakupami, a w niej miał butelkę słodowej whisky za dwadzieścia funtów, nie chciał więc rąbnąć nią natręta, chyba że okaże się to absolutnie konieczne. Z niewiadomego powodu przed oczami mignął mu stary szkic Chica Murraya — facet z na wpół pełną butelką w kieszeni przewraca się, obmacuje, czuje mokrą plamę i powiada: „Bogu niech będą dzięki... to tylko krew".

— Coś pan za jeden?

— Przepraszam, jeżeli pana wystraszyłem...

— Skąd taki pomysł?

— Więc twierdzi pan, że nie chce mi przywalić tym, co ma pan w tej torbie?

— Aż tak załgany nie jestem. Kim pan jest i czego pan chce?

— Pozwoli pan, że się wylegitymuję? — Facet zawahał się, z ręką w pół drogi do wewnętrznej kieszeni marynarki.

— Dawaj pan.

Czarny wyciągnął portfel i otworzył. Nazywał się Felix Storey i był z Urzędu Imigracyjnego.

— Felix? — rzekł Rebus, unosząc brew.

— Podobno to znaczy „szczęśliwy".

— Jest też taki kot z kreskówki...

— To też, oczywiście — przyznał Storey, chowając portfel. — Ma pan tam przypadkiem coś do picia?

— Kto wie?

— Zauważyłem, że torba jest z monopolowego.

— Bardzo pan spostrzegawczy.

Storey nieomal się uśmiechnął.

— Dlatego tu jestem.

— To znaczy?

— Bo wczoraj w nocy widziano, inspektorze, jak wychodził pan z lokalu o nazwie Dziurka.

— Czyżby?

— Na dowód mam śliczny zestaw zdjęć w dużym formacie.

— A jeśli nawet, co ma do tego Urząd Imigracyjny?

— Jeżeli dostanę kropelkę, być może to panu wyjaśnię...

Rebusowi kłębił się w głowie tuzin pytań, ale torba coraz bardziej mu ciążyła. Ledwie dostrzegalnie skinął głową i ruszył schodami na górę. Storey za nim. Przekręcił klucz w zamku, otworzył drzwi mieszkania, jednocześnie zgarniając nogą pocztę, tak że spoczęła na wierzchu korespondencji z poprzedniego dnia, leżącej na podłodze. Zajrzał do kuchni tylko po to, by znaleźć dwie czyste szklanki i zaprowadził Storeya do salonu.

— Ładnie tu — orzekł Storey, rozglądając się po pokoju. — Wysoki sufit, wykuszowe okno. Wszystkie mieszkania w tym domu są takie duże?

— Niektóre są większe. — Rebus wyciągnął butelkę z pudełka i zmagał się z zakrętką. — Niech pan siada.

— Lubię czasem łyknąć kropelkę szkockiej.

— Tu jej tak nie nazywamy.

— A jak?

— Whisky, a jeśli jest słodowa, to malt.

— Dlaczego nie szkocka?

— Moim zdaniem to sięga czasów, kiedy określenie „szkocki" oznaczało obciach.

— Określenie pejoratywne?

— Skoro tak to się elegancko nazywa...

Storey uśmiechnął się, pokazując błyszczące zęby.

— W mojej robocie trzeba znać żargon. — Uniósł się nieco z kanapy, żeby wziąć od Rebusa szklaneczkę. — No to zdrówko!

— *Slainte*.

— To po gaelicku, prawda? — spytał facet z imigracyjnego, na co Rebus przytaknął. — Pan zna gaelicki?

— Nie.

Storey zamyślił się, obracając w ustach łyk lagavulina. W końcu z uznaniem pokiwał głową.

— Jasna cholera, mocne to.

— Chce pan wody?

Anglik pokręcił głową.

— Ten pański akcent... — rzekł Rebus. — Londyński, prawda?

— Owszem, z Tottenham.

— Byłem kiedyś w Tottenham.

— Na meczu?

— Badałem sprawę morderstwa... nad kanałem znaleziono zwłoki...

— Chyba pamiętam. Wtedy byłem jeszcze dzieckiem.

— Najmocniej dziękuję. — Inspektor dolał sobie whisky i podał butelkę Storeyowi, który także nalał sobie drugą szklaneczkę. — A więc jest pan z Londynu i pracuje w Urzędzie Imigracyjnym. I z jakiegoś powodu obserwujecie Dziurkę.

— Zgadza się.

— To wyjaśnia, w jaki sposób mnie namierzyliście, ale nie tłumaczy, skąd wiedzieliście, kim jestem.

— Pomaga nam miejscowa dochodzeniówka. Nie mogę podać nazwiska oficera, w każdym razie od razu rozpoznał pana i sierżant Clarke.

— Ciekawe.

— Jak mówiłem, nie mogę podać żadnych nazwisk...

— A właściwie dlaczego interesujecie się Dziurką?

— A pan?

— Ja pierwszy zadałem pytanie... Ale zaryzykuję pewien domysł... niektóre dziewczyny są z zagranicy?

— Co do tego nie mam najmniejszych wątpliwości.

Rebus zmrużył oczy ponad krawędzią szklanki.

— Ale to nie z ich powodu pan do mnie przyszedł?

— Zanim odpowiem, muszę wiedzieć, co naprawdę pan tam robił.

— Towarzyszyłem sierżant Clarke, to wszystko. Miała kilka pytań do właściciela.

— Jakich pytań?

— Zaginęła nastolatka. Jej rodzice obawiają się, że mogła skończyć w takiej spelunie jak Dziurka. — Rebus wzruszył ramionami. — To wszystko. Sierżant Clarke zna tę rodzinę, więc pomaga im w wolnych chwilach.

— I nie miała ochoty wybierać się do Dziurki bez obstawy?

— Właśnie.

Storey zamyślił się, ostentacyjnie wpatrując się w szklankę, którą obracał powoli.

— Nie ma pan nic przeciwko temu, żebym to u niej potwierdził?

— Uważa pan, że kłamię?

— Niekoniecznie.

Rebus przeszył go wściekłym wzrokiem, wyciągnął komórkę i wybrał numer.

— Siobhan? Jesteś zajęta? — Wysłuchał odpowiedzi, nie spuszczając wzroku ze swojego gościa. — Słuchaj, mam tu faceta z Urzędu Imigracyjnego. Chce wiedzieć, co robiliśmy w Dziurce. Oddaję mu telefon...

Storey wziął komórkę.

— Sierżant Clarke? Nazywam się Felix Storey. Nie wątpię, że inspektor Rebus poda pani później szczegóły, ale na razie czy mogłaby mi pani tylko zdradzić, w jakim celu byliście w Dziurce? — Zamilkł i słuchał odpowiedzi. — Tak, inspektor Rebus mówił w zasadzie to samo — przyznał w końcu. — Przepraszam za kłopot... — Oddał telefon inspektorowi.

— No cześć, Shiv... pogadamy później. Na razie kolej na pana Storeya. — Zatrzasnął klapkę telefonu.

— Nie musiał pan tego robić — rzekł facet z imigracyjnego.

— Takie sprawy najlepiej wyjaśniać od razu.

— Chodziło mi o to, że nie musiał pan dzwonić z komórki... przecież obok stoi telefon stacjonarny. — Ruchem głowy wskazał stół. — To dużo tańsze.

Rebus skwitował to uśmiechem. Felix Storey odstawił szklankę na dywan, wyprostował się i splótł dłonie na kolanach.

— W sprawie, nad którą pracuję, nie stać mnie na ryzyko — oświadczył.

— Dlaczego?

— Dlatego że być może jest w to zamieszany skorumpowany gliniarz albo i dwoje... — Storey odczekał, żeby jego słowa zapadły Rebusowi w pamięć. — Nie mam na to żadnych dowodów, po prostu istnieje taka możliwość. Ludzie, z którymi mam do czynienia, bez namysłu byliby gotowi przekupić cały wydział.

— Widocznie w Londynie jest więcej sprzedajnych gliniarzy.

— Możliwe.

— Jeżeli te tancerki pracują tam nielegalnie, to macza w tym palce Stuart Bullen — oznajmił Rebus. Facet z imigracyjnego powoli pokiwał głową. — Ale żeby w takiej sprawie przysyłać kogoś aż z Londynu... wywalać forsę na stałą obserwację... Storey wciąż kiwał głową.

— To duża sprawa — powiedział. — Nawet bardzo duża. — Przesunął się na kanapie. — Moi rodzice jako jedni z wielu przyjechali do Brixton w latach pięćdziesiątych z Jamajki. Wtedy to była uczciwa migracja, a nie to, z czym mamy do czynienia teraz. Co roku dziesiątki tysięcy ludzi lądują nielegalnie na naszych wybrzeżach... i najczęściej słono płacą za ten przywilej. Nielegalni imigranci to wielki biznes, inspektorze. Kłopot w tym, że nigdy ich nie widać, chyba że coś pójdzie nie tak. — Zamilkł, czekając na pytanie Rebusa.

— Co ma do tego Bullen?

— Uważamy, że w Szkocji to on kręci tym interesem.

Rebus parsknął śmiechem.

— Ten żałosny dupek?

— To nieodrodny syn swojego ojca, inspektorze.

— Chicory Tip — mruknął Rebus i odpowiadając na dziwne spojrzenie Storeya, wyjaśnił: — Mieli taki wielki przebój, *Syn mojego ojca...* ale to nie za pańskich czasów. Od jak dawna prowadzicie obserwację Dziurki?

— Od ubiegłego tygodnia.

— Z tego zamkniętego kiosku z prasą? — przypomniał sobie kiosk naprzeciwko klubu z zamalowanymi szybami. Storey kiwnął głową. — No cóż, po wizycie w Dziurce mogę panu powiedzieć tyle, że moim zdaniem nie ma tam pokoi upchanych po sufit nielegalnymi imigrantami.

— Nie sugeruję, że on ich tam trzyma...

— Nie zauważyłem też stosów fałszywych paszportów.

— Był pan w jego gabinecie?

— Nie wyglądało na to, żeby miał coś do ukrycia... szafa pancerna była otwarta na oścież.

— Żeby zbić pana z tropu? — podsunął Storey. — Czy zauważył pan w nim jakąś zmianę, kiedy dowiedział się, w jakim celu go odwiedziliście? Może się nieco odprężył?

— Nic nie wskazywało na to, żeby miał jakieś zmartwienia. Właściwie o co konkretnie pan go podejrzewa?

— Jest ogniwem łańcucha. To jeden z naszych problemów: nie wiemy, ile jest tych ogniw ani kto jaką rolę odgrywa.

— Coś mi się zdaje, że wy w ogóle guzik wiecie.

Storey uznał, że nie ma sensu się sprzeczać.

— Znał pan Bullena wcześniej?

— Nawet nie wiedziałem, że jest w Edynburgu.

— A zatem wiedział pan, kim on jest?

— Słyszałem o jego rodzinie, owszem. Co nie znaczy, że melinuję ich u siebie na noc.

— Ja pana o nic nie oskarżam, inspektorze.

— Tylko mnie pan wypytuje, co w gruncie rzeczy sprowadza się do tego samego. Dodam jeszcze, że robi pan to niezbyt subtelnie.

— Przykro mi, jeśli odniósł pan takie wrażenie...

— Bo tak to wygląda, po prostu. A ja nie dość, że z panem siedzę, to jeszcze częstuję pana whisky... — Rebus pokręcił głową.

— Znam pańską reputację, inspektorze. Nic z tego, co słyszałem, nie skłania mnie do przypuszczeń, że chciałby się pan zakolegować ze Stuartem Bullenem.

— Być może rozmawiał pan nie z tymi, co trzeba. — Rebus dolał sobie jeszcze trochę whisky, ale Storeya już nie poczęstował. — A więc co zamierzacie odkryć, szpiegując Dziurkę? Naturalnie oprócz przekupnych gliniarzy...

— Wspólników... nowe wskazówki i tropy.

— To znaczy, że stare tropy zaprowadziły donikąd? Macie jakieś niezbite dowody?

— W rozmowie padło jego nazwisko...

Rebus czekał na ciąg dalszy, ale się nie doczekał. Parsknął śmiechem.

— Anonimowy donos? Może to jakiś konkurent z Trójkąta Łonowego chce go umoczyć?

— Klub byłby znakomitą przykrywką.

— Był pan tam kiedyś?

— Jeszcze nie.

— Boi się pan, że mógłby pan odstawać od towarzystwa?

— Chodzi panu o kolor mojej skóry? — Storey wzruszył ramionami. — Być może coś w tym jest. Na waszych ulicach nie widać wielu czarnych twarzy, ale to się zmieni. Inna sprawa, czy ktoś ich wypatruje, czy nie. — Znowu rozejrzał się po pokoju. — Miłe mieszkanko...

— Już pan to mówił.

— Od dawna pan tu mieszka?

— Raptem ponad dwadzieścia lat.

— Kawał czasu... I ja jestem pierwszym czarnym, którego pan tu zaprosił?

Rebus zastanowił się nad odpowiedzią.

— Chyba tak — przyznał.

— A jakichś Chińczyków czy innych Azjatów? — indagował dalej londyńczyk, ale inspektor nie odpowiedział. — Chcę tylko powiedzieć, że...

— Słuchaj pan — przerwał mu Rebus. — Mam tego dość. Dokończ pan drinka i jazda stąd... Nie dlatego, że jestem rasistą, tylko dlatego, że jestem wkurzony. — Wstał. Storey zrobił to samo i oddał mu szklankę.

— Dobra ta whisky — powiedział. — Widzi pan, dzięki panu nauczyłem się nie mówić „szkocka". — Z kieszeni na piersi wyciągnął służbową wizytówkę. — To na wypadek gdyby poczuł pan potrzebę skontaktowania się ze mną.

Rebus wziął wizytówkę, nie patrząc na nią.

— W którym hotelu pan się zatrzymał?

— Koło Haymarket, na Grosvenor Street.

— Znam go.

— Niech pan kiedyś wpadnie wieczorkiem, postawię panu kielicha.

Rebus nic na to nie odpowiedział, rzucił tylko:

— Odprowadzę pana.

I poszedł z nim do drzwi; wracając do salonu pogasił za sobą światła, stanął przy niezasłoniętym oknie i wyjrzał na chodnik. Rzecz jasna Storey wyszedł na ulicę. W tym samym momencie zatrzymał się przejeżdżający wolno samochód i Anglik wsiadł na tylne siedzenie. Inspektor nie dostrzegł ani kierowcy, ani numerów rejestracyjnych, zauważył tylko, że był to duży samochód, prawdopodobnie vauxhall. Na dole ulicy wóz skręcił w prawo. Rebus podszedł do stołu i z telefonu stacjonarnego zamówił taksówkę. Potem wyszedł i czekał na nią na dworze. Akurat gdy podjeżdżała, zabrzęczała jego komórka — dzwoniła Siobhan.

— Skończyłeś już z tym tajemniczym gościem? — spytała.

— Chwilowo.

— A o co właściwie chodziło?

Rebus, jak tylko mógł najlepiej, wyjaśnił jej co i jak.

— I ten arogancki kutas uważa, że siedzimy u Bullena w kieszeni? — brzmiała jej pierwsza reakcja. Rebus uznał, że jest to pytanie retoryczne.

— Możliwe, że będzie chciał z tobą pogadać.

— Nic się nie martw, przygotuję się. — Z bocznej uliczki wyjechała karetka pogotowia na sygnale. — Jesteś w samochodzie?

— W taksówce — sprostował. — Do kompletu brakuje mi tylko tego, żeby mnie przymknęli za prowadzenie po pijaku.

— Dokąd się wybierasz?

— W miasto. — Taksówka minęła skrzyżowanie z Tollcross. — Pogadamy jutro.

— Baw się dobrze.

— Spróbuję.

Rozłączył się. Taksiarz wybrał drogę na tyłach Earl Grey Street, by skorzystać z mniejszego ruchu na ulicy jednokierunkowej. Przy Morrison przejadą na drugą stronę Lothian Road, a potem wysiadka: Bread Street. Rebus dał kierowcy napiwek i postanowił wziąć rachunek. Być może uda mu się go wrzucić w koszty śledztwa w sprawie Yurgii.

— Wątpię, żeby taniec przy rurze dało się odliczyć od podatku — ostrzegł taksówkarz.

— Czy ja wyglądam na takiego?

— Szczerze? — zawołał kierowca, wrzucając bieg i odjeżdżając.

— Ostatni raz dałem ci napiwek — mruknął Rebus, chowając rachunek do kieszeni. Dochodziła dziesiąta wieczorem. Po ulicy snuły się tabuny mężczyzn wypatrujących kolejnej knajpy, gdzie można by umoczyć dziób. Przed większością jaskrawo oświetlonych wejść stał wykidajło; jedni z nich mieli na sobie płaszcze do kolan, inni ściągnięte w pasie kurtki. Ale pod ubraniem Rebus widział w nich klony; nawet nie dlatego, że wyglądali identycznie, chodziło o to, w jaki sposób postrzegają świat — podzielony na dwie grupy: drapieżników i ich ofiary.

Inspektor wiedział, że nie może stać zbyt długo przed zamkniętym kioskiem — gdyby któryś z wykidajłów z Dziurki nabrał podejrzeń, oznaczałoby to koniec operacji Storeya. Przeszedł więc na drugą stronę ulicy, tę, po której mieściła się Dziurka, i stanął dziesięć jardów od wejścia. Przyłożył komórkę do ucha i udając pijanego, rozpoczął jednostronną rozmowę:

— No hej, to ja... gdzie jesteś? Miałeś czekać w Szekspirze... nie, jestem na Bread Street...

To, co mówił, nie miało żadnego znaczenia. Dla każdego, kto go widział czy słyszał, był tylko kolejnym nocnym markiem, bełkoczącym coś po pijaku. Tymczasem on przyglądał się kioskowi. Światła w środku były zgaszone, ani śladu kogoś przy oknie, żadnego cienia. Jeżeli obserwację prowadzono przez dwadzieścia cztery godziny na dobę, siedem razy w tygodniu, wykonywano znakomitą robotę. Przypuszczał, że wszystko filmują, ale nie wiedział jak. Gdyby usunęli kawałek białej szyby z okna, każdy na zewnątrz by to zobaczył, a poza tym widać by było odbicie obiektywu. Ale w oknie nie było żadnych dziur. Drzwi były zabezpieczone kratą i żaluzją, uniemożliwiającą podejrzenie tego, co dzieje się w środku. W niej także nie było żadnego otworu do szpiegowania. Ale chwileczkę... tuż nad drzwiami znajdowało się mniejsze okienko o wymiarach ze dwie na trzy stopy, również zamalowane na biało, z wyjątkiem małego kawałka w górnym rogu. Genialny pomysł — żaden przechodzień by tam nie spojrzał. Oczywiście, oznaczało to, że ktoś z ekipy obserwacyjnej musiał stać na drabinie albo czymś podobnym i trzymać kamerę. Niewygodne i nieporęczne, a mimo to znakomite.

Rebus zakończył udawaną rozmowę i odszedł od Dziurki w kierunku Lothian Road. W sobotnie wieczory należało unikać tej okolicy. Nawet teraz, gdy weekend dobiegał końca, dookoła śpiewano, grano na instrumentach, kopano butelki po chodniku, wałęsano się po ulicy, utrudniając ruch samochodów. Piskliwe krzyki panienek, które wypuściły się na babskie bibki, dziewczyny w mini i świecących opaskach na głowach. Te opaski sprzedawał jakiś facet, razem z plastikowymi różdżkami. Krążył po całej ulicy, trzymając towar w rękach. Rebus przypomniał sobie słowa Storeya: „Inna sprawa, czy ktoś ich wypatruje, czy nie...". Handlarz był młody, żylasty i ciemnoskóry. Inspektor zatrzymał się przed nim.

— Po ile to?

— Dwa funty.

Rebus ostentacyjnie przeszukał kieszenie w poszukiwaniu drobnych.

— Skąd jesteś? — zapytał. Sprzedawca nie odpowiedział, patrzył wszędzie, byle nie na Rebusa. — Od dawna jesteś w Szkocji? — Ale ten już odchodził. — To co, nic mi nie sprzedasz? — Najwyraźniej nie, facet wciąż się oddalał. Rebus ruszył w przeciwną stronę, na zachodni kraniec Princess Street. Z baru Szekspir wyszedł sprzedawca kwiatów z wiązanką róż pod pachą.

— Po ile? — spytał Rebus.

— Pięć funtów. — Chłopak miał może nieco ponad dziesięć lat. Ogorzały, mógł pochodzić z Bliskiego Wschodu. Rebus znów poszukał w kieszeni drobnych.

— Skąd jesteś?

Mały udał, że nie rozumie.

— Pięć — powtórzył.

— Jest tu gdzieś twój szef? — naciskał inspektor.

Chłopak popatrzył na prawo i lewo, szukając pomocy.

— Ile masz lat, synu? Do jakiej szkoły chodzisz?

— Ja nie rozumieć.

— Nie wciskaj mi tych...

— Chce pan róże?

— Najpierw muszę znaleźć pieniądze... Trochę późno, żebyś się szwendał po mieście, co? Czy mama i tata wiedzą, co robisz?

Dla sprzedawcy kwiatów tego już było za wiele. Uciekł, upuszczając jedną z wiązanek, ale nie obejrzał się ani nie zatrzymał. Rebus podniósł wiązankę i dał ją przechodzącym dziewczętom.

— Nie wyskoczę za to z majtek — powiedziała jedna z nich. — Ale tyle ci się należy. — Cmoknęła go w policzek. Kiedy odchodziły chwiejnym krokiem, głośno stukając wysokimi obcasami, jedna z nich zawołała, że mógłby być ich dziadkiem.

Co prawda, to prawda, pomyślał Rebus. Sam to czuję...

Idąc Princess Street, bacznie obserwował mijane twarze. Chińczyków było więcej, niż przypuszczał. Żebracy mówili albo z akcentem szkockim, albo z angielskim. Rebus wszedł do hotelu — barman znał go od piętnastu lat, więc nie miało znaczenia, czy inspektor jest ogolony i ubrany w stosowny garnitur i odprasowaną koszulę.

— Co dla pana, inspektorze? — zapytał, stawiając przed nim podstawkę pod drinki. — Pewnie jakąś lepszą słodową?

— Lagavulin — odparł Rebus; miał świadomość, że za cenę małej porcyjki w tym lokalu w sklepie mógłby kupić ćwiartkę... Barman postawił przed nim szklaneczkę, wiedząc, że nie ma sensu proponować lodu czy wody sodowej.

— Ted, zatrudniacie tutaj kogoś z zagranicy? — zapytał inspektor.

Jak przystało na dobrego barmana, Ted do każdego pytania podchodził ze stoickim spokojem. Poruszył ustami, zastanawiając się nad odpowiedzią. Tymczasem Rebus poczęstował się orzeszkami, które pojawiły się obok jego drinka.

— Za barem stało kilku Australijczyków — odparł i zaczął wycierać szklanki ścierką. — Takich, co to ruszyli w świat i zatrzymali się tu na kilka tygodni. Ale nigdy nie bierzemy ludzi bez doświadczenia.

— A poza tym? Na przykład w restauracji?

— No, kelnerki bywają rozmaite. A zwłaszcza pomoc domowa.

— Pomoc domowa?

— Pokojówki.

Inspektor pokiwał głową, jakby zadowoliło go to wyjaśnienie.

— Wie pan, tak między nami... — Słysząc te słowa, Ted pochylił się. — Czy to możliwe, żeby pracowali tu nielegalni imigranci?

Barman przyjął jego słowa z najwyższą podejrzliwością.

— Panie Rebus, tak poza protokołem... Kierownictwo nie ma z tym nic wspólnego...

— Rozumiem, Ted. Nie sugerowałem nic innego.

Barman najwyraźniej się uspokoił.

— Widzi pan, ja nie twierdzę, że inne lokale są równie wybredne... — przyznał. — Jeśli chodzi o nas, powiem panu jedno. Tam, gdzie mieszkam, zwykle wyskakuję na kielicha w piątki wieczorem. I nagle pojawiła się taka grupa, cholera wie skąd. Dwaj grali na gitarach... piosenki w stylu *Save All Your Kisses For Me*, tego typu. Starszy grał na tamburynie i zbierał do niego pieniądze od klientów. — Powoli pokręcił głową. — Stawiam dziesięć do jednego, że to uciekinierzy.

Rebus uniósł swoją szklankę.

— To inny świat — powiedział. — Nigdy o tym nie myślałem.

— Zdaje się, że przyda się panu następna kolejka. — Ted puścił oko, w wyniku czego cała jego twarz się zmarszczyła. — Na koszt firmy, jeśli nie ma pan nic przeciwko temu...

Gdy Rebus opuszczał bar, uderzyło go zimne powietrze. Jeśliby skręcił w prawo, droga zaprowadziłaby go do domu, on jednak przeszedł na drugą stronę ulicy i ruszył w kierunku Leith Street, która kończyła się na Leith Walk; po drodze mijał azjatyckie supermarkety, salony tatuażu i budy z jedzeniem na wynos. Właściwie sam nie wiedział, dokąd zmierza. Być może na końcu Walk Cheyanne poluje na klientów, a John i Alice Jardine'owie krążą samochodem po ulicach, wypatrując córki. Włożył ręce do kieszeni i zapiął kurtkę, chroniąc się przed chłodem. Obok niego śmignęło kilku motocyklistów, którzy jednak musieli zatrzymać się na czerwonym świetle. Postanowił przejść na drugą stronę ulicy, ale światła właśnie się zmieniały. Cofnął się, gdy pierwszy motocykl ruszył z rykiem silnika.

— Może minitaksówkę?

Odwrócił się w kierunku, skąd dobiegał głos. W drzwiach sklepu stał jakiś mężczyzna. Sklep, oświetlony od środka, najwyraźniej służył za punkt postoju minitaksówek. Mężczyzna wyglądał na Azjatę. Rebus pokręcił głową, lecz nagle zmienił zdanie. Kierowca zaprowadził go do forda escorta, który już dawno powinien trafić na złom. Inspektor podał adres, na co kierowca sięgnął po plan miasta.

— Powiem panu, jak jechać — rzekł Rebus. Kierowca kiwnął głową i zapuścił silnik.

— Wypiło się trochę, co? — zapytał z miejscowym akcentem.

— Kilka szklaneczek.

— Dzisiaj wolne, a jutro do roboty?

— Może uda mi się wymigać.

Kierowca roześmiał się, choć Rebus nie miał zielonego pojęcia dlaczego. Przejechali Princess Street do Lothian Road i skierowali się do Morningside. Inspektor kazał kierowcy, żeby się zatrzymał, i powiedział, że za moment wraca. Wszedł do całodobowego sklepu, wyszedł z litrową butelką wody i wsiadając do taksówki, pociągnął z niej, by popić cztery pastylki aspiryny.

— Dobry pomysł — przytaknął kierowca z uznaniem. — Trzeba się zabezpieczyć, co? Żadnego kaca rano, nie będzie wymówki, żeby się urwać na chorobowe.

Pół mili dalej Rebus kazał mu zawrócić. Pojechali do Marchmont i zatrzymali się przed mieszkaniem inspektora. Rebus wszedł na górę i otworzył drzwi. Z szuflady biurka w salonie wyciągnął pękatą teczkę, otworzył ją i postanowił wziąć ze sobą kilka wycinków prasowych. Wrócił do taksówki.

Gdy dotarli do Brunsfield, kazał skręcić w prawo, a potem jeszcze raz w prawo. Znaleźli się na kiepsko oświetlonej podmiejskiej ulicy, zajętej przez wielkie, oddzielone od siebie domy, przeważnie ukryte za żywopłotami i metalowymi ogrodzeniami. Okna były ciemne albo zaciągnięte żaluzjami — mieszkańcy już smacznie spali. Tylko w jednym domu paliły się światła i tam właśnie Rebus kazał kierowcy podjechać. Furtka otworzyła się ze zgrzytem. Inspektor znalazł dzwonek u drzwi i nacisnął go. Brak odpowiedzi. Cofnął się o kilka kroków i spojrzał w okna na piętrze. Zza zasłon przebijało światło. Na parterze, po obu stronach werandy, były większe okna, tyle że szczelnie zasłonięte drewnianymi żaluzjami. Rebusowi zdawało się, że słyszy dobiegającą muzykę. Zajrzał przez otwór w skrzynce na listy, ale nie dostrzegł ani śladu ruchu i uświadomił sobie, że muzyka dolatuje zza domu. Z boku znajdowała się żwirowa ścieżka. Ruszył nią; gdy mijał czujniki, po drodze automatycznie włączało się oświetlenie. Muzyka dobiegała z ogrodu, w którym panowała ciemność, jeśli nie liczyć dziwnego czerwonego blasku. Na środku trawnika inspektor dostrzegł jakąś konstrukcję — drewnianą kładkę prowadzącą do oszklonej cieplarni. Unosiła się nad nią para. No i muzyka — coś z klasyki. Rebus podszedł do jacuzzi.

Bo było to nic innego, tylko jacuzzi, stojące na świeżym szkockim powietrzu. Pławił się w nim Morris Gerald Cafferty, znany jako Duży Ger. Siedział w samym rogu, z rękami opartymi na krawędzi odlanej wanny. Po jego bokach tryskały strumienie wody. Inspektor rozejrzał się, lecz Cafferty był sam. Pod wodą zamontowano oświetlenie — kolorowy filtr, spowijający wszystko w czerwonej poświacie. Cafferty siedział z odrzuconą do tyłu głową i zamkniętymi oczami; sądząc z wyrazu twarzy, był nie tyle zrelaksowany, ile skupiony.

Nagle otworzył oczy i spojrzał wprost na Rebusa. Małe czarne źrenice, otłuszczona twarz. Krótkie siwe włosy Cafferty'ego, teraz mokre, przylegały gładko do głowy. Górna część jego tułowia, wystająca ponad wodę, pokryta była gęstą czarną szczeciną. Nie okazał zaskoczenia, że ktoś przed nim stoi, i to o tak późnej porze.

— Przyniosłeś kąpielówki? — zapytał. — Chociaż ja nic na sobie nie mam... — Spojrzał w dół.

— Słyszałem, że się przeprowadziłeś — powiedział Rebus.

Cafferty odwrócił się do zestawu przełączników po lewej stronie i nacisnął jeden z nich. Muzyka umilkła.

— Odtwarzacz kompaktów — wyjaśnił. — Głośniki są pod wodą. — Kostkami dłoni postukał w wannę. Nacisnął jeszcze jeden guzik, silnik zgasł i woda przestała się burzyć.

— A do tego jeszcze pokaz świateł — zauważył Rebus.

— W dowolnym kolorze. — Cafferty dźgnął kolejny przycisk, zmieniając oświetlenie wody z czerwonego na zielone, potem na niebieskie, białe, aż końcu wrócił do czerwonego.

— W czerwonym ci do twarzy — przyznał inspektor.

— Wyglądam na Mefistofelesa? — Cafferty zachichotał. — Uwielbiam tu siedzieć po nocy. Słyszysz, jak wiatr hula między drzewami? One tu są o wiele dłużej niż ktokolwiek z nas, te drzewa. Tak samo jak te domy. I wciąż tu będą, kiedy my już odejdziemy.

— Ty już chyba za długo chodzisz po tym świecie, Cafferty. W głowie ci się miesza.

— Po prostu starzeję się, i tyle. Ty zresztą też, Rebus.

— Aż tak się zestarzałeś, że nie potrzebujesz już ochroniarza? Sądzisz, że pochowałeś już wszystkich wrogów?

— Joe zmywa się o dziewiątej, ale zawsze jest gdzieś w pobliżu. — Chwila przerwy. — Prawda, Joe?

— Prawda, proszę pana.

Rebus odwrócił się. Za nim stał ochroniarz; był bosy i widać było, że pośpiesznie wskoczył tylko w slipy i podkoszulek.

— Joe śpi w pokoju nad garażem — wyjaśnił Cafferty. — Zmykaj, Joe. Z inspektorem nic mi nie grozi.

Joe obrzucił Rebusa wściekłym spojrzeniem i poczłapał przez trawnik do siebie.

— To miła okolica — podjął Cafferty swobodnie. — Z dala od zbrodni...

— Nie wątpię, że robisz, co w twojej mocy, żeby to zmienić.

— Rebus, ja już wypadłem z gry, co i ciebie wkrótce czeka.

— Czyżby? — Inspektor wyjął wycinki prasowe, które wziął z domu. Były to zdjęcia Cafferty'ego, które ukazały się w prasie bulwarowej. Wszystkie zrobiono w ciągu ostatniego roku i wszystkie przedstawiały Cafferty'ego w towarzystwie znanych przestępców, nawet z okolic tak dalekich jak Manchester, Birmingham czy Londyn.

— Czyżbyś mnie śledził? — zapytał Cafferty.

— Kto wie?

Stary gangster wstał.

— Możesz mi podać szlafrok?

Rebus chętnie spełnił prośbę. Cafferty przelazł przez krawędź wanny na drewniany stopień, owinął się szlafrokiem z białej bawełny i wsunął stopy w klapki. — Pomóż mi założyć pokrywę — poprosił. — Przejdziemy do środka i powiesz mi, po jaką cholerę tu przylazłeś.

I znowu inspektor spełnił jego prośbę.

Swego czasu Duży Ger Cafferty kontrolował praktycznie całą działalność przestępczą w Edynburgu, od narkotyków i salonów masażu po przekręty w biznesie. Ale od czasu ostatniej odsiadki już się nie wychylał. Rzecz jasna Rebus ani przez chwilę nie wierzył w jego bajeczki, że się wycofał... tacy jak on nie przechodzą na emeryturę. Zdaniem inspektora Cafferty z wiekiem nabrał przebiegłości, a także zmądrzał i wiedział, co robić, żeby nie podpadać policji.

Miał teraz około sześćdziesięciu lat i znał większość dużych gangsterów, poczynając od tych z lat sześćdziesiątych. Chodziły słuchy, że pracował z Krayami i Richardsonem z Londynu, a także ze znanymi przestępcami z Glasgow. Prowadzone przed laty śledztwa próbowały udowodnić mu związek z holenderskimi przemytnikami narkotyków oraz z handlem niewolnikami z Europy Wschodniej. Niewiele z tego wyszło. Czasami z powodu braku wystarczających środków, a czasem dowody okazywały się za słabe, by prokurator zdecydował się na postawienie zarzutów. Albo też świadkowie po prostu zapadali się pod ziemię.

Idąc za Caffertym do cieplarni i dalej, do kuchni o podłodze wyłożonej płytami z wapienia, Rebus patrzył na jego szerokie bary, nie po raz pierwszy zastanawiając się, ile egzekucji zarządził ten człowiek, ilu ludziom zmarnował życie.

— Herbatę czy coś mocniejszego? — spytał gospodarz, szurając klapkami po podłodze.

— Herbatę.

— Rany boskie, widocznie sprawa jest poważna... — Cafferty uśmiechnął się półgębkiem, nastawiając wodę i wrzucając torebki herbaty do czajniczka. — Lepiej się w coś ubiorę. Chodź, pokażę ci salon.

Był to jeden z pokoi od frontu, z wielkim oknem wykuszowym i dominującym nad wszystkim marmurowym kominkiem. Na ścianach wisiało sporo obrazów. Rebus nie znał się na malarstwie, ale ramy wyglądały na kosztowne. Cafferty ruszył na górę, dając Rebusowi okazję, by rozejrzał się po salonie, ale niewiele przyciągnęło uwagę inspektora — ani śladu książek czy sprzętu grającego, nie było nawet biurka ani ozdóbek na kominku. Tylko kanapa i fotele, olbrzymi wschodni dywan i obrazy. Nie był to pokój do mieszkania. Być może Cafferty spotykał się tu z partnerami w interesach, by robić na nich wrażenie swoją kolekcją sztuki. Rebus dotknął marmuru z mizerną nadzieją, że okaże się sztuczny.

— Proszę bardzo — powiedział Cafferty, wracając z kubkami herbaty; jeden podał Rebusowi. — Z mlekiem, bez cukru — oznajmił. Inspektor kiwnął głową. — Z czego się śmiejesz?

Rebus wskazał ruchem głowy sufit w rogu nad drzwiami, gdzie na małej białej skrzynce mrugało czerwone światełko.

— Założyłeś alarm przeciwwłamaniowy?

— No i co z tego?

— Nic, tyle że to zabawne.

— Myślisz, że nikt by się tu nie włamał? Wprawdzie nie wywiesiłem na bramie tablicy z nazwiskiem, ale...

— Ja myślę, że nie — zgodził się Rebus uprzejmie.

Cafferty przebrał się w szare spodnie do biegania i wycięty w serek sweter. Był opalony i rozluźniony; Rebusowi przyszło do głowy, że pewnie ma w domu własne solarium.

— Siadaj — powiedział gospodarz.

Inspektor usiadł.

— Interesuje mnie pewien facet — zagaił. — Powinieneś go znać, to Stuart Bullen.

Cafferty skrzywił się.

— Mały Stu — mruknął. — Lepiej znałem jego starego.

— W to nie wątpię. Ale co wiesz o ostatnich poczynaniach jego synalka?

— A co, czyżby narozrabiał?

— Jeszcze nie wiem. — Rebus skosztował herbaty. — Wiesz, że przeniósł się do Edynburga?

Cafferty powoli pokiwał głową.

— Zdaje się, że prowadzi klub ze striptizem, dobrze mówię?

— Dobrze.

— I nie dość, że ma taką ciężką pracę, to jeszcze dobierasz mu się do dupy?

Rebus pokręcił głową.

— Chodzi o to, że pewna dziewczyna zwiała z domu, a jej rodzice podejrzewają, że być może zaczęła pracować dla Bullena.

— A pracuje dla niego?

— Nic o tym nie wiem.

— Ale wybrałeś się do Małego Stu i coś zwąchałeś?

— Miałem do niego tylko kilka pytań...

— Na przykład jakich?

— Na przykład dlaczego przeniósł się do Edynburga.

Cafferty uśmiechnął się.

— Chcesz powiedzieć, że nie znasz innych zakapiorów, którzy przenieśli się z zachodniego wybrzeża na wschód?

— Kilku znam.

— Przenoszą się tu, bo w Glasgow nie mogą wyjść na ulicę, żeby ktoś na nich nie zapolował. To kwestia kultury, Rebus. — Stary gangster ostentacyjnie wzruszył ramionami.

— Chcesz powiedzieć, że on się chce gładko wycofać?

— Wiesz przecież, że to syn Raba Bullena. Nic tego nie zmieni.

— Mam rozumieć, że ktoś gdzieś mógł wyznaczyć cenę za jego głowę?

— On nie uciekł ze strachu, jeśli o to ci chodzi.

— Skąd wiesz?

— Bo Stu nie jest z takich. On chce sobie coś udowodnić... Wyjść z cienia ojca, wiesz, jak to jest.

— I w tym celu prowadzi bar z panienkami?

— Możliwe. — Cafferty wpatrywał się w powierzchnię swojej herbaty. — Ale kto wie, może ma inne plany.

— Na przykład?

— Nie potrafię ci na to odpowiedzieć, za słabo go znam. Jestem już stary, Rebus. Ludzie nie mówią mi teraz tyle, co kiedyś. A nawet gdybym coś wiedział, po jaką cholerę miałbym się tym z tobą dzielić?

— Dlatego że chowasz urazę. — Rebus odstawił na wpół pełną szklankę na lakierowaną drewnianą podłogę. — Zdaje się, że Rab Bullen swego czasu cię wyrolował?

— Kiedy to było, Rebus, kiedy to było...

— A więc twoim zdaniem synalek jest czysty?

— Czyś ty się z głupim na głowę zamienił? Nikt nie jest całkiem czysty. Rozglądałeś się ostatnio po świecie? Inna sprawa, że z Gayfield Square niewiele widać. Pamiętasz jeszcze smród rynsztoków na korytarzach? — Cafferty uśmiechnął się, widząc, że Rebus milczy. — Czasami ktoś jeszcze coś mi szepnie... od czasu do czasu.

— Kto?

Cafferty uśmiechnął się jeszcze szerzej.

— „Poznaj wroga swego", chyba tak to idzie. Przypuszczam, że to dlatego zbierasz wycinki na mój temat.

— Na pewno nie dla twojej gwiazdorskiej urody.

Gospodarz rozdziawił usta i ziewnął szeroko.

— Gorąca kąpiel zawsze mnie usypia — wyjaśnił ze skruchą i wbił wzrok w Rebusa. — Obiło mi się o uszy, że pracujesz nad sprawą tego chłopaka, którego zasztyletowali w Knoxland. Biedny sukinsyn... ile on miał tych ran? Dwanaście? Piętnaście? Co na ten temat mówią panowie Curt i Gates?

— Do czego pijesz?

— Po mojemu wygląda na to, że ktoś wpadł w szał... stracił nad sobą panowanie.

— Albo porządnie się wkurzył — dodał Rebus.

— W sumie na to samo wychodzi. Chcę tylko powiedzieć, że ktoś mógł się w tym rozsmakować.

Rebus zmrużył oczy.

— Ty coś wiesz, prawda?

— Ja...? Nie. Ja tylko siedzę sobie spokojnie w domu i się starzeję.

— A czasem wypuszczasz się do Anglii na spotkania ze swoimi łajdackimi koleżkami.

— Zawracanie głowy, Rebus, zwykłe zawracanie głowy.

— Cafferty, ten zabity z Knoxland... co przede mną ukrywasz na jego temat?

— Myślisz, że będę odwalał za ciebie całą robotę? — Cafferty powoli pokręcił głową, złapał poręcze fotela i wstał. — No, czas do łóżka. Następnym razem przywieź tę milutką sierżant Clarke i powiedz jej, żeby wzięła ze sobą bikini. A właściwie to możesz przysłać tylko ją, sam zostań w domu. — Roześmiał się dłużej i głośniej, niż na to zasługiwał jego żart, odprowadzając Rebusa do wyjścia.

— Knoxland — rzekł Rebus.

— Niby co z nim?

— Skoro już sam o tym wspomniałeś... pamiętasz, jak kilka miesięcy temu Irlandczycy próbowali przejąć tam rynek narkotyków? — spytał inspektor. Cafferty zbył jego słowa machnięciem ręki. — Kto wie, czy nie wrócili... Wiesz coś na ten temat?

— Narkotyki są dla frajerów, Rebus.

— Bardzo oryginalne spostrzeżenie.

— Bo po mojemu na nic lepszego nie zasługujesz. — Cafferty przytrzymał otwarte drzwi. — Powiedz mi, Rebus... gdzie trzymasz te artykuły na mój temat? W pamiętniku z serduszkami na okładce?

— Ze sztyletami.

— Kiedy cię spuszczą na emeryturę, tylko to ci zostanie... Kilka lat życia ze swoim pamiętnikiem. Kiepski spadek, co?

— A co ty po sobie zostawisz, Cafferty? Czyżby nazwali już jakiś szpital twoim imieniem?

— Kto wie? Przy tej ilości forsy, jaką rozdaję na cele charytatywne...

— Kupujesz sobie za pieniądze czyste sumienie, ale to nie zmienia faktu, kim jesteś.

— Nie musi. Powinieneś zdać sobie sprawę, że jestem całkowicie zadowolony z tego, co mam. — Przerwał na chwilę. — W przeciwieństwie do niektórych.

Zamykając drzwi za Rebusem, Cafferty chichotał cicho.

Dzień piąty
Piątek

15

Po raz pierwszy Siobhan usłyszała o tym w porannych wiadomościach.

Muesli z odtłuszczonym mlekiem, kawa, sok wieloowocowy. Zawsze jadała śniadanie przy stole kuchennym, otulona szlafrokiem — dzięki temu, gdyby się czymś upaprała, nie byłoby problemu. Potem prysznic i ubieranie się. Strzygła się na krótko, toteż jej włosy schły zaledwie kilka minut. W tle jak zwykle szumiało Radio Szkocja — ot, po prostu dźwięki wypełniające ciszę. Nagle jednak usłyszała słowo „Banehall" i nastawiła radio głośniej. Przegapiła istotę tego, o co chodziło, ale prezenterka wiadomości w studiu połączyła się z reporterem na miejscu zdarzenia.

— Tak, Catriona, w chwili kiedy do państwa mówię, na miejscu jest już policja z Livingston. My, oczywiście, stoimy za policyjną taśmą, ale zespół techników, w regulaminowych białych kombinezonach z kapturami i maskach, wchodzi właśnie do domu z werandą. To dom komunalny, prawdopodobnie dwu- albo trzypokojowy, z szarymi, obitymi płytami paździerzowymi ścianami i zasłoniętymi oknami. Ogród od frontu jest zapuszczony. Zebrał się już tłumek gapiów. Udało mi się porozmawiać z sąsiadami i wygląda na to, że ofiara była dobrze znana policji, chociaż na razie nie wiadomo, czy ma to jakiś związek ze sprawą...

— Colin, czy ujawniono już tożsamość zabitego?

— Oficjalnie nie, Catriona. Mogę powiedzieć tylko tyle, że

był to mieszkaniec Banehall, dwudziestodwuletni, i że jego zgon nastąpił w wyjątkowo brutalnych okolicznościach. Szczegóły poznamy jednak dopiero na konferencji prasowej, którą policja chce zwołać za dwie, trzy godziny.

— *Dziękuję, Colin... Do tej sprawy wrócimy w wiadomościach w południe. A teraz o pośle do szkockiego parlamentu, który domaga się zamknięcia ośrodka dla uchodźców Whitemire, położonego tuż obok Banehall...*

Siobhan odczepiła komórkę od ładowarki, lecz nie mogła sobie przypomnieć numeru na komisariat w Livingston. A zresztą kogo tam znała? Tylko detektywa posterunkowego Daviego Hyndsa, który pracował tam dopiero od niecałych dwóch tygodni — kolejna ofiara zmian na St Leonard's. Weszła do łazienki i przejrzała się w lustrze. Wystarczy ochlapać twarz, przyczesać włosy na mokro i ujdzie. Na nic więcej nie miała czasu. Pobiegła do sypialni i otworzyła drzwi szafy.

Niecałą godzinę później była już w Banehall. Przejechała obok starego domu Jardine'ów. Przenieśli się, by mieszkać dalej od człowieka, który zgwałcił Tracy. Od Donny'ego Cruikshanka, którego wiek Siobhan oceniała na dwadzieścia dwa lata...

Na sąsiedniej ulicy stały dwie policyjne furgonetki. Tłum gapiów zwiększał się z każdą chwilą. Jakiś facet podtykał mikrofon pod nos okolicznym mieszkańcom — Siobhan przypuszczała, że to ten sam reporter, którego relacji słuchała przy śniadaniu. Dom, który stanowił centrum zainteresowania, stał między dwoma innymi. Drzwi do wszystkich trzech były otwarte. Siobhan ujrzała, jak w domku po prawej znika Steve Holly. Niewątpliwie pieniądze zmieniły właściciela i wpuszczono go do ogrodu na tyłach, skąd mógł mieć lepszy widok. Siobhan zaparkowała w drugiej linii i podeszła do mundurowego, który trzymał straż przy biało-niebieskiej taśmie policyjnej. Kiedy się wylegitymowała, uniósł taśmę, by mogła się pod nią przecisnąć.

— Wiadomo, kim jest ofiara? — spytała.

— Pewnie ten, kto tam mieszkał.

— Przyjechał już patolog?

— Jeszcze nie.

Pokiwała głową i ruszyła dalej; pchnęła furtkę i przeszła

ocienioną ścieżką. Kilka razy odetchnęła głęboko, powoli wypuszczając powietrze; po wejściu do środka musiała być obojętna, musiała wyglądać profesjonalnie. Przedpokój był wąski. Wyglądało na to, że na parterze znajduje się tylko mały zagracony salonik i równie mała kuchnia, przez którą wychodziło się do ogrodu na tyłach. Strome schody prowadziły na piętro — tutaj czworo drzwi, wszystkie otwarte na oścież. Jedne do komórki, w której stały kartonowe pudła i leżała zapasowa pościel. Przez drugie ujrzała część bladoróżowej łazienki. No i dwie sypialnie — pierwsza, pojedyncza, była nieużywana. Większa znajdowała się od frontu domu i to tutaj właśnie skoncentrowała się cała działalność techników zbierających ślady na miejscu zbrodni, fotografów i miejscowego policjanta który naradzał się z detektywem. Detektyw zauważył Siobhan.

— Słucham panią?

— Detektyw sierżant Clarke — przedstawiła się, wyjmując legitymację. Dotychczas nawet nie rzuciła okiem na zwłoki, ale leżały tam bez dwóch zdań. Pod ciałem wykładzina w kolorze biszkopta była przesiąknięta krwią. Wykrzywiona twarz, usta wciągnięte, jakby w ostatniej próbie zaczerpnięcia oddechu. Wygolona głowa pokryta zakrzepłą krwią. Technicy przesuwali po ścianach wykrywaczami krwi, szukając plam układających się w jakiś wzór, który pozwoli im ustalić gwałtowność i charakter ataku.

Detektyw oddał jej legitymację.

— Jest pani daleko od domu, sierżant Clarke. Jestem inspektor Young, to ja prowadzę to śledztwo... i nie przypominam sobie, żebym prosił o wsparcie z wielkiego miasta.

Zdobyła się na pewny siebie uśmiech. Detektyw inspektor Young* był dokładnie taki, jak wskazywało na to jego nazwisko — młody, w każdym razie młodszy od niej, a już przewyższał ją rangą. Krzepka twarz i jeszcze bardziej krzepkie ciało. Prawdopodobnie grał w rugby, a może pochodził z rodziny farmerów. Miał rude włosy, jeszcze jaśniejsze rzęsy i popękane żyłki po obu stronach nosa. Gdyby ktoś jej powiedział, że inspektor dopiero co skończył szkołę, uwierzyłaby bez wahania.

— Pomyślałam... — Zawahała się, szukając odpowiednich

---

* *Young* (ang.) — młody.

słów. Rozejrzała się i zobaczyła wiszące na ścianach zdjęcia: blondynki z szeroko otwartymi ustami i rozłożonymi nogami.

— Co pani pomyślała, pani sierżant?

— Że mogę się przydać.

— To miło z pani strony, ale przypuszczam, że sami damy sobie radę, jeśli nie ma pani nic przeciwko temu.

— Chodzi o to, że... — Dopiero teraz spojrzała na zwłoki. Czuła się tak, jakby zamiast brzucha miała piłkę do koszykówki, ale jej twarz wyrażała tylko zawodowe zainteresowanie. — Znam trochę tego człowieka, a wiem o nim niemało.

— Hm, my także wiemy, kim on jest, tak że jeszcze raz dziękuję...

Oczywiście, że wiedzieli, kim jest człowiek cieszący się taką reputacją i z takimi bliznami na twarzy — Donny Cruikshank leżący bez życia na podłodze w swojej sypialni.

— Tylko że ja wiem o nim rzeczy, których wy nie wiecie.

Young zmrużył oczy i Siobhan wiedziała, że jest włączona do śledztwa.

— Tu jest dużo więcej pornoli — mówił jeden z techników. Miał na myśli salon, gdzie na podłodze obok telewizora walały się stosy pirackich płyt DVD i taśm wideo. Był tam też komputer; inny technik siedział przed nim i klikał myszką. Miał do przejrzenia mnóstwo dyskietek i CD-ROM-ów.

— Pamiętajcie, że jesteście w pracy — przypomniał im Young i uznawszy, że w pokoju jest za duży tłok, przeszedł z Siobhan do kuchni. — Mów mi Les — powiedział; teraz, gdy miała mu coś do zaoferowania, wyraźnie złagodniał.

— Siobhan — odparła.

— A zatem... — Oparł się o blat kuchenny i splótł ręce na piersi. — Skąd znasz Donny'ego Cruikshanka?

— Był skazany za gwałt... pracowałam nad tamtą sprawą. Jego ofiara popełniła samobójstwo. Była stąd, jej rodzice wciąż tu mieszkają. Kilka dni temu zjawili się u mnie, bo ich druga córka zniknęła.

— O?

— Podobno rozmawiali na ten temat z kimś z Livingston... — Siobhan starała się, żeby jej słowa wypadły obojętnie.

— Masz powody sądzić, że...

— Że co?

Young wzruszył ramionami.

— Że ta sprawa może mieć coś wspólnego z... no, że jest jakoś związana z tamtą?

— Właśnie się nad tym zastanawiam. Dlatego postanowiłam przyjechać.

— Mogłabyś przedstawić to w postaci raportu?

Kiwnęła głową.

— Zrobię to jeszcze dziś.

— Dzięki. — Young odsunął się od blatu, by wrócić na górę. W drzwiach się zatrzymał. — Dużo masz roboty w Edynburgu?

— Niespecjalnie.

— Kto jest twoim szefem?

— Starszy inspektor Macrae.

— Może mógłbym z nim pogadać, a nuż zwolniłby cię na kilka dni. — Przerwał. — Oczywiście, jeżeli się zgadzasz.

— Może pan mną dysponować — odparła. Mogłaby przysiąc, że wychodząc, inspektor oblał się rumieńcem.

Przechodząc przez salon, omal nie zderzyła się z nowo przybyłym — doktorem Curtem.

— Wszędzie pani pełno, sierżant Clarke — rzucił i rozejrzał się, sprawdzając, czy nikt ich nie podsłuchuje. — Czy sprawa z Fleshmarket Close posuwa się do przodu?

— Trochę. Wpadłam na Judith Lennox.

Curt skrzywił się, słysząc to nazwisko.

— Ale nic jej nie powiedziałaś, co?

— Oczywiście, że nie... pańska tajemnica jest u mnie bezpieczna. Myślicie o tym, żeby znów wystawić Mag Lennox na pokaz?

— Pewnie tak. — Odsunął się, żeby przepuścić technika. — No cóż, powinienem już chyba... — Wskazał na schody.

— Nie ma pośpiechu, on już się nigdzie nie wybiera.

Curt wlepił w nią wzrok.

— Nie obraź się, Siobhan, ale ta uwaga wiele o tobie mówi — wycedził przeciągle.

— Na przykład co?

— Że za dużo czasu spędzasz w towarzystwie Johna Rebusa. — Patolog ruszył po schodach, taszcząc swą torbę lekarską z czarnej skóry. Siobhan słyszała, jak przy każdym kroku strzela mu w kolanach.

— Co panią tu przywiodło, sierżant Clarke? — zawołał ktoś z dworu. Spojrzała w stronę policyjnej taśmy i zobaczyła Steve'a Holly'ego, który machał do niej notatnikiem. — Trochę zboczyła pani z utartych szlaków, no nie?

Mruknęła coś pod nosem, przeszła ścieżką, znów pchnęła furtkę i zanurkowała pod taśmą. Gdy ruszyła do samochodu, Holly zrównał się z nią.

— Pracowała pani nad tą sprawą, prawda? — mówił. — Myślę o sprawie tamtego gwałtu. Pamiętam, że próbowałem się od pani dowiedzieć...

— Spadaj, Holly.

— Nie będę pani cytował, nic z tych rzeczy... — Teraz już był przed nią i szedł tyłem, żeby nie tracić kontaktu wzrokowego. — Ale na pewno myśli pani to samo co ja... to samo co większość z nas...

— Czyli co? — Nie mogła się powstrzymać, żeby nie zadać tego pytania.

— Nie ma tego złego, co by na dobre nie wyszło. Ten, kto to zrobił, zasługuje na medal.

— Nie znam nikogo, kto potrafiłby się zniżyć do twojego poziomu.

— Pani kumpel, Rebus, mówił mi już coś w tym guście.

— Wielkie umysły nadają na tych samych falach.

— Niech pani da spokój, przecież pani na pewno też... — Urwał, gdy wpadł tyłem na jej samochód, stracił równowagę i przewrócił się na drogę. Zanim się pozbierał, Siobhan zdążyła wsiąść do wozu i zapuścić silnik. Gdy wyjeżdżała z ulicy na wstecznym biegu, Holly otrzepywał ubranie. Schylił się po długopis i wtedy zauważył, że zmiażdżyły go koła jej samochodu.

Nie pojechała daleko, tylko kawałek za skrzyżowanie z Main Street. Bez trudu trafiła do Jardine'ów. Byli w domu i czym prędzej zaprosili ją do środka.

— Słyszeliście? — zapytała.

Oboje pokiwali głowami, nie okazując ani smutku, ani radości.

— Kto mógł to zrobić? — spytała pani Jardine.

— Właściwie każdy — odpowiedział jej mąż, nie spuszczając wzroku ze Siobhan. — Nikt w Banehall nie chciał go znać, odkąd wyszedł z więzienia, nawet jego rodzina.

Wyjaśniało to, dlaczego Cruikshank mieszkał sam.

— Wie pani coś nowego? — spytała Alice Jardine, usiłując ściskać dłoń Siobhan. Zupełnie jakby morderstwo wyleciało jej już z pamięci.

— Pojechaliśmy do tego klubu — przyznała Siobhan. — Nikt tam nie zna Ishbel. Nadal się nie odezwała?

— Pani dowiedziałaby się pierwsza — zapewnił ją John Jardine. — Ale gdzie nasze maniery... napije się pani herbaty?

— Niestety, nie mam czasu. — Przerwała na chwilę. — Ale jest coś, co by mi się przydało...

— Tak?

— Próbka pisma Ishbel.

Alice Jardine zrobiła wielkie oczy.

— W jakim celu?

— To nic takiego... po prostu może nam się przydać.

— Zobaczę, czy uda mi się coś znaleźć — powiedział John Jardine i poszedł na górę, zostawiając obie kobiety same. Siobhan schowała dłonie do kieszeni, byle dalej od Alice.

— Pani nie wierzy, że uda się ją odnaleźć, prawda?

— Sama pozwoli się znaleźć... kiedy będzie gotowa — odparła Siobhan.

— Myśli pani, że coś jej się stało?

— A pani?

— Przyznam się, że myślę o najgorszym — wyznała Alice Jardine, zacierając ręce, jakby je myła.

— Wie pani, że będziemy musieli państwa przesłuchać? — rzekła Siobhan cicho. — W związku ze śmiercią Cruikshanka.

— Przypuszczam, że tak.

— Będą was też pytać o Ishbel.

— Dobry Boże, oni chyba nie sądzą, że... — Kobieta podniosła głos.

— My po prostu musimy to wykonać.

— Czy to pani będzie nas przesłuchiwać?

Siobhan zaprzeczyła ruchem głowy.

— Nie jestem zbyt blisko tej sprawy. Być może będzie to niejaki Young. Jest w porządku.

— Skoro pani tak mówi...

Wrócił jej mąż.

— Szczerze mówiąc, niewiele tego — powiedział, podając Siobhan książkę adresową. Zawierała wykaz nazwisk i numery telefonów; większość napisana była zielonym flamastrem. Na wewnętrznej stronie okładki Ishbel wypisała swoje nazwisko i adres.

— Może być — orzekła Siobhan. — Oddam ją, kiedy będzie po wszystkim.

Alice Jardine chwyciła męża za ramię.

— Siobhan mówi, że policja będzie chciała porozmawiać z nami o... — Nazwisko nie mogło jej przejść przez usta. — O nim.

— Naprawdę? — Jardine odwrócił się do policjantki.

— To rutyna — uspokoiła go. — Badanie przeszłości ofiary.

— Rozumiem — odparł nieprzekonany. — Ale oni nie sądzą... nie mogą sądzić, że Ishbel miała z tym coś wspólnego?

— Nie bądź głupi, John! — syknęła jego żona. — Ishbel nigdy w życiu nie zrobiłaby czegoś takiego!

Może i nie, pomyślała Siobhan, ale w końcu nie ona jedna z tej rodziny należy do kręgu podejrzanych...

Znowu zaproponowano jej herbatę i znów uprzejmie odmówiła. Udało jej się wyjść i umknąć do samochodu. Odjeżdżając, spojrzała w lusterko wsteczne i zobaczyła Steve'a Holly'ego; dziennikarz szedł chodnikiem i sprawdzał numery domów. Przyszło jej do głowy, żeby się zatrzymać, cofnąć i go wystraszyć, ale to tylko wzmogłoby jego ciekawość. Bez względu na to, jak się zachowa, o co będzie ich pytał, Jardine'owie muszą sobie radzić bez jej pomocy.

Skręciła w Main Street i zaparkowała przed salonem fryzjerskim. W środku unosił się zapach środków do trwałej i lakieru do włosów. Dwie klientki siedziały pod suszarkami. Na kolanach trzymały rozłożone czasopisma, lecz zamiast czytać, rozmawiały z ożywieniem, podnosząc głos, by przekrzyczeć szum maszyn.

— Ja mogę im tylko życzyć wszystkiego najlepszego.

— Niewielka strata, to prawda...

— No proszę, sierżant Clarke! — odezwała się Angie. Podniosła głos, przekrzykując klientki; jej ostrzeżenie dotarło do nich i zamilkły, wpatrując się w policjantkę. — Czym mogę pani służyć?

— Chciałam zobaczyć się z Susie. — Uśmiechnęła się do młodej asystentki.

— Dlaczego? Co ja znowu zrobiłam? — zaprotestowała Susie. Niosła właśnie szklankę z rozpuszczalnym cappuccino dla jednej z klientek.

— Nic takiego — uspokoiła ją Siobhan. — No chyba że to ty zabiłaś Donny'ego Cruikshanka.

Na twarzach czterech kobiet odmalował się strach. Siobhan uniosła ręce.

— Przepraszam, kiepski żart — powiedziała.

— Podejrzanych nie brakuje — przyznała Angie, przypalając papierosa. Dzisiaj paznokcie miała pomalowane na niebiesko, z małymi żółtymi cętkami, które wyglądały jak gwiazdy na niebie.

— Ma pani swoich faworytów? — spytała Siobhan, starając się, żeby wypadło to lekko.

— Rozejrzyj się, złotko. — Angie wydmuchała dym pod sufit. Tymczasem Susie niosła coś drugiej klientce, tym razem szklankę wody.

— Myśleć o tym, żeby kogoś załatwić, to jedno, a... — rzuciła.

Angie kiwnęła głową.

— Zupełnie jakby anieli wreszcie nas wysłuchali i choć raz zrobili to, co trzeba.

— Anioł zemsty? — zaryzykowała Siobhan.

— Poczytaj Biblię, złotko. Anieli to nie tylko skrzydła z piór i aureole. — Na te słowa klientki pod suszarkami uśmiechnęły się do siebie. — Spodziewa się pani, że pomożemy wsadzić za kratki tego, kto to zrobił? Musiałaby się pani wykazać cierpliwością godną Hioba.

— Wygląda na to, że jest pani oczytana w Biblii, a zatem wie pani także, że morderstwo to ciężki grzech przeciw boskim przykazaniom.

— To chyba zależy od tego, kto jest twoim Bogiem. — Angie zbliżyła się do niej o krok. — Pani jest zaprzyjaźniona z Jardine'ami... wiem, bo sami mi o tym mówili. No więc niech mi pani powie, tak szczerze...

— Co takiego?

— Nie cieszy się pani, że ten drań trafił do piachu?

— Nie. — Wytrzymała spojrzenie fryzjerki.

— Wobec tego nie jesteś aniołem, jesteś świętą. — Angie podeszła do klientek, by sprawdzić ich fryzury. Siobhan skorzystała z okazji, żeby porozmawiać z Susie.

— Przydałyby mi się namiary na ciebie.

— Namiary?

— Twoje dane statystyczne, Susie — powiedziała Angie i razem z klientkami wybuchnęła śmiechem.

Siobhan też zdobyła się na uśmiech.

— Tylko pełne nazwisko i adres, no i może numer telefonu. Potrzebne mi to do raportu, który muszę napisać.

— A tak, oczywiście... — Dziewczyna była jakaś rozkojarzona. Podeszła do kasy, wzięła leżący obok niej notatnik i zaczęła pisać. Wydarła kartkę i podała ją policjantce. Zapisała swoje dane wielkimi literami, ale Siobhan to nie zmartwiło — tak samo wypisano większość graffiti w damskiej toalecie w Zmorze.

Tym razem w Zmorze było nieco więcej klientów niż podczas jej poprzedniej wizyty. Przesunęli się nieco, żeby zrobić jej miejsce przy barze. Barman rozpoznał ją i kiwnął głową; gest ten równie dobrze mógł oznaczać powitanie, jak przeprosiny za zachowanie Donny'ego Cruikshanka, kiedy była tam po raz pierwszy.

Zamówiła do picia coś bez alkoholu.

— Na koszt firmy — powiedział barman.

— Patrzcie, patrzcie! — rzucił jeden z klientów. — Malky dla odmiany próbuje gry wstępnej.

Siobhan puściła to mimo uszu.

— Zazwyczaj darmowe drinki proponują mi dopiero wtedy, kiedy przedstawię się jako detektyw. — Na dowód tego pokazała legitymację.

— Dobrześ wybrał, Malky — odezwał się klient. — Pewnie chodzi o naszego Donny'ego?

Siobhan odwróciła się do niego. Był po sześćdziesiątce; na błyszczącej czaszce miał płaską czapkę, a w ręku trzymał fajkę. U jego stóp leżał pies i spał smacznie.

— To prawda — przyznała.

— Chłopak był ciężkim idiotą, wszyscy to wiemy... Ale nie zasłużył sobie na śmierć.

— Nie?

Mężczyzna pokręcił głową.

— W dzisiejszych czasach panienki za często krzyczą, że zostały zgwałcone. — Podniósł rękę, uprzedzając protesty barmana. — Nie, Malky... Ja tylko mówię, że postawisz pannie parę kielichów, a będą z tego kłopoty. Popatrz, w jakich ciuchach paradują po Main Street. Pół wieku temu kobiety zakrywały jeszcze to i owo... a w gazetach nie czytało się co dzień o nieprzyzwoitych atakach.

— Co racja, to racja! — zawołał ktoś.

— Świat nie jest już taki, jak kiedyś... — Te słowa wywołały wśród zebranych zgodny pomruk. Siobhan zdała sobie sprawę, że jest to przedstawienie na jej użytek, nieprzygotowane zawczasu, ale idealnie zgrane. Zerknęła na Malky'ego, który pokręcił głową na znak, że nie ma sensu upierać się przy swoim — klient przy barze tylko na to czekał. Wobec tego przeprosiła i wyszła do toalety. W kabinie usiadła, położyła na kolanach książkę adresową Ishbel i kartkę od Susie i zaczęła porównywać charakter pisma z tekstami na ścianie. Od czasu jej pierwszej wizyty nie przybyło nic nowego. Była pewna, że „Donny Zboczony" wyszło spod ręki Susie, a „Powiesić Cruika za chujka" Ishbel. Ale pisały też inne osoby. Pomyślała o Angie, a nawet o jej klientkach pod suszarkami.

Krew za krew...

Donny Cruikshank do gazu!...

Nie napisała tego ani Susie, ani Ishbel, ktoś jednak to zrobił.

Solidarność salonu fryzjerskiego.

Miasto pełne podejrzanych...

Przeglądając książkę adresową, zauważyła pod literą „C" adres, który wydał jej się znajomy — Zakład Penitencjarny Barlinnie, skrzydło E. Czyli tam, gdzie siedzieli ludzie skazani za przestępstwa na tle seksualnym. Zapisany ręką Ishbel pod literą „C" jak Cruikshank. Przejrzała resztę notesu, ale nie znalazła nic godnego uwagi.

Czyżby to oznaczało, że Ishbel napisała do Cruikshanka? Czy między nimi istniały jakieś związki, o których jeszcze nie wiedziała? Wątpiła, żeby rodzice mieli o tym pojęcie... byliby przerażeni już na samą myśl o tym. Wróciła do baru, podniosła szklaneczkę i spojrzała w oczy barmanowi.

— Czy rodzice Donny'ego Cruikshanka nadal mieszkają w okolicy?

— Jego ojciec tu zagląda — odpowiedział jeden z klientów. — Porządny gość ten Eck Cruikshank. Mało go szlag nie trafił, kiedy posadzili Donny'ego...

— Ale Donny nie mieszkał razem z nimi? — dodała.

— Nie, odkąd wyszedł z mamra — przyznał klient.

— Mama nie chciała go wpuścić za próg — wtrącił się Malky. Po chwili wszyscy w barze rozprawiali o Cruikshankach, zapominając o obecności policjantki.

— Ano, z Donny'ego był kawał drania...

— Przez dwa miesiące prowadzał się z moją małą, ten to żadnej nie przepuścił...

— Ojciec pracuje w zakładzie mechanicznym w Falkirk...

— Nie zasłużył sobie na taki koniec...

— Nikt nie zasługuje...

Siobhan siedziała, popijając drinka, i tylko od czasu do czasu wtrącała jakąś uwagę czy komentarz. Kiedy opróżniła szklankę, dwóch klientów zaproponowało, że postawią jej kolejkę, ale pokręciła głową.

— Ja stawiam — powiedziała, sięgając do torebki po pieniądze.

— Mnie żadna panna nie będzie stawiała — zaprotestował jeden z nich, ale nie odmówił, gdy barman postawił przed nim duży kufel piwa. Siobhan schowała resztę.

— A co on porabiał po wyjściu? — spytała od niechcenia. — Zadawał się z jakimiś starymi kumplami?

Mężczyźni zamilkli i uświadomiła sobie, że nie zadała tego pytania wystarczająco obojętnie. Uśmiechnęła się.

— Wiecie, i tak przyjdzie tu jeszcze ktoś inny, z tymi samymi pytaniami.

— Co nie znaczy, że musimy odpowiadać — odrzekł Malky surowo. — Długi język nie popłaca...

Klienci baru pokiwali głowami, zgadzając się z jego zdaniem.

— To jest śledztwo w sprawie morderstwa — przypomniała im Siobhan. W barze zapadła śmiertelna cisza, dobry nastrój ulotnił się bez śladu.

— Może i tak, ale nie jesteśmy kapusiami.

— Nikt od was tego nie wymaga.

Jeden z mężczyzn pchnął swój kufel w kierunku Malky'ego.

— Sam sobie postawię — powiedział. Jego sąsiad zrobił to samo.

Otworzyły się drzwi i weszło dwóch mundurowych. Jeden trzymał podkładkę do pisania.

— Słyszeliście o ofierze? — zapytał. Ofiara: ładny eufemizm, ale zarazem trafny. Do czasu wydania orzeczenia przez patologa nie można mówić o morderstwie. Siobhan postanowiła wyjść. Mundurowy z podkładką powiedział, że musi spisać jej dane. Zamiast tego pokazała mu legitymację.

Na zewnątrz usłyszała klakson samochodu — to trąbił Les Young. Zatrzymał się i przywołał ją ruchem ręki; gdy się zbliżała, opuścił szybę.

— Czyżby detektyw z wielkiego miasta rozwiązała już sprawę? — zapytał.

Zignorowała pytanie i opowiedziała mu o wizycie u Jardine'ów, w salonie fryzjerskim i w Zmorze.

— Czyli nie chodzi o to, że masz problem z piciem? — spytał, patrząc ponad jej ramieniem na drzwi baru. Nie odpowiedziała, więc uznał, że nie czas na żarty. — Dobra robota — pochwalił. — Może przyślemy kogoś do zbadania charakterów pisma, przekonamy się, kto jeszcze uważał Donny'ego Cruikshanka za wroga.

— Ma też paru wielbicieli — odparła. — Mężczyzn, którzy uważają, że w ogóle nie powinien trafić do więzienia.

— Może i mają rację... — Young urwał, widząc jej minę. — Nie chodzi mi o to, że był niewinny. Tyle że... kiedy gwałciciel trafia do więzienia, trzeba go odseparować od innych dla jego własnego bezpieczeństwa.

— Czyli że zadają się tylko z innymi gwałcicielami? — domyśliła się Siobhan. — Myślisz, że któryś z nich mógł zabić Cruikshanka?

Young wzruszył ramionami.

— Sama widziałaś, ile miał pornoli... pirackie nagrania, CD-ROM-y...

— I co z tego?

— A to, że jego komputer nie nadawał się do takiej roboty.

Nie miał odpowiedniego oprogramowania ani szybkiego procesora. Wobec tego musiał skądś to brać.

— Zamawiał przez pocztę? Kupował w sex shopach?

— Możliwe... — Young przygryzł wargę.

Po chwili wahania Siobhan odezwała się:

— Jest coś jeszcze...

— Co?

— Książka adresowa Ishbel Jardine... zdaje się, że ona pisywała do Cruikshanka, kiedy siedział w więzieniu.

— Wiem o tym.

— Skąd?

— Znalazłem jej listy w szufladzie w sypialni Cruikshanka.

— I co w nich było?

Young sięgnął po coś na fotel pasażera.

— Sama zobacz, jeśli masz ochotę.

Dwie kartki, każda w osobnej kopercie i zapakowana w foliowe torebki na dowody rzeczowe. Ishbel pisała w gniewie, wielkimi literami.

KIEDY ZGWAŁCIŁEŚ MOJĄ SIOSTRĘ, RÓWNIE DOBRZE MOGŁEŚ ZABIĆ I MNIE...

JA JUŻ NIE ŻYJĘ, I TO TWOJA WINA...

— Rozumiesz teraz, dlaczego nagle tak bardzo chcemy z nią porozmawiać — rzekł Young.

Siobhan tylko kiwnęła głową. Sądziła, że rozumie, w jakim celu Ishbel napisała te listy... chciała wzbudzić w Cruikshanku poczucie winy. Ale dlaczego on je zachował? Żeby się nimi napawać? Czyżby jej gniew dawał mu siłę?

— Jak to się stało, że cenzura więzienna je przepuściła? — zapytała.

— Też się nad tym zastanawiam...

Spojrzała na niego.

— Dzwoniłeś do Barlinnie?

— Rozmawiałem z cenzorem — przyznał Young. — Puścił je, bo sądził, że może dzięki temu Cruikshank zrozumie swoją winę.

— I zrozumiał?

Young wzruszył ramionami.

— Czy Cruikshank choć raz jej odpisał?

— Według cenzora nie.

— A jednak trzymał jej listy...

— Może zamierzał się z niej potem ponabijać? — Young przerwał na chwilę. — A ona wzięła sobie jego docinki do serca...

— Nie sądzę, żeby była zdolna do morderstwa — oświadczyła Siobhan.

— Kłopot w tym, że trudno powiedzieć, do czego jest zdolna, skoro jej nie ma. Odnalezienie jej to twoje najważniejsze zadanie, Siobhan.

— Tak jest.

— A tymczasem zakładamy bazę dla śledztwa.

— Gdzie?

— Zdaje się, że w bibliotece mają dla nas trochę wolnego miejsca. — Ruchem głowy wskazał drugi koniec ulicy. — Obok szkoły podstawowej. Możesz nam w tym pomóc, jeśli chcesz.

— Najpierw muszę zawiadomić szefa, gdzie jestem.

— No to wskakuj. — Young sięgnął po swoją komórkę. — Dam mu znać, że cię porwaliśmy.

16

Rebus i Ellen Wylie wrócili do Whitemire.

Z kurdyjskiej społeczności w Glasgow sprowadzono tłumaczkę. Była to mała żwawa kobieta, mówiąca z silnym akcentem ze wschodniego wybrzeża, obwieszona złotem i jaskrawo ubrana „na cebulkę". Zdaniem Rebusa, sądząc z wyglądu, powinna wróżyć z ręki na jarmarkach. Tymczasem zaś siedziała w barze samoobsługowym z panią Yurgii, dwójką detektywów i Alanem Traynorem. Inspektor wprawdzie powiedział Traynorowi, że świetnie dadzą sobie radę sami, lecz ten uparł się, że musi być obecny przy rozmowie, i siedział teraz nieco na uboczu, ze splecionymi na piersi rękami. W barze uwijali się pracownicy — sprzątaczki i kucharki. Od czasu do czasu brzęk garnków o metalowe blaty powodował, że pani Yurgii za każdym razem podskakiwała. Dzieci zostawiła w pokoju pod czyjąś opieką. Palce prawej dłoni miała owinięte chusteczką.

To Ellen Wylie znalazła tłumaczkę i to ona zadawała pytania.

— Czy jej mąż nigdy się do niej nie odezwał? A ona nie próbowała się z nim skontaktować?

Nastąpiło tłumaczenie pytania, potem odpowiedź, która znów tłumaczona była na angielski.

— Jak miałaby to zrobić? Nie wiedziała, gdzie go szukać.

— Nasi podopieczni mają prawo telefonować na zewnątrz — wyjaśnił Traynor. — Jest automat... mogą z niego korzystać bez przeszkód.

— Jeżeli mają pieniądze! — warknęła tłumaczka.

— A on nigdy nie próbował się z nią skontaktować? — naciskała Wylie.

— Zawsze istnieje możliwość, że dowiadywał się o niej od ludzi na zewnątrz — odparła tłumaczka, nawet nie przekazując pytania wdowie.

— Co pani ma na myśli?

— Zakładam, że niektórzy czasem stąd wychodzą? — Znowu przeszyła Traynora wściekłym wzrokiem.

— Większość jest odsyłana do domu — powiedział.

— Gdzie znikają raz na zawsze — zagrzmiała.

— Prawdą jest jednak, że niektórzy wychodzą stąd za kaucją — wtrącił się Rebus. — Mam rację, panie Traynor?

— Owszem. Jeżeli ktoś za nich poręczy...

— I właśnie w ten sposób Stef Yurgii mógł się dowiedzieć czegoś o swojej rodzinie... od ludzi, którzy kiedyś tu byli, a potem się z nim spotkali.

Mina Traynora wyrażała sceptycyzm.

— Czy ma pan wykaz? — spytał Rebus.

— Jaki wykaz?

— Ludzi, którzy wyszli stąd za kaucją.

— Oczywiście, że mamy.

— I adresy, pod którymi przebywają? — Traynor skinął głową. — Wobec tego łatwo można sprawdzić, ilu z nich mieszka teraz w Edynburgu, a może nawet w samym Knoxland?

— Odnoszę wrażenie, że pan nie rozumie, jak działa system, inspektorze. Ilu ludzi, pańskim zdaniem, udzieliłoby schronienia tym, którzy ubiegają się o azyl? Przyznaję, że nie znam tego osiedla, ale z tego, co czytałem w prasie...

— Punkt dla pana — przyznał Rebus. — Tak czy inaczej może wyciągnąłby pan dla mnie te akta.

— Są poufne.

— Nie muszę oglądać wszystkich. Tylko ludzi mieszkających w Edynburgu.

— I tylko Kurdów? — dorzucił Traynor.

— Tak, przypuszczam, że tak.

— No cóż, to by się chyba dało zrobić. — W głosie Traynora trudno by się doszukać cienia entuzjazmu.

— Więc może zajmie się pan tym teraz, a my porozmawiamy tymczasem z panią Yurgii?

— Zajmę się tym później.

— Albo ktoś z pańskich pracowników...?

— Później, inspektorze — powtórzył Traynor ostrzejszym tonem.

Pani Yurgii zaczęła coś mówić. Gdy skończyła, tłumaczka kiwnęła głową.

— Stef nie mógł wrócić do domu. Oni by go zabili. Jako dziennikarz zajmował się prawami człowieka. — Zmarszczyła brwi. — Chyba tak to się nazywa. — Jeszcze raz skonsultowała coś z wdową i znowu kiwnęła głową. — Tak, pisywał artykuły o korupcji w rządzie, o akcjach wymierzonych w naród kurdyjski. Ona twierdzi, że był bohaterem, a ja jej wierzę...

Tłumaczka usiadła na krześle w takiej pozie, jakby chciała ich sprowokować, żeby podali jej słowa w wątpliwość.

Ellen Wylie pochyliła się.

— Czy był ktoś na zewnątrz... ktoś, kogo on znał? Ktoś, do kogo mógłby się udać?

Pytanie przetłumaczono i padła odpowiedź.

— W Szkocji nie znał nikogo. Rodzina nie chciała opuszczać Sighthill. Zaczynali tam być szczęśliwi. Dzieci nawiązały przyjaźnie... znalazło się dla nich miejsce w szkole. Aż nagle w środku nocy wrzucono ich do furgonetki... policyjnej furgonetki... i przywieziono tutaj. Byli przerażeni.

Wylie dotknęła przedramienia tłumaczki.

— Nie wiem, jak to najlepiej wyrazić... może pani mogłaby mi pomóc. — Przerwała. — Jesteśmy prawie pewni, że Stef miał na zewnątrz co najmniej jedną „przyjaciółkę".

Tłumaczka zaskoczyła dopiero po dłuższej chwili.

— Ma pani na myśli kobietę?

Wylie powoli pokiwała głową.

— Musimy ją znaleźć.

— A w jaki sposób wdowa mogłaby wam w tym pomóc?

— Nie jestem pewna...

— Proszę ją spytać, jakimi językami władał jej mąż — wtrącił Rebus.

Przekazując pytanie, tłumaczka nie spuszczała z niego wzroku. Potem odparła:

— Mówił trochę po angielsku i po francusku. Po francusku lepiej.

Wylie też patrzyła na inspektora.

— Jego dziewczyna zna francuski?

— Niewykluczone. Ma pan tu ludzi francuskojęzycznych, panie Traynor?

— Od czasu do czasu.

— Z jakich krajów?

— Najczęściej z afrykańskich.

— Myśli pan, że ktoś z nich mógł wyjść za kaucją?

— Zakładam, że mam to dla pana sprawdzić?

— Jeśli nie sprawi to panu kłopotu. — Usta Rebusa ułożyły się w coś na kształt uśmiechu. Traynor westchnął. Tymczasem tłumaczka znów coś mówiła do wdowy, która wybuchnęła płaczem i zakryła twarz chusteczką.

— Co pani jej powiedziała? — spytała Wylie.

— Zapytałam, czy mąż był jej wierny.

Pani Yurgii mamrotała coś przez łzy. Tłumaczka objęła ją.

— A teraz mamy odpowiedź — powiedziała.

— To znaczy?

— Wierny aż po grób — zacytowała tłumaczka.

Ciszę przerwał nagły trzask krótkofalówki Traynora. Przyłożył ją do ucha.

— Słucham — powiedział, a po chwili dodał: — O Chryste... zaraz tam będę.

Wyszedł bez słowa. Rebus i Wylie wymienili porozumiewawcze spojrzenia, po czym inspektor wstał i także wyszedł.

Utrzymanie dyskretnej odległości nie nastręczało kłopotu — Traynor śpieszył się tak, że nieomal biegł. Najpierw jednym korytarzem, potem drugim, po lewej, na którego końcu otworzył jakieś drzwi. Prowadziły one do krótszego korytarza, zakończonego wyjściem przeciwpożarowym. Były tam też trzy małe pomieszczenia — izolatki. W jednej z nich ktoś od środka bębnił w zamknięte drzwi. Walił pięściami, kopał i wrzeszczał w języku, którego Rebus nie rozpoznał. Ale nie to interesowało Traynora. Wszedł do innego pokoju, do którego drzwi były otwarte, przytrzymywane przez strażnika. W środku było więcej strażników; kucali nad leżącym na podłodze, chudym jak szkielet mężczyzną w samych slipach. Z reszty ubrania skręcił on prowizoryczny sznur z pętlą, która wciąż zaciskała się na jego szyi; twarz miał fioletową i nabrzmiałą, z jego ust wystawał język.

— Mieliście zaglądać do niego co cholerne dziesięć minut! — mówił Traynor ze złością.

— Sprawdzaliśmy go co dziesięć minut — podkreślił strażnik z naciskiem.

— Jasne... — Traynor podniósł wzrok i zobaczył stojącego w progu Rebusa. — Zabrać go stąd! — ryknął. Najbliższy strażnik zaczął wypychać inspektora na korytarz. Rebus uniósł ręce.

— Spokojnie, kolego, już sobie idę. — Wycofał się, a strażnik wyszedł za nim. — Pilnujecie samobójców, co? Sądząc po odgłosach, założę się, że jego sąsiad będzie następny...

Strażnik nic nie powiedział. Zatrzasnął drzwi przed nosem inspektora i stanął za nimi, obserwując go przez szklaną szybę. Rebus znów uniósł ręce, odwrócił się i odszedł. Coś mu mówiło, że jego prośba o akta spadła na liście priorytetów Traynora o kilka pozycji...

Posiedzenie w barze dobiegało końca. Wylie ściskała rękę tłumaczki, która następnie odprowadziła wdowę do jej pokoju.

— I jak? — spytała Wylie. — Paliło się gdzieś czy co?

— Palić się nie paliło, tylko jakiś biedny skurczybyk strzelił samobója.

— Jasna cholera...

— Wynośmy się stąd. — Pierwszy ruszył w kierunku wyjścia.

— Jak to się stało?

— Skręcił z ubrania pętlę i zacisnął sobie na szyi. Nie miał się jak powiesić, nie było tam nic, o co mógłby zaczepić sznur...

— Jasna cholera! — powtórzyła. Gdy wyszli na świeże powietrze, Rebus zapalił papierosa. Wylie otworzyła swoje volvo. — Niewiele nam to dało, prawda?

— Nikt nie mówił, że to będzie proste, Ellen. Kluczem do sprawy jest jego dziewczyna.

— Chyba że to ona go załatwiła — odparła Wylie.

Rebus pokręcił głową.

— Posłuchaj jej telefonu... ona wiedziała, dlaczego do tego doszło, i wie, że „dlaczego" daje odpowiedź na pytanie „kto".

— W twoich ustach brzmi to dość metafizycznie.

Znów wzruszył ramionami i wyrzucił niedopałek papierosa na ziemię.

— Jestem człowiekiem renesansu, Ellen.

— Ach tak? No to wyjaśnij mi to wszystko, człowieku renesansu.

Gdy wyjeżdżali z ośrodka, spojrzał na miejsce, gdzie Caro Quinn rozbijała swoje obozowisko. Nie widział jej tam, kiedy wjeżdżali, ale teraz już była: stała przy drodze i popijała z termosu. Rebus poprosił Wylie, żeby zatrzymała samochód.

— Zaraz wracam — rzucił, wysiadając.

— Co ty...? — Zatrzasnął drzwiczki, zanim dokończyła pytanie. Na jego widok Quinn uśmiechnęła się.

— O, witam.

— Jedno pytanie: ma pani jakichś zaprzyjaźnionych ludzi z mediów? — zapytał. — Chodzi mi o takich, którzy popierają to, co pani tu robi.

Spojrzała na niego z ukosa.

— Może i mam.

— To niech im pani podrzuci materiał na wyłączność... któryś z podopiecznych ośrodka właśnie popełnił samobójstwo. — Jeszcze zanim skończył mówić, wiedział, że palnął gafę. Mogłeś to sformułować lepiej, John, powiedział sobie, patrząc, jak oczy Caro Quinn zachodzą łzami. — Przepraszam — dorzucił. Widział, że Wylie obserwuje ich w bocznym lusterku. — Pomyślałem, że być może pani mogłaby coś zrobić w tej sprawie... im większy szum w prasie, tym gorzej dla Whitemire...

Kobieta kiwała głową.

— Tak, rozumiem. Dzięki, że mi pan powiedział. — Po jej twarzy płynęły łzy. Wylie nacisnęła klakson. — Pańska znajoma się niecierpliwi — dodała Quinn.

— Dobrze się pani czuje?

— Nic mi nie jest. — Wolną ręką otarła twarz. Drugą wciąż trzymała kubek, nieświadoma tego, że wylewa herbatę na ziemię.

— Na pewno?

Kiwnęła głową.

— Tak, tyle że to takie... barbarzyństwo.

— Wiem — powiedział cicho. — Czy... czy ma pani przy sobie telefon? — A kiedy skinęła głową, dodał: — Ma pani mój numer, prawda? Czy może mi pani podać swój?

Wyświetliła swój numer na wyświetlaczu komórki, a on zapisał go w notesie.

— Niech pan już idzie — powiedziała.

Skinął głową i wrócił do samochodu. Wsiadając, pomachał jej na pożegnanie.

— Zatrąbiłam przypadkiem — skłamała Wylie. — Wy się znacie?

— Trochę — przyznał. — To malarka... maluje portrety.

— A więc to prawda... — Wylie wrzuciła jedynkę. — Rzeczywiście jesteś człowiekiem renesansu.

— Pisanego dużą czy małą literą?

— Małą — odparła. Rebus patrzył w lusterku wstecznym, jak sylwetka Caro Quinn zmniejsza się, w miarę jak samochód nabierał szybkości.

— Jak się poznaliście?

— Po prostu ją znam, wystarczy?

— Przepraszam, nie powinnam pytać. Czy twoje przyjaciółki zawsze wybuchają płaczem, kiedy się do nich odezwiesz?

Spojrzał na nią z ukosa i przez pewien czas jechali w milczeniu. W końcu Wylie zapytała:

— Chcesz zajrzeć do Banehall?

— Po co?

— Bo ja wiem? Po prostu, żeby się rozejrzeć. — Wcześniej rozmawiali o morderstwie, do którego tam doszło.

— I co tam zobaczymy?

— Jak pracuje jednostka F.

Jednostka F, ponieważ Livingston było „Wydziałem F" policji okręgu Lothian and Borders; w Edynburgu nie cieszyli się specjalnym poważaniem. Rebus nie mógł powstrzymać uśmiechu.

— Czemu nie? — odparł.

— A zatem postanowione.

Odezwała się komórka Rebusa. Pomyślał, że może to Caro Quinn, że pewnie powinien zostać z nią trochę dłużej, dotrzymać jej towarzystwa. Ale to była Siobhan.

— Przed chwilą dzwoniłam do Gayfield.

— I co?

— Starszy inspektor Macrae wciągnął nas na czarną listę, bo urwaliśmy się z pracy.

— Masz jakieś wytłumaczenie?

— Jestem w Banehall.

— Dobrze się składa, bo będziemy tam za dwie minuty.

— My?

— Ja i Ellen. Właśnie wracamy z Whitemire. Nadal szukasz tej dziewczyny?

— Wydarzyły się tu inne rzeczy... Słyszałeś, że znaleźli zwłoki?

— Ale faceta, nie panny.

— To ten gość, który zgwałcił jej siostrę.

— To zmienia postać rzeczy. A więc pomagasz teraz w śledztwie jednostce F?

— Można i tak powiedzieć.

Rebus parsknął śmiechem.

— Jim Macrae pewnie sądzi, że w Gayfield nie za bardzo nam się podoba.

— Nie jest zachwycony... A, i kazał mi przekazać ci jeszcze jedną wiadomość.

— Coś takiego?

— Znowu ktoś się w tobie odkochał...

Rebus myślał przez chwilę.

— Czyżby ten sukinsyn dalej mnie ścigał za tę latarkę?

— Chce złożyć oficjalną skargę.

— Chryste Panie... odkupię mu nową.

— Zdaje się, że to specjalistyczny sprzęt... kosztuje ponad stówkę.

— Za tyle można by kupić kryształowy żyrandol!

— Nie strzelaj do posłańca, John.

Wjeżdżając do miasteczka, ujrzeli znak drogowy, na którym BANEHALL ktoś przerobił na BANTUSTAN.

— Pomysłowe — mruknęła Wylie i dorzuciła: — Spytaj ją, gdzie jest.

— Ellen chce wiedzieć, gdzie jesteś — powiedział Rebus do telefonu.

— W bibliotece odstąpili nam pokój... założyliśmy tu bazę.

— Dobry pomysł, w razie trudności ci z F będą mieli pod ręką poradniki. Na przykład Wielką księgę morderstw...

Wylie uśmiechnęła się, ale Siobhan nie wydawała się rozbawiona.

— John, zanim tu dotrzesz, zmień podejście...

— To już nie można się pośmiać, Shiv? Zobaczymy się za kilka minut.

Powiedział Wylie, dokąd mają jechać. Wąski parking przed biblioteką był zapchany. Policjanci w mundurach wnosili komputery do parterowego budynku z prefabrykatów. Rebus przytrzymał im drzwi i wszedł za nimi, a Wylie została na zewnątrz i sprawdzała wiadomości w komórce. Pomieszczenie oddane na potrzeby śledztwa miało wymiary raptem piętnaście na dwanaście stóp. Skombinowano skądś dwa składane stoły i dwa krzesła.

— Nie ma na to wszystko miejsca — tłumaczyła Siobhan mundurowemu, który przykucnął, stawiając olbrzymi monitor od komputera u jej stóp.

— Takie rozkazy — wystękał zasapany.

— Słucham pana? — Pytanie to skierował do Rebusa młody człowiek w garniturze.

— Detektyw inspektor Rebus — padła odpowiedź.

Siobhan podeszła do nich.

— John, to detektyw inspektor Young. On tu dowodzi.

Mężczyźni wymienili uścisk rąk.

— Proszę mi mówić Les — powiedział młody człowiek. Stracił już zainteresowanie nowo przybyłym, miał na głowie zorganizowanie bazy.

— Lester Young? — mruknął Rebus w zadumie. — Tak jak ten jazzman?

— Prawdę mówiąc, Leslie... jak ta dzielnica w Fife.

— No to powodzenia, Leslie — rzekł Rebus. Wycofał się z pokoju, a Siobhan poszła za nim. Przy dużym okrągłym stole kilku emerytów przeglądało gazety i czasopisma. W kąciku dziecięcym matka leżała na torbie grochu i najwyraźniej drzemała, a niemowlak ze smoczkiem w buzi ściągał książki z półek i ustawiał je w stertę na wykładzinie. Rebus zawędrował do kącika historycznego.

— Les, tak? — mruknął cicho.

— On jest w porządku — odparła Siobhan, również szeptem.

— Szybko poznasz się na ludziach. — Zdjął książkę z półki. Na pierwszy rzut oka z jej treści wynikało, że współczesny świat wymyślili Szkoci. Rozejrzał się, sprawdzając, czy aby nie trafili do działu fikcji literackiej. — I co słychać w sprawie Ishbel Jardine? — spytał.

— Nie wiem. Między innymi dlatego się tu kręcę.

— Czy jej rodzice wiedzą o morderstwie?

— Tak.

— No to wieczorem będzie zabawa...

— Byłam u nich... wcale nie świętowali.

— A czy któreś z nich było zalane krwią?

— Nie.

Rebus odstawił książkę na półkę. Niemowlę pisnęło głośno, gdy jego sterta książek się przewróciła.

— A szkielety?

— Można by rzec, że to ślepy zaułek. Alexis Cater twierdzi, że głównym podejrzanym był chłopak, który przyszedł na przyjęcie z jego przyjaciółką. Tylko że ta przyjaciółka ledwie go znała, nawet nie wiedziała, jak ma na imię. Zdaje się, że Barry czy Gary.

— Czyli że to już koniec? Niech kości spoczywają w spokoju?

Siobhan wzruszyła ramionami.

— A co u ciebie? Coś się ruszyło w sprawie tego zasztyletowanego?

— Śledztwo przebiega sprawnie...

— ...jak podaje rzecznik policji. Rozumiem, że sobie odpuszczasz.

— Tego bym nie powiedział. Ale przydałaby mi się przerwa, nie powiem.

— I w ramach tej przerwy przyjechałeś tutaj?

— Nie o taką przerwę mi chodziło... — Rozejrzał się. — Myślisz, że jednostka F da sobie z tym radę?

— Podejrzanych mają pod dostatkiem.

— Pewnie tak. Jak zginął?

— Dostał czymś w rodzaju młotka.

— Gdzie?

— W głowę.

— Nie pytam w co, tylko gdzie w domu?

— W sypialni.

— Czyli że załatwił go ktoś, kogo znał?

— Tak sądzę.

— Myślisz, że Ishbel jest dostatecznie silna, żeby zabić kogoś młotkiem?

— Nie sądzę, żeby ona to zrobiła.

— Może będziesz miała okazję ją zapytać. — Poklepał Siobhan po ramieniu. — Ale skoro sprawę prowadzą ci z F, czeka cię harówka...

Na dworze Wylie właśnie kończyła rozmawiać przez komórkę.

— Jest tam coś wartego obejrzenia? — spytała. Rebus pokręcił głową. — Czyli że wracamy do bazy?

— Ale po drodze zboczymy na chwilę — oświadczył Rebus.

— Dokąd?

— Na uniwersytet.

17

Zostawili samochód na płatnym parkingu na George Square, przeszli przez ogród i wyszli przed biblioteką uniwersytecką. Większość okolicznych budynków powstała w latach sześćdziesiątych; Rebus ich nie znosił — utrzymane w kolorze piasku bloki zajęły miejsce otaczających plac osiemnastowiecznych kamienic. Rzędy zdradliwych schodów oraz sławetne hulające tam wiatry, które przy kiepskiej pogodzie mogły przewrócić niczego niespodziewającego się człowieka. Między budynkami krążyli studenci, objuczeni książkami i skryptami. Niektórzy dyskutowali w małych grupkach.

— Cholerni studenci! — Tak Wylie zwięźle podsumowała sytuację.

— A ty co, Ellen, nie studiowałaś? — spytał Rebus.

— Owszem, i dlatego mam prawo tak mówić.

Przed Teatrem George Square stał sprzedawca programów z wydarzeniami kulturalnymi. Rebus podszedł do niego.

— Jak leci, Jimmy?

— Niczego sobie, panie Rebus.

— Przeżyjesz kolejną zimę?

— Jeśli nie, to przynajmniej umrę, próbując.

Inspektor wręczył mu kilka monet, ale nie wziął żadnego programu.

— Masz coś, o czym powinienem wiedzieć? — zapytał, zniżając głos.

Jimmy zamyślił się. Spod wyświechtanej czapki baseballowej

sterczały mu kłaki długich siwych włosów. Zielony sweter sięgał niemal do kolan. U jego stóp spał owczarek collie, a w każdym razie jakieś podobne zwierzę.

— Niewiele — odparł w końcu ochrypłym od nadmiaru trunków głosem.

— Na pewno?

— Wie pan, że zawsze mam oczy i uszy otwarte... — Jimmy przerwał. — Cena ziela spadła, jeśli to w czymś panu pomoże.

Ziele: marihuana. Rebus uśmiechnął się.

— Niestety, nie mnie. Cena moich używek ciągle wzrasta.

Jimmy roześmiał się tak głośno, że pies aż otworzył jedno oko.

— Sie wie, szanowny panie, pety i gorzałka to najbardziej zgubne nałogi, jakie człowiek wymyślił.

— Uważaj na siebie — rzucił Rebus na odchodne, a po chwili zwrócił się do Wylie: — To nasz budynek. — Otworzył drzwi i przepuścił ją przodem.

— Byłeś tu kiedyś? — zdziwiła się.

— Mają tu wydział języków obcych... w przeszłości korzystaliśmy z ich pomocy przy porównywaniu głosów.

W oszklonej budce siedział recepcjonista w szarym uniformie.

— Do doktor Maybury — rzekł Rebus.

— Pokój dwieście dwanaście.

— Dzięki.

Inspektor zaprowadził Wylie do wind.

— Czy w Edynburgu jest ktoś, kogo nie znasz? — spytała.

Spojrzał na nią.

— Kiedyś tak właśnie się pracowało, Ellen. — Wpuścił ją przodem do windy i nacisnął guzik drugiego piętra. Zapukał do drzwi numer 212, ale nikogo tam nie było. Przez matowe szkło obok drzwi nie zauważył żadnego ruchu. Zastukał więc do sąsiednich drzwi i dowiedział się, że być może zastanie doktor Maybury w laboratorium językowym w piwnicy.

Laboratorium językowe znajdowało się na końcu korytarza, za podwójnymi drzwiami. Czterej studenci siedzieli w osobnych budkach, tak że się nie widzieli nawzajem. Mieli słuchawki na uszach i powtarzali do mikrofonów na pozór wybrane na chybił trafił słowa:

Chleb
Matka
Myśl
Słuchaj
Jezioro
Alegoria
Rozrywka
Ciekawe
Imponujące

Gdy Rebus i Wylie weszli do środka, studenci podnieśli na nich wzrok. Naprzeciwko nich, przy wielkim biurku z czymś w rodzaju konsoli i podłączonego do niej magnetofonu, siedziała kobieta. Mruknęła coś zniecierpliwiona i wyłączyła magnetofon.

— O co chodzi? — warknęła.

— Doktor Maybury, my się już znamy. Jestem inspektor John Rebus.

— A tak, chyba pamiętam. Telefony z pogróżkami... chcieliście ustalić, skąd pochodzi akcent.

Rebus potwierdził skinieniem głowy i przedstawił jej Wylie.

— Przepraszam, że przeszkadzamy. Czy mogłaby nam pani poświęcić kilka minut?

— Kończę zajęcia z wybiciem godziny. — Maybury spojrzała na zegarek. — Możecie zaczekać w moim gabinecie? Mam tam czajnik i wszystko, co trzeba.

— Czajnik i wszystko, co trzeba, brzmi kusząco.

Kobieta wyjęła z kieszeni klucz. Zanim zdążyli się odwrócić do wyjścia, tłumaczyła już studentom, żeby przygotowali się na następny zestaw słówek.

— Jak myślisz, co ona z nimi robi? — spytała Wylie, kiedy z powrotem jechali windą na drugie piętro.

— Bóg raczy wiedzieć.

— Przypuszczam, że dzięki temu przynajmniej nie szlajają się po ulicach...

Gabinet doktor Maybury zapchany był książkami i papierami, taśmami wideo i kasetami audio. Komputer ginął za stosem papierzysk. Na przeznaczonym dla uczniów wielkim stole leżały wypożyczone z biblioteki książki. Wylie znalazła czajnik i włączyła go do prądu. Rebus wyszedł na korytarz, zamknął się w toalecie, wyciągnął komórkę i zadzwonił do Caro Quinn.

— Wszystko w porządku? — zapytał.

— Świetnie — zapewniła go. — Rozmawiałam z dziennikarzem z „Evening News". Być może napiszą o tym jeszcze w wieczornym wydaniu.

— Działo się coś?

— Ciągle ktoś przyjeżdżał i wyjeżdżał... — Przerwała. — Czy to następne przesłuchanie?

— Przepraszam, jeśli tak to wypadło.

Po chwili milczenia odezwała się:

— Czy miałbyś ochotę zajrzeć do mnie później? To znaczy do mojego mieszkania.

— Po co?

— Żeby mój zespół wysoko wykwalifikowanych anarchosyndykalistów mógł zacząć proces indoktrynacji.

— Rozumiem, że nie boją się trudnych wyzwań?

Zaśmiała się krótko.

— Wciąż się zastanawiam, co cię napędza.

— Poza alkoholem? Uważaj, Caro. Bądź co bądź jestem przecież wrogiem.

— Jak to się mówi, poznaj wroga swego, prawda?

— Zabawne, ale niedawno ktoś mi powiedział to samo... — Urwał. — Mogę ci postawić kolację.

— Czyżbyś w ten sposób popierał hegemonię mężczyzn?

— Nie mam pojęcia, co to znaczy, ale na pewno jestem winny jak cholera.

— To znaczy, że rachunek dzielimy na pół — wyjaśniła. — Przyjedź po mnie o ósmej.

— W takim razie do zobaczenia. — Rebus rozłączył się i natychmiast zaczął się zastanawiać, w jaki sposób ona wróci do domu z Whitemire. Nie przyszło mu do głowy, żeby zapytać. Może łapała okazję? Znów zaczął wybierać jej numer, lecz się powstrzymał. Przecież ona nie jest dzieckiem. Czuwa tam od miesięcy. Dotrze do domu bez jego pomocy. Poza tym znowu zarzuciłaby mu, że popiera hegemonię mężczyzn.

Wrócił do gabinetu Maybury i wziął od Wylie kubek kawy. Usiedli po przeciwnych stronach stołu.

— Czy ty coś studiowałeś, John? — zapytała.

— Jakoś mi się nie chciało — odparł. — Poza tym w szkole obijałem się na całego.

— Ja nie znosiłam studiów — wyznała Wylie. — Nigdy nie wiedziałam, co powiedzieć. Przesiadywałam w pokojach mniej więcej takich jak ten, rok po roku, i w ogóle się nie odzywałam, żeby nikt się nie zorientował, że jestem tępa.

— A bardzo byłaś tępa?

Uśmiechnęła się.

— Okazało się, że inni studenci uważali, że nic nie mówię, bo i tak już wszystko wiem.

Otworzyły się drzwi i weszła doktor Maybury. Przecisnęła się obok krzesła Wylie, wymamrotała przeprosiny i schroniła się za swoim biurkiem. Wysoka i chuda, wydawała się bardzo nieśmiała. Gęste, ciemne falujące włosy miała zebrane w coś na kształt końskiego ogona. Nosiła okulary w staromodnych oprawkach, jak gdyby mogły ukryć klasyczną urodę jej twarzy.

— Może kubek kawy, pani doktor? — zaproponowała Wylie.

— Nie, już się opiłam tego świństwa — odparła szybko Maybury, po czym znowu wymamrotała przeprosiny i podziękowała policjantce za propozycję.

Rebus przypomniał sobie, że pani doktor szybko traci głowę i ciągle przeprasza, chociaż nie ma za co.

— Przepraszam — powiedziała znowu, nie wiadomo dlaczego, i zaczęła porządkować papiery przed sobą.

— O co chodziło, tam na dole? — spytała Wylie.

— Mówi pani o tych listach słówek? — Maybury skrzywiła się. — Prowadzę badania nad elizją...

Wylie podniosła rękę niczym uczeń podczas lekcji.

— Obie wiemy, co to oznacza, pani doktor, ale może wyjaśni to pani inspektorowi Rebusowi?

— Zdaje się, że kiedy weszliście, interesowało mnie słowo „słuchaj". Ludzie zaczęli je wymawiać, opuszczając „ł"... i to właśnie jest elizja.

Rebus powstrzymał się przed pytaniem, jaki jest cel prowadzenia takich badań, i postukał czubkami palców w stół przed sobą.

— Mamy taśmę, którą chcielibyśmy pani puścić — powiedział.

— Kolejny anonim?

— Można i tak powiedzieć... to był telefon pod numer alarmowy policji. Musimy ustalić narodowość osoby, która dzwoniła.

Maybury podsunęła okulary po stromym grzbiecie nosa i wyciągnęła otwartą rękę, grzbietem w dół. Rebus wstał z krzesła i podał jej taśmę. Wsunęła ją do stojącego na podłodze magnetofonu kasetowego i nacisnęła przycisk „play".

— Uprzedzam, że to dosyć niepokojące nagranie — rzekł inspektor. Kiwnęła głową i odsłuchała całość nagrania.

Po dłuższej chwili odezwała się:

— Ja się specjalizuję w akcentach regionalnych, inspektorze. W akcentach z Wielkiej Brytanii. A ta osoba nie jest anglojęzyczna.

— No cóż, ale skądś przecież pochodzi.

— W każdym razie nie stąd.

— Więc nie potrafi nam pani pomóc? Może zaryzykuje pani jakiś domysł?

Maybury postukała się palcem w brodę.

— Afrykanka, ewentualnie Murzynka z rejonu Karaibów.

— Prawdopodobnie zna trochę francuski — dorzucił Rebus. — Możliwe nawet, że to jej pierwszy język.

— Niewykluczone, że moja koleżanka z wydziału francuskiego mogłaby powiedzieć coś więcej... Poczekajcie chwilkę. — Uśmiechnęła się, rozświetlając całe pomieszczenie. — Mieliśmy taką studentkę, właśnie zrobiła dyplom... Pracowała nad naleciałościami francuskimi w Afryce. Kto wie...?

— Będziemy wdzięczni za wszelką pomoc — rzekł Rebus.

— Mogę zatrzymać tę taśmę?

Inspektor przytaknął.

— Nie ukrywam, że zależy nam na czasie...

— Nie jestem pewna, gdzie ona teraz jest.

— A nie może pani zadzwonić do niej do domu? — spytała Wylie.

Maybury zerknęła na nią.

— Zdaje się, że teraz przebywa gdzieś w południowo-zachodniej Francji.

— Czyli że mamy problem — powiedział inspektor.

— Niekoniecznie. Jeżeli uda mi się do niej dodzwonić, puszczę jej taśmę przez telefon.

Tym razem to Rebus się uśmiechnął.

— Elizja — rzekł Rebus; słowo zawisło w powietrzu.

Wrócili na Torphichen Place. W komisariacie panował spokój, ekipa od Knoxland głowiła się, czym by tu się teraz zająć. Gdy nie udawało się rozwiązać sprawy w ciągu pierwszych siedemdziesięciu dwóch godzin, odnosiło się wrażenie, że wszystko zwalnia tempo. Po pierwszym zastrzyku adrenaliny nie było już śladu; wypytywanie sąsiadów i przesłuchania zakończono; wszystko to prowadziło do utraty apetytu i zapału. Rebus miał sprawy, które po dwudziestu latach nie doczekały się zakończenia. Gryzł się tym, bo szkoda mu było wielu godzin bezskutecznej pracy, zwłaszcza że wiedział, iż do wyjaśnienia brakowało tylko jednego telefonu, jednego nazwiska. Być może sprawców wypuszczono po przesłuchaniu albo nigdy do nich nie dotarto. Możliwe, że w pękatych teczkach każdej z tych spraw kryła się jakaś wskazówka... Której nigdy nie znaleziono.

— Elizja — powtórzyła Wylie, kiwając głową. — Miło wiedzieć, że ktoś nad tym pracuje.

— I to pełną parą. „Suchaj"... — Rebus parsknął krótkim śmiechem — uczyłaś się kiedyś geografii?

— W szkole. A co, uważasz, że to ważniejszy przedmiot niż badania językowe?

— Myślałem o Whitemire. Ludzie z Angoli, Namibii, Albanii... nie potrafiłbym wskazać tych krajów na mapie.

— Ja też nie.

— A jednak połowa z nich jest pewnie lepiej wykształcona niż strażnicy, którzy ich pilnują.

— Do czego zmierzasz?

Spojrzał na nią.

— Od kiedy to rozmowa musi do czegoś zmierzać?

Westchnęła przeciągle i pokręciła głową.

— Widzieliście to? — zapytał Shug Davidson. Stanął przed nimi z wieczornym wydaniem lokalnej gazety w ręku. Główny tytuł na pierwszej stronie brzmiał: WISIELEC Z WHITEMIRE.

— Walą prosto z mostu — rzekł Rebus, wziął gazetę od Davidsona i zaczął czytać.

— Rory Allan wydzwania i chce, żebym mu dał wypowiedź do jutrzejszego wydania „Scotsmana". Zamierza potraktować temat szeroko... od Whitemire do Knoxland i wszystko co pomiędzy.

— To powinno namieszać — rzekł Rebus. Artykuł był mizerny. Cytowano wypowiedź Caro Quinn na temat nieludzkich warunków w obozie dla uchodźców. Był też jeden akapit o Knoxland i kilka archiwalnych zdjęć z demonstracji przed Whitemire. Twarz Caro zaznaczono kółkiem. Stała w tłumie, z plakatem, i krzyczała na personel przyjeżdżający do pracy w dniu otwarcia ośrodka.

— Proszę, twoja znajoma — zauważyła Wylie, czytając artykuł nad jego ramieniem.

— Jaka znajoma? — zainteresował się Davidson; w jego głosie brzmiała podejrzliwość.

— To nic takiego — uspokoiła go szybko Wylie. — Taka kobieta, która tam czuwa przed bramą.

Rebus doczytał artykuł do końca, wraz z odsyłaczem do „komentarza" na innej stronie gazety. Przerzucił strony i szybko przebiegł wzrokiem tekst od redakcji. „Należy wszcząć śledztwo... najwyższy czas, żeby politycy przestali przymykać oko... takiej sytuacji nie wolno dłużej tolerować... zaległości... apelacje... przyszłość Whitemire zależy od dalszych losów tej tragedii...".

— Mogę ją zatrzymać? — spytał, wiedząc, że artykuł podniósłby Caro na duchu.

— Trzydzieści pięć pensów — odparł Davidson, wyciągając rękę.

— Za tyle mogę sobie kupić nową!

— Ale na tę chuchałem i dmuchałem, no i masz ją z pierwszej ręki. — Davidson nie cofnął dłoni. Rebus zapłacił, wychodząc z założenia, że i tak wypada to taniej niż pudełko czekoladek. Wprawdzie nie przypuszczał, żeby Caro Quinn była łasa na słodycze, ale... no właśnie, znowu próbuje oceniać ją w ciemno. Praca nauczyła go, że w zasadzie uprzedzenia sprowadzają się do podstawowego podziału na „my" i „oni". Teraz chciał się przekonać, jak to jest naprawdę.

Jak dotąd kosztowało go to tylko trzydzieści pięć pensów.

Siobhan wróciła do Zmory. Tym razem wzięła ze sobą policyjnego fotografa oraz Lesa Younga.

— Zresztą i tak bym się czegoś napił — powiedział inspektor i westchnął, stwierdziwszy, że trzy z czterech komputerów w bazie mają problemy z oprogramowaniem i nie dają się podłączyć do systemu telefonicznego biblioteki. Zamówił mały kufel eighty-shilling.

— A dla pani sok z limonki z wodą sodową? — domyślił się Malky. Siobhan przytaknęła. Fotograf usiadł przy stoliku obok toalet i przykręcał obiektyw do aparatu. Jeden z klientów baru podszedł do niego i zapytał, ile by chciał za ten sprzęt. — Siadaj, Arthur! — zawołał Malky. — To gliny.

Siobhan popijała swój sok, a Young uregulował rachunek. Obserwowała Malky'ego, gdy kładł resztę na barze.

— Powiedziałabym, że to bardzo nietypowa reakcja — zauważyła.

— Co takiego? — spytał Les Young, ocierając piankę z górnej wargi.

— Malky wie, że jesteśmy z dochodzeniówki. I że nasz człowiek szykuje tam aparat fotograficzny... A mimo to nie spytał, o co chodzi.

Barman wzruszył ramionami.

— Nie moja sprawa, co robicie — mruknął, odwrócił się i zaczął polerować kurek od piwa.

Fotograf był już prawie gotowy.

— Sierżant Clarke, może wejdzie pani pierwsza i sprawdzi, czy nikogo tam nie ma? — poprosił.

Siobhan uśmiechnęła się.

— Sądzi pan, że kobiety często tu zaglądają?

— Nie, ale mimo wszystko...

Odwróciła się do barmana.

— Jest ktoś w damskiej toalecie?

Malky wzruszył ramionami.

— Widzisz? — powiedziała Siobhan do Younga. — Nawet się nie dziwi, że robimy zdjęcia w kiblu... — Podeszła do drzwi i otworzyła je na oścież. — Teren czysty — uspokoiła fotografa. Potem jednak zajrzała w głąb i zobaczyła, że zaszły tam zmiany. Większość graffiti została zamazana grubym czarnym flamastrem, tak że właściwie były nieczytelne. Siobhan syknęła przez zęby i poprosiła fotografa, żeby zrobił, co się da. Powoli wróciła do baru. — Ładnieś się sprawił, Malky — powiedziała zimno.

— Co się stało? — spytał Les Young.

— Nasz Malky ma łeb nie od parady. Widział, że będąc

tutaj, dwukrotnie korzystałam z toalety, i szybko połapał się, co mnie tak zainteresowało. Dlatego postanowił zamazać napisy.

Barman nic nie powiedział, zadarł tylko głowę, jakby chciał pokazać, że nie ma sobie nic do zarzucenia.

— Nie chcesz, żebyśmy wpadli na jakiś trop, co, Malky? Myślisz sobie: bez Donny'ego Cruikshanka w Banehall jest dużo lepiej, więc życzysz wszystkiego dobrego temu, kto go załatwił. Mam rację?

— Czy ja co mówię?

— Nie musisz nic mówić... na palcach wciąż masz ślady flamastra.

Barman spojrzał na poplamione dłonie.

— Tyle tylko, że kiedy tu byłam po raz pierwszy, pokłóciłeś się z Cruikshankiem — ciągnęła Siobhan.

— Tylko tak na pokaz, dla pani — odparł Malky.

Policjantka kiwnęła głową.

— Ale zaraz po moim wyjściu wyrzuciłeś go stąd. Czyżbyście mieli jakieś zatargi? — Oparła się łokciami o bar, stanęła na palcach i nachyliła się ku niemu. — Zdaje się, że powinniśmy cię zabrać na solidne przesłuchanie... Co pan na to, inspektorze?

— Nie mam nic przeciwko. — Young odstawił pusty kufel. — Jesteś naszym pierwszym oficjalnym podejrzanym, Malky.

— Wypchaj się pan.

— No chyba że... — Siobhan urwała. — Chyba że powiesz nam, kto namalował te graffiti. Wiem, że niektóre to dzieło Ishbel i Susie, ale czyje jeszcze?

— Przykro mi, ale ja nie zaglądam do damskich ubikacji.

— Może i nie, ale o graffiti wiedziałeś. — Siobhan znów się uśmiechnęła. — Więc czasem tam bywasz... może po zamknięciu baru?

— Co jest, Malky, czyżby jakieś drobne perwersje? — przyciął mu Young. — Może dlatego nie układało ci się z Cruikshankiem... byliście za bardzo do siebie podobni?

Malky wycelował palec w twarz inspektora.

— Nie pieprz pan głupot!

— A ja sądzę — odparł Young, nie zważając na niebezpieczną bliskość palca barmana od swojego lewego oka — że mówimy całkiem do rzeczy. Przy takich sprawach czasem wystarczy jeden drobny ślad... — Wyprostował się. — Może pojechać pan z nami od razu czy potrzebuje pan kilku minut, żeby zamknąć bar?

— Żartujesz pan.

— Jasne, Malky — wtrąciła Siobhan. — Po naszych minach widać, jak nam wesoło.

Malky spoglądał to na nią, to na niego. Ich twarze były poważne, surowe.

— Zakładam, że ty tu tylko pracujesz — naciskał Young. — W takim razie zadzwoń do właściciela i powiedz mu, że bierzemy cię na przesłuchanie.

Malky przestał celować w niego palcem i opuścił rękę.

— Bez jaj — powiedział z nadzieją, że przemówi im do rozumu.

— Chciałabym ci tylko przypomnieć, że utrudnianie śledztwa w sprawie morderstwa to bardzo śliska rzecz... sędziowie krzywo na to patrzą.

— Chryste, ja tylko... — rzucił Malky i zamilkł. Young westchnął, wyciągnął komórkę i wybrał numer.

— Podeślijcie mi dwóch mundurowych do Zmory. Zatrzymanie podejrzanego...

— No dobra, dobra. — Barman uniósł ręce, jakby się poddawał. — Usiądźmy i pogadajmy, co? Wszystko da się załatwić na miejscu.

Young zatrzasnął klapkę komórki.

— To się okaże po tym, kiedy usłyszymy, co masz nam do powiedzenia — poinformowała barmana Siobhan. Ten rozejrzał się, sprawdzając, czy któremuś z klientów nie trzeba czegoś dolać, i nalał sobie whisky z butelki nad barem. Wyszedł zza lady i ruchem głowy wskazał im stół, na którym stał futerał na aparat fotograficzny.

Fotograf właśnie wychodził z toalety.

— Zrobiłem, co mogłem — powiedział.

— Dzięki, Billy — rzekł Les Young. — Podrzuć mi odbitki jak najszybciej.

— Zobaczę, co da się zrobić.

— Billy, to cyfrówka... możesz mi przesłać odbitki w pięć minut.

— Się okaże. — Billy schował aparat do futerału i zarzucił go sobie na ramię. Skinął głową na pożegnanie i ruszył do drzwi.

Young siedział z rękami splecionymi na piersi, sztywny i formalny. Malky wychylił szklaneczkę jednym haustem.

— Tracy wszyscy tu lubili — zaczął.

— Tracy Jardine — wyjaśniła Youngowi Siobhan. — Dziewczyna, którą zgwałcił Cruikshank.

Barman powoli pokiwał głową.

— Potem już nigdy nie była taka jak kiedyś... Wcale się nie zdziwiłem, kiedy strzeliła samobója.

— A potem Cruikshank wrócił do domu? — ponagliła go Siobhan.

— Bezczelnie jakby nigdy nic. Wykombinował sobie, że wszyscy tu się go będą bać, bo siedział w pierdlu. Głupi fiut... — Malky spojrzał na swoją pustą szklankę. — Napijecie się jeszcze?

Pokręcili głowami, więc wrócił za bar i dolał tylko sobie.

— Na dziś to już ostatni — powiedział.

— Miałeś kiedyś kłopoty z piciem? — W głosie Younga zabrzmiało współczucie.

— Kiedyś trochę chlałem — przyznał barman. — Teraz już jest w porządku.

— To dobrze.

— Malky, wiem, że niektóre z tych rzeczy w toalecie napisały Ishbel i Susie, ale kto jeszcze? — spytała Siobhan.

Barman odetchnął głęboko.

— Zdaje się, że taka ich kumpela, Janine Harrison. Po prawdzie bardziej się przyjaźniła z Tracy, ale po jej śmierci zaczęła się prowadzać z Ishbel i Susie. — Oparł się na krześle i wpatrzył w szklaneczkę, jakby zmuszając się, by rzeczywiście okazała się ostatnią tego dnia. — Pracuje w Whitemire.

— I co tam robi?

— Jest strażniczką. — Przerwał. — Słyszeliście, co się stało? Ktoś się tam powiesił. Chryste, jeżeli oni zamkną ten interes...

— To co?

— Banehall zbudowano na pokładach węgla. Tylko że kopalnię już zamknięto. Whitemire to jedyny zakład pracy w całej okolicy. Połowa tutejszych, ci z nowymi samochodami i antenami satelitarnymi na dachach, ma coś wspólnego z Whitemire.

— No dobrze, więc mamy Janine Harrison. Kto poza tym?

— Jest jeszcze taka przyjaciółka Susie. Spokojna dziewczyna, dopóki sobie nie wypije...

— Nazwisko?

— Janet Eylot.

— Ona też pracuje w Whitemire?

Barman skinął głową.

— Zdaje się, że jako sekretarka.

— One mieszkają tutaj, ta Janine i Janet?

Znowu przytaknął ruchem głowy.

Siobhan zapisała nazwiska i odezwała się:

— No cóż, inspektorze... — Spojrzała na Lesa Younga. — Co pan o tym myśli? Czy nadal powinniśmy zabrać Malky'ego na przesłuchanie?

— W tym momencie to nie jest konieczne, sierżant Clarke. Ale potrzebne nam jego nazwisko i adres.

Malky czym prędzej podał im jedno i drugie.

18

Do Whitemire pojechali samochodem Siobhan. Young z podziwem rozejrzał się po wnętrzu.

— Co za sportowy sznyt.

— To dobrze czy źle?

— No, raczej dobrze...

Przy drodze dojazdowej stał namiot, a jego właścicielka udzielała wywiadu ekipie telewizyjnej, czemu przysłuchiwali się inni reporterzy w nadziei, że usłyszą coś, co będzie warto zacytować. Wartownik przy bramie poinformował ich, że w środku jest „jeszcze większy pieprzony cyrk".

— Niech pan się nie martwi — uspokoiła go Siobhan. — Przywieźliśmy własne trykoty.

Na parkingu natknęli się na kolejnego umundurowanego strażnika, który powitał ich chłodno.

— Zdajemy sobie sprawę, że to nie najlepszy dzień — odezwał się Young pojednawczym tonem — ale prowadzimy sprawę morderstwa, więc sam pan rozumie, że to nie może czekać.

— Z kim się chcecie zobaczyć?

— Z dwiema waszymi pracownicami... Janine Harrison i Janet Eylot.

— Janet pojechała do domu — odparł strażnik. — Zdenerwowała się tym, co się stało... — A widząc, że Siobhan pytająco unosi brwi, wyjaśnił: — Tym samobójstwem.

— A Janine Harrison? — zapytała.

— Janine pracuje w skrzydle dla rodzin... Chyba ma dyżur do siódmej.

— Wobec tego porozmawiamy z nią — oświadczyła Siobhan. — A pana poprosimy o adres domowy Janet...

W środku na korytarzach i w miejscach ogólnie dostępnych nikogo nie było. Siobhan domyśliła się, że podopiecznych trzymano pod kluczem, dopóki wrzawa nie ucichnie. Mijając kolejne drzwi, lekko uchylone, widziała dyskutujące grupki — mężczyzn w garniturach i z ponurym wyrazem twarzy oraz kobiety w białych bluzkach, z dwuogniskowymi okularami i perłami na szyjach.

Oficjele.

Strażnik wprowadził ich do wielkiego biura i zadzwonił po funkcjonariuszkę Harrison. Gdy na nią czekali, minął ich jakiś mężczyzna, cofnął się i zapytał strażnika, o co chodzi.

— Policja, panie Traynor. W sprawie morderstwa w Banehall.

— Mówiłeś im, że nasi klienci mają alibi co do jednego? — Był wyraźnie zirytowany tą kolejną niespodzianką.

— Chodzi nam o informacje dodatkowe — wtrąciła szybko Siobhan. — Rozmawiamy ze wszystkimi, którzy znali ofiarę.

Traynora najwyraźniej to usatysfakcjonowało. Chrząknął tylko i odszedł.

— Szefostwo? — domyśliła się Siobhan.

— Zastępca szefa — potwierdził strażnik. — Ma dzisiaj kiepski dzień.

Gdy przyszła Janine Harrison, strażnik wyszedł z pokoju. Kobieta miała dwadzieścia kilka lat. Niewysoka, nosiła krótko obcięte czarne włosy; pomimo munduru widać było, że jest dobrze umięśniona. Siobhan przypuszczała, że regularnie ćwiczy na siłowni, a może uprawia jakieś sztuki walki.

Young przedstawił Siobhan i siebie, po czym zaproponował:

— Może pani usiądzie?

Ona jednak stała, z rękami założonymi za plecy.

— O co chodzi?

— O podejrzaną śmierć Donny'ego Cruikshanka — odparła Siobhan.

— Ktoś go załatwił... co w tym podejrzanego?

— Pani za nim nie przepadała, prawda?

— Za facetem, który zgwałcił pijaną nastolatkę? Nie, nie przepadałam za nim.

— A te graffiti w ubikacji... W tutejszym barze?

— Niby co?

— Dodała pani do nich od siebie to i owo.

— Czyżby? — Zastanowiła się. — Bo ja wiem, może i tak... babska solidarność i tak dalej. — Zmierzyła Siobhan wzrokiem. — On zgwałcił i pobił młodą dziewczynę. A teraz wy będziecie wypruwać z siebie flaki, żeby dopaść tego, kto go załatwił? — Powoli pokręciła głową.

— Nikt nie zasługuje na to, żeby go zabić, Janine.

— Tak? — Harrison nie wydawała się przekonana.

— A więc co tam napisałaś? „Donny Cruikshank do gazu!"... A może „Krew za krew"?

— Nie pamiętam, naprawdę.

— Możemy porównać pani charakter pisma — wtrącił Les Young.

Strażniczka wzruszyła ramionami.

— Nie mam nic do ukrycia.

— Kiedy ostatnio widziała pani Cruikshanka?

— Jakiś tydzień temu w Zmorze. Grał w bilard sam ze sobą, bo nikt nie chciał do niego dołączyć.

— Dziwię się, że tam pijał, skoro był tak znienawidzony.

— Widać lubił.

— Ten bar?

Harrison pokręciła głową.

— Zwracać na siebie uwagę. Nie obchodziło go, czy mówią o nim dobrze, czy źle, byleby znajdował się w centrum uwagi.

Siobhan nie znała zbyt dobrze Cruikshanka, ale z tego, co widziała, była skłonna zgodzić się z jej zdaniem.

— Przyjaźniła się pani z Tracy, prawda?

Harrison pogroziła jej palcem.

— Już wiem, kim pani jest. Kręciła się pani koło rodziców Tracy, była pani na jej pogrzebie.

— Właściwie wcale jej nie znałam.

— Ale widziała pani, przez co przeszła — rzuciła Janine oskarżycielskim tonem.

— Owszem, widziałam — przyznała Siobhan.

— Jesteśmy policjantami, Janine — wtrącił się Young. — To nasza praca.

— Świetnie... więc róbcie, co do was należy. Ale nie oczekujcie specjalnie pomocy. — Wyciągnęła ręce zza pleców i tym razem splotła je na piersi, wskutek czego wyglądała niczym pomnik niezłomnej stanowczości.

— Jeżeli ma nam pani coś do powiedzenia, byłoby najlepiej, gdybyśmy usłyszeli to bezpośrednio od pani — naciskał Young.

— Tak? No to posłuchajcie... Nie zabiłam go, ale cieszę się, że nie żyje. — Przerwała. — Zresztą gdybym to ja go zabiła, chwaliłabym się tym wszem wobec.

Następne kilka sekund upłynęło w ciszy. W końcu Siobhan zapytała:

— Dobrze pani zna Janet Eylot?

— Znam Janet. Pracuje tu... Właśnie pan siedzi na jej krześle. — Ruchem głowy wskazała Younga.

— A towarzysko?

Harrison przytaknęła.

— Wyskakujecie razem do barów? — dopytywała się Siobhan.

— Czasami.

— Czy kiedy widziała pani Cruikshanka po raz ostatni, Janet była z panią?

— Pewnie tak.

— Nie pamięta pani?

— Niestety, nie.

— Podobno kiedy sobie popije, zaczyna ją nosić.

— Widzieliście ją? Pięć stóp wzrostu na wysokich obcasach.

— Chce pani powiedzieć, że ona nie zaatakowałaby Cruikshanka?

— Chcę powiedzieć, że nie dałaby mu rady.

— No ale pani, Janet, wyraźnie jest w dobrej formie.

Harrison uśmiechnęła się lodowato.

— Za to pani nie jest w moim guście.

Po chwili milczenia Siobhan zapytała:

— Czy przychodzi pani do głowy, co mogło się stać z Ishbel Jardine?

Zmiana tematu wytrąciła strażniczkę z równowagi.

— Nie — odparła po chwili.

— Nigdy nie wspominała, że chce uciec z domu?

— Nigdy.

— Ale chyba mówiła czasami o Cruikshanku?

— Na pewno.

— Mogłaby to pani rozwinąć?

Harrison pokręciła głową.

— Czy to jest wasza metoda, kiedy utkniecie w martwym punkcie? Zrzucacie winę na kogoś, kogo akurat nie ma, więc nie może się bronić? — Spojrzała Siobhan prosto w oczy. — Nie ma co, ładna z pani przyjaciółka. — Young chciał się odezwać, lecz uprzedziła go: — Wiem, to wasza praca... po prostu praca... Coś tak jak tutaj... Kiedy umiera któryś z naszych podopiecznych, wszyscy nad tym bolejemy.

— Nie wątpię — rzekł Young.

— A skoro już o tym mowa, muszę jeszcze zrobić obchód przed końcem zmiany... Czy to już wszystko?

Young spojrzał na Siobhan, która miała ostatnie pytanie:

— Czy wiedziała pani, że Ishbel pisała do Cruikshanka do więzienia?

— Nie.

— Dziwi to panią?

— Tak, chyba tak.

— Może jednak nie znała jej pani tak dobrze, jak się pani zdawało. — Siobhan przerwała. — Dzięki za rozmowę.

— Tak, bardzo pani dziękujemy — rzekł Young, a gdy strażniczka ruszyła do drzwi, dorzucił: — Skontaktujemy się w sprawie próbki pani charakteru pisma...

Gdy wyszła, rozparł się na krześle i założył ręce za głowę.

— Gdyby nie było to politycznie niepoprawne, powiedziałbym, że to babsko jest niewyżyte.

— To pewnie rezultat jej pracy.

W drzwiach stanął nagle ten sam strażnik, który ich wprowadził, zupełnie jakby czekał na nich w zasięgu słuchu.

— Ona jest w porządku, jak już się ją pozna — powiedział. — Proszę, adres Janet Eylot.

Odbierając od niego kartkę, Siobhan zauważyła, że strażnik przygląda jej się bacznie.

— A swoją drogą... to oczywiście nieważne, ale pani jest dokładnie w guście Janine.

Janet Eylot mieszkała w nowo wybudowanym parterowym domku na skraju Banehall. Jak dotąd, okna jej kuchni wychodziły na szczere pole.

— Już niedługo — powiedziała. — Jakiś deweloper przymierza się do tego terenu.

— Trzeba się cieszyć, dopóki można, co? — rzucił Young, biorąc od niej kubek herbaty. Usiedli we trójkę przy małym kwadratowym stole. W domu była jeszcze dwójka małych dzieciaków, otępiałych przez jakąś hałaśliwą grę na wideo.

— Pozwalam im grać tylko przez godzinę — wyjaśniła Eylot. — I dopiero gdy odrobią lekcje. — Sposób, w jaki to powiedziała, podsunął Siobhan myśl, że Eylot jest samotną matką. Na stół wskoczył kot; gospodyni strąciła go ręką. — Co ja mówiłam! — wrzasnęła, gdy kot uciekał do przedpokoju. Potem zakryła twarz ręką. — Bardzo mi przykro...

— Zdajemy sobie sprawę, że jesteś zdenerwowana, Janet — powiedziała cicho Siobhan. — Czy znałaś tego człowieka, który się powiesił?

Eylot pokręciła głową.

— Ale zrobił to pięćdziesiąt jardów od mojego stanowiska pracy. W takich chwilach człowiek zaczyna myśleć o wszystkich tych strasznych rzeczach, które dzieją się dookoła, a o których nie mamy pojęcia.

— Wiem, co ma pani na myśli — rzekł Young.

Spojrzała na niego.

— No... wy w pracy stykacie się z tym na co dzień.

— Na przykład ze zwłokami Donny'ego Cruikshanka — wtrąciła Siobhan. Zauważyła, że spod pokrywy kosza na śmieci wystaje szyjka butelki wina, a na suszarce stoi jeden kieliszek, i zaczęła się zastanawiać, ile Janet Eylot wlała w siebie wieczorem.

— Właśnie on jest powodem naszej wizyty u pani — tłumaczył Young. — Sprawdzamy, jak żył, szukamy ludzi, którzy go znali, a może nawet mieli do niego o coś pretensje.

— A co to ma wspólnego ze mną?

— Nie znała go pani?

— A kto by chciał takiego znać?

— Tak nam przyszło do głowy... w związku z tym, co napisała pani o nim na ścianie w Zmorze...

— Nie ja jedna! — warknęła Eylot.

— Wiemy o tym. — Siobhan jeszcze bardziej zniżyła głos. — My nikogo nie oskarżamy, Janet. Po prostu sprawdzamy szczegóły.

— Proszę, na jakie podziękowania zasłużyłam — powiedziała Eylot, kręcąc głową. — Jakież to typowe...

— O czym pani mówi?

— Ten azylant... ten, którego zasztyletowano. To ja do was dzwoniłam. Inaczej nigdy byście się nie dowiedzieli, kim był. I oto, jak mi odpłacacie.

— To pani podała nam nazwisko Stefa Yurgii?

— Owszem... A jeśli mój szef się o tym dowie, wylecę z roboty. Do Whitemire przyjechało od was dwoje... wielki, silny facet i młoda kobieta.

— Inspektor Rebus i sierżant Wylie?

— Nie znam ich nazwisk. Nie wychylałam się. — Zamilkła na moment. — Ale zamiast łapać mordercę tego biedaka, zajmujecie się takim śmieciem jak Cruikshank.

— W świetle prawa wszyscy są równi — wtrącił się Young. Kobieta zmierzyła go takim wzrokiem, że oblał się rumieńcem; żeby to ukryć, podniósł kubek herbaty do ust.

— Widzicie? — rzuciła. — Sami wiecie, że całe to wasze gadanie to kupa gówna...

— Inspektor Young chciał tylko powiedzieć, że musimy być obiektywni — przerwała jej Siobhan.

— Ale to także nieprawda, mam rację? — Eylot wstała, szurając nogami krzesła po podłodze. Otworzyła drzwi lodówki, uświadomiła sobie, co robi, i zamknęła je. Na środkowej półce chłodziły się trzy butelki wina.

— Janet, czy Whitemire stanowi dla pani problem? — spytała Siobhan. — Nie lubi pani tej pracy?

— Nie znoszę.

— Więc niech to pani rzuci.

Eylot zaśmiała się ochryple.

— A gdzie ja znajdę inną robotę? Mam dwójkę dzieci, muszę je jakoś utrzymać... — Usiadła z powrotem i wpatrzyła się w okno. — Mam tylko Whitemire.

Whitemire, dwójkę dzieci i lodówkę...

— Co pani napisała na ścianie toalety, Janet? — spytała cicho Siobhan.

Oczy Eylot zaszły nagle łzami. Zamrugała, żeby się ich pozbyć.

— Coś o krwi — odparła łamiącym się głosem.

— Krew za krew? — podpowiedziała Siobhan. Kobieta przytaknęła; po jej policzkach spływały łzy.

Nie zostali u niej długo. Po wyjściu na dwór z ulgą odetchnęli świeżym powietrzem.

— Masz dzieci, Les? — spytała Siobhan.

Pokręcił głową.

— Nie, chociaż byłem żonaty. Przez rok, rozstaliśmy się jedenaście miesięcy temu. A ty?

— Nawet mi się o tym nie śniło.

— Ale ona daje sobie radę, co? — Zaryzykował rzut oka na dom za ich plecami.

— Myślę, że na razie nie ma potrzeby wzywać pomocy społecznej. — Przerwała na chwilę. — Dokąd teraz?

— Wracamy do bazy. — Spojrzał na zegarek. — Czas na fajrant. Ja stawiam, jeśli masz ochotę.

— Byle nie w Zmorze.

Uśmiechnął się do niej.

— W zasadzie wybieram się do Edynburga.

— Myślałam, że mieszkasz w Livingston.

— Tak, ale należę do klubu brydżowego...

— Grasz w brydża? — Nie mogła powstrzymać uśmiechu. Wzruszył ramionami.

— Zacząłem grać lata temu, jeszcze w szkole.

— Brydż... — powtórzyła.

— A co w tym złego? — Roześmiał się, ale zabrzmiało to jak odruch obronny.

— Nic. Tylko że próbuję sobie wyobrazić ciebie w smokingu i muszce...

— To wcale nie tak.

— To umówmy się na drinka na mieście i wtedy opowiesz mi, jak to jest. W Katedrze na George Street o wpół do siódmej?

— O wpół do siódmej — potwierdził.

Na Maybury można było polegać bardziej niż na sobie samym; oddzwoniła do Rebusa o piątej piętnaście. Zanotował godzinę, żeby móc wstawić ją do raportu... Przypomniał mu się jeden z naprawdę wielkich utworów The Who: *Out of my brain on the five-fifteen (O piątej piętnaście odchodzę od zmysłów)*.

— Puściłam jej taśmę — powiedziała Maybury.

— Nie traci pani czasu.

— Znalazłam numer jej komórki. Niesamowite, jak dzisiaj można się wszędzie dodzwonić.

— Czyli że ona jest we Francji?

— Owszem, w Bergerac.

— I co powiedziała?

— No cóż, jakość nagrania nie była najlepsza...

— Zdaję sobie z tego sprawę.

— W dodatku połączenie się rwało.

— Tak...?

— Ale kiedy puściłam jej to kilka razy, powiedziała, że ta kobieta jest z Senegalu. Nie jest stuprocentowo pewna, ale tak jej się wydaje.

— Senegal?

— Kraj w Afryce, francuskojęzyczny.

— No cóż, najmocniej dziękuję.

— Powodzenia, inspektorze.

Rebus odłożył słuchawkę. Poszedł poszukać Wylie i zastał ją pochyloną nad komputerem. Pisała raport z wydarzeń bieżącego dnia, który miał być włączony do Księgi Morderstwa.

— Senegal — poinformował ją.

— Gdzie to jest?

Rebus westchnął.

— W Afryce, rzecz jasna. Kraj francuskojęzyczny.

Zmrużyła oczy.

— Dowiedziałeś się tego przed chwilą od Maybury, tak?

— Ech, ty kobieto małej wiary.

— Małej wiary, ale za to wspaniałych pomysłów. — Zapisała dokument na dysku, weszła w Internet i wpisała do wyszukiwarki „Senegal".

Rebus przysunął sobie krzesło i usiadł obok niej.

— Tutaj — powiedziała, wskazując mapę Afryki, która ukazała się na ekranie. Senegal leżał na północno-zachodnim wybrzeżu kontynentu, od północy sąsiadując z Mauretanią, a od wschodu z Mali.

— Malutki — zauważył Rebus.

Wylie kliknęła na ikonę i otworzyła inną stronę.

— Tylko siedemdziesiąt sześć tysięcy mil kwadratowych — oznajmiła. — Czyli jakieś trzy czwarte wielkości Wielkiej Brytanii. Stolicą jest Dakar.

— Od tego rajdu Paryż—Dakar?

— Pewnie tak. Liczba ludności: sześć i pół miliona.

— Minus jeden.

— Czy ona jest pewna, że ta kobieta, która dzwoniła, jest z Senegalu?

— Zdaje się, że ma przypuszczenie graniczące z pewnością.

Wylie przesunęła palcem po danych statystycznych.

— Nic nie piszą, żeby w tym kraju były jakieś rozruchy albo co.

— Czyli że...?

Wylie wzruszyła ramionami.

— Być może ona nie ubiega się o azyl... możliwe nawet, że przebywa tutaj legalnie.

Rebus kiwnął głową, powiedział, że chyba zna kogoś, kto będzie wiedział, i zadzwonił do Caro Quinn.

— Chcesz się wymigać? — powiedziała.

— Wręcz przeciwnie... nawet mam dla ciebie prezent. — Na użytek Wylie poklepał kieszeń marynarki, z której wystawała złożona gazeta. — Ciekaw jestem, czy możesz mnie oświecić na temat Senegalu?

— Tego kraju w Afryce?

— Otóż to. — Rzucił okiem na monitor. — Głównie muzułmanie plus eksport orzeszków ziemnych.

Usłyszał, jak się roześmiała.

— No i co w związku z tym?

— Znasz jakichś uciekinierów stamtąd? Może są jacyś w Whitemire?

— Nie bardzo... Może Rada do spraw Uchodźców mogłaby pomóc.

— Jest to jakiś pomysł. — Ale w chwili, gdy wypowiadał te słowa, przyszła mu do głowy całkiem inna myśl. Jeżeli ktokolwiek wie coś na ten temat, to tylko Urząd Imigracyjny. — Do zobaczenia — rzucił i rozłączył się.

Wylie siedziała ze splecionymi na piersi rękami i uśmiechem na twarzy.

— Twoja znajoma sprzed Whitemire? — domyśliła się.

— Nazywa się Caro Quinn.

— I jesteś z nią umówiony?

— No i co z tego? — Ramiona Rebusa podskoczyły.

— Dowiedziałeś się od niej czegoś na temat Senegalu?

— Tylko tyle, że w Whitemire nie ma uchodźców z tego kraju. Powiedziała, że porozumie się z Radą do spraw Uchodźców.

— A co z Mo Dirwanem? Wygląda mi na takiego, który mógłby coś wiedzieć.

Rebus skinął głową.

— Mógłabyś do niego zadzwonić?

Wylie wskazała na siebie palcem.

— Ja? Przecież to ty jesteś jego bohaterem.

Skrzywił się.

— Zejdź ze mnie, Ellen.

— No tak, zapomniałam... masz dzisiaj randkę. Pewnie chciałbyś się zmyć do domu, żeby się zrobić na bóstwo.

— Słuchaj, jeżeli się dowiem, że plotkowałaś na ten temat...

Uniosła ręce, jakby się poddawała.

— Będę milczeć jak grób, donżuanie. A teraz zmykaj... zobaczymy się w przyszłym tygodniu.

Rebus zmierzył ją wzrokiem, lecz pomachała, żeby wreszcie poszedł. Zdążył zrobić trzy kroki w kierunku drzwi, gdy usłyszał, że Ellen go woła. Odwrócił się.

— Przyjmij radę od kogoś, kto zna się na rzeczy. — Wskazała gazetę, którą miał w kieszeni. — Pakowanie prezentów to wielka sztuka...

19

Wieczorem, świeżo wykąpany i ogolony, Rebus stanął przed drzwiami mieszkania Caro Quinn. W środku rozejrzał się, ale nie dostrzegł śladów obecności matki czy dziecka.

— Ayisha pojechała do przyjaciół — wyjaśniła Quinn.

— Do przyjaciół?

— Każdy ma prawo mieć przyjaciół, John, ona też. — Quinn pochyliła się i wsunęła na lewą stopę but na niskim obcasie.

— Nie miałem nic złego na myśli — rzucił obronnym tonem.

Wyprostowała się.

— Owszem, miałeś, ale nie przejmuj się. Mówiłam ci, że Ayisha w swoim kraju była pielęgniarką?

— Tak.

— Chciała pracować tu w swoim zawodzie... ale ludzie ubiegający się o azyl nie mają prawa do pracy. Zaprzyjaźniła się jednak z kilkoma pielęgniarkami, a jedna z nich właśnie urządziła spotkanie.

— Mam tu coś dla dziecka — powiedział Rebus, wyjmując z kieszeni grzechotkę. Quinn podeszła, wzięła zabawkę i potrząsnęła nią. Spojrzała na niego i uśmiechnęła się.

— Zaniosę jej do pokoju.

Gdy został sam, uświadomił sobie, że cały jest zlany potem, a koszula klei mu się do pleców. Miał ochotę zdjąć marynarkę, lecz bał się, że będzie widać mokre plamy. Właśnie, to przez tę marynarkę: wełna setka, dobra na zewnątrz, ale nie w domu.

Wyobraził sobie, jak podczas kolacji krople potu spadają mu do zupy...

— Nie powiedziałeś mi jeszcze, że dobrze sprzątam — odezwała się Quinn, wracając do pokoju. Wciąż była tylko w jednym bucie. Na nogach miała czarne rajstopy, ginące pod sięgającą kolan czarną spódnicą. Bluzka o barwie musztardy była tak wycięta, że odsłaniała ramiona.

— Świetnie wyglądasz — rzekł.

— Dzięki. — Włożyła drugi but.

— Dla ciebie też mam prezent — powiedział, podając jej gazetę.

— A ja myślałam, że wziąłeś ją, żeby mieć się czym zająć, kiedy już znudzi cię moje towarzystwo. — Nagle zobaczyła, że gazeta przewiązana jest wąską czerwoną wstążką. — To miłe — dorzuciła, rozwiązując ją.

— Myślisz, że po tym samobójstwie coś się zmieni?

Zastanowiła się nad odpowiedzią, stukając gazetą w lewą dłoń.

— Raczej nie — odparła w końcu. — Z punktu widzenia rządu sprawa wygląda tak, że przecież muszą ich gdzieś trzymać. Więc dlaczego nie w Whitemire?

— Gazeta pisze o „kryzysie".

— Tylko dlatego, że słowo „kryzys" przyciąga uwagę. — Rozłożyła gazetę i spojrzała na swoje zdjęcie. — Przez to kółko wokół mojej głowy wyglądam jak cel na strzelnicy.

Rebus zmrużył oczy.

— Dlaczego tak mówisz?

— John, przez całe życie trzymałam z radykałami. Okręty podwodne w Faslane, elektrownia w Torness, Greenham Common... Protestowałam wszędzie, gdzie tylko można sobie wyobrazić. Czy w tej chwili mój telefon jest na podsłuchu? Nie wiem. A czy był na podsłuchu w przeszłości? Tego jestem prawie pewna.

Rebus spojrzał na aparat telefoniczny.

— Pozwolisz...? — Nie czekając na odpowiedź, podniósł słuchawkę, nacisnął zielony guzik i słuchał. Potem przerwał połączenie, wznowił je i znów się rozłączył. Odkładając słuchawkę, spojrzał na Quinn i pokręcił głową.

— Potrafisz to poznać? — spytała.

Wzruszył ramionami.

— Może.

— Uważasz, że przesadzam, prawda?

— Co nie znaczy, że nie masz do tego podstaw.

— Założę się, że sam kiedyś zakładałeś podsłuchy na telefon... może podczas strajków górników?

— No i kto tu kogo przesłuchuje?

— Tylko dlatego, że jesteśmy wrogami, pamiętasz?

— A jesteśmy?

— Większość twoich kolegów po fachu tak by uważała, nawet gdybym nie była w bojowym rynsztunku.

— Różnię się od większości moich kolegów po fachu.

— To prawda. Inaczej nie wpuściłabym cię za próg.

— A dlaczego mnie zaprosiłaś? Chciałaś mi pokazać te zdjęcia, tak?

Po chwili skinęła głową.

— Chciałam, żebyś dostrzegł w nich ludzi, a nie tylko problem. — Wygładziła spódnicę i odetchnęła głęboko, sugerując zmianę tematu. — A więc jaki lokal zaszczycimy dziś naszą obecnością?

— Na Leith Walk jest dobra włoska knajpa. — Przerwał. — Ty pewnie jesteś wegetarianką?

— Boże jedyny, ty nic tylko przypuszczasz. Ale tym razem akurat masz rację. Włoska restauracja może być... duży wybór makaronów i pizzy.

— A więc idziemy do włoskiej.

Zbliżyła się do niego o krok.

— Wiesz, pewnie mniej byś się męczył, gdybyś spróbował się odprężyć.

— Jestem tak odprężony, jak to tylko możliwe bez alkoholu. To mój upiór.

Wzięła go pod rękę.

— Wobec tego chodźmy poszukać twojego upiora, John...

— ...no i byli ci trzej Kurdowie, pewnie widziałeś ich w wiadomościach; w ramach protestu zaszyli sobie usta, a jeszcze inny zaszył sobie oczy... oczy, John!... większość z nich jest gotowa na wszystko, większość nie mówi po angielsku, a uciekli z najbardziej niebezpiecznych miejsc na ziemi... z Iraku, Somalii, Afganistanu... kilka lat temu mieliby duże szanse uzyskać zgodę na pobyt, ale teraz tak wzmożono restrykcje, że... niektórzy uciekają się do środków ostatecznych, na przykład drą swoje paszporty czy dowody osobiste, licząc na to, że dzięki temu nie będzie można ich odesłać, a w rezultacie trafiają do więzień albo lądują na ulicy... a nasi politycy dyskutują o tym, że kraj i tak jest zbyt zróżnicowany etnicznie... a ja... no, a ja po prostu czuję, że musimy z tym coś zrobić.

W końcu przerwała, by zaczerpnąć tchu, i podniosła kieliszek, do którego Rebus znów dolał jej wina. Wyglądało na to, że chociaż Caro Quinn wyrzekła się spożywania mięsa i drobiu, to jednak nie skreśliła alkoholu. Zjadła tylko połowę pizzy z grzybami i Rebus, który w mgnieniu oka pochłonął calzone, z trudem powstrzymywał się, by nie sięgnąć po kawałek z jej talerza.

— Zdawało mi się, że Wielka Brytania przyjmuje więcej uchodźców niż jakikolwiek inny kraj — powiedział.

— To prawda — przyznała.

— Więcej nawet niż Stany Zjednoczone?

Kiwnęła głową, z kieliszkiem wina przy ustach.

— Tylko że liczy się to, ilu z nich dostaje pozwolenie na stały pobyt. John, liczba uchodźców na świecie podwaja się co pięć lat. W samym Glasgow więcej ludzi ubiega się o azyl niż w jakimkolwiek innym hrabstwie, więcej niż w Walii i Irlandii Północnej razem wziętych, i wiesz, jaki jest rezultat?

— Rasizm kwitnie? — domyślił się.

— Kwitnie. Rasizm jest na fali, liczba napaści na tle rasowym co roku wzrasta o pięćdziesiąt procent. — Pokręciła głową tak gwałtownie, że jej długie srebrne kolczyki zawirowały.

Rebus sprawdził zawartość butelki — została jedna czwarta. Najpierw wypili butelkę valpolicelli, potem przeszli na chianti.

— Czy ja nie za dużo mówię? — spytała nagle.

— Ależ skąd.

Trzymała łokcie na stole; teraz podparła brodę dłońmi.

— Opowiedz mi o sobie, John. Dlaczego wstąpiłeś do policji?

— Z poczucia obowiązku — odparł. — Chciałem pomagać bliźnim. — Gdy wytrzeszczyła na niego oczy, uśmiechnął się. — Żartowałem. Po prostu szukałem pracy. Przez kilka lat służyłem w wojsku... może został mi sentyment do munduru.

Zmrużyła oczy.

— Jakoś nie widzę cię w roli gliniarza z pałą w ręku... Powiedz, co właściwie daje ci ta praca?

Przybycie kelnera uratowało Rebusa od odpowiedzi. Jak to w piątek wieczorem, w restauracji panował duży ruch. Siedzieli przy najmniejszym stoliku, w ciemnym kącie między barem a drzwiami do kuchni.

— Kolacja smakowała? — spytał kelner.

— Była wspaniała, Marco, ale już chyba mamy dość.

— Może deser dla pani? — zaproponował Marco. Był mały, okrąglutki, i chociaż większość swego czterdziestoletniego życia spędził w Szkocji, nie pozbył się włoskiego akcentu. Gdy weszli do restauracji, Caro Quinn wypytała go dokładnie, skąd pochodzi, i dopiero później uświadomiła sobie, że Rebus zna Włocha od lat.

— Przepraszam, że go tak wypytywałam — usprawiedliwiła się wtedy.

Rebus wzruszył tylko ramionami i odparł, że byłby z niej dobry detektyw.

Teraz kręciła głową, gdy Marco recytował spis deserów, z których każdy najwyraźniej był specjalnością lokalu.

— Tylko kawę — powiedziała. — Podwójne espresso.

— Dla mnie to samo, Marco, dzięki.

— A *digestif*, proszę pana?

— Dziękuję, tylko kawę.

— Dla pani też nie?

Caro Quinn pochyliła się.

— Marco, żebym się nie wiem jak upiła, i tak nie pójdę do łóżka z inspektorem Rebusem, więc nie próbuj rajfurzyć, zgoda?

Włoch tylko wzruszył ramionami, uniósł ręce, po czym odwrócił się nagle do baru i warknął, żeby przygotowali kawę.

— Czy nie za ostro go potraktowałam? — spytała Caro Rebusa.

— Może trochę.

Z powrotem oparła się na krześle.

— A on często pomaga ci uwodzić kobiety?

— Być może trudno będzie ci to sobie wyobrazić, Caro, ale nawet nie przeszło mi przez myśl, żeby kogoś uwodzić.

Spojrzała na niego.

— Dlaczego nie? Coś jest ze mną nie tak?

Roześmiał się.

— Wręcz przeciwnie. Ja tylko chciałem być... — Urwał, szukając właściwego słowa. — Szarmancki. — Nic lepszego nie przyszło mu do głowy.

Przemyślała to sobie, wzruszyła ramionami i odsunęła kieliszek.

— Nie powinnam tyle pić.

— Nawet nie skończyliśmy jeszcze butelki.

— Dzięki, ale ja chyba mam dość. Czuję, że za bardzo się rozgadałam... chyba nie tak wyobrażałeś sobie ten wieczór.

— Dowiedziałem się tego i owego... miło było cię słuchać.

— Naprawdę?

— Naprawdę. — Nie dodał, że wynikało to z prostego faktu, iż wolał jej słuchać, niż opowiadać o sobie. — Jak się posuwa twoja praca? — zapytał.

— Świetnie... kiedy już udaje mi się znaleźć na nią trochę czasu. — Przyglądała mu się uważnie. — Może powinnam namalować twój portret.

— Żebyś miała czym straszyć dzieci?

— Nie... po prostu masz coś w sobie. — Przekrzywiła głowę. — Trudno dostrzec, co kryje się za twoimi oczami. Ludzie przeważnie próbują ukryć to, że kalkulują, że są cyniczni... a ja mam wrażenie, że ty to wszystko wywalasz na wierzch.

— Ale w środku jestem delikatny i romantyczny?

— Nie wiem, czy posunęłabym się aż tak daleko.

Podano kawę. Rozsiedli się wygodnie i Rebus zaczął odwijać papierek z biszkopta z amaretto.

— Zjedz także mój, jeśli masz ochotę — powiedziała Quinn, wstając. — Przepraszam, muszę zajrzeć do... — Rebus uniósł się nieco z krzesła, tak jak aktorzy na starych filmach. Caro chyba zorientowała się, że jest to coś nowego w jego repertuarze, i znów się uśmiechnęła. — Faktycznie, szarmancki...

Gdy odeszła, zaczął szukać po kieszeniach komórki. Włączył ją i sprawdził wiadomości. Miał dwie, obie od Siobhan. Zadzwonił do niej i usłyszał w tle jakieś hałasy.

— To ja — powiedział.

— Poczekaj chwilkę... — Połączenie się rwało; usłyszał dźwięk otwieranych i zamykanych drzwi, po czym hałas w tle ucichł.

— Jesteś w Ox? — domyślił się.

— Owszem. Przedtem odwiedziłam z Lesem Youngiem Katedrę, ale był z kimś umówiony, więc potem zajrzałam tutaj. A ty co robisz?

— Jem kolację na mieście.

— Sam?

— Nie.

— Znam ją?

— Nazywa się Caro Quinn. Jest malarką.

— To ta, która prowadzi jednoosobową krucjatę przeciwko Whitemire?

Rebus zmrużył oczy.

— Zgadza się.

— Ja też czytam gazety, jakbyś nie wiedział. Jaka ona jest?

— Fajna. — Podniósł wzrok, bo Quinn wracała do stolika. — Słuchaj, zadzwonię później...

— Zaczekaj. Dzwoniłam do ciebie dlatego, że... właściwie to z dwóch powodów... — jej słowa zagłuszył warkot przejeżdżającego samochodu — ...i ciekawa jestem, czy o tym słyszałeś.

— Przepraszam, były zakłócenia. Czy słyszałem o czym?

— O Mo Dirwanie.

— A co z nim?

— Został pobity. Około szóstej wieczorem.

— W Knoxland?

— A gdzieżby indziej?

— W jakim jest stanie? — Patrzył na Quinn, która bawiła się łyżeczką do kawy, udając, że nie słucha.

— Chyba w niezłym. Kilka siniaków i skaleczeń.

— Zabrali go do szpitala?

— Dochodzi do siebie w domu.

— Wiemy, kto to zrobił?

— Przypuszczam, że rasiści.

— Mam na myśli konkretną osobę.

— John, jest piątek wieczorem.

— To znaczy?

— To znaczy, że poczekamy z tym do poniedziałku.

— Nie ma sprawy. — Myślał przez chwilę. — A po co jeszcze dzwoniłaś? Podobno miałaś dwa powody.

— Janet Eylot.

— Znam to nazwisko.

— Pracuje w Whitemire. Twierdzi, że to ona podała ci nazwisko Stefa Yurgii.

— To prawda. I co z tego?

— Chciałam tylko sprawdzić, czy nie kłamie.

— Obiecałem jej, że nie wpadnie w kłopoty.

— Nie wpadnie. — Siobhan przerwała. — W każdym razie jak dotąd nie wpadła. Jest szansa, że zobaczymy cię jeszcze w Ox?

— Być może uda mi się zajrzeć później.

Słysząc to, Quinn uniosła brwi. Rebus rozłączył się i schował komórkę do kieszeni.

— Przyjaciółka? — rzuciła Quinn z ironią.

— Koleżanka z pracy.

— A dokąd to może jeszcze potem „zajrzysz"?

— Do takiego baru, w którym czasem spotykamy się na drinka.

— Ten bar się jakoś nazywa?

— Oxford. — Podniósł filiżankę. — Dzisiaj ktoś nieźle oberwał... Mo Dirwan, adwokat.

— Znam go.

Skinął głową.

— Tak myślałem.

— On często odwiedza Whitemire. Wychodząc, zwykle zatrzymuje się przy mnie, żeby pogadać i się wyładować. — Na chwilę zatopiła się w myślach. — Nic mu się nie stało?

— Chyba nic.

— On mnie nazywa Czuwającą Damą... — Przerwała. — Co się stało?

— Nic. — Odstawił filiżankę na spodek.

— Nie możesz wciąż robić za rycerza na białym koniu.

— Nie o to chodzi.

— Więc o co?

— Zaatakowano go w Knoxland.

— I co z tego?

— To ja go prosiłem, żeby się tam pokręcił i podpytał sąsiadów.

— I dlatego czujesz się winny? Na ile znam Mo Dirwana, odpłaci im z nawiązką.

— Może i masz rację.

Dopiła kawę.

— To idź do tego baru. Chyba tylko tam uda ci się odprężyć.

Rebus dał znak Marco, że chce zapłacić.

— Najpierw odwiozę cię do domu — powiedział. — Skoro już mam być szarmancki, to do samego końca.

— John, chyba mnie nie zrozumiałeś... Ja jadę z tobą. — A kiedy wlepił w nią wzrok, dorzuciła: — No chyba że nie chcesz.

— Nie o to chodzi.

— A o co?

— Nie jestem pewien, czy to odpowiedni lokal dla ciebie.

— Ale dla ciebie jest odpowiedni, więc chciałabym go poznać.

— Myślisz, że wiedząc, gdzie się zalewam, dowiesz się czegoś o mnie?

— Kto wie? — Zmrużyła oczy. — Czy tego właśnie się boisz?

— Kto powiedział, że się boję?

— Widzę to w twoich oczach.

— Może po prostu martwię się o Mo Dirwana. — Przerwał. — Pamiętasz, jak opowiadałaś mi o tym, jak wyrzucili cię z Knoxland? — Pokiwała głową zbyt energicznie, zapewne pod wpływem alkoholu. — Może to robota tych samych facetów?

— Chcesz powiedzieć, że miałam szczęście, że skończyło się na ostrzeżeniu?

— Naprawdę nie przypomnisz sobie, jak wyglądali?

— Czapki baseballowe, kurtki z kapturami. — Ramionami także wzruszyła zbyt energicznie. — W zasadzie nic więcej nie widziałam.

— A ich akcent?

Uderzyła dłonią w obrus.

— Weź już dziś na wstrzymanie. Tylko na ten jeden wieczór.

Uniósł ręce, jakby się poddawał.

— Jak mógłbym odmówić?

— Nie mógłbyś — odparła w chwili, gdy Marco przyniósł rachunek.

Rebus próbował ukryć irytację. Nie chodziło nawet o to, że zastał Siobhan w pierwszej sali baru, tam gdzie on zwykle urzędował. Ale wyglądało na to, że podbiła cały lokal — mężczyźni tłoczyli się wokół niej, słuchając jej opowieści. Kiedy otworzył drzwi, uderzył go gromki wybuch śmiechu po kolejnej anegdocie.

Caro Quinn weszła za nim z wahaniem. Przy barze stał może z tuzin gości, lecz w tej ciasnej przestrzeni i tak tworzyli tłok. Quinn powachlowała ręką przed twarzą albo z powodu gorąca, albo wiszącego w powietrzu dymu z papierosów. Rebus uświadomił sobie, że nie palił już prawie od dwóch godzin, i doszedł do wniosku, że skoro tak, to wytrzyma jeszcze trzydzieści czy czterdzieści minut...

Pięknie, nie ma co!

— Wrócił syn marnotrawny! — zawołał jeden ze stałych klientów, klepiąc Rebusa po plecach. — Czego się napijesz, John?

— No coś ty, Sandy — odparł Rebus. — Ja stawiam. — Po czym zwrócił się do Quinn: — Co dla ciebie?

— Tylko sok pomarańczowy. — Podczas krótkiej jazdy taksówką przysnęła na chwilę, opierając głowę o ramię Rebusa. On siedział bez ruchu, żeby jej nie budzić, ale i tak dziura na jezdni wyrwała ją nagle z drzemki.

— Sok pomarańczowy i duże IPA — rzucił do barmana Harry'ego. Krąg wielbicieli Siobhan rozstąpił się na tyle, by nowo przybyli też mogli się pomieścić. Przedstawiano się, ściskano sobie ręce. Płacąc za drinki, Rebus zauważył, że Siobhan chyba pije dżin z tonikiem.

Harry przeskakiwał pilotem po kanałach telewizyjnych, opuszczając sportowe, aż wreszcie złapał program informacyjny. Za plecami prezentera widniało zdjęcie Mo Dirwana; prawnik, w ujęciu portretowym, uśmiechał się szeroko. Po chwili głos prezentera zaczął dobiegać zza kadru, a na ekranie pojawił się Dirwan stojący przed swoim domem. Miał podbite oko, zadrapania i różowy plaster na brodzie. Uniósł rękę, pokazując, że także jest zabandażowana.

— No i macie swoje Knoxland — skomentował jeden z bywalców.

— Twierdzi pan, że to strefa zakazana? — rzuciła lekko Quinn.

— Twierdzę, że nie należy się tam zapuszczać, jeżeli twoja twarz odstaje od reszty.

Rebus zauważył, że Quinn się najeżyła. Dotknął jej ramienia.

— Jak sok?

— Dobry. — Spojrzała na niego i chyba zrozumiała, o co mu chodzi. Kiwnęła lekko głową na znak, że nie da się sprowokować... nie tym razem.

Dwadzieścia minut później Rebus poddał się i zapalił. Spojrzał na Siobhan i Quinn pogrążone w rozmowie i usłyszał pytanie Caro:

— A jak się z nim pracuje?

Przeprosił dwóch gości, z którymi dyskutował o parlamencie, i przecisnął się między nimi do obu kobiet.

— Hej, czy ktoś pamiętał, żeby schować nauszniki do lodówki? — zapytał.

— Co proszę? — Quinn nie posiadała się ze zdumienia.

— Daje nam znać, że palą go uszy — wyjaśniła Siobhan. Quinn roześmiała się.

— Chciałam się czegoś o tobie dowiedzieć — wyjaśniła i zwróciła się do Siobhan: — Nic mi o sobie nie mówi.

— Nie martw się, ja znam wszystkie jego plugawe tajemnice...

Jak zwykle podczas udanych wieczorów w Ox, rozmowy toczyły się wartko, ludzie dyskutowali na dwa tematy naraz, łącząc się w grupki po to tylko, by po kilku minutach zmienić towarzystwo. Opowiadano kiepskie dowcipy, w powietrzu fruwały sprośne żarty i Caro Quinn zaczęła się denerwować, że „nikt już niczego nie traktuje poważnie". Ktoś inny zgodził się, że zapanowała kultura idiotów, ale Rebus szepnął jej na ucho coś, co uważał za świętą prawdę:

— Najbardziej poważni jesteśmy właśnie wtedy, kiedy żartujemy.

Później, gdy także sala na tyłach zapełniła się hałaśliwymi klientami, Rebus stanął w kolejce do baru po następne drinki i stwierdził, że Siobhan i Caro nigdzie nie widać. Spojrzał pytająco na jednego z bywalców, który ruchem głowy wskazał mu damską toaletę. Rebus skinął głową i uregulował rachunek. Na odchodne pozwolił sobie jeszcze na szklaneczkę whisky. Na szklaneczkę laphroiga i trzeciego... nie, czwartego papierosa. Na tym koniec. Gdy Caro wróci, zapyta ją, czy chce, żeby wzięli jedną taksówkę. Nagle od strony schodów prowadzących do toalet dobiegły go podniesione głosy. Nie była to jeszcze awantura, ale niewiele już brakowało. Inni klienci przerwali swoje rozmowy, żeby móc posłuchać sprzeczki.

— Ja tylko mówię, że ci ludzie mają prawo do pracy tak samo jak wszyscy inni!

— A nie sądzisz, że strażnicy w obozach koncentracyjnych mówili to samo?

— Na miłość boską, nie możesz porównywać tych dwóch rzeczy!

— Dlaczego nie? I jedni, i drudzy są moralnie odrażający...

Rebus zostawił drinki na ladzie i zaczął się przepychać przez tłum. Poznał wreszcie, czyje to głosy: Caro i Siobhan.

— Próbuję tylko wytłumaczyć, że przemawia za tym argument ekonomiczny — zwróciła się Siobhan do wszystkich gości. — Bo czy się to komu podoba, czy nie, Whitemire jest jedynym pracodawcą, jeśli ktoś ma nieszczęście mieszkać w Banehall!

Caro Quinn wzniosła oczy do nieba.

— Nie wierzę własnym uszom!

— Więc czas, żebyś o tym usłyszała... w realnym świecie nie każdego stać na takie rozterki moralne. W Whitemire pracują samotne matki. Co by się z nimi stało, gdybyś dopięła swego?

Rebus dotarł na szczyt schodów. Obie kobiety dzieliło zaledwie kilka cali. Ponieważ Siobhan była nieco wyższa, Caro Quinn stała na palcach, by patrzeć przeciwniczce prosto w oczy.

— Hej, spokojnie! — rzucił Rebus i uśmiechnął się pojednawczo. — Czy mi się zdaje, czy słyszę pijacki bełkot?

— Przestań traktować mnie z góry! — warknęła Quinn i zwróciła się do Siobhan: — A co powiesz na Guantánamo? Pewnie nie widzisz nic złego w tym, że zamyka się ludzi i pozbawia ich wszelkich, nawet najbardziej podstawowych praw?

— Caro, posłuchaj samej siebie... drzesz się na cały lokal! Sytuacja, o której mówię, odnosi się konkretnie do Whitemire...

Rebus popatrzył na Siobhan i zobaczył, że buzuje w niej napięcie całego tygodnia; musiała się jakoś wyładować. Przypuszczał, że z Caro jest podobnie. Awantura wisiała w powietrzu, bez względu na temat rozmowy.

Powinien zorientować się wcześniej; postanowił spróbować raz jeszcze.

— Moje panie...

Teraz obie przeszyły go wściekłym spojrzeniem.

— Caro, taksówka pewnie już czeka.

Wściekłość w jej oczach ustąpiła zdziwieniu. Próbowała przypomnieć sobie, kiedy zamawiała taksówkę. Rebus spojrzał w oczy Siobhan, wiedząc, że ona poznała się na jego kłamstwie, i zobaczył, jak uchodzi z niej napięcie.

— Wrócimy do tego innym razem — ciągnął, by uspokoić Caro. — Ale na dzisiaj powinniśmy dać sobie spokój.

Udało mu się jakoś sprowadzić Quinn po schodkach, przecisnąć przez tłum gości i dać znak Harry'emu, który skinął głową: zaraz wezwie taksówkę.

— Do zobaczenia, Caro! — zawołał któryś z bywalców.

— Uważaj na niego! — rzucił inny, dźgając Rebusa w pierś.

— Dzięki, Gordon — rzekł Rebus, odtrącając jego rękę.

Na dworze Quinn usiadła na chodniku, z nogami na jezdni, i ukryła twarz w rękach.

— Dobrze się czujesz? — spytał Rebus.

— Zdaje się, że mnie trochę poniosło. — Oderwała ręce od twarzy i odetchnęła głęboko nocnym powietrzem. — Nie dlatego, że się upiłam czy co. Po prostu w głowie mi się nie mieści, że ktoś może bronić tego obozu! — Obejrzała się na drzwi baru, jakby zastanawiała się, czyby tam nie wrócić i nie podjąć sprzeczki. — To znaczy... powiedz, że ty tak nie myślisz. — Spojrzała na niego. Pokręcił głową.

— Siobhan lubi się bawić w adwokata diabła — wyjaśnił, kucając obok niej.

Tym razem to Caro pokręciła głową.

— Nie o to poszło... ona naprawdę wierzyła w to, co mówi. Według niej Whitemire ma swoje dobre strony... — Spojrzała na niego, wypatrując reakcji na te słowa, które, jak przypuszczał, były dosłownym cytatem ze Siobhan.

— Widzisz, ona spędziła trochę czasu w Banehall — wyjaśniał dalej Rebus. — Tam naprawdę roboty ze świecą szukać...

— I to ma być usprawiedliwienie dla tego plugawego przedsięwzięcia?

Pokręcił głową.

— Moim zdaniem nic nie usprawiedliwia istnienia White-mire — odparł cicho.

Ujęła jego dłonie i uścisnęła. Zdawało mu się, że jej oczy zachodzą łzami. Siedzieli tak przez kilka minut. Po obu stronach ulicy mijali ich nocni imprezowicze; niektórzy przyglądali im się ciekawie, ale bez komentarzy. Rebus wrócił myślami do czasów, gdy on także hołdował szczytnym ideałom. Tyle że wybito mu je z głowy już za młodu — do wojska wstąpił w wieku szesnastu lat. No, może nie tyle wybito mu je z głowy, ile raczej zastąpiono innymi wartościami, mniej sprecyzowanymi, mniej odwołujący-mi się do uczuć. Teraz był już zahartowany. Spotykając na swej drodze kogoś w rodzaju Mo Dirwana, instynktownie doszukiwał się w nim oszusta, hipokryty, człowieka, który próbuje zbić majątek. A napotykając kogoś takiego jak Caro Quinn...?

Początkowo uważał ją za typową zepsutą przedstawicielkę klasy średniej. Całe to liberalne cierpienie, na które mogła sobie pozwolić... o ileż to przyjemniejsze od prawdziwego życia. Jednakże potrzeba było czegoś więcej, by dzień w dzień jeździć samotnie do Whitemire i wystawiać się na drwiny personelu, bez słowa podzięki ze strony przetrzymywanych tam ludzi. Do tego trzeba było mieć jaja.

Teraz widział, jak ta działalność odbija się na jej zdrowiu. Znowu oparła głowę na jego ramieniu. Oczy miała otwarte, patrzyła na budynek po drugiej stronie wąskiej uliczki. Był to zakład fryzjerski, przed którym stał maszt w biało-czerwone pasy. Przyszło mu na myśl, choć sam nie wiedział dlaczego, że czer-wień i biel symbolizują krew i bandaże. Usłyszał warkot diesla nadjeżdżającego samochodu i zalało ich światło reflektorów.

— Jest taksówka — powiedział, pomagając Caro wstać z chodnika.

— Nie pamiętam, kiedy ją zamawiałam — przyznała się.

— Bo nie zamawiałaś — odparł z uśmiechem i otworzył jej drzwi wozu.

Powiedziała mu, że zaproszenie na kawę oznacza dokładnie tyle i nic więcej, bez żadnych eufemizmów. Skinął głową, bo chciał bezpiecznie odprowadzić ją do mieszkania. Postanowił, że potem wróci do siebie piechotą, żeby spalić nieco alkoholu.

Drzwi do sypialni Ayishy były zamknięte. Minęli je na palcach i przeszli do salonu. Za następnymi drzwiami była kuchnia. Caro nastawiła czajnik, on zaś tymczasem przejrzał jej kolekcję płyt — same winyle, żadnych kompaktów. Znalazł albumy, których nie widział od lat: Steppenwolf, Santana, Mahavishnu Orchestra... Caro wróciła z kuchni z kartką w ręku.

— Leżała na stole — powiedziała, podając mu ją. Było to podziękowanie za grzechotkę. — Może być bezkofeinowa? Bo jeśli nie, to zostaje tylko herbata miętowa...

— Niech będzie bezkofeinowa.

Dla siebie zaparzyła herbatę, której zapach wypełnił mały kwadratowy pokój.

— Lubię tu siedzieć w nocy — powiedziała, wyglądając przez okno. — Czasami pracuję przez kilka godzin...

— Ja też.

Uśmiechnęła się sennie i usiadła na krześle naprzeciwko niego, dmuchając na herbatę w kubku.

— Wciąż nie wiem, co o tobie myśleć, John. Z większością ludzi jest tak, że przeważnie w ciągu pół minuty wiemy, czy nadają na tych samych falach, czy nie.

— A ja nadaję na krótkich czy na UKF-ie?

— Właśnie nie wiem. — Mówili szeptem, żeby nie zbudzić matki ani dziecka. Caro próbowała powstrzymać ziewnięcie.

— Powinnaś się już położyć — rzekł Rebus.

Kiwnęła głową.

— Najpierw dopij kawę.

On jednak pokręcił głową, odstawił kubek na podłogę i wstał.

— Późno już.

— Przepraszam, jeśli...

— Jeśli co?

Wzruszyła ramionami.

— Siobhan jest twoją przyjaciółką... Oxford to twój bar...

— I ona, i on mają grubą skórę — zapewnił ją.

— Nie powinnam tam z tobą przychodzić. Miałam kiepski nastrój.

— Czy w ten weekend wybierasz się do Whitemire?

Znowu wzruszyła ramionami.

— To też zależy od mojego nastroju.

— No nic, gdybyś się nudziła, zadzwoń.

Ona także wstała. Podeszła do niego i stanęła na palcach, żeby go pocałować w lewy policzek. Kiedy się odsunęła, nagle rozszerzyły się jej oczy i gwałtownie podniosła dłoń do ust.

— Co się stało? — zapytał.

— Właśnie sobie przypomniałam... Pozwoliłam ci zapłacić za kolację!

Uśmiechnął się i ruszył do drzwi.

Wracał pieszo Leith Walk, sprawdzając, czy Siobhan nie zostawiła mu wiadomości na komórce. Żadnych wiadomości nie było. Wybiła północ. Przypuszczał, że powrót do domu zabierze mu pół godziny. Na South Bridge i Clerk Street będą tłumy pijaków, wsuwających to, co tam jeszcze zostało w budkach z rybą i frytkami; potem pewnie przeniosą się na Cowgate, do barów czynnych do drugiej nad ranem. Przy barierkach na South Bridge można było przystanąć i popatrzeć w dół na Cowgate, niczym na zwierzęta w zoo. O tej porze ulica była zamknięta dla ruchu — zbyt wielu pijaków padało na jezdnię, wprost pod koła. Rebus wiedział, że mógłby jeszcze skoczyć na drinka do Royal Oak, ale z pewnością panował tam niemożliwy tłok. Nie, pójdzie do domu, i to tak dziarskim krokiem, jak to możliwe; wypoci jutrzejszego kaca. Ciekaw był, czy Siobhan wróciła już do siebie. Mógłby do niej zadzwonić i oczyścić atmosferę. Z drugiej strony, jeżeli jest na bani... Lepiej poczekać z tym do rana.

Rano wszystko będzie wyglądać lepiej — ulice zlane wodą, kosze na śmieci opróżnione, odłamki szkła uprzątnięte. Przechodząc na drugą stronę Princess Street, zauważył, że na środku North Bridge toczy się bójka, a taksówki zwalniają i omijają dwóch młodych mężczyzn. Trzymali się nawzajem za kołnierze, tak że widać było tylko czubki ich głów, i wymachiwali rękami i nogami. Nie mieli broni. Rebus znał wszystkie kroki tego tańca. Szedł dalej, mijając dziewczynę, o której względy rywalizowali tamci dwaj.

— Marty! — wrzeszczała. — Paul! Czy wam, kurwa, całkiem odbiło?!

Oczywiście sama nie wierzyła w to, co mówi. Oglądała przedstawienie roziskrzonymi oczami... przecież to wszystko dla niej! Przyjaciółki pocieszały ją i obejmowały, chcąc też znaleźć się w centrum wydarzeń.

Nieco dalej jacyś ludzie śpiewali, że są zbyt sexy, żeby nosić koszule — tłumaczyło to, dlaczego wyrzucili je gdzieś po drodze. Przy wtórze szyderczych okrzyków przejechał wóz policyjny, odprowadzany lasem wystawionych palców. Ktoś kopnął butelkę na jezdnię, budząc okrzyki radości, gdy wybuchła pod kołami radiowozu. Ale policjanci nie zwracali na to uwagi.

Nagle drogę zastąpiła Rebusowi młoda kobieta. Miała długie, opadające brudnymi strąkami włosy i wygłodniałe oczy; najpierw poprosiła go o pieniądze, potem o papierosa, aż w końcu zapytała, czy nie chciałby „pójść w tango". Zwrot ten zabrzmiał dziwnie staroświecko. Ciekawe, czy nauczyła się go z jakiegoś filmu, czy z książki.

— Spływaj do domu, zanim cię zamknę — poradził jej.

— Do domu? — wymamrotała, jak gdyby był to zupełnie nowy pomysł, na jaki nigdy by nie wpadła. Mówiła z angielskim akcentem. Rebus pokręcił głową i ruszył dalej. Przeszedł na Buccleuch Street. Tutaj było spokojniej, a jeszcze spokojniej było dalej, na Błoniach; przemierzając ten teren, przypomniał sobie, że kiedyś znajdowało się tam gospodarstwo rolne. Wchodząc na Arden Street, spojrzał w górę na okna kamienic. Nie zauważył studenckich imprez, niczego, co zakłóciłoby mu sen. Za plecami usłyszał dźwięk otwieranych drzwi samochodu i okręcił się na pięcie, spodziewając się Feliksa Storeya. Ale ci dwaj byli biali, ubrani na czarno, poczynając od koszulek polo aż po buty. Chwilę trwało, zanim ich sobie przypomniał.

— Żarty sobie robicie? — odezwał się.

— Wisisz nam latarkę — powiedział dowódca. Jego młodszy kolega patrzył na inspektora wilkiem. Rebus poznał, że to Alan, ten sam, od którego pożyczył ich zabawkę.

— Ktoś ją ukradł — odparł, wzruszając ramionami.

— To bardzo drogi sprzęt — rzekł dowódca. — Obiecałeś ją zwrócić.

— Nie opowiadaj mi, że nigdy nie straciliście sprzętu. — Ale wyraz twarzy mężczyzny mówił Rebusowi, że żaden argument do niego nie trafi, że odwoływanie się do poczucia koleżeństwa mija się z celem. Jednostka antynarkotykowa uważała się za siłę natury, niezależną od pozostałych gliniarzy. Rebus uniósł ręce, jakby się poddawał. — Wypiszę wam czek.

— Nie chcemy czeku. Chcemy dostać taką samą latarkę jak ta, którą ci daliśmy. — Mężczyzna podał Rebusowi jakąś kartkę. — Masz tu nazwę producenta i model.

— Wpadnę jutro do sklepu Argos...

Ale dowódca kręcił głową.

— Zdaje ci się, że jesteś dobrym detektywem? Przekonamy się, czy uda ci się to namierzyć.

— Będzie w Argos albo w Dixon's... dam wam znać gdzie.

Mężczyzna podszedł do niego i zadarł brodę.

— Lepiej znajdź tę latarkę, jeśli chcesz mieć nas z głowy. — Dźgnął palcem w kartkę. Zadowolony z efektu, odwrócił się na pięcie i ruszył do samochodu. Młodszy kolega poszedł za nim.

— Uważaj na niego, Alan! — zawołał Rebus. — Przytul go, potrzeba mu trochę czułości.

Gdy odjeżdżali, pomachał im, wszedł po schodach na górę i otworzył drzwi mieszkania. Deski podłogi zaskrzypiały w proteście. Podszedł do sprzętu grającego i cichutko nastawił płytę kompaktową: Dick Gaughan. Potem opadł na swój ulubiony fotel i poszukał w kieszeniach papierosów. Zaciągnął się dymem i zamknął oczy. Świat zaczął się kołysać, a on razem z nim. Wolną ręką przytrzymał się poręczy fotela i zaparł się stopami o podłogę. Gdy zadzwonił telefon, był pewien, że to Siobhan. Schylił się i podniósł słuchawkę.

— A jednak jesteś w domu — usłyszał jej głos.

— A myślałaś, że gdzie będę?

— Czy muszę ci na to odpowiadać?

— Widzę, że masz robaczywe myśli — rzekł. A potem dodał: — Nie mnie jednemu należą się od ciebie przeprosiny.

— Przeprosiny? — Podniosła głos. — A niby za co miałabym przepraszać, na miłość boską?

— Trochę za dużo wypiłaś.

— To nie ma z tym nic wspólnego. — Jej głos brzmiał ponuro, ale wydawała się trzeźwa.

— Skoro tak mówisz.

— Rozumiem, że dla ciebie to żadna atrakcja...

— Jesteś pewna, że masz ochotę ciągnąć tę rozmowę?

— A co, zarejestrujesz ją i wykorzystasz w charakterze dowodu rzeczowego?

— Trudno jest cofnąć słowa, kiedy już się je wypowie.

— W przeciwieństwie do ciebie, John, nigdy nie byłam dobra w duszeniu wszystkiego w sobie.

Rebus zauważył na podłodze pół kubka zimnej kawy. Upił łyk, przełknął.

— A więc nie pochwalasz mojego wyboru towarzystwa...

— Nie moja sprawa, z kim się umawiasz.

— To ładnie z twojej strony.

— Tyle że wy jesteście zupełnie różni.

— To źle?

Westchnęła głośno; ten dźwięk przypominał zakłócenia na linii.

— Słuchaj, ja tylko próbuję powiedzieć... My nie jesteśmy tylko kolegami z pracy, zgodzisz się? Nas łączy coś więcej... jesteśmy przyjaciółmi.

Rebus uśmiechnął się, słysząc pauzę przed „przyjaciółmi". Czyżby chciała powiedzieć „partnerami", ale zrezygnowała z tego, żeby uniknąć dwuznaczności?

— Więc jako przyjaciółka nie chcesz, żebym podejmował nietrafne decyzje?

Milczała dostatecznie długo, by zdążył dopić kawę.

— A właściwie dlaczego tak się nią interesujesz? — zapytała.

— Może właśnie dlatego, że jest inna.

— To znaczy dlatego, że ma głowę nabitą jakimiś mętnymi ideami?

— Nie znasz jej na tyle, żeby mówić coś podobnego.

— Ale znam ten typ.

Rebus zamknął oczy i potarł grzbiet nosa. Mówiłem mniej więcej to samo, zanim napatoczyła się ta sprawa, pomyślał.

— Znowu stąpamy po kruchym lodzie, Shiv. Prześpij się lepiej, co? Zadzwonię rano.

— Myślisz, że do tej pory zmienię zdanie?

— To już zależy od ciebie.

— Zapewniam cię, że nic z tego.

— Twoje prawo. Pogadamy jutro.

Milczała tak długo, że Rebus obawiał się, iż przysnęła. Nagle jednak odezwała się:

— Czego tam słuchasz?

— Dicka Gaughana.

— Brzmi tak, jakby był na coś wściekły.

— Taki już ma styl. — Wyciągnął kartkę z danymi latarki.

— Typowo szkocka cecha, co?

— Może.

— No to dobranoc, John.

— Jeszcze jedno... Skoro nie dzwoniłaś z przeprosinami, to właściwie po co?

— Nie chciałam, żebyśmy się pokłócili.

— A pokłóciliśmy się?

— Mam nadzieję, że nie.

— A więc nie sprawdzałaś, czy tkwię tu sam jak palec?

— Udam, że tego nie słyszałam.

— Dobranoc, Shiv. Śpij smacznie.

Odłożył słuchawkę, odchylił głowę na oparcie fotela i znów zamknął oczy.

Nie partnerzy... tylko przyjaciele.

Dzień szósty i siódmy

Sobota – niedziela

20

W sobotę z samego rana przekręcił do Siobhan. Gdy zgłosiła się automatyczna sekretarka, zostawił krótką wiadomość: „Tu John, dzwonię, tak jak obiecałem w nocy... odezwę się niedługo". Potem zadzwonił na komórkę, ale i tu odezwała się poczta głosowa i musiał się nagrać.

Po śniadaniu pogrzebał w szafie w przedpokoju i w pudłach pod łóżkiem, skąd wyczołgał się utytłany w kurzu i kłakach, przyciskając do piersi pliki fotografii. Wiedział, że nie zostało mu wiele zdjęć rodzinnych, większość z nich zabrała była żona. Zatrzymał jednak kilka fotografii, do których czuła, że nie ma prawa — członków swojej rodziny, matki i ojca, ciotek i wujków. Niewiele tego było, prawdopodobnie większość miał jego brat albo zaginęły w ciągu tych wszystkich lat. Swego czasu jego córka, Sammy, lubiła się nimi bawić — wpatrywała się w nie długo, przesuwając palcami po ząbkowanych krawędziach, dotykając twarzy o barwie sepii, upozowanych w studiu. Wypytywała go wtedy, kim są ci ludzie, a on zaglądał, czy na odwrocie nie ma przypadkiem podpisu, po czym wzruszał ramionami.

Jego dziadek ze strony ojca przybył do Szkocji z Polski. Rebus nie wiedział, dlaczego dziadek wyemigrował. Było to jeszcze przed nastaniem faszyzmu, więc domyślał się, że z powodów ekonomicznych. Dziadek był wtedy młodym człowiekiem, nieżonatym, i dopiero rok później czy coś koło tego poślubił kobietę z Fife. Rebus niezbyt dobrze orientował się w historii swej rodziny z tamtego okresu. Właściwie to chyba nawet specjalnie się nie dopytywał. A jeśli pytał, to pewnie ojciec albo nie chciał mu odpowiedzieć, albo sam nie wiedział. Możliwe, że dziadek nie chciał pamiętać o pewnych sprawach, a tym bardziej dyskutować o nich z innymi ludźmi.

Podniósł jedno zdjęcie. Przedstawiało chyba jego dziadka — mężczyznę w średnim wieku, z rzadkimi, gładko zaczesanymi czarnymi włosami; wystrojony w swoje najlepsze niedzielne ubranie, uśmiechał się sztucznie. Zdjęcie wykonano w zakładzie fotograficznym, na tle malowanych pól i jasnego nieba. Na odwrocie była pieczątka z adresem fotografa w Dunfermline. Rebus jeszcze raz przyjrzał się zdjęciu, szukając w dziadku czegoś z siebie — układu mięśni twarzy czy charakterystycznej pozy. Ale ten mężczyzna był dla niego kimś zupełnie obcym. Historia jego rodziny składała się z kolekcji pytań, które zadano zbyt późno, z niepodpisanych zdjęć, nie wiadomo kiedy i gdzie zrobionych. Niewyraźne, wykrzywione w uśmiechach usta, ściągnięte twarze robotników i ich rodzin. Rebus zastanowił się, kto jeszcze mu został: córka Sammy i brat Michael. Dzwonił do nich czasami, przeważnie kiedy za dużo wypił. Być może zadzwoni do nich później, ale tylko, jeżeli się nie wstawi.

— Nic o tobie nie wiem — powiedział do mężczyzny na fotografii. — Nie mam nawet stuprocentowej pewności, czy jesteś tym, za kogo cię biorę... — Ciekaw był, czy ma jeszcze jakichś krewnych w Polsce. Ani chybi są ich całe wioski, klan kuzynów, którzy nie znają angielskiego, ale pewnie ucieszyliby się na jego widok. A może jego dziadek nie był jedynym, który wyjechał? Może jego rodzina rozproszyła się po Ameryce i Kanadzie, a także na wschodzie, w Australii? Niektórzy być może zginęli zamordowani przez hitlerowców, a inni kto wie, czy im nie pomagali? Nieopowiedziane historie, przeplatające się z jego własnym życiem...

Znowu pomyślał o uciekinierach i ludziach ubiegających się o azyl, o emigracji zarobkowej. Przywozili ze sobą nieufność i pretensje do świata; niczym ludzie pierwotni obawiali się wszystkiego co nowe, wszystkiego, co czeka na nich poza granicami obozu. Być może dlatego Siobhan zareagowała tak na Caro Quinn — Caro nie była z tej paczki. Wystarczy przemnożyć tę nieufność i już miało się sytuację jak w Knoxland.

Rebus nie miał nic przeciwko samemu Knoxland, osiedle było po prostu symptomem panoszącej się choroby, niczym więcej. Zdał sobie sprawę, że te stare zdjęcia i tak nic mu nie powiedzą, że tylko dowodzą, iż nie tu są jego korzenie.

A poza tym miał coś do załatwienia.

Nigdy nie przepadał za Glasgow. Wszędzie tylko beton i wysoka zabudowa. Gubił się w tym mieście i nie potrafił znaleźć punktów orientacyjnych. Niektóre dzielnice wyglądały tak, jakby mogły połknąć cały Edynburg. Ludzie też byli tam inni; nie potrafił powiedzieć, czy chodziło o ich akcent, czy o mentalność. W każdym razie czuł się w tym mieście nieswojo.

Chociaż miał plan miasta, i tak zaraz po zjeździe z autostrady skręcił w złą ulicę. Zbyt szybko wjechał do miasta i wkrótce znalazł się niedaleko więzienia Barlinnie. Powoli przedzierał się do centrum przez sobotni tłum ludzi robiących zakupy. W dodatku lekka mżawka przeszła w deszcz, przez co nazwy ulic i znaki drogowe były jeszcze mniej widoczne. Mo Dirwan powiedział, że Glasgow jest europejską stolicą morderstwa; Rebus zastanawiał się, czy nie wynika to z tutejszego systemu ruchu drogowego.

Dirwan mieszkał w Calton, pomiędzy Necropolis a Glasgow Green. Była to ładna okolica, pełna zieleni i starych drzew. Rebus znalazł właściwy dom, ale nigdzie nie było miejsca do parkowania. Zatoczył więc jeszcze koło, w końcu jednak pieszo przebiegł sto jardów od samochodu do drzwi frontowych. Był to solidny bliźniak z czerwonego kamienia, z niedużym ogródkiem od frontu. Drzwi były nowe — szklane, z oprawionymi w ołów rombami z matowego szkła. Rebus zadzwonił i czekał, ale Mo nie było w domu. Jego żona wiedziała jednak, kim jest inspektor, i próbowała go zaprosić do środka.

— Ja tylko chciałem sprawdzić, czy z nim wszystko w porządku — protestował Rebus.

— Musi pan na niego zaczekać. Gdyby się dowiedział, że pana puściłam...

Inspektor spojrzał na jej dłoń, którą ściskała mu ramię.

— Nie wygląda na to, żeby chciała mnie pani puścić...

Cofnęła rękę, uśmiechając się z zakłopotaniem. Była młodsza

od męża o dziesięć, a może i piętnaście lat; jej szyję i twarz okalały fale lśniących czarnych włosów. Umalowana była mocno, lecz starannie — oczy na ciemno, usta na karminowo.

— Przepraszam — powiedziała.

— Nie ma za co, miło wiedzieć, że komuś na mnie zależy. Czy Mo wróci niedługo?

— Nie jestem pewna. Musiał pojechać do Rutherglen. Ostatnio były tam jakieś kłopoty.

— O?

— Mam nadzieję, że to nic poważnego, po prostu grupy wyrostków wdały się w bójkę. — Wzruszyła ramionami. — Na pewno Azjaci ponoszą nie mniejszą winę niż pozostali.

— Więc co Mo tam robi?

— Bierze udział w spotkaniu mieszkańców.

— Czy wie pani, gdzie to się odbywa?

— Mam adres.

Wskazała w głąb domu, a Rebus kiwnął głową na znak, żeby go przyniosła. Oddalając się, nie pozostawiła po sobie zapachu perfum. Czekał na nią w progu, chroniąc się przed deszczem. Wciąż padała lekka, uparta mżawka. Szkoci nazywali ją „dżdżawką”. Zastanawiał się, czy w innych językach mają podobne określenia. Gdy kobieta wróciła i podała mu kartkę, ich palce się musnęły i poczuł prąd.

— Wyładowanie elektryczne — wyjaśniła, wskazując dywan w przedpokoju. — Wciąż powtarzam Mo, że musimy go zmienić na wełniany.

Rebus kiwnął głową, podziękował jej i wrócił truchtem do samochodu. Na planie miasta znalazł adres, który mu podała. Na oko czekało go piętnaście minut jazdy, głównie po południowej stronie Dalmarnock Road. Niedaleko był stadion Parkhead, ale Celtics grali tego dnia na wyjeździe, dzięki czemu nie powinien trafić na korki i objazdy. Niestety, deszcz wygnał zakupowiczów i turystów do samochodów. Oderwał się od planu miasta na kilka minut i stwierdził, że znów skręcił nie tam, gdzie trzeba, i zmierza w kierunku Cambuslang. Zjechał do krawężnika i czekał, aż będzie mógł zawrócić, gdy naraz otworzyły się tylne drzwi i do samochodu wskoczyło dwóch mężczyzn.

— W samą porę — powiedział jeden z nich. Trącił piwem

i papierosami. Otrząsnął z wody mokre strąki kręconych włosów, zupełnie jak pies.

— Co jest, do kurwy nędzy? — rzucił Rebus podniesionym głosem. Obrócił się na siedzeniu, by tamci mogli sobie obejrzeć wyraz jego twarzy.

— To nie nasza taksówka? — zapytał drugi z nich. Miał nos jak truskawka, kwaśny oddech i zęby poczerniałe od ciemnego rumu.

— A jak wam się, kurwa, zdaje? — krzyknął Rebus.

— Przepraszam, stary, najmocniej przepraszam... To nieporozumienie.

— Jasne, bez urazy — dorzucił jego kompan.

Rebus wyjrzał przez boczną szybę i zobaczył bar, z którego właśnie wybiegli. Budynek z żużlowych pustaków, solidne drzwi, bez okien... Tamci dwaj zamierzali wysiąść z samochodu.

— Nie jedziecie przypadkiem do Wardlawhill? — zapytał ich spokojniejszym tonem.

— Zwykle tam zaglądamy, ale przy tym deszczu, i w ogóle... Rebus skinął głową.

— No dobra, to może wyrzucę was tam przy centrum handlowym?

Spojrzeli po sobie, a potem na niego.

— A wiele by nas to kosztowało?

Rebus beztrosko machnął ręką.

— Dziś jestem dobrym samarytaninem.

— Będziesz nas pan nawracać czy co? — Pierwszy z nich zmrużył oczy w wąskie szparki.

Rebus wybuchnął śmiechem.

— Bez obawy, nie będę wam „wskazywał właściwej drogi", nic z tych rzeczy. — Przerwał. — Wręcz przeciwnie.

— Że co?

— Chcę, żebyście to wy pokazali mi drogę.

Zanim krótka kręta jazda przez osiedle dobiegła końca, wszyscy trzej byli już na ty. Rebus zapytał ich, czy nie wybierają się na zebranie mieszkańców.

— Nie wychylać się, oto moja filozofia — usłyszał w odpowiedzi.

Gdy zatrzymali się przed parterowym budynkiem, deszcz już ustał. Podobnie jak bar ten dom także na pierwszy rzut oka pozbawiony był okien, ale nie... umieszczono je wysoko, prawie pod samym poddaszem. Rebus podał rękę swoim przewodnikom.

— Dowieźć cię tutaj to nie byle co! — Wybuchnęli śmiechem. Rebus kiwnął głową i też się uśmiechnął. Zastanawiał się, czy uda mu się znaleźć drogę powrotną do autostrady i wrócić do Edynburga. Żaden z pasażerów nie spytał go, dlaczego ktoś obcy interesuje się tutejszym zebraniem mieszkańców, ale złożył to na karb ich życiowej filozofii: nie wychylać się. Jeśli się o nic nie pytasz, nikt ci nie zarzuci, że wtykasz nos w nie swoje sprawy. W pewnym sensie była to całkiem niezła rada, jemu jednak nie podobało się takie podejście i nie zamierzał się do niej stosować.

Przed wejściem do budynku stało kilka skulonych postaci. Rebus pomachał swoim pasażerom i zaparkował jak najbliżej wejścia, obawiając się, że spotkanie dobiegło już końca i że rozminął się z Mo Dirwanem. Jednak podchodząc do budynku, przekonał się, że jest w błędzie. Biały mężczyzna w średnim wieku, w garniturze, krawacie i czarnym płaszczu wyciągnął do niego ulotkę. Na jego wygolonej głowie lśniły krople niedawnego deszczu. Twarz miał bladą i nalaną, a jego szyję tworzyły wałki tłuszczu.

— BNP* — odezwał się z akcentem, który Rebus uznał za londyński. — Niech brytyjskie ulice znów staną się bezpieczne! — Okładka ulotki przedstawiała zdjęcie starszej kobiety, która z przerażeniem patrzy, jak szarżuje na nią banda kolorowych wyrostków.

— Do zdjęcia pozowali modele? — rzekł Rebus i zmiął ulotkę w dłoni. Pozostali mężczyźni, trzymający się nieco z tyłu, ale obstawiający człowieka w garniturze, byli znacznie młodsi i gorzej ubrani, na modę panującą wśród motłochu: adidasy, spodnie do biegania, wiatrówki oraz nisko nasunięte na oczy czapki baseballowe. Kurtki zapięli pod samą szyję, tak że dolną część twarzy mieli ukrytą pod kołnierzem. Dzięki temu trudniej byłoby ich zidentyfikować na fotografiach.

— My tylko walczymy o prawa dla narodu brytyjskiego. —

---

* British National Party — skrajnie prawicowa, faszyzująca Brytyjska Partia Narodowa.

Ostatnie słowo niemal zawarczał. — Brytania dla Brytyjczyków... co w tym złego?

Rebus upuścił ulotkę i odtrącił ją kopniakiem.

— Mam wrażenie, że wasza definicja w tym zakresie jest cokolwiek zawężona.

— Nie przekona się pan, dopóki nie da nam pan szansy. — Mężczyzna wojowniczo wysunął szczękę. Chryste Panie, pomyślał Rebus, ten facet w swoim pojęciu stara się być miły! Miał wrażenie, że ogląda goryla, który po raz pierwszy bierze się do układania kwiatów. Z wnętrza domu dobiegły brawa i głośne protesty.

— Wesoło tam — powiedział Rebus, otwierając drzwi.

Wszedł do czegoś w rodzaju recepcji, z której podwójne drzwi prowadziły do głównej sali. Nie było tam typowej sceny, ktoś jednak zorganizował głośniki, dzięki czemu ten, kto akurat dorwał się do mikrofonu, uzyskiwał przewagę nad innymi. Część widowni miała jednak inne plany. Mężczyźni wstawali i próbowali przekrzyczeć przeciwników, gestykulując zawzięcie. Kobiety także zrywały się z miejsc i krzyczały z nie mniejszym zapałem. Prawie wszystkie ustawione w rzędach krzesła były zajęte. Rebus zobaczył, że naprzeciwko nich na podeście stoi stół, za którym siedziało pięć ponurych postaci. Domyślał się, że są to przedstawiciele miejscowej elity. Nie było wśród nich Mo Dirwana, lecz wypatrzył go w tłumie. Prawnik stał w pierwszym rzędzie i wymachiwał rękami, jakby chciał odfrunąć, choć tak naprawdę próbował uspokoić zebranych. Dłoń miał wciąż zabandażowaną, a brodę zaklejoną różowym plastrem.

Jeden z przedstawicieli elity miał dość. Wrzucił jakieś papiery do torby, przewiesił ją przez ramię i pomaszerował do wyjścia. Rozległy się kolejne okrzyki. Rebus nie wiedział, czy to dlatego, że facet stchórzył, czy został zmuszony do wycofania się.

— Jesteś kawał chuja, McCluskey! — krzyknął ktoś. Rebusowi niewiele to wyjaśniło. Inni poszli jednak w ślady swojego przywódcy. Niska korpulentna kobieta za stołem wzięła mikrofon, ale wrodzone dobre maniery i spokojny głos nie pozwalały jej zaprowadzić porządku. Rebus zauważył, że towarzystwo na sali jest wymieszane — nie było tak, że z jednej strony siedzieli biali, a z drugiej kolorowi. Wiekiem też bardzo się różnili. Jakaś kobieta zabrała ze sobą dziecko w wózku. Inna wymachiwała wściekle laską, tak że ci w pobliżu musieli się przed nią kryć. Kilku umundurowanych policjantów wmieszało się w tłum, a teraz jeden z nich rozmawiał przez krótkofalówkę, zapewne wzywając posiłki. Część dzieciaków obrała sobie mundurowych za obiekt swoich pretensji; obie grupy dzieliło już osiem, dziesięć stóp, a dystans ten zmniejszał się z każdą chwilą.

Rebus widział, że Mo Dirwan nie bardzo wie, co robić. Na twarzy prawnika malowała się konsternacja, jak gdyby nagle uświadomił sobie, że jest tylko człowiekiem, a nie supermanem. Sytuacja wymknęła mu się spod kontroli, ponieważ jego władza zależała od tego, czy inni zechcą słuchać jego argumentów, a tutaj nikt nie chciał słuchać nikogo i niczego. Rebus pomyślał, że można by tam postawić Martina Luthera Kinga z tubą w ręku, a i tak nikt nie zwróciłby na niego uwagi. Jakiś młody człowiek był tym wszystkim wyraźnie oszołomiony. Jego oczy na chwilę napotkały spojrzenie Rebusa. Był to Azjata, ale ubrany tak samo jak białe dzieciaki. W uchu nosił okrągły kolczyk. Na opuchniętej dolnej wardze miał ślady zaschniętej krwi i Rebus zauważył, że stoi nieco dziwnie, jakby oszczędzał lewą nogę. Widocznie go bolała. Czyżby stąd wynikało jego oszołomienie? Czy był ostatnią ofiarą, tym, przez którego zwołano to zebranie? W każdym razie widać było po nim strach... strach, że jeden incydent mógł doprowadzić do takiej eskalacji wydarzeń.

Rebus miał ochotę pocieszyć chłopaka, ale nie wiedział jak, a tymczasem drzwi otworzyły się z trzaskiem i do środka wpadło więcej mundurowych. Był wśród nich ktoś starszy stopniem: więcej srebra na pagonach i czapce niż u innych, a także więcej srebra w wystających spod czapki włosach.

— Spokój! — wrzasnął, pewnym siebie krokiem podszedł do stołu i bez ceregieli wyrwał mikrofon mamroczącej coś kobiecie. — Ludzie, bardzo proszę o spokój! — Te słowa doleciały już z głośników. — Postarajmy się zaprowadzić trochę spokoju. — Spojrzał na jedną z osób siedzących przy stole. — Myślę, że najlepiej będzie, jeśli zakończymy to zebranie. — Człowiek, na którego patrzył, ledwie dostrzegalnie skinął głową. Rebus przypuszczał, że to miejscowy radny; w każdym razie ktoś, z kim policjant musiał się liczyć, a przynajmniej udawać, że się z nim liczy.

Bo teraz rządził tu tylko jeden człowiek.

Rebus wzdrygnął się, gdy czyjaś ręka opadła mu na ramię — był to jednak tylko uśmiechnięty Mo Dirwan, który wypatrzył go jakoś i podszedł niepostrzeżenie.

— Mój wspaniały przyjacielu, a cóż cię tu sprowadziło, na miłość boską?

Z bliska Rebus zobaczył, że obrażenia Dirwana to nic poważnego, można było takie odnieść podczas weekendowej pijackiej bójki: po prostu małe sińce i lekkie zadrapania. Przyszło mu do głowy, że ten bandaż i plaster mogą być tylko na pokaz.

— Chciałem sprawdzić, jak się czujesz.

— Ha! — Dirwan znów walnął go w ramię. Fakt, że zrobił to zabandażowaną ręką, tylko wzmógł podejrzenia inspektora. — Czyżby gnębiło cię poczucie winy?

— Poza tym chcę się dowiedzieć, jak do tego doszło.

— Jasny gwint, co tu opowiadać... zostałem napadnięty. Nie czytałeś rano gazety? Obojętne której, pisali o mnie we wszystkich.

Rebus nie wątpił, że wszystkie te gazety leżą teraz rozłożone na dywanie w pokoju Dirwana.

Uwagę prawnika zwrócił fakt, że wszystkich wypraszano z sali. Przecisnął się przez tłum do starszego oficera, z którym podali sobie ręce i zamienili kilka słów. Potem przeszedł do radnego, z którego miny Rebus wyczytał, że jeszcze jedna taka zmarnowana, bezsensowna sobota, a złoży rezygnację. Dirwan powiedział mu coś do słuchu, kiedy jednak spróbował złapać go za ramię, radny odtrącił jego rękę z furią, która narastała w nim pewnie od początku zebrania. Prawnik pogroził mu palcem, poklepał go po ramieniu i wrócił do Rebusa.

— Jasny gwint, to ci dopiero bijatyka, co?

— Widziałem gorsze.

Dirwan wlepił w niego wzrok.

— Dlaczego mam wrażenie, że powiedziałbyś to samo bez względu na okoliczności?

— Bo to czasami prawda — odparł inspektor. — To jak, możemy teraz pogadać?

— O czym?

Rebus nie odpowiedział. Tym razem to on klepnął prawnika w ramię i nie odrywając ręki, zaczął go popychać w kierunku wyjścia. Na zewnątrz szamotano się — któryś z pachołków człowieka z BNP bił się z młodym Azjatą. Dirwan wyglądał, jakby chciał interweniować, lecz Rebus odciągnął go i zostawił sprawę mundurowym. Partyjniak stał na trawiastym zboczu po drugiej stronie ulicy, z ręką wzniesioną w hitlerowskim pozdrowieniu. Rebusowi wydawał się śmieszny, co jednak wcale nie znaczyło, że nie jest groźny.

— Podjedziemy do mnie? — zaproponował Dirwan.

— Pogadamy w moim wozie — odparł Rebus, kręcąc głową. Wsiedli do samochodu, ale dookoła wciąż trwało zamieszanie, więc Rebus włączył silnik. Postanowił wjechać w jakąś boczną uliczkę, żeby mogli porozmawiać bez przeszkód. Mijając partyjniaka z BNP, dodał nagle gazu i skręcił w kierunku krawężnika, ochlapując go wodą z kałuży ku wielkiej uciesze Dirwana.

Rebus zaparkował tyłem w wąskiej luce przy krawężniku, zgasił silnik i spojrzał na prawnika.

— No więc jak do tego doszło? — zapytał.

Dirwan wzruszył ramionami.

— Krótko mówiąc... Robiłem to, o co mnie prosiłeś, wypytywałem wszystkich nowo przybyłych w Knoxland, którzy chcieli ze mną rozmawiać...

— Niektórzy odmawiali?

— Nie wszyscy ufają obcym, John, nawet jeśli mają ten sam kolor skóry co oni.

Rebus ze zrozumieniem pokiwał głową.

— Gdzie byłeś, kiedy cię napadli?

— Czekałem na windę w Domu Stevensona. Zaszli mnie od tyłu. Czterech, może pięciu ludzi z zakrytymi twarzami.

— Mówili coś?

— Jeden z nich się odezwał... na sam koniec. — Dirwan wyglądał nieswojo; Rebus przypomniał sobie, że ma do czynienia z ofiarą napadu. I nawet jeśli obrażenia nie były zbyt poważne, wspomnienie tej chwili z pewnością nie było dla prawnika najmilsze.

— Słuchaj, powinienem od tego zacząć — rzekł inspektor. — Bardzo mi przykro, że do tego doszło.

— To nie twoja wina, John. Powinienem się lepiej przygotować.

— Zakładam, że chodziło im konkretnie o ciebie?

Dirwan przytaknął powoli.

— Ten, który się odezwał, kazał mi się wynosić z Knoxland. Powiedział, że inaczej mnie załatwią. Przez cały czas przytykał mi nóż do policzka.

— Jaki nóż?

— Nie wiem, nie znam się... Myślisz o narzędziu zbrodni?

— Chyba tak. — A także, powinien dodać, o nożu, który miał przy sobie Howie Slowther. — Nie rozpoznałeś żadnego z nich?

— Prawie cały czas leżałem na ziemi. Widziałem tylko pięści i buty.

— A ten, który się odezwał? Mówił z tutejszym akcentem?

— A z jakim miałby mówić?

— Bo ja wiem...? Może z irlandzkim.

— Czasami nie odróżniam Irlandczyków od Szkotów. — Dirwan ze skruchą wzruszył ramionami. — Wiem, że u kogoś, kto spędził tu ładne kilka lat, może to szokować...

Z kieszeni Rebusa dobiegł dzwonek komórki. Inspektor wyjął ją i spojrzał na wyświetlacz — Caro Quinn.

— Muszę odebrać — powiedział Dirwanowi, otwierając drzwi samochodu. Przeszedł kilka kroków chodnikiem i przyłożył telefon do ucha. — Halo?

— Jak mogłeś mi to zrobić?

— Co takiego?

— Pozwolić, żebym się tak upiła — jęknęła.

— Leczymy kaca, co?

— Nigdy więcej nie tknę alkoholu.

— Doskonały pomysł... może przedyskutujemy go przy kolacji?

— Dzisiaj nie mogę, John. Wybieram się z kolegą do kina, do Filmhouse.

— A jutro?

Zastanowiła się.

— W ten weekend powinnam popracować... a przez wczorajszy wieczór dzisiaj mam stracony dzień.

— Nie potrafisz pracować na kacu?

— A ty potrafisz?

— Doprowadziłem tę sztukę na wyżyny, Caro.

— Słuchaj, zobaczymy, jak to się jutro ułoży... Postaram się do ciebie zadzwonić.

— Na nic więcej nie mogę liczyć?

— Wóz albo przewóz, mój drogi.

— No to wóz. — Rebus zawrócił w kierunku samochodu. — Trzymaj się, Caro.

— Ty też, John.

„Wybieram się z kolegą do kina, do Filmhouse...". Z „kolegą", a nie „przyjacielem". Usiadł za kierownicą.

— Przepraszam.

— Rozmowa służbowa czy prywatna? — spytał Mo Dirwan.

Rebus nie odpowiedział; sam miał do niego pytanie.

— Znasz Caro Quinn, prawda?

Prawnik zmarszczył brwi, próbując przypomnieć sobie to nazwisko.

— Nasza Czuwająca Dama? — spytał, na co Rebus przytaknął. — Tak, ta to ma charakterek.

— Kobieta z zasadami.

— Mój Boże, jeszcze jak! Wiesz, że oddała pokój w swoim mieszkaniu kobiecie, która ubiega się o azyl?

— Tak się składa, że wiem.

Prawnik zrobił wielkie oczy.

— To z nią przed chwilą rozmawiałeś?

— Tak.

— A wiesz, że ją także wypędzili z Knoxland?

— Opowiadała mi o tym.

— Idziemy jedną drogą, ona i ja... — Dirwan przyjrzał mu się uważnie. — Może ty też jesteś częścią tej drogi, John.

— Ja? — Rebus zapuścił silnik. — Ja raczej jestem jednym z tych dołków, w które czasem wpadacie.

Prawnik zachichotał.

— Nie wątpię, że myślisz o sobie w ten sposób.

— Podrzucić cię do domu?

— Jeśli to dla ciebie nie kłopot.

Rebus pokręcił głową.

— Może dzięki temu uda mi się wrócić na autostradę.

— Czyli że twoja propozycja miała ukryty motyw?

— Pewnie można by to tak określić.

— A jeżeli się zgodzę, pozwolisz, że zaproponuję ci gościnę?

— Naprawdę muszę wracać...

— To dla mnie prawdziwy afront.

— Nie o to chodzi, tylko że...

— Niestety, tak to wygląda.

— Jasny gwint, Mo... — Rebus westchnął głośno. — Zgoda, ale tylko na szybką kawę.

— Żona będzie nalegać, żebyś coś zjadł.

— A więc biszkopta.

— I może trochę ciasta?

— Tylko biszkopt.

— Ona przygotuje coś więcej, sam zobaczysz.

— No dobra, niech będzie ciasto. Kawa i ciasto.

Prawnik uśmiechnął się szeroko.

— Nie masz pojęcia o wymianie barterowej, John. Gdybym sprzedawał dywany, twoja karta kredytowa byłaby już ogołocona.

— Skąd wiesz, że już nie jest?

A poza tym, mógłby dodać, rzeczywiście jest głodny...

21

W piękny, choć wietrzny niedzielny poranek Rebus zszedł w dół Marchmont Road i ruszył przez Błonia. Piłkarze zbierali się już na wcześniej umówione mecze. Niektórzy mieli na sobie pasiaste stroje, imitujące ubiory prawdziwych drużyn piłkarskich. Inni byli mniej wystrojeni, w trampki i dżinsy zamiast szortów i korków. W charakterze bramek ustawiano przeważnie słupki drogowe, a linie wytyczające poszczególne boiska widoczne były chyba tylko dla graczy.

Nieco dalej zasapany pies biegał za frisbee, a jakaś para na ławce dzielnie walczyła z niedzielną gazetą; próbowali rozłożyć ją na wietrze, którego podmuchy groziły, że w każdej chwili liczne dodatki do dziennika wzbiją się w powietrze jak latawce.

Rebus spędził spokojny wieczór w domu, najpierw jednak przeszedł się na Lothian Road i zobaczył, że wyświetlane w Filmhouse filmy nie są w jego guście. Założył się sam ze sobą, którym z nich zainteresowała się Caro. Zastanawiał się, z jakiej wymówki skorzystać, gdyby przypadkiem wpadła na niego w holu...

„Nie ma to jak dobra węgierska saga rodzinna...".

W domu pochłonął jedzenie na wynos z hinduskiej restauracji (nawet teraz, po porannym prysznicu, jego palce zachowały zapach potraw) i puścił dwa filmy na wideo, które oglądał już wcześniej: *Rock'n'Roll Circus* oraz *Zdążyć przed północą*. I chociaż śmiał się przez cały film z De Niro, to jednak dopiero występ Yoko Ono w pierwszym z tych filmów doprowadził go do paroksyzmów śmiechu.

A ponieważ wypił do tego tylko cztery butelki IPA, obudził się wcześnie, bez bólu głowy, i zjadł śniadanie złożone z resztek nan — hinduskiego chleba — oraz szklanki herbaty. Teraz, gdy szedł przez Błonia, zbliżała się pora lunchu. Starą lecznicę otoczono parkanem, który nie ukrywał prowadzonych za nim robót budowlanych. Ostatnio słyszał, że na tym terenie powstaną drobne sklepy i mieszkania. Ciekaw był, kto zechce wydać pieniądze, żeby przeprowadzić się na przebudowany oddział onkologiczny. Czy to miejsce, będące przez sto lat świadkiem takich nieszczęść, nie jest aby nawiedzone? A może i tu zaczną organizować „wakacje z duchami", tak jak w Mary King's Close, gdzie podobno straszą duchy ludzi zmarłych podczas zarazy, albo na Greyfriars Kirkyard — miejscu kaźni prezbiterian.

Rebus często myślał o tym, żeby wyprowadzić się z Marchmont; posunął się nawet do tego, że zapytał doradcę od nieruchomości, jaką cenę mógłby uzyskać za swoje mieszkanie. Usłyszał, że dwieście tysięcy... co pewnie nie starczyłoby na kupno połowy mieszkania na oddziale onkologicznym, ale mając w kieszeni taką forsę, a do tego pełną emeryturę, mógłby rzucić pracę w cholerę i pojeździć po świecie.

Kłopot w tym, że nie chciało mu się nigdzie jechać. Raczej przepuściłby całą forsę. Czy to ów strach trzymał go nadal w pracy? Praca była całym jego życiem, z biegiem lat odsunął dla niej wszystko inne: rodzinę, przyjaciół, wspomnienia.

I dlatego teraz także pracował.

Skręcił w Chalmers Street, minął nową szkołę, przy szkole plastycznej przeszedł na drugą stronę ulicy i ruszył Lady Lawson Street. Nie wiedział, kim była Lady Lawson, wątpił jednak, by czuła się zaszczycona tym, że akurat tę uliczkę nazwano jej imieniem; mnogość barów i klubów w sąsiedztwie prawdopodobnie tym bardziej by jej się nie spodobała. Rebus wrócił do Trójkąta Łonowego. O tej porze nic się tam nie działo. Od zamknięcia lokali minęło zaledwie siedem czy osiem godzin. Ludzie odsypiali ekscesy sobotniej nocy: tancerki cieszyły się z najlepszego zarobku w ciągu tygodnia; właściciele tacy jak Stuart Bullen śnili o kolejnych drogich bryczkach; biznesmeni zastanawiali się, jak wyjaśnić wyciąg z kart kredytowych swoim żonom...

Ulica była oczyszczona, neon zgaszony. W oddali rozdzwoniły się dzwony kościelne. Ot, kolejna zwyczajna niedziela.

Wejście do Dziurki zabezpieczone było metalową sztabą i solidną kłódką. Rebus przystanął i z rękami w kieszeniach zaczął się gapić na pusty kiosk naprzeciwko. Gdyby nie zastał nikogo, miał zamiar przejść jeszcze milę do Haymarket i złapać Feliksa Storeya w hotelu. Nie sądził, żeby byli w pracy tak wcześnie. Stuart Bullen mógł być wszędzie, ale na pewno nie w Dziurce. Pomimo to Rebus przeszedł przez jezdnię i zastukał w okno sklepu. Czekał, rozglądając się na prawo i lewo. W pobliżu nie było nikogo, nie przejeżdżały żadne samochody, nikt nie wyglądał przez okna. Zastukał jeszcze raz i nagle zwrócił uwagę na ciemnozieloną furgonetkę. Stała przy krawężniku, pięćdziesiąt jardów dalej. Powoli ruszył w jej stronę. Nazwa poprzedniego właściciela została usunięta, pod farbą można było jeszcze dostrzec ślady pierwotnych liter. W szoferce nie było nikogo. Okna z tyłu zostały zamalowane. Rebus przypomniał sobie furgonetkę w Knoxland, z której Shug Davidson prowadził obserwację. Znowu rozejrzał się po ulicy, po czym zabębnił pięścią w tylne drzwi furgonetki. Przysunął twarz do szyby i odszedł. Nie oglądał się, przystanął tylko przed kioskiem z gazetami, żeby poczytać reklamy.

— Chcesz wystawić na szwank naszą operację? — zapytał Felix Storey. Rebus odwrócił się. Storey stał z rękami w kieszeniach. Miał na sobie zielone wojskowe spodnie i oliwkowy podkoszulek.

— Ładne przebranie — zauważył inspektor. — Widzę, że palicie się do roboty.

— Co masz na myśli?

— Pracujecie w niedzielę rano? Dziurki nie otworzą przed drugą.

— To nie znaczy, że nikogo tam nie ma.

— Nie, chociaż sądząc po tej sztabie i kłódce na drzwiach... Storey wyjął ręce z kieszeni i splótł je na piersiach.

— Czego chcesz?

— Prawdę mówiąc, chodzi mi o przysługę.

— I nie mogłeś zostawić mi wiadomości w hotelu?

Rebus wzruszył ramionami.

— To nie w moim stylu, Felix. — Jeszcze raz przyjrzał się ubraniu faceta z imigracyjnego. — Kogo w tym udajesz? Miejskiego partyzanta czy co?

— Klubowicza, który odpoczywa — przyznał londyńczyk.

Rebus parsknął śmiechem.

— No, ale pomysł z furgonetką nie jest taki zły. Powiedziałbym, że za dnia ten kiosk jest zbyt ryzykowny... ktoś mógłby zauważyć, że w środku jakiś facet siedzi na drabinie. — Rozejrzał się na prawo i lewo. — Szkoda tylko, że to taka spokojna uliczka... rzucacie się w oczy na milę.

Storey przeszył go wściekłym wzrokiem.

— A ty dobijałeś się do naszych drzwi... i to miało wyglądać naturalnie, tak?

Inspektor znów wzruszył ramionami.

— Ale zwróciłem waszą uwagę.

— I owszem. Więc o co chcesz prosić?

— Pogadajmy o tym przy kawie. — Rebus skinął głową w bok. — Dwie minuty stąd jest taka knajpka. — Storey namyślał się, zerkając na furgonetkę. — Zakładam, że jest tam z tobą ktoś jeszcze — dodał inspektor.

— Muszę ich zawiadomić...

— No to już.

Storey wskazał w dół ulicy.

— Idź w tamtą stronę, dogonię cię.

Rebus kiwnął głową. Odwrócił się i odszedł; kiedy się obejrzał, zobaczył, że Storey też ogląda się przez ramię w drodze do furgonetki.

— Co ci zamówić? — zawołał inspektor.

— Kawę po amerykańsku! — odkrzyknął facet z imigracyjnego. A kiedy Rebus ruszył dalej, szybko otworzył furgonetkę, wskoczył do środka i zatrzasnął za sobą drzwi. — Ma do nas jakąś prośbę — powiedział do osoby w pojeździe.

— Ciekawe jaką.

— Spotkam się z nim, to się dowiem. Poradzisz sobie beze mnie?

— Umrę z nudów, ale dam radę.

— Wracam góra za dziesięć minut... — Storey urwał, bo drzwi furgonetki otworzyły się nagle i ukazała się głowa Rebusa.

— Cześć, Phyl — powiedział z uśmiechem. — Przynieść ci coś?

Wiedząc co i jak, Rebus od razu poczuł się lepiej. Odkąd przyuważyli go w Dziurce, zastanawiał się, kto jest źródłem Storeya. Musiał to być ktoś, kto znał i jego, i Siobhan.

— A więc pracuje z tobą Phyllida Hawes — powiedział, kiedy usiedli przy kawie. Kawiarnia znajdowała się na rogu Lothian Road. Udało im się dostać stolik tylko dlatego, że gdy wchodzili, jakaś para akurat opuszczała lokal. Klienci byli zatopieni w lekturze, zarówno gazet, jak i książek. Jakaś kobieta niańczyła na rękach dziecko, jednocześnie popijając z filiżanki. Storey zajął się odwijaniem kanapki, którą sobie zamówił.

— Nie twoja sprawa — warknął, starając się mówić jak najciszej, żeby nikt ich nie podsłuchał. Rebus próbował odgadnąć, co leci z głośników: muzyka z lat sześćdziesiątych, w stylu kalifornijskim. Nie sądził, żeby były to oryginalne nagrania; obecnie wiele zespołów próbowało naśladować stare brzmienia.

— Nie moja — przyznał.

Storey siorbnął z filiżanki i skrzywił się, gdy sparzył go ukrop. Zagryzł wyjętą z lodówki kanapką, żeby złagodzić szok.

— Macie coś nowego? — spytał Rebus.

— To i owo — odparł Storey ustami pełnymi sałaty.

— Ale nie masz ochoty podzielić się tym ze mną? — Rebus podmuchał na kawę; był tu już kiedyś i wiedział, że podają niemal wrzątek.

— A jak myślisz?

— Myślę, że cała ta wasza operacja kosztuje majątek. Gdybym ja wyrzucał taką forsę na inwigilację, wychodziłbym ze skóry, żeby uzyskać rezultaty.

— Czy ja wyglądam na takiego, co wychodzi ze skóry?

— Właśnie to mnie dziwi. Albo ktoś tu jest gotów na wszystko, byleby doprowadzić do skazania, albo nie bardzo wierzy, że to się uda. — Storey już szykował ripostę, ale Rebus uniósł rękę i powstrzymał go. — Wiem, wiem... to nie moja sprawa.

— I niech tak zostanie.

— Słowo skauta. — Inspektor podniósł trzy palce, udając, że salutuje. — Wracając do mojej prośby...

— Prośby, której raczej nie spełnię.

— Nawet dla dobra współpracy sąsiednich krajów?

Storey udawał, że nie interesuje go nic poza kanapką, której okruszki strzepywał ze spodni.

— Swoją drogą, dobrze ci w tych bojówkach. — Pochlebstwo Rebusa nareszcie wywołało na twarzy Anglika cień uśmiechu.

— O co chcesz prosić? — spytał facet z imigracyjnego.

— Pracuję nad sprawą morderstwa... tego w Knoxland.

— I co z tego?

— Zdaje się, że zabity miał przyjaciółkę, i obiło mi się o uszy, że ona pochodzi z Senegalu.

— Więc?

— Chciałbym ją znaleźć.

— Masz nazwisko?

Rebus pokręcił głową.

— Nawet nie wiem, czy przebywa tutaj legalnie. — Przerwał. — Dlatego pomyślałem, że mógłbyś mi pomóc.

— W jaki sposób?

— Urząd Imigracyjny na pewno wie, ilu Senegalczyków przebywa na terenie Wielkiej Brytanii. Jeżeli są tu legalnie, to wiecie, ilu z nich mieszka w Szkocji...

— Inspektorze, pan chyba pomylił nas z krajem faszystowskim.

— Chcesz powiedzieć, że nie zbieracie takich danych?

— Owszem, zbieramy dane, ale tylko zarejestrowanych imigrantów. Nie mamy w nich nielegalnych ani nawet uciekinierów.

— Chodzi o to, że nawet jeżeli ona przebywa tu nielegalnie, prawdopodobnie zechce nawiązać kontakt z innymi ludźmi ze swojego kraju. U nich najbardziej mogłaby liczyć na pomoc, a ich akta przecież macie.

— Tak, rozumiem, ale...

— Ale masz coś lepszego do roboty?

Storey ostrożnie siorbnął kawę i grzbietem dłoni starł piankę z ust.

— Nie wiem nawet, czy takie informacje istnieją, przynajmniej w postaci, która mogłaby ci się przydać.

— W obecnej sytuacji zadowolę się czymkolwiek.

— Myślisz, że ta dziewczyna jest zamieszana w morderstwo?

— Myślę, że się boi i ukrywa.

— Dlatego że o czymś wie?

— Nie dowiem się tego, dopóki jej nie zapytam.

Facet z imigracyjnego siedział w milczeniu, kreśląc dnem kubka mleczne kółka na stole. Rebus czekał spokojnie, wyglądając przez okno na świat. Ludzie zmierzali w kierunku Princess Street; prawdopodobnie wybierali się na zakupy. Przy barze stała już kolejka, klienci wypatrywali stolików, do których można by się przysiąść. Między Rebusem a Storeyem stało wolne krzesło; inspektor miał nadzieję, że nikt nie zechce z niego skorzystać; odmowa oznaczałaby obrazę...

— Mogę zarządzić wstępne przeszukanie bazy danych — oświadczył w końcu Storey.

— To świetnie.

— Ale pamiętaj, niczego nie obiecuję.

Rebus kiwnął głową na znak, że rozumie.

— Sprawdzałeś studentów? — zapytał londyńczyk.

— Studentów?

— Z zagranicy. Może są w tym mieście jacyś z Senegalu.

— To jest myśl — przyznał Rebus.

— Cieszę się, że mogłem pomóc. — Następnie obaj siedzieli w milczeniu, dopóki nie dopili kawy. Potem Rebus powiedział, że odprowadzi Storeya do furgonetki. Zapytał, w jaki sposób Stuart Bullen pojawił się na radarze Urzędu Imigracyjnego.

— Myślałem, że już ci mówiłem.

— Pamięć już nie taka, jak kiedyś — odparł Rebus ze skruchą.

— Dostaliśmy cynk... anonimowy. Zwykle tak się zaczyna; dopóki nie mamy rezultatów, wszyscy chcą pozostać anonimowi. A potem zgłaszają się po wypłatę.

— I co mówił ten donosiciel?

— Że Bullen jest umoczony. W przemyt ludzi.

— A wy puściliście taką machinę w ruch tylko po jednym telefonie?

— Ten sam informator już nam się przysłużył w przeszłości... ciężarówka z nielegalnymi imigrantami, która wylądowała w Dover.

— A ja myślałem, że dzisiaj macie w portach wszystkie te nowoczesne bajery, supertechnikę i tak dalej.

Storey kiwnął głową.

— Mamy. Czujniki wykrywające ciepłotę ludzkiego ciała... elektroniczne „psie nosy"...

— Wobec tego i tak byście ich złapali?

— Może tak, a może nie. — Anglik zatrzymał się i odwrócił do Rebusa. — Co pan właściwie sugeruje, inspektorze?

— Nic, zupełnie nic. A panu jak się zdaje, co sugeruję?

— Nic, zupełnie nic — powtórzył Storey jak echo. Ale wyraz jego oczu świadczył, że kłamie.

Wieczorem Rebus usiadł przy oknie z telefonem w ręku, wmawiając sobie, że jeszcze za wcześnie, by zadzwonić do Caro. Przejrzał swoją kolekcję płyt, wyciągając te, których nie słuchał od lat: Montrose, Blue Oyster Cult, Rush, Alex Harvey... Z każdej puścił nie więcej niż dwa utwory, aż w końcu sięgnął po *Goat's Head Soup*. Był to gulasz dźwięków, pomysły wymieszane w jednym garnku, ale bez połowy niezbędnych przypraw. Mimo to płyta była lepsza, bardziej melancholijna, niż ją zapamiętał. Na kilku ścieżkach grał Ian Stewart. Biedny Stu, który wychowywał się niedaleko Rebusa w Fife i został pełnoprawnym członkiem Stonesów, aż w końcu ich menadżer uznał, że nie odpowiada mu jego wizerunek, i zespół brał go tylko na nagrania sesyjne i tournée.

Stu trzymał się dzielnie, chociaż jego twarz im nie pasowała.

Rebus potrafił wykrzesać dla niego współczucie.

Dzień ósmy
Poniedziałek

22

Poniedziałek rano, biblioteka w Banehall. Dzbanki rozpusz-czalnej kawy, pączki z cukrem prosto z piekarni. Les Young miał na sobie zapinany na trzy guziki szary garnitur, białą koszulę i granatowy krawat. Roztaczał lekki zapach pasty do butów. Jego zespół siedział przy i na biurkach; jedni drapali się po zmęczonych twarzach, inni siorbali gorzką kawę niczym eliksir. Plakaty na ścianach reklamowały autorów książek dla dzieci: Michaela Morpurgo, Francescę Simon, Eoina Colfera. Inny plakat przedstawiał postać z kreskówki zwaną Kapitanem Majteczki i — jak podsłuchała Siobhan — nie wiadomo czemu tak właśnie przezywano Younga. Wątpiła, żeby mu to po-chlebiało.

Siobhan zrezygnowała z wygodnych spodni i teraz miała na sobie spódnicę i rajstopy — dla niej był to nietypowy strój. Spódnica sięgała jej do kolan, a mimo to wciąż ją obciągała w nadziei, że w jakiś czarodziejski sposób wydłuży się o kilka cali. Nie miała pojęcia, czy ma „dobre" czy „złe" nogi, ale nie cierpiała myśli, że ludzie mogą się na nie gapić, a nawet osądzać ją po ich wyglądzie. Poza tym wiedziała, że zanim dzień dobiegnie końca, i tak pójdą jej oczka. Na wszelki wypadek miała w torebce zapasową parę rajstop.

W ten weekend nie robiła prania. W sobotę pojechała do Dundee i spędziła cały dzień z Liz Hetherington. Siedząc w winiarni, dzieliły się plotkami z pracy; potem wpadły do restauracji, do kina i paru klubów. Siobhan przespała się u Liz na kanapie, a po południu, wciąż jeszcze z ciężką głową, wsiadła do samochodu i wróciła do domu.

Teraz piła trzecią filiżankę kawy.

Jednym z powodów, dla których wybrała się do Dundee, była chęć wyjazdu z Edynburga, ponieważ wtedy uniknęłaby przypadkowego wpadnięcia na Rebusa, a i on by nigdzie jej nie złapał. W piątek wieczorem wcale nie była tak pijana i nie żałowała swojej wypowiedzi, która doprowadziła do awantury. Ot, takie barowe gadanie o polityce, nic więcej. Mimo to nie sądziła, żeby Rebus o tym zapomniał, a wiedziała, po czyjej będzie stronie. Miała też świadomość, że Whitemire leży niecałe dwie mile dalej i że Caro Quinn pewnie z powrotem trwa na posterunku niczym wyrzut sumienia.

W niedzielę wieczorem wybrała się do centrum, przeszła w górę Cockburn Street i przez Fleshmarket Close. Na High Street grupka turystów stała stłoczona wokół przewodniczki; Siobhan rozpoznała ją po włosach i głosie — Judith Lennox.

— ...oczywiście, w czasach Knoxa obowiązywały znacznie surowsze reguły. Można było zostać ukaranym za oskubanie kurczaka w niedzielę. Żadnych tańców, teatrów czy hazardu. Cudzołóstwo oznaczało karę śmierci, a drobniejsze przewinienia karano na przykład maskami wstydu. Były to zamykane na klucz hełmy, z metalową sztabą wpychaną do ust kłamców czy bluźnierców... Pod koniec wycieczki będziecie mieli okazję wypić drinka w Czarnoksiężniku, tradycyjnej oberży upamiętniającej przerażający koniec majora Weira...

Siobhan była ciekawa, czy Lennox ktoś płaci za jej poparcie dla podobnych praktyk.

— ...konkludując, mamy do czynienia z typowym urazem — mówił teraz Les Young. — Dwa solidne ciosy, które uszkodziły czaszkę i spowodowały krwotok w obrębie mózgu. Śmierć nastąpiła niemal natychmiast... — Czytał fragmenty raportu z sekcji zwłok. — Według patologa koliste wgłębienia świadczą o tym, że sprawca użył czegoś w rodzaju zwykłego młotka... takiego, jaki można kupić w sklepie dla majsterkowiczów, o średnicy dwa i dziewięć dziesiątych centymetra.

— A jeśli chodzi o siłę ciosu, inspektorze? — zapytał ktoś z zespołu.

Young zdobył się na wymuszony uśmiech.

— Raport unika konkretów na ten temat, ale czytając między wierszami, myślę, że możemy bezpiecznie założyć, że sprawcą napadu był mężczyzna... i to raczej prawo- niż leworęczny. Układ wgłębień wskazuje na to, że ofiara została zaatakowana od tyłu. — Young podszedł do dzielącego pomieszczenie przepierzenia, służącego teraz za tablicę, do której przypięto zdjęcia z miejsca zbrodni. — Jeszcze dzisiaj dostaniemy dokumentację fotograficzną z sekcji zwłok. — Wskazał na zdjęcie z sypialni Cruikshanka przedstawiające zakrwawioną głowę. — Najbardziej uszkodzona jest tylna część czaszki... trudno byłoby tego dokonać, stojąc z ofiarą twarzą w twarz.

— Czy na pewno stało się to w sypialni? — zapytał ktoś inny. — Nie przeniesiono zwłok po śmierci?

— Z tego, co nam wiadomo, umarł tam, gdzie upadł. — Young rozejrzał się po pokoju. — Są jeszcze jakieś pytania? — Nie było. — A więc... — Przeszedł do spisu zajęć na ten dzień i zaczął rozdzielać zadania. Zainteresowanie skupiło się przede wszystkim na kolekcji pornografii Cruikshanka, na tym, skąd pochodziła i kto mógł brać w tym udział. Wysłano funkcjonariuszy do Barlinnie, żeby przepytali strażników na okoliczność ewentualnych przyjaźni, jakie Cruikshank mógł zawrzeć podczas odsiadywania wyroku. Siobhan wiedziała, że przestępców na tle seksualnym trzymano w oddzielnym skrzydle, z dala od pozostałych więźniów. Dzięki temu nie byli narażeni na codzienne ataki, z drugiej jednak strony powodowało to, że zaprzyjaźniali się ze sobą, co po wyjściu na wolność miało opłakane skutki — bywało, że samotny gwałciciel nawiązywał kontakt z siecią osobników o takich samych skłonnościach i kółko się zamykało, prowadząc do dalszych gwałtów i naruszania prawa.

— Siobhan?

Spojrzała na Younga, gdy uświadomiła sobie, że to do niej mówi.

— Tak? — Spuściła wzrok, zobaczyła, że kubek znowu jest pusty, i stwierdziła, że ma ochotę na następną kawę.

— Czy udało ci się już przesłuchać chłopaka Ishbel Jardine?

— To znaczy jej byłego chłopaka? — Odchrząknęła. — Nie, jeszcze nie.

— Nie sądzisz, że on może coś wiedzieć?

— Rozstali się w przyjaźni.

— Niby tak, ale...

Siobhan poczuła, że się rumieni. Fakt, była zbyt zajęta innymi sprawami, skoncentrowana na Donnym Cruikshanku.

— Jest na mojej liście. — Tylko tyle potrafiła wymyślić.

— Więc może miałabyś ochotę pogadać z nim teraz? — Young spojrzał na zegarek. — Jestem z nim umówiony, kiedy tylko tu skończymy.

Kiwnęła głową na znak, że się zgadza. Czuła na sobie spojrzenia pozostałych, wiedziała też, że niektórzy uśmiechają się złośliwie. Wszyscy w zespole już uważali, że coś ją z Youngiem łączy, że inspektor zadurzył się w intruzie, czyli w niej.

Teraz Kapitan Majteczki miał pupilkę.

— Nazywa się Roy Brinkley — poinformował ją Young. — Wiem tylko tyle, że chodził z Ishbel przez siedem czy osiem miesięcy, a dwa miesiące temu zerwali. — Pozostali wyszli do swoich zajęć, więc zostali w bazie sami.

— Sądzisz, że jest podejrzany?

— Są powiązania, o które musimy go zapytać. Cruikshank siedział za gwałt na Tracy Jardine... Tracy strzeliła samobója, a jej siostra dała nogę z domu... — Young wzruszył ramionami, z rękami splecionymi na piersi.

— Ale on był chłopakiem Ishbel, nie Tracy... Jeżeli ktoś miałby załatwić Cruikshanka, to raczej chłopak Tracy, a nie jej siostry... — Urwała i spojrzała Youngowi w oczy. — Tobie nie chodzi o to, że Roy Brinkley jest podejrzany, prawda? Ciekaw jesteś, co on wie na temat zniknięcia Ishbel... Twoim zdaniem to ona go zabiła!

— Nie przypominam sobie, żebym mówił coś takiego.

— Ale tak myślisz. A przecież dopiero co słyszałam, jak mówiłeś, że ciosy zadał mężczyzna.

— I wciąż będę to powtarzał.

Powoli pokiwała głową.

— Bo nie chcesz, żeby ona się dowiedziała. Boisz się, że wtedy zniknęłaby na dobre. — Przerwała na chwilę. — Uważasz, że ona jest gdzieś w pobliżu, mam rację?

— Nie mam na to dowodów.

— Czy właśnie tym zajmowałeś się przez weekend? Przetrawiałeś tę sprawę?

— Właściwie przyszło mi to do głowy w piątek wieczorem. — Rozplótł ręce i skierował się do drzwi, a Siobhan ruszyła za nim.

— Podczas gry w brydża?

Young skinął głową.

— To było nie w porządku wobec mojego partnera. Nie wygraliśmy ani jednego rozdania.

Wyszli z bazy do głównej sali biblioteki. Siobhan przypomniała mu, że nie zamknął drzwi na klucz.

— Nie ma potrzeby — odparł, uśmiechając się lekko.

— Zdawało mi się, że idziemy pogadać z Royem Brinkleyem.

Young tylko kiwnął głową i chciał przejść obok recepcji, gdzie bibliotekarz wrzucał pierwsze poranne zwroty książek pod skaner. Siobhan przeszła jeszcze kilka kroków, zanim zorientowała się, że Young się zatrzymał. Inspektor stał przed bibliotekarzem.

— Roy Brinkley? — zapytał. Młody człowiek podniósł wzrok.

— Owszem.

— Możemy zamienić kilka słów? — Young wskazał ręką w kierunku ich bazy.

— Po co? Stało się coś?

— Nie masz się czym przejmować, Roy. Potrzebujemy tylko trochę informacji...

Gdy Brinkley wyszedł zza lady, Siobhan podeszła do Lesa Younga i dźgnęła go palcem w bok.

— Przepraszam, ale to jedyne miejsce, gdzie możemy pogadać — Young zwrócił się ze skruchą do bibliotekarza.

Podsunął Brinkleyowi krzesło tak, że siedząc na nim, bibliotekarz miał widok wprost na zdjęcia z miejsca zbrodni. Siobhan wiedziała, że inspektor skłamał, bo tak naprawdę gadają tutaj właśnie ze względu na te zdjęcia. Mimo że młody człowiek starał się nie zwracać na nie uwagi, jego oczy co chwila biegały w tamtą stronę. Wyraz przerażenia na jego twarzy zdaniem większości przysięgłych świadczyłby przeciwko niemu.

Roy Brinkley był nieco po dwudziestce. Miał na sobie rozpiętą pod szyją dżinsową koszulę; kręcone kasztanowe włosy spływały mu na kołnierzyk. Na nadgarstkach miał wąskie, splątane z cienkich nitek bransoletki, ale nie nosił zegarka. Zdaniem Siobhan był nie tyle przystojny, ile ładny. Wyglądał na siedemnaście, góra osiemnaście lat. Rozumiała, dlaczego pociągał Ishbel, natomiast nie wyobrażała sobie, jak sobie radził z jej krzykliwymi i pretensjonalnymi przyjaciółkami...

— Znałeś go? — pytał Young. Ani on, ani Siobhan nie usiedli. Inspektor oparł się o stół, splótł ręce na piersi i skrzyżował nogi w kostkach. Siobhan stanęła po lewej ręce chłopaka, nie za blisko, ale tak, żeby widział ją kątem oka.

— Nie tyle go znałem, ile raczej słyszałem o nim.

— Chodziliście do tej samej szkoły?

— Ale ja do niższej klasy. To nie był zabijaka, raczej klasowy błazen. Miałem wrażenie, że nie potrafi sobie znaleźć miejsca między ludźmi.

Siobhan przypomniał się Alf McAteer, który robił za błazna Alexisa Catera.

— Przecież to małe miasto, Roy — upierał się Young. — Musiałeś z nim rozmawiać od czasu do czasu.

— Kiedy się spotykaliśmy, pewnie mówiliśmy sobie „cześć".

— Ty chyba zawsze trzymałeś nos w książkach, co?

— Lubię książki...

— A jak to było z tobą i Ishbel? Jak to się zaczęło?

— Pierwszy raz zobaczyłem ją w klubie...

— Nie znałeś jej ze szkoły?

Brinkley wzruszył ramionami.

— Chodziła trzy klasy niżej.

— A więc poznaliście się w klubie i zaczęliście ze sobą chodzić?

— Nie tak od razu... Zatańczyliśmy kilka razy, ale tańczyłem też z jej koleżankami.

— Co to były za koleżanki, Roy? — spytała Siobhan. Brinkley przeniósł wzrok z Younga na nią i z powrotem.

— Myślałem, że chodzi wam o Donny'ego Cruikshanka?

Young beztrosko machnął ręką.

— Tło, Roy — powiedział tylko.

Chłopak odwrócił się do policjantki.

— Miała takie dwie... Janet i Susie.

— Janet z Whitemire i Susie z salonu fryzjerskiego? — sprecyzowała Siobhan. Młody człowiek potwierdził ruchem głowy. — A w którym to było klubie?

— Gdzieś w Falkirk... chyba już jest zamknięty... — W skupieniu zmarszczył brwi.

— Albatros? — podsunęła Siobhan.

— Tak, właśnie ten. — Brinkley z entuzjazmem pokiwał głową.

— Znasz ten klub? — Les Young zwrócił się do Siobhan.

— Pojawił się w związku z niedawną sprawą — odparła.

— O...?

— Później — powiedziała, ruchem głowy wskazując Brinkleya; to nie była właściwa pora na wyjaśnienia. Inspektor dał znak, że rozumie.

— To były bliskie przyjaciółki Ishbel, prawda, Roy? — zapytała.

— Jasne.

— Więc dlaczego uciekła, nie mówiąc im ani słowa? Wzruszył ramionami.

— Pytała je pani o to?

— Pytam ciebie.

— Nie znam odpowiedzi.

— No dobrze, więc z innej beczki... dlaczego ze sobą zerwaliście?

— Jakoś tak samo się rozeszło.

— Musiał być jakiś powód — włączył się Les Young, zbliżając się do chłopaka o krok. — Czy to ona rzuciła ciebie, czy na odwrót?

— Chyba wspólnie doszliśmy do tego samego wniosku.

— I dlatego pozostaliście przyjaciółmi? — domyśliła się Siobhan. — A jaka była twoja pierwsza myśl, kiedy dowiedziałeś się, że uciekła?

Obrócił się na krześle, które zaskrzypiało.

— Jej rodzice przyszli do mnie, chcieli się dowiedzieć, czy jej nie widziałem. Szczerze mówiąc...

— Tak?

— Myślałem, że może to ich wina. Nigdy nie pogodzili się z samobójstwem Tracy. Wciąż o niej mówili, opowiadali jakieś historie z przeszłości.

— A Ishbel? Chcesz powiedzieć, że ona się z tym pogodziła?

— Na to wyglądało.

— Wobec tego dlaczego utleniła włosy i strzygła się tak, żeby wyglądać jak Tracy?

— Słuchajcie, ja nie twierdzę, że to źli ludzie... — Ścisnął ręce.

— Kto? John i Alice?

Przytaknął.

— Chodzi o to, że Ishbel wbiła sobie do głowy... miała wrażenie, że oni chcieliby odzyskać Tracy. To znaczy, że woleli Tracy niż ją.

— I dlatego starała się wyglądać jak siostra?

Znowu kiwnął głową.

— Rozumiecie, to duże obciążenie, no nie? Może dlatego wyjechała... — Ze smutkiem zwiesił głowę. Siobhan zerknęła na Lesa Younga, który w zamyśleniu wydął usta. Milczenie trwało blisko minutę, aż w końcu przerwała je Siobhan:

— Roy, czy wiesz, gdzie jest Ishbel?

— Nie.

— Czy zabiłeś Donny'ego Cruikshanka?

— Nie, chociaż kto wie, czy nie miałbym ochoty.

— A jak myślisz, kto to zrobił? Czy przyszedł ci do głowy ojciec Ishbel?

Brinkley uniósł głowę.

— Przyszedł mi do głowy, owszem. Ale tylko przez chwilę.

Pokiwała głową, jakby się z nim zgadzała.

Les Young miał własne pytanie:

— Czy widziałeś Cruikshanka po jego wyjściu z więzienia?

— Widziałem.

— Rozmawialiście ze sobą?

Chłopak pokręcił głową.

— Nie, ale parę razy widziałem go z takim jednym gościem.

— Jakim gościem?

— To chyba był jego kumpel.

— Ale go nie znasz?

— Nie.

— Więc pewnie nie jest stąd.

— Niekoniecznie... Nie znam każdego mieszkańca Banehall. Sam pan powiedział, że za często siedzę z nosem w książkach.

— Możesz opisać tego człowieka?

— Jeśli go zobaczycie, poznacie go od razu — rzekł Brinkley z czymś na kształt uśmiechu.

— Jak to?

— Ma wytatuowaną całą szyję. — Pokazał im gdzie. — Sieć pająka...

Usiedli w samochodzie Siobhan, żeby Roy Brinkley nie mógł ich podsłuchać.

— Tatuaż z siecią pająka — powiedziała.

— Słyszałem o tym nie po raz pierwszy — poinformował ją Les Young. — Wspomniał o nim jeden z bywalców baru w Banehall. Barman przyznał, że raz obsługiwał takiego klienta i że facet mu się nie podobał.

— Masz nazwisko?

Inspektor pokręcił głową.

— Nie, ale zdobędziemy.

— Myślisz, że to ktoś, kogo poznał w więzieniu?

Young nie odpowiedział; zamiast tego sam zadał jej pytanie:

— O co chodziło z tym Albatrosem?

— Nie mów, że ty też znasz ten lokal?

— Kiedy jako nastolatek mieszkałem w Livingston, człowiek albo jeździł zabawić się na Lothian Road, albo próbował szczęścia w Albatrosie.

— Czyli że ten klub miał wzięcie?

— Kiepskie nagłośnienie, rozwodnione piwo i lepki parkiet.

— A mimo to ludzie tam zachodzili?

— Przez jakiś czas był to jedyny lokal w okolicy. Bywało, że wieczorami zaglądało tam więcej kobiet niż mężczyzn... kobiet na tyle dorosłych, że powinny wiedzieć, co robią.

— Czyli że to była mordownia?

Wzruszył ramionami.

— Nie miałem okazji się przekonać.

— Bo nie mogłeś się oderwać od brydża? — zadrwiła.

Puścił to mimo uszu.

— Ale ciekawi mnie, skąd ty wiesz o tym lokalu.

— Czytałeś w gazecie o tych szkieletach?

Uśmiechnął się.

— Nie musiałem. Na posterunku plotka goni plotkę. Doktor Curt nieczęsto daje ciała.

— Nie dał ciała. — Zamilkła. — A jeśli nawet, to ja też.

— Jak to?

— Zakryłam szkielet dziecka własnym żakietem.

— Ten plastikowy?

— Był na wpół zakryty ziemią i betonem...

Podniósł ręce w geście poddania.

— Nadal nie widzę związku.

— Bo jest dość słaby — przyznała. — Facet, który prowadzi ten bar, był wcześniej właścicielem Albatrosa.

— Przypadek?

— Tak przypuszczam.

— Ale pogadasz z nim jeszcze, czy aby nie znał Ishbel?

— Da się zrobić.

Young westchnął.

— Czyli zostaje nam wytatuowany facet, i to by było na tyle.

— To i tak więcej, niż mieliśmy godzinę temu.

— Pewnie masz rację. — Wyjrzał przez szybę na parking. — Dlaczego w Banehall nie ma porządnej kawiarni?

— Moglibyśmy podjechać autostradą M osiem do Harthill.

— Po co? Co takiego jest w Harthill?

— Stacja benzynowa z barem.

— Mówiłem o porządnej kawiarni, prawda?

— Tak tylko proponowałam... — Siobhan także wyjrzała przez szybę.

— No dobra — zgodził się w końcu Young. — Ty prowadzisz, ja stawiam.

— Stoi — odparła, przekręcając kluczyk w stacyjce.

23

Rebus wrócił na George Square i stanął przed gabinetem doktor Maybury. Zza drzwi dobiegły go głosy, ale nie przeszkodziło mu to zapukać.

— Wejść!

Otworzył drzwi i zajrzał do środka. Odbywało się seminarium, wokół stołu zobaczył osiem zaspanych twarzy. Uśmiechnął się do Maybury.

— Mogę zająć pani minutkę?

Zrzuciła z nosa okulary, które zawisły na łańcuszku powyżej jej piersi. Wstała bez słowa i przecisnęła się przez wąską lukę między krzesłami a ścianą. Zamknęła za sobą drzwi i odetchnęła głośno.

— Naprawdę mi przykro, że znowu zawracam pani głowę — usprawiedliwiał się Rebus.

— Nic nie szkodzi. — Zaczęła skubać grzbiet nosa.

— Trafiła się tępa grupa, co?

— Nie mogę pojąć, po co zawracamy sobie głowę i organizujemy seminaria w poniedziałki z samego rana. — Pokręciła głową. — Przepraszam, to nie pański problem. Udało się odnaleźć tę kobietę z Senegalu?

— No właśnie w tej sprawie przychodzę...

— Tak?

— Nasza ostatnia teoria głosi, że ona może znać niektórych studentów. — Zamilkł na chwilę. — Być może zresztą sama jest studentką.

— O?

— Dlatego zastanawiam się, jak... jak by to sprawdzić na sto procent? Wiem, że to nie pani działka, ale może mogłaby mnie pani skierować na właściwy trop...

Maybury myślała przez chwilę.

— Doradzałabym sprawdzić w rejestracji.

— A gdzie to jest?

— W Starym College'u.

— Naprzeciwko księgarni Thin's?

Uśmiechnęła się.

— Chyba dawno nie kupował pan książek, inspektorze? Thin's poszedł z torbami, teraz księgarnia należy do sieci Blackwell's.

— Ale to tam jest Stary College?

Potwierdziła skinieniem głowy.

— Przepraszam za moją pedantyczność.

— Sądzi pani, że będą chcieli ze mną rozmawiać?

— Oni tam oglądają tylko studentów, którzy zgubili swoje karty rejestracyjne. Pan będzie dla nich prawdziwie egzotycznym okazem. Niech pan pójdzie przez Bristo Square, a potem przejściem podziemnym. Wejście do Starego College'u jest od West College Street.

— Tak mi się zdawało, ale dzięki.

— Wie pan, co ja teraz robię? — uświadomiła sobie nagle. — Gadam, co ślina na język przyniesie, byleby odwlec to, co nieuniknione. — Spojrzała na zegarek. — Jeszcze czterdzieści minut...

Rebus przysunął ucho do drzwi, udając, że podsłuchuje.

— Zdaje się, że i tak już padli. Grzechem byłoby ich budzić.

— Lingwistyka nie każe na siebie czekać, inspektorze — odparła Maybury, prostując kręgosłup. — No, to do boju! — Odetchnęła głęboko i otworzyła drzwi.

Zniknęła w sali.

Idąc do college'u, Rebus zadzwonił do Whitemire i poprosił o połączenie z Traynorem.

— Przykro mi, ale pan Traynor nie może teraz podejść do telefonu.

— Czy to ty, Janet?

Zapadła cisza.

— To ja — odparła Janet Eylot po dłuższej chwili.

— Mówi inspektor Rebus. Słuchaj, przykro mi, że moi koledzy zawracali ci głowę. Daj znać, jeżeli mogę ci w czymś pomóc.

— Dziękuję, inspektorze.

— Co jest z twoim szefem? Nie mów mi, że z nadmiaru stresu wziął sobie wolne.

— Po prostu dziś rano nie życzy sobie, żeby mu przeszkadzano.

— Rozumiem, ale możesz spróbować mnie połączyć. Powiedz mu, że nie chcę się odczepić.

Długo zwlekała z odpowiedzią.

— Dobrze — odrzekła w końcu. Po chwili Traynor podniósł słuchawkę.

— Słuchaj pan, jestem zawalony robotą po uszy...

— Jak my wszyscy — przerwał mu Rebus ze współczuciem. — Ciekaw jestem, czy sprawdził pan dla mnie te wykazy?

— Jakie wykazy?

— Kurdów i francuskojęzycznych Afrykanów, którzy zostali wypuszczeni z Whitemire.

Traynor westchnął.

— Nie było takich.

— Jest pan pewien?

— Absolutnie. Czy to już wszystko?

— Chwilowo — odrzekł Rebus. Zanim jeszcze to słowo wybrzmiało do końca, połączenie przerwano. Inspektor spojrzał na komórkę i doszedł do wniosku, że nie ma sensu dalej się narzucać. Uzyskał przecież odpowiedź.

Tyle tylko, że nie bardzo w nią wierzył.

— To wysoce nieprawdopodobne — oświadczyła kobieta w rejestracji, zresztą nie po raz pierwszy. Wcześniej zaprowadziła Rebusa przez dziedziniec do innych biur w Starym College'u. Inspektor przypomniał sobie, że niegdyś mieścił się tam wydział medycyny — miejsce, gdzie hieny cmentarne znosiły swoje łupy, by sprzedać je dociekliwym chirurgom. A czy to nie tutaj przeprowadzono sekcję zwłok seryjnego mordercy Williama Burke'a po jego egzekucji na szubienicy? Rebus zapytał o to swą przewodniczkę. Błąd. Zmierzyła go wzrokiem ponad szkłami dwuogniskowych okularów. Jeżeli uważała go za egzotyczny okaz, to dobrze to ukrywała.

— Nic mi na ten temat nie wiadomo — zaterkotała. Szła szybkimi krokami, stawiając stopy blisko siebie. Rebus oceniał, że jest mniej więcej w jego wieku, ale zupełnie nie potrafił sobie wyobrazić, że kiedyś była młodsza. — Ze wszech miar nieregularne — powiedziała sama do siebie, poszerzając swoje słownictwo.

— Będę wdzięczny za wszelką pomoc. — Powtórzył zdanie, od którego w ogóle zaczął ich rozmowę. Uważnie wysłuchała, o co mu chodzi, po czym zadzwoniła do kogoś stojącego wyżej w urzędniczej hierarchii. Uzyskała zgodę, ale z zastrzeżeniami: dane osobowe są objęte tajemnicą. Potrzebna będzie pisemna prośba, którą należy przedyskutować przed podjęciem decyzji o udzieleniu jakichkolwiek informacji.

Rebus przystał na wszystko, dodając, że sprawa i tak będzie nieaktualna, jeżeli okaże się, iż na uniwersytecie nie ma żadnych studentów z Senegalu.

W rezultacie pani Scrimgour zamierzała przeszukać bazę danych.

— Mógł pan zaczekać na mnie w biurze — powiedziała teraz. Rebus tylko kiwnął głową; skręcili w otwarte drzwi. Przy komputerze pracowała młodsza kobieta. — Potrzebuję skorzystać z twojego miejsca, Nancy. — W jej ustach zabrzmiało to, jakby ją strofowała, a nie prosiła. Nancy zerwała się z miejsca tak szybko, że omal nie przewróciła krzesła. Pani Scrimgour ruchem głowy wskazała drugą stronę biurka; Rebus miał tam stanąć, żeby nie widział ekranu. Posłuchał jej tylko częściowo, pochylił się bowiem i oparł łokciami na biurku, z twarzą na wysokości twarzy pani Scrimgour. Skrzywiła się ze złością, lecz Rebus się uśmiechnął.

— Jest coś? — zapytał.

Stukała w klawiaturę.

— Afryka podzielona jest na pięć stref — poinformowała go.

— Senegal leży na północnym zachodzie.

Zmierzyła go wzrokiem.

— A konkretnie na północy czy na zachodzie?

— Tu albo tu — odparł, wzruszając ramionami. Pociągnęła nosem i dalej stukała w klawisze; w końcu zamarła z ręką na myszce.

— No cóż — powiedziała. — Studiuje u nas ktoś z Senegalu... to wszystko.

— Ale nie może mi pani podać nazwiska ani adresu?

— Dopiero po dopełnieniu procedur, o których rozmawialiśmy.

— Przecież to tylko zwykła strata czasu.

— Czy muszę panu przypominać, że są to właściwe procedury, przewidziane przez prawo?

Powoli pokiwał głową i przysunął twarz do jej twarzy. Odsunęła się na krześle.

— No cóż, dzisiaj nic więcej nie uda nam się chyba zrobić.

— A gdyby tak w roztargnieniu odeszła pani, nie wyłączając komputera...?

— Oboje doskonale znamy odpowiedź na to pytanie, inspektorze. — Co mówiąc, dwukrotnie kliknęła myszką. Rebus wiedział, że informacja zniknęła już z ekranu. Nic nie szkodzi, dostatecznie dużo zobaczył w odbiciu w jej okularach. Fotografię uśmiechniętej młodej dziewczyny o ciemnych kręconych włosach. Był prawie pewien, że nazwisko brzmiało Kawake, adres zaś był adresem uniwersyteckiego akademika przy Dalkeith Road.

— Bardzo mi pani pomogła — powiedział do pani Scrimgour.

Słysząc to, usiłowała ukryć rozczarowanie.

Pollock Halls mieścił się u podnóża Arthur's Seat, na skraju parku Holyrood. Rozległy, przypominający labirynt zamknięty teren, na którym stara architektura mieszała się z nową — krokształy i wieżyczki z nowoczesnymi pudełkami. Rebus podjechał pod wartownię i wysiadł na spotkanie z umundurowanym strażnikiem.

— Sie masz, John!

— Dobrze wyglądasz, Andy — odparł Rebus, ściskając jego rękę.

Andy Edmunds wstąpił do policji jako posterunkowy w wieku lat osiemnastu, co oznaczało, że mógł przejść na emeryturę z pełną wysługą lat sporo przed pięćdziesiątką. Pracował jako strażnik na pół etatu, żeby wypełnić czymś dzień. W przeszłości obaj byli sobie przydatni — Andy informował Rebusa o dealerach, próbujących rozprowadzać narkotyki wśród studentów w Pollock, skutkiem czego miał wrażenie, jakby nadal pracował w policji.

— Co cię tu sprowadza? — zapytał teraz.

— Chodzi mi o przysługę. Mam nazwisko, chociaż niewykluczone, że to jest imię, dziewczyny, która ostatnio tutaj mieszkała.

— A co takiego przeskrobała?

Rebus rozejrzał się, jakby chciał podkreślić wagę tego, co ma do powiedzenia. Edmunds połknął przynętę i przysunął się.

— Chodzi o to morderstwo w Knoxland — powiedział szeptem. — Ona może mieć jakiś związek. — Położył palec na ustach, na co Edmunds ze zrozumieniem pokiwał głową.

— Przecież wiesz, John, że umiem trzymać gębę na kłódkę.

— Wiem, Andy... To co, myślisz, że ją tu jakoś znajdziemy?

Użycie liczby mnogiej dało Edmundsowi kopa. Wrócił do swojej szklanej budki, zadzwonił gdzieś i znów wyszedł do inspektora.

— Pogadamy z Maureen — rzekł i puścił oko. — Mamy mały romansik na boku, ale to mężatka... — Tym razem to on położył palec na ustach.

Rebus bez słowa skinął głową. Skoro podzielił się z Edmundsem tajemnicą, ten mu się teraz zrewanżował. Tak wypada. Razem przeszli dziesięć jardów do głównego budynku administracji. Był to najstarszy gmach na tym terenie, zbudowany w stylu szkockiej magnaterii; wnętrze zdominowane było przez szerokie drewniane schody, ściany zaś obite boazerią z poczerniałego drewna. Gabinet Maureen, położony na parterze, miał ozdobny kominek z zielonego marmuru i wyłożony drewnianą boazerią sufit. Była mała, pulchna i wyglądała jak myszka. Trudno było ją sobie wyobrazić romansującą potajemnie z mężczyzną w mundurze. Edmunds patrzył na inspektora tak, jakby oczekiwał jego aprobaty. Rebus uniósł brew i lekko skłonił głowę, co najwyraźniej ucieszyło byłego gliniarza.

Inspektor uścisnął dłoń Maureen i przeliterował nazwisko.

— Ale możliwe, że trochę przekręciłem litery — uprzedził.

— Kawame Mana — sprecyzowała Maureen. — Mam ją tu. — Na jej ekranie ukazały się te same informacje, co u pani Scrimgour. — Ma pokój w Fergusson Hall... studiuje psychologię.

Rebus otworzył notes.

— Data urodzenia?

Maureen postukała w ekran i inspektor przepisał widniejące na nim dane. Kawame, studentka drugiego roku, miała dwadzieścia lat.

— Każe się nazywać Kate — dodała Maureen. — Pokój dwieście dziesięć.

Rebus odwrócił się do Andy'ego Edmundsa, który kiwał głową.

— Zaprowadzę cię.

W wąskim pomalowanym na kremowo korytarzu panowała cisza. Nie tego się Rebus spodziewał.

— Nikt tu nie puszcza hip-hopu na cały regulator? — zdziwił się. Edmunds parsknął śmiechem.

— John, w dzisiejszych czasach oni wszyscy mają słuchawki, odcinają się od świata.

— To nawet jeśli zapukamy, ona i tak nas nie usłyszy?

— Przekonajmy się.

Przystanęli przed drzwiami z numerem 210. Wisiały na nich nalepki z kwiatami i emotikonami, a także imię „Kate" wykonane z maleńkich srebrnych gwiazdek. Rebus zacisnął pięść i załomotał trzy razy. Po drugiej stronie korytarza uchyliły się drzwi i spojrzały na nich męskie oczy. Edmunds teatralnie pociągnął nosem.

— Zioło, bez dwóch zdań — powiedział. Rebus się skrzywił.

Gdy zastukał ponownie i znów nikt nie otworzył, kopnął drzwi naprzeciwko tak, że omal nie wypadły z futryny. Zanim się otworzyły, trzymał już legitymację. Wyciągnął rękę po malutkie słuchawki i zerwał je chłopakowi z głowy. Student był jeszcze przed dwudziestką, ubrany w zielone bojówki i skurczony szary T-shirt. Z dopiero otwartego okna ciągnął wiatr.

— Macie jakiś problem? — zapytał chłopak, leniwie przeciągając słowa.

— My nie, ale ty chyba tak. — Rebus podszedł do okna i wystawił głowę na zewnątrz. Z krzewu poniżej unosiła się cienka strużka dymu. — Mam nadzieję, że niewiele tego zostało.

— Niewiele czego? — Głos człowieka wykształconego, londyński akcent.

— Bo ja wiem, jak to teraz nazywacie... zioło, ziele, trawa, marycha... — Inspektor uśmiechnął się. — Ale nie chce mi się schodzić po tego peta, sprawdzać DNA na podstawie śliny, a potem wracać tu, żeby cię przymknąć.

— Nie słyszał pan? Trawa została zalegalizowana.

Rebus pokręcił głową.

— Uznana za miękki narkotyk, a to nie to samo. Ale będziesz miał prawo zadzwonić do rodziców... to jeszcze jedno z praw, które trzeba będzie zmienić. — Rozejrzał się po pokoju: pojedyncze łóżko, a obok na podłodze skotłowana pościel; półki z książkami; laptop na biurku. Na ścianach plakaty do sztuk teatralnych.

— Lubisz teatr? — zapytał.

— Trochę grywałem... w przedstawieniach studenckich.

Rebus kiwnął głową.

— Znasz Kate?

— Taaa. — Student wyłączył odtwarzacz, od którego odchodziły przewody ze słuchawkami. Rebus pomyślał, że Siobhan pewnie wiedziałaby, co to za sprzęt. On wiedział tylko tyle, że urządzenie było za małe jak na odtwarzacz płyt kompaktowych.

— Wiesz, gdzie możemy ją zastać?

— A co takiego zrobiła?

— Nic nie zrobiła, chcemy z nią tylko pogadać.

— Ona rzadko jest u siebie... pewnie siedzi w bibliotece.

— John... — Edmunds stał w otwartych drzwiach i wyglądał na korytarz. Ciemnoskóra dziewczyna ze związanymi gumką drobno kręconymi włosami otwierała drzwi pokoju naprzeciwko; ze zdziwieniem oglądała się przez ramię na to, co działo się u jej sąsiada.

— Kate? — domyślił się Rebus.

— Tak. O co chodzi? — Każdą sylabę akcentowała tak samo.

— Jestem oficerem policji, Kate. — Rebus wyszedł na korytarz. Edmunds zatrzasnął drzwi pokoju studenta, z nim już skończyli. — Można zamienić z tobą słowo?

— Boże, chodzi o moją rodzinę? — Jej wielkie oczy zrobiły się jeszcze większe. — Czy coś im się stało? — Torba, którą miała na ramieniu, spadła na podłogę.

— To nie ma nic wspólnego z twoją rodziną — zapewnił ją Rebus.

— Wobec tego o co chodzi? Nie rozumiem...

Inspektor sięgnął do kieszeni i wyciągnął taśmę w przezroczystym pudełku. Zagrzechotał nią.

— Masz może magnetofon kasetowy? — zapytał.

Kiedy nagranie dobiegło końca, spojrzała mu w oczy.

— Dlaczego kazał mi pan tego słuchać? — spytała drżącym głosem.

Rebus stał oparty o szafę, z rękami założonymi za plecy. Poprosił Andy'ego Edmundsa, żeby zaczekał na zewnątrz, ale ochroniarz nie był tym zachwycony. Z jednej strony inspektor nie chciał, żeby Andy słyszał, o czym rozmawiają — ostatecznie było to dochodzenie policyjne, a Edmunds nie był już gliną, choć może tak mu się zdawało. Z drugiej zaś — i tym argumentem Rebus przekonał ochroniarza — w pokoju nie było miejsca dla nich trojga. Chciał, żeby Kate czuła się swobodnie. Na biurku stało radio z magnetofonem kasetowym. Inspektor pochylił się, zatrzymał taśmę i przewinął ją do początku.

— Chcesz posłuchać jeszcze raz?

— Nie rozumiem, czego pan ode mnie oczekuje.

— Uważamy, że ta kobieta na taśmie pochodzi z Senegalu.

— Z Senegalu? — Kate wydęła usta. — Przypuszczam, że to możliwe... Kto panu tak powiedział?

— Ktoś z wydziału lingwistyki. — Rebus wyjął kasetę. — Czy w Edynburgu jest wielu Senegalczyków?

— O ile wiem, jestem jedyna. — Kate wpatrywała się w taśmę. — Co ta kobieta zrobiła?

Rebus udawał, że ogląda jej kolekcję płyt. Miała cały stojak kompaktów, a do tego kilka stosów na parapecie.

— Lubisz muzykę, Kate?

— Lubię tańczyć.

Inspektor pokiwał głową.

— To widać. — Chociaż prawdę mówiąc, nazwy zespołów i wykonawców, które widział, nic mu nie mówiły. Wyprostował się. — Nie znasz tu nikogo więcej z Senegalu?

— Wiem, że w Glasgow jest kilka osób... Co ona zrobiła?

— To, co słyszałaś na taśmie... zadzwoniła pod numer alarmowy. Zamordowano jej znajomego, więc musimy z nią porozmawiać.

— Bo uważacie, że ona to zrobiła?

— To ty jesteś psychologiem... Jak ci się wydaje?

— Jeżeli go zabiła, to po co dzwoniła potem na policję?

Rebus kiwnął głową.

— Nam też tak się zdaje. Ale ona może mieć jakieś informacje. — Zapamiętywał każdy szczegół, od kolekcji biżuterii Kate po pachnącą nowością skórzaną torebkę na ramię. Rozejrzał się, szukając zdjęć rodziców, którzy — jak sądził — opłacali jej studia.

— Twoja rodzina została w Senegalu, Kate?

— Tak, w Dakarze.

— Tam gdzie kończy się rajd, dobrze mówię?

— Właśnie tam.

— Utrzymujesz z nimi kontakt?

— Nie.

— O? Czyli że sama zarabiasz na siebie?

Przeszyła go wściekłym wzrokiem.

— Przepraszam, wścibstwo to nieodłączna cecha mojego zawodu. Jak ci się podoba w Szkocji?

— O wiele zimniej niż w Senegalu.

— Wyobrażam sobie.

— I nie mam na myśli jedynie klimatu.

Inspektor ze zrozumieniem pokiwał głową.

— Czyli że nie możesz mi pomóc?

— Naprawdę, bardzo mi przykro.

— To nie twoja wina. — Położył na biurku wizytówkę. — Ale gdybyś spotkała przypadkiem kogoś z twojego kraju...

— Na pewno dam panu znać. — Wstała z łóżka, jakby nie mogła się doczekać, kiedy sobie pójdzie.

— No to jeszcze raz dzięki. — Rebus podał jej rękę. Uścis-

346

nęła ją; jej dłoń była zimna i wilgotna. Zamykając za sobą drzwi, myślał o jej pełnym ulgi spojrzeniu.

Edmunds siedział na górnym stopniu schodów, obejmując kolana. Rebus przeprosił go i wyjaśnił, o co mu chodziło. Edmunds nie odezwał się; dopiero kiedy wyszli na zewnątrz i zmierzali w kierunku szlabanu i samochodu inspektora, zapytał:

— Czy to prawda, że na podstawie niedopałka papierosa można ustalić DNA?

— A niby skąd ja mam wiedzieć, Andy? Ale trzeba było jakoś gówniarza postraszyć.

Pornografię przekazano do komendy głównej w Livingston. W pokoju, w którym oglądano filmy, były jeszcze trzy inne policjantki i Siobhan widziała, że kilkunastu obecnym tam mężczyznom było z tego powodu wyraźnie nieswojo. Do dyspozycji mieli jedynie osiemnastocalowy telewizor, wobec czego wszyscy musieli się stłoczyć wokół niego. Przez cały czas mężczyźni nie otwierali ust, chyba że ogryzali długopisy; nikt nie ryzykował żartów. Les Young krążył po pokoju za ich plecami, ze splecionymi na piersi rękami i wzrokiem wbitym w buty, jakby na znak, że nie ma z tym przedsięwzięciem nic wspólnego.

Część filmów były to produkcje komercyjne, pochodzące albo z Ameryki, albo z kontynentu. Był film niemiecki, a także japoński; w tym ostatnim występowały dziewczęta w szkolnych mundurkach, mające najwyżej piętnaście czy szesnaście lat.

— Pornografia dziecięca — skomentował to jeden z oficerów. Od czasu do czasu prosił o stop-klatkę i aparatem cyfrowym robił zbliżenia twarzy poszczególnych dziewcząt.

Film na jednym z DVD był kiepsko nakręcony i źle zmontowany. Rzecz działa się w salonie jakiegoś podmiejskiego domku. Jedna para na zielonej skórzanej kanapie, druga na puszystym dywanie. Jeszcze jedna kobieta, ciemnoskóra, kucała naga przy kominku elektrycznym i masturbowała się, obserwując tamtych. Kamera skakała z miejsca na miejsce. W pewnym momencie ręka kamerzysty pojawiła się w kadrze, gdy zaczął miętosić pierś jednej z kobiet. Na ścieżce dźwiękowej, składającej się do tej pory tylko z sapania, jęków i chrząknięć, pojawiło się nagle jego pytanie:

— I jak ci, wielkoludzie?

— Brzmi, jakby to mówił ktoś stąd — zauważył jeden z oficerów.

— Cyfrowa kamera i prosty program komputerowy — dodał ktoś inny. — Dzisiaj każdy może sobie nakręcić własnego pornola.

— Na szczęście nie każdy ma na to ochotę — zaripostowała jedna z policjantek.

— Momencik — wtrąciła się Siobhan. — Możecie cofnąć kawałek?

Oficer obsługujący pilota zatrzymał obraz i cofnął film klatka po klatce.

— Szukasz nowych pomysłów, Siobhan? — rzucił jeden z mężczyzn, na co kilku innych parsknęło śmiechem.

— Wystarczy, Rod! — warknął Les Young.

Oficer siedzący obok Siobhan pochylił się do swojego sąsiada.

— To samo właśnie powiedziała ta na filmie — szepnął.

Kilku mężczyzn znów parsknęło śmiechem, ale Siobhan nie odrywała oczu od ekranu.

— Zatrzymaj — poleciła. — Co ten kamerzysta ma na grzbiecie dłoni?

— Jakieś znamię? — podsunął ktoś, przysuwając głowę do ekranu.

— Tatuaż — odparła jedna z kobiet. Siobhan kiwnęła głową na znak, że się z nią zgadza. Wstała z krzesła i podeszła do ekranu, by przyjrzeć się z bliska.

— Moim zdaniem to pająk — oświadczyła i spojrzała na Lesa Younga.

— Tatuaż z pającem — powiedział cicho.

— Może to ten sam, który ma pająka na szyi?

— To by oznaczało, że przyjaciel zabitego kręci pornole.

— Musimy się dowiedzieć, kim on jest.

Les Young rozejrzał się po pokoju.

— Kto zajmuje się ustalaniem nazwisk znajomków Cruikshanka?

Policjanci wymieniali spojrzenia, wzruszając ramionami, aż w końcu jedna z kobiet odchrząknęła i powiedziała:

— Posterunkowy Maxton, inspektorze.

— A gdzie on jest?

— Mówił, zdaje się, że wraca do Barlinnie. — A zatem sprawdzał, kto z więźniów trzymał się blisko z Cruikshankiem.

— Zadzwoń do niego i powiedz mu o tatuażach — polecił Young. Policjantka podeszła do biurka i sięgnęła po słuchawkę. Tymczasem Siobhan dzwoniła już ze swojej komórki. Odeszła od telewizora i stanęła przy zasłoniętym oknie.

— Czy można prosić Roya Brinkleya? — Podchwyciła spojrzenie Younga, który skinieniem głowy dał jej znak, że dobrze robi. — Roy? Tu sierżant Clarke... Słuchaj, chodzi mi o tego znajomego Donny'ego Cruikshanka, tego z pająkiem na szyi... Nie zauważyłeś przypadkiem, czy miał jakieś inne tatuaże? — Słuchając odpowiedzi, uśmiechnęła się szeroko. — Na grzbiecie dłoni? Świetnie, wielkie dzięki. Wracaj do swoich książek.

Przerwała połączenie.

— Ma tatuaż z pająkiem na grzbiecie dłoni.

— Dobra robota, Siobhan.

Na te słowa kilka osób łypnęło na nią z zawiścią. Siobhan nie przejęła się tym.

— Niewiele nam to daje, dopóki nie znamy jego tożsamości.

Wyglądało na to, że Young się z nią zgadza. Oficer z pilotem w ręku puścił film dalej.

— Może będziemy mieli szczęście — powiedział. — Skoro ten facet tak się rwie z łapami, może przekaże kamerę komu innemu.

Znowu zasiedli przed ekranem. Siobhan coś nie dawało spokoju, ale nie mogła sobie uświadomić co. Kamera przesunęła się z kanapy na kucającą kobietę, tyle że ona już nie kucała. Teraz stała. W tle słychać było jakąś muzykę. Nie był to podkład pod film, lecz coś, co leciało w pokoju podczas kręcenia. Kobieta tańczyła w rytm tej muzyki, pochłonięta nią tak, że zapomniała o tym, co dzieje się dookoła.

— Ja już ją widziałam — powiedziała cicho Siobhan. Kątem oka zobaczyła, że ktoś z zespołu z niedowierzaniem wywraca oczami.

Znowu to samo: traktują ją jak pupilkę Kapitana Majteczki, która ma ich gdzieś.

Nauczcie się z tym żyć, miała ochotę im powiedzieć, zamiast tego odwróciła się do Younga, który sprawiał wrażenie, jakby nie wierzył własnym uszom.

— Widziałam ją kiedyś, jak tańczyła.

— Gdzie?

Siobhan spojrzała na zespół i wróciła wzrokiem do Younga.

— W klubie, który nazywa się Dziurka.

— Tym, gdzie panienki tańczą przy rurze? — spytał jeden z mężczyzn, wzbudzając salwę śmiechu i nieprzyzwoitych gestów. — Byłem tam na wieczorku kawalerskim — próbował się tłumaczyć.

— I jak ci poszło na przesłuchaniu? Przyjęli cię? — zapytał Siobhan inny oficer, wzbudzając jeszcze większy śmiech.

— Zachowujecie się jak szczeniaki w szkole — warknął Les Young. — Dorośnijcie albo spadajcie stąd. — Kciukiem wskazał na drzwi i zwrócił się do Siobhan: — Kiedy to było?

— Kilka dni temu. W związku z Ishbel Jardine. — Teraz wszyscy w pokoju słuchali jej z uwagą. — Dostaliśmy informację, że mogła trafić tam do pracy.

— I?

Siobhan pokręciła głową.

— Ani śladu po niej. Ale — wskazała na ekran telewizora — jestem prawie pewna, że ona tam była i tańczyła dokładnie tak jak teraz. — Na ekranie jeden z mężczyzn, goły, jeśli nie liczyć skarpetek, podchodził do tancerki. Przycisnął jej ramiona do boków i chciał ją zmusić, żeby uklękła, ale wyrwała mu się i nadal tańczyła, z zamkniętymi oczami. Mężczyzna spojrzał w obiektyw kamery i wzruszył ramionami. Kamera opadła w dół i obraz się rozmył. Gdy znów odzyskał ostrość, w kadr wszedł ktoś inny.

Ogolona na łyso głowa, blizny na twarzy jeszcze bardziej widoczne niż na żywo.

Donny Cruikshank.

W pełni ubrany, na twarzy miał szeroki uśmiech, a w ręku butelkę piwa.

— Kopsnij kamerę — powiedział, wyciągając wolną rękę.

— Umiesz się nią posługiwać?

— Spadaj, Mark. Jeżeli ty potrafisz, to ja też.

— Witaj, Donny! — rzucił jeden z oficerów, zapisując w notesie imię „Mark".

Dyskusja na ekranie trwała, aż kamera przeszła w drugie ręce. Teraz Donny Cruikshank szybko przesunął obiektyw, żeby pokazać swojego kumpla. Tamten nie zdążył na czas unieść rąk i zakryć twarzy. Oficer obsługujący pilota sam z siebie cofnął film i zatrzymał stop-klatkę. Jego kolega podniósł aparat cyfrowy do oka.

Na ekranie widniała wielka, wygolona na łyso głowa, błyszcząca od potu. Kolczyki w obu uszach i w nosie, jeszcze jeden w grubej czarnej brwi; w otwartych w proteście ustach brakowało przedniego zęba.

I oczywiście wytatuowany pająk, pokrywający całą szyję.

24

Z Pollock Halls na Gayfield Sguare samochodem było niedaleko. W wydziale śledczym urzędowała tylko jedna dusza —
Phyllida Hawes, która na widok Rebusa natychmiast oblała się
rumieńcem.

— Zakolegowaliście się ostatnio z kimś fajnym, posterunkowa Hawes?

— John, ja...

Rebus roześmiał się.

— Nie przejmuj się, Phyl. Zrobiłaś, co uważałaś za stosowne. — Przysiadł na skraju jej biurka. — Kiedy Storey
przyszedł do mnie, powiedział, że jego zdaniem jestem uczciwy,
bo zna moją reputację... domyślam się, że właśnie tobie powinienem za to podziękować.

— Mimo wszystko powinnam cię uprzedzić — powiedziała
z widoczną ulgą w głosie; inspektor zorientował się, jak bardzo
obawiała się tego spotkania.

— Nie mam ci tego za złe. — Wstał i podszedł do czajnika. — Zrobić ci kawę?

— Poproszę... bardzo dziękuję.

Nasypał kawy do ostatnich dwóch czystych kubków.

— A właściwie kto cię przedstawił Storeyowi? — zapytał
obojętnym tonem.

— Polecenie z góry: z komendy głównej na Fettes do starszego inspektora Macraego.

— A Macrae uznał, że to ty jesteś właściwą osobą do tej

pracy? — Pokiwał głową, jakby zgadzał się z wyborem przeło-
żonego.

— Miałam nikomu nic nie mówić — dorzuciła Hawes.

Rebus pomachał do niej łyżeczką.

— Nie pamiętam, z mlekiem i cukrem?

Uśmiechnęła się blado.

— Wcale nie zapomniałeś.

— Jak to?

— Po prostu nigdy dotąd nie proponowałeś mi kawy.

Uniósł brew.

— Pewnie masz rację. Zawsze musi być ten pierwszy raz,
no nie?

Wstała z krzesła i podeszła do niego.

— A swoją drogą z mlekiem, ale bez cukru.

— Zapamiętam sobie. — Wąchał zawartość półlitrowego
kartonu mleka. — Zrobiłbym też naszemu młodemu Colinowi,
ale domyślam się, że pojechał na dworzec Waverley w poszukiwaniu podróżujących złodziei.

— Prawdę mówiąc, został wezwany. — Hawes ruchem
głowy wskazała okno. Rebus wyjrzał na parking. Mundurowi
pakowali się po czterech, a nawet pięciu do ostatnich radiowozów, jakie były pod ręką.

— Co się dzieje? — zapytał.

— W Cramond potrzebne są posiłki.

— W Cramond? — Rebus zrobił wielkie oczy. Dzielnica ta,
wciśnięta między pole golfowe a rzekę Almond, była jedną
z najspokojniejszych w mieście; domy w tej okolicy należały
do najdroższych. — Co to, powstanie chłopskie?

Hawes stanęła obok niego przy oknie.

— Coś w związku z nielegalnymi imigrantami — powiedziała. Rebus spojrzał na nią.

— A konkretnie?

Wzruszyła ramionami. Rebus wziął ją pod ramię, zaprowadził
do biurka, podniósł słuchawkę telefonu i podał jej.

— Zadzwoń do swojego kumpla Feliksa — powiedział takim
tonem, jakby wydawał rozkaz.

— Po co?

Zbył jej pytanie machnięciem ręki i patrzył, jak wybiera
numer.

— Dzwonisz na jego komórkę? — domyślił się. Przytaknęła, a on wziął od niej słuchawkę. Telefon odebrano po siódmym sygnale.

— Tak? — rozległ się niecierpliwy głos.

— Felix? — zapytał inspektor, nie spuszczając wzroku z Phyllidy Hawes. — Mówi Rebus.

— Mam teraz urwanie głowy. — Sądząc z odgłosów, siedział w szybko jadącym samochodzie, za kierownicą albo jako pasażer.

— Ciekaw jestem tylko, jak idą moje poszukiwania?

— Twoje poszukiwania...?

— Senegalczyków mieszkających w Szkocji. Nie mów, że zapomniałeś. — W głosie Rebusa zabrzmiała uraza.

— Miałem na głowie inne rzeczy, John. Zajmę się tym w swoim czasie.

— A czym jesteś tak bardzo zajęty, Felix? Czyżbyś wybierał się do Cramond?

Na linii zapadła cisza; Rebus rozdziawił się w uśmiechu.

— No dobra — rzekł Storey. — O ile mnie pamięć nie myli, nigdy nie dawałem ci tego numeru... wobec tego dostałeś go pewnie od posterunkowej Hawes, co oznacza, że prawdopodobnie dzwonisz z Gayfield Square...

— I właśnie oglądam odjazd kawalerii. Więc cóż to za wielka draka w tym Cramond, Feliksie?

Nastąpiła kolejna chwila ciszy na linii, a potem padły słowa, na które Rebus czekał:

— Najlepiej przyjedź i sam się przekonaj.

Parking położony był nie w samym Cramond, lecz nieco dalej wzdłuż wybrzeża. Ludzie zostawiali tam samochody i przechodzili krętą ścieżką przez trawę i pokrzywy na plażę. To odsłonięte, chłostane wiatrem miejsce prawdopodobnie nigdy jeszcze nie było tak zatłoczone jak teraz. Stało tam kilkanaście radiowozów i kilka oznakowanych furgonetek, a także olbrzymie limuzyny, którymi lubili się wozić agenci celni i z Urzędu Imigracyjnego. Felix Storey, gestykulując, wydawał polecenia podwładnym.

— Do brzegu jest jakieś pięćdziesiąt jardów, ale uważajcie...

na nasz widok od razu zaczną uciekać. Bogu dzięki, nie bardzo mają dokąd, chyba że zechcą przedostać się wpław do Fife. — Niektórzy uśmiechnęli się na te słowa, lecz Storey uciszył ich ruchem ręki. — Mówię poważnie. Takie rzeczy już się zdarzały. Dlatego w pogotowiu jest straż przybrzeżna. — Zatrzeszczała krótkofalówka, więc podniósł ją do ucha. — Tak? — Słuchał czegoś, co zdaniem Rebusa było tylko zakłóceniami na linii. — Zrozumiałem, bez odbioru. — Opuścił krótkofalówkę. — Oba zespoły osaczające są już na pozycjach. Zaczynają za trzydzieści sekund, więc bierzmy się do roboty.

Ruszył, mijając Rebusa, który po kilku próbach zrezygnował z zapalenia papierosa.

— Kolejny donos? — rzucił inspektor.

— Z tego samego źródła — odparł Storey, nie zatrzymując się; jego ludzie, w tym posterunkowy Tibbet, maszerowali za nim. Rebus dołączył do nich i szedł obok Storeya.

— A co się właściwie dzieje? Będą wyładowywać nielegalnych z łodzi na brzeg?

Storey zerknął na niego kątem oka.

— Kłusownictwo.

— Mógłbyś powtórzyć?

— Zbieranie małży. Gangi, które się tym zajmują, korzystają z imigrantów i tych, którzy starają się o azyl. Płacą im grosze. Te dwa land-rovery tam... — Rebus obejrzał się i zobaczył samochody, o których mówił Storey, stojące na skraju parkingu. Oba miały na haku niewielkie przyczepy. Każdego wozu pilnowało dwóch mundurowych. — Właśnie nimi ich przywożą. Potem sprzedają małże restauracjom, a część nawet na eksport... — W tym momencie minęli tablicę z ostrzeżeniem, że małże i skorupiaki znalezione na tym wybrzeżu są prawdopodobnie skażone i nie nadają się do spożycia. Storey znów zerknął na Rebusa. — Restauracje nie wiedzą, co kupują.

— Nigdy więcej nie wezmę paelli do ust. — Rebus chciał zapytać o przyczepy, ale usłyszał wysoki pisk małego silnika i gdy wyszli na szczyt wzniesienia, ujrzał dwa quady, obładowane wypchanymi po brzegi torbami, a na całym brzegu mnóstwo pochylonych postaci z łopatami.

— Teraz! — krzyknął Storey i puścił się biegiem. Pozostali zaczęli zbiegać ze stoku, po suchej powierzchni. Rebus stał i się przyglądał. Zobaczył, jak zbieracze małży podnoszą wzrok, jak upuszczają worki i łopaty. Jedni stali jak wryci, inni rzucili się do ucieczki. Mundurowi osaczali ich z obu stron. A ponieważ ludzie Storeya odcinali im drogę od strony wydm, jedyną możliwość ucieczki dawała zatoka Forth. Kilku weszło głębiej w wodę, ale nabrali rozumu, gdy od lodowatej wody zdrętwieli po pas.

Część atakujących krzyczała i wyła, inni poprzewracali się i wylądowali na czworakach w piasku. Rebusowi udało się w końcu znaleźć ochronę przed wiatrem i zapalić papierosa. Zaciągnął się głęboko i zatrzymał dym w płucach, obserwując spektakl. Oba quady jeździły w kółko, a kierowcy krzyczeli coś do siebie. Jeden z nich przejął inicjatywę i ruszył w górę stoku, zapewne wyobrażając sobie, że jeżeli tylko dotrze na parking, to uda mu się uciec. Ale jechał za szybko jak na takie obciążenie. Przednie koła oderwały się od podłoża i pojazd wyleciał w górę, zrobił salto, a kierowca spadł na ziemię, prosto w ręce czterech mundurowych. Drugi kierowca nie zamierzał iść w ślady pierwszego. Podniósł ręce, a silnik pojazdu pracował na jałowym biegu, dopóki nie wyłączył go w końcu urzędnik z imigracyjnego w garniturze. Rebusowi coś to przypomniało... ach tak, właśnie: końcową scenę filmu Beatlesów *Help!* Brakowało tylko Eleanor Bron.

Gdy zszedł na plażę, przekonał się, że wśród zbieraczy było sporo młodych kobiet. Niektóre szlochały. Wszyscy, włącznie z kierowcami quadów, wyglądali na Chińczyków. Któryś z ludzi Storeya najwidoczniej znał ich język. Przyłożył dłonie do ust i szybko wykrzykiwał rozkazy. Jego słowa ani trochę nie uspokoiły kobiet, które zaniosły się płaczem na dobre.

— Co one mówią? — zapytał go Rebus.

— Nie chcą, żeby je odesłano do domu.

Inspektor rozejrzał się.

— Tam chyba nie może być gorzej niż tu, co?

Oficer skrzywił się.

— Czterdziestokilogramowe worki... za każdy dostają może ze trzy funty, a przecież nie pójdą do sądu pracy.

— Raczej nie.

— W gruncie rzeczy to jawne niewolnictwo... robienie z ludzi czegoś, co można kupić i sprzedać. Na północnym wschodzie patroszą ryby. Gdzie indziej zbierają owoce i warzywa. Szefowie gangów zapewniają wszelką siłę roboczą. — Znów zaczął wykrzykiwać polecenia robotnikom, których większość była tak wyczerpana, że chętnie skorzystała z okazji, żeby oderwać się od pracy. Przybyli funkcjonariusze, którzy osaczali zbieraczy z boków. Prowadzili kilku uciekinierów.

— Jeden telefon! — wrzeszczał kierowca quada. — Mieć prawo jeden telefon!

— Dopiero na posterunku — poinformował go któryś z oficerów. — Jeżeli akurat będziemy mieli dobry humor.

Storey podszedł do kierowcy quada.

— Do kogo chcesz dzwonić? Masz komórkę? — Mężczyzna chciał sięgnąć do kieszeni spodni, ale przeszkadzały mu kajdanki. Storey wyciągnął jego telefon i podstawił mu pod nos. — Podaj numer, wybiorę go za ciebie.

Facet wlepił w niego wzrok, uśmiechnął się i pokręcił głową na znak, że nie da się podejść w tak głupi sposób.

— Chcesz zostać w tym kraju? — naciskał Storey. — To zacznij współpracować, dobrze ci radzę.

— Ja legalny... pozwolenie na pracę, i w ogóle.

— No to masz szczęście... Ale sprawdzimy, czy nie jest fałszywe albo przeterminowane.

Uśmiech znikł z twarzy Azjaty jak zmyty przez falę zamek z piasku.

— Ja zawsze jestem otwarty na negocjacje — oznajmił mu Storey. — Jeśli uznasz, że chcesz pogadać, daj znać. — Ruchem głowy pokazał, żeby odprowadzono więźnia razem z pozostałymi. Wtedy zobaczył, że Rebus stoi obok niego. — Szlag by trafił — powiedział. — Jeżeli on rzeczywiście ma papiery w porządku, guzik nam powie. Zbieranie małży nie jest nielegalne.

— A co z tamtymi? — Rebus wskazał ludzi, którzy wcześniej brodzili w wodzie. Byli najstarsi i poruszali się tak, jakby zawsze chodzili zgarbieni.

— Jeżeli przebywają tu nielegalnie, zamkniemy ich do czasu, aż zostaną odesłani do domu. — Storey wyprostował się i schował ręce do kieszeni długiego po kolana płaszcza z wielbłądziej wełny. — Nie brak takich, którzy aż się palą, żeby zająć ich miejsce.

Rebus zobaczył, że facet z imigracyjnego wpatruje się we wzburzone szare morze.

— Przypływają z falami? — rzucił.

Storey wyciągnął wielką białą chustkę, głośno wydmuchał nos i zaczął się wspinać na wydmę; Rebus został, by spokojnie dopalić papierosa.

Gdy wrócił na parking, furgonetki już odjechały. Pojawiła się za to kolejna postać w kajdankach. Jeden z mundurowych tłumaczył Storeyowi, co się stało.

— Przejeżdżał tędy i na widok radiowozów nagle zawrócił. Udało nam się go zatrzymać...

— Mówiłem już, że to nie miało nic wspólnego z wami! — warknął facet. Sądząc z akcentu, był z Irlandii. Kilkudniowy zarost na wydatnej szczęce, wojowniczo wysunięta broda. Jego samochód sprowadzono na parking. Było to bmw serii 7, stary model, z odpryskującą czerwoną farbą i nadżartymi rdzą błotnikami. Rebus widział już ten samochód. Obszedł go dookoła. Na fotelu pasażera leżał otwarty notes, zapisany chińskimi nazwiskami. Storey podchwycił wzrok Rebusa i skinął głową — już o tym wiedział.

— Pańskie nazwisko? —- zapytał kierowcę bmw.

— Pokaż pan najpierw blachę — odpyskował facet. Miał na sobie oliwkową kurtkę, pewnie tę samą co w ubiegłym tygodniu, kiedy Rebus zobaczył go po raz pierwszy. — Na co się, kurwa, gapisz? — spytał Rebusa, mierząc go wzrokiem od stóp do głów. Inspektor tylko się uśmiechnął, wyciągnął komórkę i wybrał numer.

— Shug? — powiedział, kiedy rozmówca odebrał telefon. Tu Rebus. Pamiętasz tę demonstrację? Miałeś zdobyć nazwisko tego Irlandczyka... — Przez chwilę słuchał, nie spuszczając wzroku z kierowcy. — Peter Hill? — Pokiwał głową. — No to wyobraź sobie, że jeśli się nie mylę, ten gość stoi właśnie przede mną...

Facet obrzucił go wściekłym wzrokiem, nawet nie próbując zaprzeczać.

To Rebus zaproponował, żeby zabrać Petera Hilla do Torphichen Place. Shug Davidson czekał na nich w pokoju, gdzie zajmowano się sprawą morderstwa Stefa Yurgii. Rebus przedstawił Davidsona Feliksowi Storeyowi; podali sobie ręce. Kilku detektywów nie mogło się powstrzymać, żeby się na nich nie gapić. Nie po raz pierwszy widzieli czarnego, ale po raz pierwszy czarny był ich gościem.

Rebus tylko słuchał i nie wtrącał się, gdy Davidson wyjaśniał związek Petera Hilla ze sprawą w Knoxland.

— Macie dowody, że przemycał narkotyki? — spytał Storey, gdy wyjaśnienia dobiegły końca.

— Za mało, żeby go skazać... ale wsadziliśmy czterech jego kompanów.

— To znaczy, że albo był płotką, albo...

— Albo za sprytny, żeby dać się złapać — dokończył Davidson i z aprobatą kiwnął głową.

— A jego powiązania z bojówkami?

— To też trudno mu przypisać, ale narkotyki musiały skądś pochodzić, a wywiad Irlandii Północnej wskazuje właśnie na to źródło. Terroryści zdobywają pieniądze na wszelkie możliwe sposoby...

— Także szefując gangom sprowadzającym nielegalnych imigrantów?

Davidson wzruszył ramionami.

— Zawsze musi być ten pierwszy raz — powiedział.

Storey w zamyśleniu potarł brodę.

— Ten jego samochód...

— Bmw serii siedem — podpowiedział Rebus.

Anglik kiwnął głową.

— Nie jest na irlandzkich numerach, prawda? W Irlandii Północnej numery rejestracyjne mają zwykle trzy litery i cztery cyfry.

Rebus spojrzał na niego.

— Jest pan dobrze poinformowany.

— Przez jakiś czas pracowałem w Urzędzie Celnym. Przy sprawdzaniu promów pasażerskich trzeba się znać na rejestracjach...

— Nie bardzo rozumiem, do czego pan zmierza — przyznał się Shug Davidson. Storey odwrócił się do niego.

— Po prostu jestem ciekaw, skąd ma ten samochód. Jeżeli nie przyjechał nim tu ze swojego kraju, to albo kupił go tutaj, albo...

— Albo należy do kogo innego. — Davidson powoli pokiwał głową.

— Niemożliwe, żeby pracował sam, nie przy operacji na taką skalę.

— Czyli trzeba go będzie zapytać — rzekł Davidson. Storey uśmiechnął się i spojrzał na Rebusa, jakby czekając na jego zgodę. Ten jednak zmrużył tylko oczy. Wciąż zastanawiał się nad tym samochodem...

Irlandczyk siedział w pokoju przesłuchań numer dwa. Nie zwrócił uwagi na trzech mężczyzn, którzy weszli i zluzowali pilnującego go policjanta. Storey i Davidson usiedli na krzesłach naprzeciwko niego, a Rebus znalazł sobie kawałek ściany, by się oprzeć. Na ulicy prowadzono roboty drogowe i zza okna dobiegał warkot młota pneumatycznego. Będzie towarzyszył ich rozmowie i znajdzie się na taśmach, które Davidson właśnie rozpakował z folii i wsunął do podwójnego magnetofonu, a następnie sprawdził, czy zegar wskazuje dobrą godzinę. Potem zrobił to samo z dwiema czystymi kasetami wideo. Kamera umieszczona była nad drzwiami, wycelowana dokładnie w stół. Gdyby jakiś podejrzany twierdził, że był zastraszany, nagrania pozwoliłyby dowieść, że kłamie.

Na użytek nagrania trzej oficerowie przedstawili się, po czym Davidson zapytał Irlandczyka o imię i nazwisko. Nie przejął się brakiem odpowiedzi; strzepywał jakieś nitki ze spodni, aż w końcu trzasnął dłońmi w blat stołu przed sobą.

Hill gapił się na ścianę pomiędzy Davidsonem a Storeyem. W końcu odezwał się:

— Napiłbym się herbaty. Z mlekiem, trzy kostki cukru. — Brakowało mu kilku tylnych zębów, przez co jego twarz wyglądała jak zapadnięta, a kości czaszki sterczały pod skórą. Miał krótko obcięte posiwiałe włosy, bladoniebieskie oczy i chudą szyję, jakieś pięć stóp i pięć cali wzrostu i ważył około stu czterdziestu funtów.

Ale za to jakie zadęcie!

— Wszystko w swoim czasie — odparł cicho Davidson.

— Poza tym chcę prawnika... i telefon...

— Patrz jak wyżej. A tymczasem... — Davidson otworzył

360

kartonową teczkę i wyjął czarno-białą fotografię w dużym formacie. — To pan, prawda?

Na zdjęciu widać było tylko połowę twarzy, resztę ukrywał kaptur kurtki. Fotografię zrobiono podczas demonstracji w Knoxland, wtedy gdy Howie Slowther napadł z kamieniem na Mo Dirwana.

— Nie sądzę.

— A tutaj? — Tym razem fotografowi udało się uchwycić całą twarz. — Zrobione kilka miesięcy temu, także w Knoxland.

— Do czego pan zmierza?

— Zmierzam do tego, że od dawna już czekam na okazję, żeby cię za coś przymknąć. — Davidson uśmiechnął się i odwrócił do Feliksa Storeya.

— Panie Hill — zaczął Storey, zakładając nogę na nogę. — Jestem oficerem z Urzędu Imigracyjnego. Sprawdzimy papiery tamtych robotników i przekonamy się, ilu z nich przebywa tu nielegalnie.

— Nie mam pojęcia, o czym pan mówi. Chciałem się przejechać wzdłuż wybrzeża... To chyba nie jest sprzeczne z prawem, co?

— Nie, ale sąd może zastanowić zbieżność nazwisk w tym notesie na fotelu pasażera, jeśli okaże się, że pasują do nazwisk ludzi, których zatrzymaliśmy.

— W jakim znów notesie? — Hill w końcu spojrzał w oczy oficera, który go przesłuchiwał. — Jeżeli był tam jakiś notes, to ktoś mi go podrzucił.

— Czyli że nie będzie na nim pańskich odcisków palców?

— I nikt z tych robotników pana nie rozpozna? — dodał Davidson, przykręcając śrubę.

— Czy jest w tym coś sprzecznego z prawem?

— Prawdę mówiąc, niewolnictwo zniknęło z kodeksu karnego kilkaset lat temu — przyznał Storey.

— I dlatego taki czarnuch jak ty może paradować w garniturze? — odpalił Irlandczyk.

Storey zdobył się na wymuszony uśmiech, jakby się cieszył, że sprawy potoczyły się tak szybko.

— Słyszałem, że Irlandczyków nazywają czarnuchami Europy... czy to znaczy, że mimo różnego koloru skóry jesteśmy braćmi?

— Wal się!

Anglik odrzucił głowę do tyłu i wybuchnął gromkim śmiechem. Davidson zamknął teczkę, zostawiając tylko dwie fotografie przed nosem Petera Hilla. Postukał w teczkę palcem, jakby chciał zwrócić uwagę przesłuchiwanego na jej grubość, na to, ile informacji kryje się w środku.

— Od kiedy robisz w handlu niewolnikami? — Rebus zwrócił się do Irlandczyka.

— Jak nie dostanę herbaty, nie powiem ani słowa. — Hill oparł się wygodnie i splótł ręce na piersi. — I chcę, żeby mi ją podał mój adwokat.

— A więc masz swojego adwokata? Widocznie przewidywałeś, że może ci się przydać.

Hill zwrócił wzrok na Rebusa, ale jego pytanie skierowane było do ludzi siedzących po drugiej stronie stołu:

— Wam się zdaje, że długo możecie mnie tu trzymać?

— Zależy — odrzekł Davidson. — Widzisz, twoje powiązania z bojówkami... — Znowu postukał palcem w teczkę. — Dzięki ustawie o zapobieganiu terroryzmowi możemy cię potrzymać tak długo, że ci się nawet nie śniło.

— A więc teraz jestem terrorystą? — Hill parsknął śmiechem.

— Ty zawsze byłeś terrorystą, Peter. Zmieniło się tylko to, skąd bierzesz fundusze. Miesiąc temu byłeś dealerem. Dzisiaj jesteś nadzorcą niewolników...

Rozległo się pukanie do drzwi i wszedł szef posterunkowych.

— Macie to? — zapytał Davidson. Policjant skinął głową. — No to wchodźcie, dotrzymacie towarzystwa podejrzanemu. — Wstając z krzesła, Davidson oświadczył głośno na użytek urządzeń nagrywających, że przesłuchanie zostaje zawieszone, po czym spojrzał na zegarek i podał dokładny czas. Kamerę i magnetofon wyłączono. Davidson podsunął posterunkowemu swoje krzesło, a w zamian dostał od niego jakąś kartkę. Gdy wyszli na zewnątrz, poczekał, aż drzwi całkiem się zamkną, po czym rozłożył kartkę, przeczytał i podał ją Storeyowi, który uśmiechnął się szeroko.

W końcu kartka trafiła w ręce Rebusa. Zawierała opis czerwonego bmw i jego numer rejestracyjny. Poniżej drukowanymi literami zapisano nazwisko właściciela.

362

Stuart Bullen.

Storey wyrwał kartkę Rebusowi i ucałował ją. A potem wykonał jakiś taniec.

Jego podniecenie wyraźnie było zaraźliwe. Davidson też szczerzył zęby. Poklepał Feliksa Storeya po plecach.

— Rzadko kiedy obserwacja daje wyniki — powiedział, spoglądając na Rebusa i oczekując poparcia.

Ale to wcale nie jest rezultat obserwacji, myślał tymczasem Rebus. To kolejny tajemniczy donos.

A także intuicja Storeya na temat właściciela bmw.

Pytanie, czy była to tylko intuicja...?

25

Kiedy zajechali przed Dziurkę, przekonali się, że nie oni jedni robią nalot, lecz także Siobhan i Les Young. Biura kończyły już pracę i kilku urzędników mijało właśnie bramkarzy. Rebus akurat pytał Siobhan, co tutaj robią, gdy zobaczył, jak bramkarz przysuwa dłoń do mikrofonu i słuchawki w uchu. Mężczyzna odwrócił głowę, lecz inspektor zorientował się, że tamten ich zauważył.

— Zawiadamia Bullena, że tu jesteśmy! — krzyknął do pozostałych. Szybko wkroczyli do akcji, roztrącili biznesmenów i wpadli do klubu. Muzyka dudniła z głośników, a ruch był znacznie większy niż podczas pierwszej wizyty Rebusa. Tancerek też było więcej — na scenie gibały się cztery. Siobhan została z tyłu i przyglądała się twarzom, Rebus zaś poprowadził ekipę do gabinetu Bullena. Drzwi z zamkiem szyfrowym były zamknięte. Rebus rozejrzał się, zobaczył barmana i przypomniał sobie jego nazwisko: Barney Grant.

— Barney! — wrzasnął. — Rusz się tu!

Barney odstawił kufel, który napełniał, i wyszedł zza baru. Wstukał odpowiedni kod. Rebus wyważył drzwi ramieniem i natychmiast poczuł, że grunt się pod nim usuwa. Był w krótkim korytarzu prowadzącym do gabinetu Bullena, tyle że klapa do ukrytego przejścia została podniesiona i inspektor wpadł tam, lądując twardo na prowadzących w ciemność drewnianych schodach.

— A to co, u licha? — zaskowyczał Storey.

— Jakiś tunel — podpowiedział barman.

— Dokąd prowadzi?

Chłopak tylko pokręcił głową. Rebus pokuśtykał w dół schodów. Miał wrażenie, że prawą nogę, od kostki po kolano, ma odartą ze skóry, a w dodatku skręconą lewą kostkę. Spojrzał na twarze ludzi ponad sobą.

— Idźcie stąd, spróbujcie sprawdzić, dokąd to prowadzi.

— Wyjście może być gdziekolwiek — mruknął Davidson.

Rebus zajrzał w głąb tunelu.

— Zdaje się, że biegnie w kierunku Grassmarket. — Zamknął oczy, żeby przywykły do ciemności, i ruszył przed siebie, przytrzymując się ścian. Po dłuższej chwili otworzył oczy i zamrugał kilka razy. Teraz już widział podłoże z mokrej ziemi, krzywe ściany i pochyły sufit. Prawdopodobnie ludzie wykopali to przed wiekami — pod Starym Miastem roiło się od tuneli i katakumb, w większości niezbadanych. Chroniono się w nich przed najeźdźcami, spiskowano i knuto. Korzystali z nich przemytnicy. W bliższych nam czasach ludzie próbowali uprawiać w nich najróżniejsze rzeczy, od pieczarek po marihuanę. Niektóre otwarto jako atrakcje turystyczne, większość jednak była właśnie taka — ciasna, porzucona i zatęchła.

Tunel skręcał w lewo. Rebus wyciągnął komórkę, ale nie miała zasięgu, nie mógł więc zawiadomić pozostałych. Słyszał, że ktoś się przed nim porusza, ale nic nie widział.

— Stuart! — zawołał, a echo odbiło jego głos. — Stuart, skończ z tą dziecinadą!

Idąc, zobaczył w oddali lekki żar, a w nim jakąś postać. Nagle żar znikł. Były to inne drzwi, tym razem w bocznej ścianie; Bullen zamknął je za sobą. Rebus przesuwał obie ręce po ścianie po prawej, w obawie, że przegapi wyjście. Jego palce trafiły na coś twardego. Nie do wiary, klamka! Przekręcił ją i pociągnął, ale drzwi otwierały się na zewnątrz. Popchnął je więc, lecz były zastawione czymś ciężkim. Rebus zawołał o pomoc, naparł na drzwi ramieniem. Usłyszał hałas po drugiej stronie — ktoś próbował odsunąć skrzynię.

W końcu drzwi stanęły otworem; za nimi była przestrzeń o przekroju zaledwie kilku stóp. Rebus przecisnął się przez otwór. Drzwi znajdowały się na poziomie ziemi. Wstając, zobaczył, że zastawiono je pudłem z książkami. Jakiś starszy mężczyzna przyglądał mu się ciekawie.

— Wyszedł tamtymi drzwiami — powiedział tylko. Rebus skinął głową i pokuśtykał do wyjścia. Na zewnątrz od razu zorientował się, gdzie jest: West Port. Wyszedł tam przez antykwariat, niecałe sto jardów od Dziurki. W ręku trzymał komórkę — znów złapała sygnał. Spojrzał na światła na skrzyżowaniu Lady Lawson Street, a potem na prawo, w kierunku Grassmarket. I ujrzał to, na co liczył.

W jego kierunku maszerował środkiem ulicy Stuart Bullen. Za nim, wykręcając mu rękę do góry, szedł Felix Storey. Ubranie Bullena było podarte i brudne. Rebus spojrzał na swoje — nie wyglądało o wiele lepiej. Podciągnął nogawkę spodni i z ulgą przekonał się, że nie jest pokrwawiony, ma tylko kilka zadrapań. Shug Davidson wybiegł truchtem z Lady Lawson Street zarumieniony z wysiłku. Rebus zgiął się wpół i oparł dłonie na kolanach. Miał ochotę na papierosa, wiedział jednak, że z braku tchu nie dałby rady zapalić. Wyprostował się i stanął twarzą w twarz z Bullenem.

— Już prawie cię miałem — powiedział młodszemu mężczyźnie. — Możesz mi wierzyć.

Zabrali go z powrotem do Dziurki. Wieści rozeszły się szybko i wszyscy klienci się wynieśli. Siobhan wypytywała tancerki siedzące obok siebie przy barze, a Barney nalewał im jakieś bezalkoholowe drinki.

Zza zasłony dla VIP-ów wyjrzał klient, zaskoczony nagłym brakiem muzyki i rozmów. Chyba zorientował się w sytuacji, bo poprawił krawat i ruszył do wyjścia. Rebus, kuśtykając, zderzył się z nim ramieniem.

— Przepraszam — bąknął tamten.

— Moja wina, szanowny panie — odparł Rebus, patrząc w ślad za nim. Potem podszedł do Siobhan i pozdrowił Lesa Younga skinieniem głowy. — I co tu się dzieje?

Odpowiedział mu Young:

— Mamy kilka pytań do Stuarta Bullena.

— W jakiej sprawie? — Rebus nie spuszczał wzroku z Siobhan.

— W związku z zabójstwem Donalda Cruikshanka.

Teraz Rebus zainteresował się Youngiem.

— Brzmi to intrygująco, ale musicie się ustawić w kolejce. Przekonacie się, że to my mamy pierwszeństwo.

— „My" to znaczy...?

Rebus wskazał ręką Feliksa Storeya, który — choć niechętnie — puścił w końcu Bullena, gdy go zakuto w kajdanki.

— To facet z imigracyjnego. Od tygodni prowadził obserwację Bullena... za przemyt ludzi, handel niewolnikami, jak to zwał, tak zwał.

— Musimy mieć do niego dostęp — rzekł Les Young.

— To niech pan przedstawi swoje argumenty. — Rebus wyciągnął rękę w kierunku Storeya i Shuga Davidsona. Les Young spojrzał na niego ostro i ruszył w tamtą stronę. Siobhan spiorunowała Rebusa wzrokiem.

— Co jest? — zapytał niczym uosobienie niewinności.

— To na mnie jesteś wkurzony, pamiętasz? Więc nie wyżywaj się na Lesie.

— Les jest dorosły, da sobie radę.

— Problem w tym, że on walczy uczciwie... w przeciwieństwie do niektórych.

— Ostro powiedziane, Siobhan.

— Należało ci się.

Rebus zbył to wzruszeniem ramion.

— O co chodzi z tym Bullenem i Cruikshankiem?

— W domu ofiary była domowej produkcji pornografia. Na filmie jest przynajmniej jedna z tancerek występujących w tym klubie.

— I to wszystko?

— Musimy z nim porozmawiać.

— Idę o zakład, że w waszej ekipie wielu zastanawia się po co. Uważają, że skoro ktoś załatwił gwałciciela, to nie ma czym zawracać sobie głowy. — Przerwał. — Mam rację?

— Sam wiesz najlepiej.

Rebus obejrzał się na Younga i Davidsona, pogrążonych w rozmowie.

— A może próbujesz zaimponować młodemu Lesowi...?

Uwiesiła się na jego ramieniu tak, że musiał poświęcić jej uwagę.

— John, prowadzimy sprawę morderstwa. Robiłbyś wszystko to, co ja robię.

Na jego ustach zaigrał cień uśmiechu.

— Tylko się z tobą droczę, Siobhan. — Odwrócił się, by otworzyć drzwi prowadzące do gabinetu Bullena. — Kiedy tu byliśmy pierwszy raz, zauważyłaś tę klapę od tajnego przejścia?

— Myślałam, że tam jest piwnica. — Zatkało ją. — Ty jej nie zauważyłeś?

— Nie, po prostu o niej zapomniałem — skłamał, masując prawą nogę.

— Nieźle poharatana, stary. — Barney Grant przyjrzał się jego obrażeniom. — Zupełnie jakby cię skopali korkami. Grałem kiedyś w piłkę, więc wiem, o czym mówię.

— Mogłeś nas ostrzec, że tam jest klapa.

Barman tylko wzruszył ramionami. Felix Storey popychał Bullena w kierunku korytarza. Rebus ruszył za nimi, a Siobhan poszła w jego ślady. Anglik zatrzasnął klapę od tunelu.

— Dobre miejsce na ukrywanie nielegalnych — powiedział.

Bullen tylko prychnął. Drzwi do gabinetu były uchylone. Storey pchnął je nogą i zmarszczył nos. Pomieszczenie wyglądało tak, jak Rebus je zapamiętał: ciasne i pełne rozmaitego śmiecia. — Trochę nam zejdzie na zbieraniu tego całego chłamu.

— Na miłość boską! — jęknął Bullen.

Drzwi szafy pancernej także były lekko uchylone; Storey otworzył je czubkiem wypolerowanego buta.

— Proszę, proszę — rzucił. — Dawajcie tu torby na dowody rzeczowe.

— To jakaś podpucha! — krzyknął Bullen. — Wrabiacie mnie, sukinsyny! — Próbował się wyrwać Storeyowi, ale facet z imigracyjnego był od niego o cztery cale wyższy i pewnie ze dwadzieścia funtów cięższy. Wszyscy stłoczyli się w progu, próbując zapewnić sobie lepszy widok. Przybyli Davidson i Young, a także niektóre tancerki.

Rebus odwrócił się do Siobhan, która wydęła usta. Ona już to widziała. W otwartej szafie pancernej leżał stos paszportów ściągniętych gumką; czyste karty kredytowe i debetowe; rozmaite oficjalne pieczęcie i stemple. A także inne złożone dokumenty, być może akty ślubu lub metryki urodzin.

Wszystko, czego potrzeba do wyrobienia nowej tożsamości. Albo i stu.

Zabrali Stuarta Bullena na Torphichen Place i posadzili go w pokoju przesłuchań numer jeden.

— Obok siedzi twój kumpel — powiedział Felix Storey. Zdjął marynarkę i właśnie rozpinał guziki mankietów, żeby podwinąć rękawy koszuli.

— Niby kto taki? — Bullen, któremu zdjęto kajdanki, masował teraz zaczerwienione nadgarstki.

— Peter Hill, chyba tak się nazywa.

— Nie znam.

— Irlandczyk... dobrze się o panu wyraża.

Bullen podchwycił spojrzenie Storeya.

— Teraz już wiem na pewno, że to podpucha.

— Dlaczego? Bo jest pan pewny, że Hill nie będzie sypał?

— Nie znam go, już mówiłem.

— Mamy zdjęcia, na których wchodzi do pańskiego klubu i wychodzi.

Bullen wlepił wzrok w Storeya, jakby chciał wyczytać z jego twarzy, czy mówi prawdę. Rebus nie wiedział, jak jest naprawdę. Możliwe, że obserwacja wyłapała Hilla, ale też Anglik równie dobrze mógł blefować. Nie wziął nic na to spotkanie — żadnych teczek czy akt. Bullen spojrzał na Rebusa.

— Na pewno pan chce, żeby on przy tym był? — zapytał Storeya.

— A dlaczego nie?

— Chodzą słuchy, że to człowiek Cafferty'ego.

— Kogo?

— Cafferty'ego... on rządzi całym miastem.

— A dlaczego to pana obchodzi, panie Bullen?

— Dlatego że Cafferty nienawidzi mojej rodziny. — Przerwał dla zwiększenia efektu. — A ten towar ktoś mi podrzucił.

— Musi pan wymyślić coś lepszego — rzekł Storey, niemal z żalem. — Na razie proszę spróbować wyjaśnić swoje związki z Peterem Hillem.

— Ile razy mam powtarzać? — warknął Bullen przez zęby. — Nic nas nie łączy.

— I to dlatego złapaliśmy go w pańskim samochodzie?

W pokoju zapadła cisza. Shug Davidson krążył tam i z powrotem, ze splecionymi na piersi rękami. Rebus stał na swoim ulubionym miejscu pod ścianą. Stuart Bullen zajął się oglądaniem paznokci.

— Czerwone bmw serii siedem — podjął Storey. — Zarejestrowane na pańskie nazwisko.

— Ukradli mi ten wóz w zeszłym miesiącu.

— Zgłosił pan kradzież?

— A po co? Szkoda zachodu.

— I tego chce pan się trzymać... że ktoś podrzucił dowody do skradzionego bmw? Mam nadzieję, że ma pan dobrego adwokata, panie Bullen.

— Może poproszę tego Mo Dirwana... zdaje się, że wygrał parę spraw. — Bullen przeniósł wzrok na Rebusa. — Słyszałem, że się zaprzyjaźniliście.

— A to ciekawe, że pan o nim wspomina — wtrącił się Shug Davidson, przystając przed stołem. — Bo pańskiego przyjaciela Hilla widziano w Knoxland. Mamy jego zdjęcia z demonstracji w dniu, kiedy zaatakowano mecenasa Dirwana.

— To tym się zajmujecie przez cały dzień? Robicie ludziom zdjęcia bez ich zgody? — Bullen rozejrzał się po pokoju. — Takich facetów nazywa się zboczkami.

— Skoro już o tym mowa — włączył się Rebus — czeka cię kolejne przesłuchanie.

Bullen rozłożył ręce.

— Jestem popularny.

— I dlatego zostanie pan z nami przez jakiś czas, panie Bullen — rzekł Storey. — Niech pan się czuje jak u siebie...

Czterdzieści minut później zrobili przerwę. Zatrzymanych zbieraczy małży umieszczono w St Leonard's, bo tylko tam mieli dostatecznie dużo cel, żeby pomieścić ich wszystkich. Storey poszedł do telefonu, by sprawdzić, jak przebiegają przesłuchania. Rebus i Davidson ledwie zdążyli zrobić sobie herbatę, gdy znaleźli ich Siobhan i Young.

— Możemy z nim teraz porozmawiać? — spytała Siobhan.

— Niedługo do niego wracamy — odparł Davidson.

— Ale na razie facet siedzi i dłubie w nosie — upierał się Young.

Davidson westchnął; Rebus wiedział, co sobie myśli: dajcie wy mi wszyscy święty spokój.

— Długo wam zejdzie? — zapytał.

— Tyle, ile nam dacie.

— No to do roboty.

Young odwrócił się i chciał odejść, lecz Rebus złapał go za łokieć.

— Mogę pójść z wami? Tak z czystej ciekawości.

Siobhan próbowała ostrzec Younga wzrokiem, lecz on mimo to wyraził zgodę skinieniem głowy. Odwróciła się więc na pięcie i pomaszerowała do pokoju przesłuchań, żeby żaden z nich nie widział wyrazu jej twarzy.

Bullen siedział z rękami za głową. Gdy zobaczył, że Rebus trzyma kubek, zapytał, gdzie jest jego herbata.

— W czajniku — odparł Rebus, a Siobhan i Young przedstawili się Bullenowi.

— Pracujecie na zmianę? — warknął, opuszczając ręce.

— Dobra ta herbata — wtrącił Rebus. Spojrzenie, jakim obrzuciła go Siobhan, powiedziało mu, że jego interwencja niekoniecznie jest im na rękę.

— Jesteśmy tu po to, żeby zapytać pana o pornografię domowej produkcji — wypalił Les Young.

Bullen wybuchnął śmiechem.

— Od wzniosłości do śmieszności.

— Znaleziono ją w mieszkaniu ofiary morderstwa — dodała chłodno Siobhan. — Prawdopodobnie zna pan część z występujących w tym filmie osób.

— Niby skąd? — Bullen był chyba autentycznie zaciekawiony.

— Poznałam przynajmniej jedną z kobiet. — Siobhan splotła ręce na piersi. — Tańczyła przy rurze wtedy, kiedy odwiedziliśmy pański lokal z inspektorem Rebusem.

— To dla mnie coś nowego — odparł Bullen, wzruszając ramionami. — Ale dziewczyny przychodzą i odchodzą... nie jestem ich nianką, mogą robić, co im się żywnie podoba. — Pochylił się nad stołem w stronę Siobhan. — Znalazła pani już tę zaginioną dziewczynę?

— Nie — przyznała.

— Ale ktoś tego gościa załatwił, no nie? Tego, który zgwałcił jej siostrę? — Kiedy nie odpowiedziała, znowu wzruszył ramionami. — Czytam gazety, jak wszyscy.

— Właśnie u niego znaleźliśmy ten film — rzekł Les Young.

— Nadal nie rozumiem, jak mógłbym wam pomóc. — Bullen odwrócił się do Rebusa, jakby oczekiwał od niego porady.

— Znał pan Donny'ego Cruikshanka? — spytała Siobhan.

Bullen z powrotem odwrócił się do niej.

— Nigdy o nim nie słyszałem, dopóki nie przeczytałem o zabójstwie w gazetach.

— Czy możliwe, że bywał w pańskim klubie?

— Oczywiście, że możliwe, nie siedzę tam przez cały czas... Zapytajcie Barneya.

— Barmana? — upewniła się Siobhan.

Bullen przytaknął.

— Zresztą możecie też zapytać tych z imigracyjnego... zdaje się, że nie spuszczają oka z mojego lokalu. — Uśmiechnął się bez przekonania. — Mam nadzieję, że zauważyli także moje dobre strony.

— A ma pan takie? — spytała Siobhan.

Uśmiech zamarł na twarzy Bullena. Spojrzał na zegarek — gruby, złoty i niewątpliwie drogi.

— Czy to już koniec?

— Jeszcze na dobre nie zaczęliśmy — odparł Les Young. W tym momencie jednak otworzyły się drzwi i do pokoju wszedł Felix Storey, a za nim Shug Davidson.

— Cała banda w kupie! — zawołał Bullen. — Gdybym w Dziurce miał taki ruch, wylegiwałbym się na Kanarach...

— Czas minął — tłumaczył Storey Youngowi. — Teraz nasza kolej.

Les Young spojrzał na Siobhan, która wyjęła z kieszeni zdjęcia z polaroida i rozłożyła je na stole przed Bullenem.

— Tę pan zna — powiedziała, stukając palcem w jedną z fotografii. — A co z innymi?

— Twarze niewiele dla mnie znaczą — odparł, mierząc ją wzrokiem od stóp do głów. — Ja raczej pamiętam ciała.

— To jedna z pańskich tancerek.

— Taak — przyznał w końcu. — Tańczy u mnie. I co z tego?

— Chciałabym z nią porozmawiać.

— Tak się składa, że występuje dziś wieczorem... — Znowu spojrzał na zegarek. — Zakładając, oczywiście, że Barney będzie mógł otworzyć klub.

Storey pokręcił głową.

— Nie. Dopiero po przeszukaniu.

Bullen westchnął.

— W takim razie nie wiem, co powiedzieć — zwrócił się do Siobhan.

— Musi pan mieć jej adres, numer telefonu...

— Dziewczęta są dyskretne... Może mam gdzieś numer jej komórki. — Ruchem głowy wskazał Storeya. — Jeśli go pani ładnie poprosi, może go znajdzie dla pani, kiedy będą plądrować mój lokal.

— Niekoniecznie — rzekł Rebus. Podszedł do stołu i obejrzał zdjęcia. Podniósł fotografię jednej z tancerek. — Znam ją — powiedział. — Wiem też, gdzie mieszka. — Siobhan z niedowierzaniem wlepiła w niego wzrok. — Ma na imię Kate. — Spojrzał na Bullena. — Zgadza się, prawda?

— Tak, to Kate — odburknął Bullen. — Ta dziewczyna lubi potańczyć.

W jego głosie zabrzmiała tęsknota.

— Dobrze sobie z nim poradziłaś — pochwalił Rebus. Siobhan siedziała za kierownicą, a on obok niej. Les Young zostawił ich, bo musiał wracać do Banehall. Rebus po raz kolejny przeglądał zdjęcia z polaroida.

— To znaczy? — zapytała w końcu.

— Z ludźmi takimi jak Bullen musisz rozmawiać szczerze. Inaczej zamykają się jak małż w skorupie.

— Niewiele nam powiedział.

— Młody Leslie uzyskał o wiele mniej.

— Możliwe.

— Chryste, Shiv, choć raz w życiu pokaż, że się cieszysz, kiedy ktoś cię chwali!

— Szukam ukrytych motywów.

— Ale nie znajdziesz.

— Byłby to pierwszy taki wypadek...

Jechali do Pollock Halls. Po drodze do samochodu Rebus opowiedział jej, w jaki sposób poznał Kate.

— Od razu powinienem się zorientować — powiedział, kręcąc głową. — Ta muzyka w jej pokoju...

— Podobno jesteś detektywem — zadrwiła Siobhan i dorzuciła: — Może gdyby miała wtedy na sobie stringi...

Jechali Dalkeith Road, rzut kamieniem od St Leonard's, gdzie wszystkie cele były pełne zbieraczy małży. Jak dotąd przesłuchania nic nie dały... ewentualnie Felix Storey nie chciał się z nimi podzielić informacjami. Siobhan wrzuciła lewy kierunkowskaz, skręciła w Holyrood Park Road, a potem w prawo, w Pollock. Andy Edmunds wciąż pilnował wjazdu. Nachylił się do opuszczonej szyby.

— Tak szybko z powrotem? — zdziwił się.

— Mam jeszcze kilka pytań do Kate — wyjaśnił inspektor.

— Spóźniliście się... widziałem, jak odjeżdżała na rowerze.

— Dawno temu?

— Najwyżej pięć minut.

Rebus odwrócił się do Siobhan.

— Jedzie na swój występ.

Kiwnęła głową. Kate w żaden sposób nie mogła się dowiedzieć, że zgarnęli Stuarta Bullena. Rebus pomachał Edmundsowi na do widzenia, a Siobhan zawróciła na trzy. Przy Dalkeith Road zignorowała czerwone światło i przejechała przez skrzyżowanie przy akompaniamencie dobiegających ze wszystkich stron klaksonów.

— Muszę sobie sprawić koguta do tego wozu — mruknęła. — Myślisz, że dogonimy ją, zanim dojedzie do Dziurki?

— Nie, ale to nie znaczy, że jej nie złapiemy... będzie chciała się dowiedzieć czegoś bliższego.

— Czy są tam jacyś ludzie Storeya?

— Nie mam pojęcia — wyznał Rebus. Minęli St Leonard's i pędzili na Cowgate i Grassmarket. Dopiero po chwili Rebus uświadomił sobie coś, na co Siobhan wpadła już wcześniej: to była najkrótsza trasa.

Ale także pełna pułapek na drodze. Znowu zabrzmiały klaksony, błyskały światła, ostrzegające ich przed nieprzepisowymi i ryzykownymi manewrami.

— Jak tam jest, w tym tunelu? — spytała Siobhan.

— Ponuro.

— Ale nie było śladu imigrantów?

— Nie — przyznał Rebus.

— Widzisz, gdybym to ja decydowała o przebiegu akcji, to kazałabym obserwować ich, a nie jego lokal.

Rebus był skłonny się zgodzić.

— Ale jeżeli Bullen nigdy się do nich nie zbliża, to co wtedy? On nie musi, ma przecież tego Irlandczyka jako łącznika.

— To ten sam Irlandczyk, którego widziałeś w Knoxland?

Skinął głową. Nagle zrozumiał, do czego dziewczyna zmierza.

— Tam ich trzymają, tak? Przecież to najlepsze miejsce, żeby ich upchać.

— Myślałam, że dokładnie przeszukano osiedle — rzekła Siobhan, odgrywając rolę adwokata diabła.

— Tak, ale my szukaliśmy zabójcy, świadków... — Urwał w pół zdania.

— Co się stało?

— Mo Dirwan został pobity, kiedy zaczął tam węszyć. Napadli go w Domu Stevensona. — Sięgnął po komórkę i wybrał numer Caro Quinn. — Caro? Tu John. Mam pytanie... gdzie dokładnie byłaś, kiedy wypędzili cię z Knoxland? — Słuchając, nie spuszczał wzroku z Siobhan. — Jesteś pewna? Nie, w sumie bez powodu... Odezwę się później. Cześć. — Rozłączył się. — Kiedy doszła do Domu Stevensona.

— A to ci zbieg okoliczności.

Rebus gapił się na swoją komórkę.

— Muszę to powiedzieć Storeyowi. — Zamiast zadzwonić, obracał jednak telefon w ręku.

— Jakoś nie dzwonisz? — zauważyła.

— Nie jestem pewien, czy mu ufam — przyznał. — On ciągle dostaje te anonimowe, ale bardzo przydatne donosy. W ten sposób dowiedział się o Bullenie, o Dziurce, o zbieraczach małży...

— I...?

Wzruszył ramionami.

— I ta nagła intuicja w sprawie bmw... dokładnie to, czego potrzebował, żeby znaleźć związek z Bullenem.

— Kolejny donos? — domyśliła się Siobhan.

— Wobec tego kto mu daje cynk?

— To musi być ktoś blisko związany z Bullenem.

— Albo ktoś, kto dużo o nim wie. Ale skoro Storey dostaje te wszystkie namiary, to pewnie ma własne podejrzenia.

— Tylko niby po co ktoś mu podrzuca takie smaczne kąski? Może on po prostu nie zagląda darowanemu koniowi w zęby?

Rebus przetrawiał to przez chwilę.

— Darowanemu koniowi, powiadasz? A może trojańskiemu?

— Czy to ona? — spytała nagle Siobhan. Wskazała palcem dziewczynę jadącą w ich stronę na rowerze. Minęła ich i zjechała w dół na Grassmarket.

— Nie patrzyłem — przyznał Rebus. Siobhan przygryzła wargę.

— Trzymaj się — rzuciła, zahamowała raptownie i znów zawróciła na trzy; tym razem samochody nacierały na nich ze wszystkich stron. Rebus machał ręką i wzruszał ramionami, przepraszając wszystkich, ale kiedy jeden z kierowców wydarł się na nich przez opuszczoną szybę, zmienił gestykulację na zdecydowanie mniej przyjazną. W rezultacie Siobhan wiozła ich z powrotem na Grassmarket, a rozwścieczony kierowca siedział im na ogonie, z włączonymi długimi światłami, i trąbił, jakby nadawał morsem.

Rebus odwrócił się w fotelu i łypnął wściekle na faceta, który wciąż darł się i wymachiwał pięścią.

— Ale się na nas napalił! Chce nas zapakować w dupę? — powiedziała Siobhan.

Rebus odchrząknął z dezaprobatą.

— Wyrażaj się, jeśli można prosić. — Po czym wystawił głowę za okno i wrzasnął na całe gardło: — Jesteśmy z policji, do kurwy nędzy! — chociaż doskonale zdawał sobie sprawę, że tamten go nie usłyszy. Siobhan wybuchnęła śmiechem, po czym raptownie skręciła kierownicą.

— Zatrzymała się — powiedziała. Dziewczyna zsiadła z roweru i chciała go przywiązać do latarni. Byli w samym sercu Grassmarket, dookoła znajdowały się małe bistra i bary dla turystów. Siobhan zatrzymała się w miejscu z zakazem postoju i wybiegła z samochodu. Nawet z tej odległości Rebus rozpoznał Kate. Miała na sobie wystrzępioną dżinsową kurtkę i dżinsowe szorty, długie czarne botki i jedwabną różową apaszkę na szyi. Gdy Siobhan jej się przedstawiła, była wyraźnie zmieszana.

Rebus odpiął pas i już miał otworzyć drzwi, gdy naraz czyjaś ręka wsunęła się przez okno i złapała go za głowę w żelaznym uścisku.

— W co ty, kurwa, pogrywasz, koleś? — zadudnił głos. — Masz się za króla szos czy co?

Rebus miał usta i nos zatkane przez watowany rękaw kurtki mężczyzny. Desperacko namacał klamkę, naparł na drzwi z całej siły i wypadł z samochodu na kolana, czując, jak świeża fala bólu przeszywa mu nogi. Facet stał po drugiej stronie samochodu i ani myślał puścić swojej zdobyczy. Drzwi wozu wykorzystał jako tarczę, chroniąc się przed ciosami i wierzganiem Rebusa.

— Uważasz się za ważniaka, co? No to pokaż mi jeszcze raz palec...

Nagle inspektor usłyszał słowa Siobhan:

— To jest ważniak. Jest z policji, tak samo jak ja. Puść go.

— Kim jest?

— Powiedziałam: puść go! — Uścisk zelżał i Rebus uwolnił głowę. Wyprostował się, czując, jak krew pulsuje mu w uszach, a świat wokół niego tańczy. Siobhan wykręciła rękę mężczyzny do góry i zmusiła go, by przyklęknął, ze spuszczoną głową. Rebus wyciągnął legitymację i podsunął ją facetowi pod nos.

— Spróbuj jeszcze raz, a cię załatwię — wysapał.

Siobhan puściła mężczyznę i cofnęła się o krok. Zanim się wyprostował, także trzymała już legitymację.

— Skąd miałem wiedzieć? — powiedział tylko. Ale Siobhan już się nim nie interesowała. Wracała do Kate, która obserwowała całą scenę rozszerzonymi oczami. Gdy facet uciekał do swojego samochodu, Rebus udał, że spisuje jego numer rejestracyjny. Potem odwrócił się i dołączył do obu kobiet.

— Kate zatrzymała się na drinka — wyjaśniła Siobhan. — Spytałam, czy możemy się do niej dosiąść.

Rebus nie mógłby sobie wymarzyć nic lepszego.

— Jestem z kimś umówiona za pół godziny — uprzedziła Kate.

— Tyle czasu nam wystarczy — zapewnił ją inspektor.

Weszli do najbliższego lokalu i usiedli przy stoliku. Szafa grająca ryczała na cały regulator, więc Rebus poprosił barmana, żeby ją ściszył. Dla siebie zamówił duże piwo, dla kobiet napoje bezalkoholowe.

— Właśnie mówiłam Kate, jak świetnie tańczy — powiedziała Siobhan. Rebus przytaknął i poczuł ukłucie bólu w szyi. — Zauważyłam to od razu, kiedy zobaczyłam cię pierwszy raz w Dziurce — ciągnęła Siobhan takim tonem, jakby plotkowały na dyskotece. Mądra dziewczyna, pomyślał Rebus. Nie moralizuje, nie denerwuje świadka, nie wprawia w zakłopotanie... Pociągnął łyk piwa.

— Wiecie, ja tam tylko tańczę, nic innego. — Kate spoglądała to na Siobhan, to na Rebusa. — Te wszystkie rzeczy, które opowiadają o Stuarcie... że przemyca ludzi, i tak dalej... nic o tym nie wiem. — Najwyraźniej chciała powiedzieć coś jeszcze, ale urwała i pociągnęła łyk ze szklanki.

— Ogłaszasz się w sieci? — spytał Rebus. Dziewczyna przytaknęła.

— Zobaczyłam w gazecie ogłoszenie, że poszukują tancerek. — Uśmiechnęła się. — Nie jestem głupia, od razu wiedziałam, co to za lokal, ale dziewczyny są świetne... a ja tam tylko tańczę.

— Tyle że bez ubrania — palnął Rebus, zanim zdążył pomyśleć. Siobhan spiorunowała go wzrokiem, ale było za późno.

Twarz Kate stężała.

— Czy pan mnie słuchał? Mówiłam, że ja tam nie robię nic innego poza tańcem.

— Wiemy, Kate — powiedziała cicho Siobhan. — Widzieliśmy film.

Dziewczyna spojrzała na nią.

— Jaki film?

— Ten, na którym tańczysz przy kominku. — Siobhan położyła na stole fotkę z polaroida. Kate chwyciła ją czym prędzej, żeby nikt jej nie zobaczył.

— To się zdarzyło tylko raz — wyjaśniła, uciekając wzrokiem. — Jedna z dziewczyn mówiła mi, że to łatwe pieniądze. Ale powiedziałam jej, że nie będę robić nic z tych rzeczy...

— I nie robiłaś — przyznała Siobhan. — Widziałam film, więc wiemy, że to prawda. Puściłaś muzykę i tańczyłaś.

— Tak, tylko że potem mi nie zapłacili. Alberta chciała się ze mną podzielić swoimi pieniędzmi, ale nie wzięłam. Zapracowała na nie. — Upiła łyk swojego napoju; Siobhan zrobiła to samo. Obie jednocześnie odstawiły szklanki na stół.

— A ten mężczyzna, który kręcił film... — powiedziała Siobhan. — Znasz go?

— Poznałam go dopiero, kiedy weszłyśmy do tego domu.

— Gdzie był ten dom?

Kate wzruszyła ramionami.

— Gdzieś za Edynburgiem. Jechałam z Albertą, nie zwracałam uwagi dokąd. — Spojrzała na Siobhan. — Kto jeszcze widział ten film?

— Tylko ja — skłamała Siobhan. Kate spojrzała na Rebusa, który pokręcił głową na znak, że nie oglądał filmu.

— Prowadzę śledztwo w sprawie morderstwa — ciągnęła Siobhan.

— Wiem, tego imigranta z Knoxland.

— Tę sprawę akurat prowadzi inspektor Rebus. Moja dotyczy zdarzenia w miasteczku Banehall. Ten człowiek, który kręcił film... — Urwała. — Pamiętasz, jak miał na imię?

Kate zamyśliła się.

— Mark? — odparła w końcu.

Siobhan powoli pokiwała głową.

— A nazwisko?

— Miał na szyi wielki tatuaż...

— Sieć pająka — wtrąciła policjantka. — W pewnym momencie wszedł inny mężczyzna i Mark przekazał mu kamerę. — Wyjęła następne zdjęcie z polaroida, niewyraźną postać Donny'ego Cruikshanka. — Pamiętasz go?

— Szczerze mówiąc, prawie przez cały czas miałam zamknięte oczy. Próbowałam się koncentrować na muzyce... Ja zawsze tak pracuję, nie myślę o niczym innym, tylko o muzyce.

Siobhan znowu pokiwała głową na znak, że rozumie.

— To właśnie on został zabity, Kate. Czy możesz mi cokolwiek powiedzieć na jego temat?

Dziewczyna pokręciła głową.

— Miałam tylko wrażenie, że obaj dobrze się bawią. Wiecie, jak uczniaki. Byli tacy napaleni.

— Napaleni?

— Tak, że aż się trzęśli. W pokoju z trzema nagimi kobietami. Odniosłam wrażenie, że dla nich to coś nowego, nowego i podniecającego.

— Nie bałaś się?

Dziewczyna znowu pokręciła głową. Rebus widział, że wróciła pamięcią do tamtej chwili i że nie są to miłe wspomnienia. Odchrząknął.

— Mówiłaś, że na kręcenie tego filmu zabrała cię inna tancerka?

— Tak.

— Czy Stuart Bullen o tym wiedział?

— Nie sądzę.

— Ale nie wiesz na pewno?

Wzruszyła ramionami.

— Stuart zawsze był w porządku wobec dziewczyn. Wie, że inne kluby też szukają tancerek. Jeżeli przestanie nam się podobać u niego, zawsze możemy się przenieść gdzie indziej.

— Alberta na pewno zna tego człowieka z tatuażem — powiedziała Siobhan.

Kate znowu wzruszyła ramionami.

— Pewnie tak.

— Wiesz, jak go poznała?

— Może przyszedł do klubu... Alberta zwykle tam poznaje mężczyzn. — Zagrzechotała kostkami lodu w szklance.

— Napijesz się jeszcze? — spytał Rebus.

Spojrzała na zegarek i pokręciła głową.

— Barney zaraz tu będzie.

— Barney Grant? — upewniła się Siobhan. Kate przytaknęła.

— Próbuje rozmawiać ze wszystkimi dziewczynami. Dobrze wie, że jeżeli będziemy bez roboty przez kilka dni, to nas straci.

— Czy to znaczy, że on zamierza prowadzić Dziurkę sam? — spytał Rebus.

— Tylko do powrotu Stuarta. — Przerwała na chwilę. — Bo przecież Stuart wróci, prawda?

Zamiast odpowiedzieć, Rebus dopił piwo.

— Pójdziemy już — powiedziała Siobhan. — Dzięki, że zgodziłaś się z nami porozmawiać, Kate. — Wstała z krzesła.

— Żałuję, że nie mogłam wam pomóc.

— Gdybyś przypomniała sobie coś na temat tych dwóch mężczyzn...

Dziewczyna skinęła głową.

— Dam wam znać. — A po chwili dorzuciła: — Ten film ze mną...

— Tak?

— Jak myślicie, ile może być kopii?

— Trudno powiedzieć. A ta twoja przyjaciółka, Alberta... ona dalej tańczy w Dziurce?

Kate pokręciła głową.

— Wkrótce potem odeszła.

— To znaczy po tym, jak nakręcono ten film?

— Tak.

— A kiedy to było?

— Dwa, trzy tygodnie temu.

Jeszcze raz podziękowali Kate i ruszyli do drzwi. Na dworze Siobhan odezwała się pierwsza:

— Czyli że Donny Cruikshank dopiero co wyszedł z więzienia.

— Nic dziwnego, że był napalony. Spróbujesz znaleźć Albertę?

Westchnęła.

— Sama nie wiem... Miałam męczący dzień.

— Pójdziemy gdzieś na drinka? — zapytał, ale pokręciła głową. — Masz randkę z Lesem Youngiem?

— Bo co? A ty nie umówiłeś się z Caro Quinn?

— Tylko pytałem. — Wyciągnął paczkę papierosów.

— Podrzucić cię? — zaproponowała.

— Chyba się przejdę, ale dzięki.

— No to... — Zawahała się i patrzyła, jak przypala papierosa. Nagle odwróciła się bez słowa i ruszyła do samochodu. Rebus odprowadził ją wzrokiem. Przez chwilę skupiał się na paleniu, po czym przeszedł na drugą stronę ulicy, gdzie mieścił się hotel. Przystanął przed wejściem. Właśnie dopalił papierosa, gdy ujrzał, jak Barney Grant schodzi ulicą od strony Dziurki. Szedł z rękami w kieszeniach i pogwizdywał; nie wyglądał na przejętego losem swojego szefa ani pracą. Wszedł do baru. Pod wpływem impulsu Rebus spojrzał na zegarek i zanotował godzinę.

Stał tam przed wejściem do hotelu. Zajrzał przez okno do restauracji. Biała i sterylna, wyglądała na taką, gdzie rozmiary talerzy są odwrotnie proporcjonalne do wielkości porcji. Tylko kilka stolików było zajętych, w sumie więcej tam było kelnerów niż gości. Jeden z kelnerów próbował przepłoszyć go wzrokiem, ale Rebus tylko puścił do niego oko. W końcu znudzony już miał stamtąd odejść, gdy naraz przed bar podjechał samochód. Silnik wył na jałowym biegu, gdy kierowca bawił się gazem. Pasażer wozu rozmawiał przez komórkę. Otworzyły się drzwi baru i wyszedł Barney Grant. Schował komórkę do kieszeni w tej samej chwili, gdy pasażer samochodu zatrzasnął klapkę swojej. Grant usiadł na tylnym siedzeniu wozu, który ruszył, zanim jeszcze nowy pasażer zatrzasnął drzwi. Rebus patrzył, jak samochód pędzi w górę ulicy, po czym ruszył za nim na piechotę.

Kilka minut później dotarł do Dziurki, akurat w chwili gdy samochód znowu odjeżdżał. Popatrzył na zamknięte drzwi klubu, a potem na drugą stronę ulicy, na nieczynny sklep. Nie prowadzono już obserwacji, furgonetka zniknęła z ulicy. Spróbował otworzyć drzwi do Dziurki, ale były zamknięte na cztery spusty. Mimo wszystko Barney Grant zajrzał tu jednak po coś, a samochód czekał na niego. Rebus nie rozpoznał kierowcy, znał za to człowieka siedzącego na przednim fotelu, pamiętał go od czasu, gdy ten wydarł się na niego po tym, jak obalił go na ziemię, a aparaty fotograficzne uwieczniły tę chwilę dla potomności i czytelników brukowców.

Howie Slowther — szczeniak z Knoxland, ten od tatuażu grupy paramilitarnej i nienawiści rasowej.

Przyjaciel barmana z Dziurki...

A może jej właściciela.

Dzień dziewiąty
Wtorek

26

O świcie zrobiono nalot na Knoxland — ta sama ekipa, która łapała zbieraczy małży na wybrzeżu Cramond. Konkretnie celem był Dom Stevensona — ten bez graffiti. Właśnie, dlaczego nikt na nim nie mazał? Albo ze strachu, albo z szacunku. Rebus wiedział, że powinien był się zorientować od razu. Dom Stevensona wyglądał inaczej i inaczej też był traktowany.

Policjanci, którzy wtedy chodzili od mieszkania do mieszkania i przepytywali ludzi, często zastawali zamknięte drzwi, właściwie to nawet na całym piętrze. Czy wracali tam i próbowali jeszcze raz? Nie. A dlaczego? Po prostu brakowało im ludzi... a poza tym nie chcieli sobie zawracać głowy, zabity był dla nich tylko kolejną ofiarą powiększającą statystyki.

Felix Storey był dokładniejszy. Tym razem dobijano się do drzwi, zaglądano przez otwory w skrzynkach na listy. Tym razem nie przyjmowano odmowy do wiadomości. Urząd Imigracyjny — podobnie jak Celny i Akcyzy — miał większą władzę niż policja. Mogli wykopać drzwi bez nakazu przeszukania. Rebus słyszał, jak mówili, że „cel uświęca środki", a Storey najwyraźniej uważał, że cel, jaki mu przyświeca, usprawiedliwia wszelkiego rodzaju działania.

Caro Quinn — zastraszono ją, gdy próbowała robić zdjęcia Domu Stevensona i jego okolic.

Mo Dirwan — napadnięty, gdy rozmowy z mieszkańcami zawiodły go do Domu Stevensona.

Rebus obudził się o czwartej, a o piątej słuchał już podnoszącej na duchu odprawy Storeya, w otoczeniu przekrwionych oczu, zapachu odświeżacza do ust i kawy.

Krótko potem siedział w swoim samochodzie i jechał do Knoxland, podwożąc przy okazji czterech innych funkcjonariuszy. Prawie się nie odzywali, za to opuścili szyby, żeby okna w saabie nie zaparowały. Mijali zamknięte sklepy, a potem parterowe domki, w których zapalano już światła w sypialniach. Kawalkada samochodów, w tym nieoznakowanych. Taksówkarze gapili się na nich, wiedząc, że coś się szykuje. Gdy zatrzymali się w Knoxland, ptaki już się pewnie zbudziły, ale nie było słychać ich świergotu.

Jedynie dźwięk cicho otwieranych i zamykanych drzwiczek samochodów.

Szepty, gestykulacja, stłumiony kaszel. Ktoś splunął na ziemię. Natrętnego psa przepędzono, zanim zdążył zaszczekać.

Odgłos butów na schodach przypominał dźwięk wydawany przez pergamin.

Znowu gestykulacja, szepty. Zajmowanie pozycji na całym trzecim piętrze.

Na tym samym piętrze, na którym prawie nikt nie otworzył drzwi policji za pierwszym razem.

Stali i czekali, po trzech przed każdymi drzwiami. Sprawdzano zegarki — za kwadrans szósta zaczną łomotać do drzwi i krzyczeć.

Zostało trzydzieści sekund.

Nagle otworzyły się drzwi na klatkę schodową i stanął w nich mały chłopiec, cudzoziemiec, w długiej koszuli wypuszczonej na spodnie i z torbą na zakupy w ręku. Torba upadła, wyleciało z niej mleko. Gdy chłopczyk zaczerpnął powietrza, jeden z policjantów przyłożył palec do ust.

Mały wrzasnął wniebogłosy.

Bębnienie w drzwi, grzechotanie skrzynek na listy. Chłopca porwano na ręce i zniesiono schodami na dół. Gliniarz, który go niósł, zostawiał za sobą ślady z mleka.

Jedne drzwi otwierano, inne wyważano. A w środku:

Scenki domowe — rodziny siedzące wokół stołu przy śniadaniu.

Pokoje dzienne, w których ludzie spali w śpiworach albo pod pościelą. Po siedem, osiem osób w pokoju; niektórzy leżeli w przedpokojach.

Dzieciaki wrzeszczały ze strachu, wytrzeszczając oczy. Matki próbowały je tulić. Młodzi mężczyźni ubierali się w pośpiechu albo ze strachu ściskali swoje śpiwory.

Starsi protestowali w najrozmaitszych językach, gestykulując niczym na pantomimie. Dziadkowie, odporni na to nowe upokorzenie, na wpół ślepi bez okularów, ale zdecydowani zachować maksimum godności, bez względu na rozwój sytuacji.

Storey przechodził z pokoju do pokoju, z mieszkania do mieszkania. Sprowadził ze sobą trzech tłumaczy, ale to było za mało. Jeden z policjantów podał mu kartkę, którą zdarł ze ściany. Storey przekazał ją Rebusowi. Wyglądała na jakieś notatki z pracy — adresy fabryk zajmujących się przetwarzaniem żywności. I wykaz nazwisk z datami zmian, na których będą pracować. Rebus oddał kartkę. Interesowała go olbrzymia plastikowa torba w jednym z przedpokoi, pełna opasek na głowę i różdżek. Włączył jedną z opasek, jej małe bliźniacze kule zaświeciły się na czerwono. Rozejrzał się, ale nie dostrzegł chłopaka z Lothian Road, tego, który sprzedawał takie rzeczy. W kuchni zlew pełen był gnijących róż z wciąż zaciśniętymi pączkami.

Tłumacze pokazywali fotografie z obserwacji Bullena i Hilla, pytając ludzi, czy potrafią ich zidentyfikować. Tamci kręcili głowami, wystawiali palce, ale kilku z nich przytaknęło. Jeden — Rebusowi wydawało się, że to Chińczyk — krzyczał łamaną angielszczyzną:

— My płacić dużo pieniądz, żeby tu być... dużo pieniądz! Pracować ciężko... pieniądz wysyłać do dom. My chcieć praca! My chcieć praca!

Kolega szybko powiedział coś do niego w ich ojczystym języku. Jego oczy napotkały wzrok Rebusa, który lekko skinął głową; wiedział, co tamten chce przekazać rodakowi.

Nie wysilaj się.

Ich to nie obchodzi.

My ich nie obchodzimy... nie tacy jak my.

Mężczyzna ruszył w kierunku Rebusa, lecz ten pokręcił głową i wskazał mu Feliksa Storeya. Tamten zatrzymał się więc przed nim. Nie potrafił zwrócić na siebie jego uwagi inaczej, niż ciągnąc go za rękaw, czego prawdopodobnie nie robił od czasu, kiedy był dzieckiem.

Storey spojrzał na niego niechętnie, ale tamten wcale się tym nie przejął.

— Stuart Bullen — rzekł. — Peter Hill. — Wiedział, że teraz już przykuł uwagę Storeya. — To ich powinniście szukać.

— Są już w areszcie — zapewnił go facet z imigracyjnego.

— To dobrze — powiedział mężczyzna spokojnie. — A znaleźliście tych, których zamordowali?

Storey spojrzał na Rebusa i z powrotem na Azjatę.

— Czy mógłby pan to powtórzyć? — zapytał.

Mężczyzna nazywał się Min Tan i pochodził z wioski w środkowych Chinach. Usiadł z tyłu samochodu Rebusa, obok Storeya, a inspektor zajął miejsce za kierownicą.

Zaparkowali przed piekarnią na Gorgie Road. Min Tan głośno siorbał słodką jak ulepek czarną herbatę. Rebus wyrzucił już swój napój — dopiero gdy podniósł do ust kubek wodnistej szarej kawy, przypomniał sobie, że to tutaj właśnie wziął niepijalną kawę tego dnia, kiedy znaleziono zwłoki Stefa Yurgii. Mimo to piekarnia prosperowała znakomicie — prawie wszyscy pasażerowie czekający na pobliskim przystanku autobusowym popijali z kubków, a niektórzy pałaszowali na śniadanie bułki z jajecznicą i kiełbaską.

Storey przerwał przesłuchanie, by wdać się z kimś w rozmowę przez komórkę. Miał problem — edynburskie komisariaty nie miały dość miejsca, by pomieścić imigrantów z Knoxland. Było ich zbyt wielu, a cel za mało. Próbował pytać po sądach, ale oni też mieli kłopoty z miejscami. Dlatego na razie trzymano ich w swoich mieszkaniach na trzecim piętrze Domu Stevensona, gdzie obcy nie mieli wstępu. Do tego doszły kłopoty z brakiem ludzi, bo policjanci, którymi dowodził Storey, musieli wracać do swych codziennych zajęć. Nie mogli się bawić w strażników. Jednocześnie Anglik nie miał wątpliwości, że jeśli nie będzie miał wystarczającej liczby ludzi, to nic nie powstrzyma nielegalnych z Domu Stevensona przed przedarciem się przez mizerne siły policyjne i ucieczką na wolność.

Zadzwonił do swoich przełożonych w Londynie i gdzie tylko można, a także poprosił o pomoc Urząd Cła i Akcyzy.

— Nie opowiadajcie mi, że paru inspektorów podatkowych

nie siedzi teraz na tyłku i nie dłubie w nosie. — Słysząc to, Rebus zdał sobie sprawę, że facet brzytwy się chwyta. Miał ochotę go zapytać, dlaczego właściwie nie mogą puścić tych biedaków. Na ich twarzach widział zmęczenie. Harowali tak ciężko, że byli skrajnie wyczerpani. Storey upierałby się, że większość z nich — praktycznie wszyscy — wjechali do kraju nielegalnie albo zostali po wygaśnięciu wiz i pozwoleń na pracę. Byli przestępcami, lecz zdaniem Rebusa także ofiarami. Min Tan opowiadał im o skrajnej biedzie, w jakiej mieszkał na prowincji, i o swoim „obowiązku" wysyłania pieniędzy do domu.

Obowiązek... słowo, którego Rebus nie słyszał zbyt często.

Zaproponował Chińczykowi, że kupi mu w piekarni coś do jedzenia, tamten jednak zmarszczył nos — nie był aż tak zdesperowany, by kosztować miejscowej kuchni. Storey także odmówił, więc Rebus kupił sobie za mocno podgrzaną bułkę z wołowiną i cebulą, która leżała teraz w rynsztoku obok kubka kawy.

Storey warknął i ze złością zatrzasnął klapkę komórki. Min Tan udawał, że interesuje się tylko swoją herbatą, lecz Rebus nie miał takich skrupułów.

— Czasem trzeba się przyznać do porażki — rzucił.

W lusterku wstecznym zobaczył jego zmrużone oczy. Potem Anglik zajął się siedzącym obok mężczyzną.

— Czy mówimy o więcej niż jednej ofierze? — zapytał.

Min Tan skinął głową i uniósł dwa palce.

— Dwie? — upewnił się Storey.

— Co najmniej — odparł Min Tan. Wzdrygnął się i upił łyk herbaty. Rebus zdał sobie sprawę, że ubranie Chińczyka jest za lekkie jak na poranny chłód. Przekręcił więc kluczyk w stacyjce i włączył ogrzewanie.

— Wybieramy się gdzieś? — warknął Storey.

— Nie możemy siedzieć cały dzień w samochodzie — odparł Rebus. — Chyba że chcemy zamarznąć na śmierć.

Min Tan źle zrozumiał jego słowa.

— Dwie śmierci — powiedział z naciskiem.

— Czy jednym z zabitych był ten Kurd? — spytał Rebus. — Stef Yurgii?

Chińczyk zmarszczył brwi.

— Kto?

— Człowiek, który został zasztyletowany. Był jednym z was, prawda? — Inspektor odwrócił się w fotelu, ale Min Tan kręcił głową.

— Nie znam tego człowieka.

Pozwoliło to Rebusowi na wyciągnięcie wniosku.

— A Peter Hill i Stuart Bullen nie znali Stefa Yurgii?

— Mówię wam, że nie znam tego człowieka! — Chińczyk podniósł głos.

— Widziałeś, że zabili dwóch ludzi — wpadł mu w słowo Storey. Tamten znowu pokręcił głową. — Ale przecież mówiłeś...

— Wszyscy o tym wiedzą... sami nam o tym mówili.

— O czym? — naciskał Rebus.

— O tych dwóch... — Nagle Min Tanowi zabrakło słów. — Dwa ciała, wiecie, jak już umrą. — Uszczypnął się w rękę, w której trzymał kubek. — Nic już nie ma, wszystko znikło.

— Nie ma skóry? — domyślił się Rebus. — Ciała bez skóry. Chodzi ci o szkielety?

Min Tan triumfalnie pokiwał palcem.

— I co ludzie o nich mówią? — indagował dalej Rebus.

— Było tak, że... jeden człowiek nie chciał pracować za takie małe pieniądze. Narobił krzyku. Mówił ludziom, żeby nie pracowali, żeby byli wolni...

— I został zabity? — wtrącił Storey.

— Nie zabity! — wrzasnął Chińczyk, zdesperowany. — Posłuchajcie, proszę! Zabrali go gdzieś i pokazali mu ciała bez skóry. Powiedzieli mu, że to samo może spotkać jego i wszystkich, chyba że będzie posłuszny i dobrze pracował.

— Dwa szkielety — mruknął Rebus pod nosem. Ale Min Tan go usłyszał.

— Matka i dziecko — powiedział, wytrzeszczając oczy ze strachu. — Jeżeli potrafią zabić matkę i dziecko i nikt ich nie aresztuje, nie łapie, to mogą zrobić wszystko, zabić każdego... Każdego, kto protestuje!

Rebus ze zrozumieniem pokiwał głową.

Dwa szkielety.

Matka i dziecko.

— Widziałeś te szkielety?

Min Tan zaprzeczył ruchem głowy.

— Inni widzieli. Dziecko było zawinięte w gazetę. Pokazywali je w Knoxland, pokazali głowę i ręce. Pogrzebali matkę i dziecko w... — Szukał właściwego słowa. — Gdzieś pod ziemią.

— W piwnicy? — podsunął Rebus.

Min Tan gorliwie pokiwał głową.

— Pogrzebali je tam, a jeden z nas patrzył. To on nam wszystko opowiedział.

Rebus gapił się przez przednią szybę. Tak, to miało sens — wykorzystanie szkieletów do zastraszenia imigrantów, do utrzymywania ich w ciągłym strachu. Ze szkieletów usunęli druty i śruby, żeby wyglądały autentycznie. A na koniec, dla większego efektu, zalali je betonem na oczach świadka, który po powrocie do Knoxland opowiedział całą historię.

„Mogą zrobić wszystko, zabić każdego... Każdego, kto protestuje!".

Kiedy zastukał do drzwi klubu Czarnoksiężnik, do otwarcia pozostało jeszcze pół godziny.

Była z nim Siobhan. Zadzwonił do niej z samochodu, kiedy już zawiózł Storeya i Min Tana na Torphichen; facet z imigracyjnego miał kilka dodatkowych pytań do Bullena i Irlandczyka. Siobhan jeszcze spała, więc musiał jej kilka razy przedstawiać całą historię. Sprowadzało się to głównie do tego, ile par szkieletów pojawiło się w ostatnich czasach.

W końcu odpowiedziała, że przychodzi jej na myśl tylko jedna.

— Zresztą i tak muszę porozmawiać z Mangoldem — rzuciła teraz, gdy Rebus przykopał w drzwi klubu, skoro uprzejme pukanie na nic się nie zdało.

— Z jakiegoś konkretnego powodu? — spytał.

— Przekonasz się, kiedy go będę przesłuchiwała.

— Dzięki, że się nim ze mną dzielisz. — Jeszcze raz kopnął w drzwi i odsunął się o krok. — Wygląda na to, że nikogo nie ma.

Spojrzała na zegarek.

— Lubię się dzielić.

Skinął głową. W normalnych warunkach ktoś powinien być w środku tuż przed otwarciem, choćby po to, by przygotować kurki do piwa i napełnić drobnymi kasę. Sprzątaczka być może już sobie poszła, ale ten, kto zajmował się barem, powinien być na miejscu.

— Co porabiałeś wczoraj wieczorem? — spytała Siobhan obojętnym tonem.

— Niewiele.

— To do ciebie niepodobne, żebyś nie skorzystał z propozycji i nie dał się podwieźć.

— Miałem ochotę na spacer.

— Akurat. — Splotła ręce na piersi. — Zajrzałeś po drodze do jakiegoś wodopoju?

— Wbrew temu, co myślisz, całymi godzinami potrafię wytrzymać bez picia. — Zajął się zapalaniem papierosa. — A ty? Miałaś kolejną randkę z Majorem Majteczki? — Uśmiechnął się, gdy wlepiła w niego wzrok. — Przezwiska szybko się roznoszą.

— Nawet jeśli, to i tak się pomyliłeś... to Kapitan, nie Major. Pokręcił głową.

— Być może kiedyś, na początku, ale zapewniam cię, że teraz to już Major. Zabawna sprawa te przezwiska... — Ruszył w górę Fleshmarket Close i wydmuchał dym. Nagle coś zauważył i podszedł do piwnicy.

Drzwi były uchylone.

Popchnął je pięścią i wszedł do środka. Siobhan podążyła w jego ślady.

Ray Mangold, z rękami w kieszeniach, wpatrywał się w jedną ze ścian zatopiony w myślach. Prac budowlanych w pomieszczeniu jeszcze nie ukończono. Betonowa podłoga była już cała zerwana. Gruz usunięto, ale w powietrzu wisiał jeszcze gęsty pył.

— Proszę pana? — odezwał się Rebus.

Mangold obejrzał się, wyrwany z marzeń.

— A, to pan — bąknął z wyraźnym brakiem entuzjazmu w głosie.

— Ładne siniaki — zauważył inspektor.

— Już się goją — odparł Mangold, dotykając policzka.

— Skąd pan je ma?

— Mówiłem pańskiej koleżance... — Facet ruchem głowy wskazał Siobhan. — Wdałem się w bójkę z klientem.

— Kto wygrał?

— Jedno pewne, on już nigdy nie napije się w Czarnoksiężniku.

— Przepraszam, jeśli panu przeszkadzamy — powiedziała Siobhan.

Mangold pokręcił głową.

— Próbowałem sobie wyobrazić, jak tu będzie wyglądać, kiedy już skończymy robotę.

— Turyści będą zachwyceni — zapewnił go Rebus.

Tamten uśmiechnął się.

— Na to liczę. — Wyjął ręce z kieszeni i klasnął. — A więc czym mogę wam dzisiaj służyć?

— Chodzi o te szkielety... — Inspektor wskazał miejce na podłodze, gdzie dokonano odkrycia.

— Nie wierzę, że wciąż tracicie na to czas...

— Nie tracimy — przerwał mu Rebus. Stał obok taczek prawdopodobnie należących do budowlańca Joego Evansa. W środku znajdowała się otwarta skrzynka na narzędzia; na wierzchu leżał młot i dłuto. Inspektor podniósł dłuto zaskoczony jego ciężarem. — Czy zna pan niejakiego Stuarta Bullena?

Mangold zastanowił się nad odpowiedzią.

— Słyszałem o nim. To syn Raba Bullena.

— Zgadza się.

— Zdaje się, że jest właścicielem jakiegoś klubu ze striptizem...

— Dziurki.

Mangold powoli pokiwał głową.

— Właśnie...

Rebus wrzucił dłuto z powrotem do taczki.

— A poza tym na boku dorabia sobie handlem niewolnikami, proszę pana.

— Handlem niewolnikami?

— Nielegalnymi imigrantami. Załatwia im robotę w zamian za sowitą działkę dla siebie. Wygląda też na to, że załatwia im również nowe dokumenty i tożsamość.

— O Chryste! — Mangold przeniósł spojrzenie z Rebusa na Siobhan i z powrotem. — Zaraz, chwileczkę... a co to ma wspólnego ze mną?

— Kiedy jeden z imigrantów zaczął podskakiwać, Bullen

postanowił go nastraszyć. Pokazał mu, jak chowają w piwnicy dwa szkielety.

Mangold wytrzeszczył oczy.

— Te, które znalazł Evans?

Rebus wzruszył tylko ramionami, świdrując mężczyznę wzrokiem.

— Czy drzwi od tej piwnicy zawsze są zamknięte, proszę pana?

— Słuchajcie, przecież mówiłem wam na samym początku, że ten beton wylano, zanim przejąłem lokal.

Rebus znów wzruszył ramionami.

— Mamy na to tylko pańskie słowo, bo jakoś nie udało się panu znaleźć żadnych papierów.

— Będę musiał poszukać jeszcze raz.

— Na to wygląda. Tylko uprzedzam, faceci w policyjnych laboratoriach mają łby nie od parady... Potrafią sprawdzić, kiedy coś zostało napisane... obojętne, czy na maszynie, czy ręcznie. Da pan wiarę?

Szef Czarnoksiężnika pokiwał głową na znak, że owszem, potrafi to sobie wyobrazić.

— Nie twierdzę, że cokolwiek znajdę...

— Ale poszuka pan jeszcze raz, za co będziemy dozgonnie wdzięczni. — Rebus znów podniósł dłuto. — A więc nie zna pan Stuarta Bullena... Nigdy go pan nie spotkał?

Mangold energicznie pokręcił głową. Rebus nie przerywał ciszy, która zaległa; w końcu odwrócił się do Siobhan i gestem zaprosił ją bliżej.

— Czy mogę pana zapytać o Ishbel Jardine, proszę pana? — odezwała się.

Nie zrobiło to na nim wrażenia.

— A konkretnie?

— Jest to częściowa odpowiedź na moje pytanie... to znaczy, że pan ją zna?

— Znam? Nie... to znaczy, przychodziła do mojego klubu.

— Do Albatrosa?

— Właśnie.

— I znał ją pan?

— Niezupełnie.

— Chce pan powiedzieć, że pamięta pan nazwiska wszystkich klientów, którzy bywali w Albatrosie?

Słysząc jej pytanie, Rebus parsknął śmiechem, co tylko pogłębiło dyskomfort właściciela baru.

— Zapamiętałem to nazwisko z powodu jej siostry — wyjaśnił Mangold. — Tej, która popełniła samobójstwo. Słuchajcie... — Zerknął na złoty zegarek. — Powinienem być na górze, za chwilę otwieramy.

— Jeszcze tylko kilka pytań — rzekł Rebus stanowczo, nie wypuszczając dłuta z ręki.

— Nie wiem, o co wam chodzi. Najpierw te szkielety, teraz Ishbel Jardine... Co ja mam z tym wszystkim wspólnego?

— Ishbel zniknęła, proszę pana — poinformowała go Siobhan. — Bywała w pańskim klubie, a teraz zniknęła.

— Do Albatrosa co tydzień przychodziły setki ludzi — odparł ze skargą w głosie.

— Ale nie wszyscy potem znikali, prawda?

— Wiemy, jaką tajemnicę kryła pańska piwnica — powiedział Rebus, puszczając dłuto, które spadło do taczki z ogłuszającym brzękiem. — Ale jakie jeszcze tajemnice pan skrywa? Może jest coś, o czym powinniśmy wiedzieć?

— Słuchajcie, nie mam wam nic do powiedzenia.

— Stuart Bullen został aresztowany. Będzie chciał się dogadać, ujawni nam więcej, niż chcielibyśmy wiedzieć. Jak pan sądzi, co powie nam na temat tych szkieletów?

Mangold ruszył do otwartych drzwi, przechodząc między policjantami; śpieszył się tak, jakby gwałtownie potrzebował zaczerpnąć powietrza. Wybiegł na Fleshmarket Close i odwrócił się do nich, oddychając ciężko.

— Zaraz się otwieram — wysapał.

— Słuchamy — rzekł Rebus.

Mangold wlepił w niego wzrok.

— Chodzi mi o to, że muszę otworzyć lokal.

Rebus i Siobhan wyszli na światło dzienne. Mangold zamknął za nimi drzwi na klucz. Patrzyli, jak maszeruje w górę uliczki i znika za rogiem.

— I co o tym myślisz? — spytała.

— Myślę, że nadal tworzymy zgrany zespół.

Przytaknęła ruchem głowy.

— On wie dużo więcej, niż nam mówi.

— Jak wszyscy. — Rebus potrząsnął paczką papierosów i uznał, że ostatniego zachowa na później. — Co teraz?

— Możesz mnie podrzucić do mieszkania? Muszę wziąć samochód.

— Od siebie na Gayfield Square masz kilka kroków spacerkiem.

— Nie jadę na Gayfield Square.

— Więc dokąd się wybierasz?

Postukała się palcem w bok nosa.

— Ja też mam swoje tajemnice, John... Jak wszyscy.

27

Rebus wrócił na Torphichen, gdzie Felix Storey akurat dyskutował zawzięcie z inspektorem Shugiem Davidsonem; domagał się natychmiastowego przydzielenia gabinetu, biurka i krzesła.

— I linii telefonicznej z wyjściem na miasto — dorzucił. — Mam swojego laptopa.

— Nie mamy ani jednego zbędnego biurka, a co dopiero gabinetu — odrzekł Davidson.

— Moje biurko na Gayfield Square chwilowo jest wolne — zaproponował Rebus.

— Ja muszę być tutaj! — upierał się Anglik, celując palcem w podłogę.

— Jeśli o mnie chodzi, to stój se pan tu do usranej śmierci! — syknął Davidson i odszedł.

— Dobrze powiedziane — mruknął Rebus pod nosem.

— I gdzie się podziała nasza dobra współpraca? — spytał Storey zrezygnowany, jakby pogodził się z losem.

— Może on jest zazdrosny — podsunął Rebus. — Osiągasz takie wspaniałe wyniki, że... — Storey wyglądał, jakby za chwilę miał pęknąć z dumy. — Tak, naprawdę wspaniałe wyniki, piękne rezultaty, i jak łatwo osiągnięte — ciągnął Rebus.

Storey spojrzał na niego.

— Co chcesz przez to powiedzieć?

Inspektor wzruszył ramionami.

— Nic, poza tym, że wisisz swojemu tajemniczemu donosicielowi kilka skrzynek przedniej whisky za to, że tak ładnie nadał ci sprawę.

Storey wciąż gapił się na niego.

— Nie twój interes.

— Zdaje się, że to samo mówią nam źli faceci, kiedy dopytujemy się o coś, czego nie chcą nam zdradzić.

— A tobie się zdaje, że ja nie chcę, żebyś o tym wiedział? — Głos Anglika nabrał ostrości.

— I pewnie się nie dowiem, dopóki sam mi nie powiesz.

— Niby czemu miałbym to zrobić?

Rebus uśmiechnął się szeroko.

— Dlatego że ze mnie jest porządny facet? — podsunął.

— Nadal nie jestem co do tego przekonany, inspektorze.

— Nawet mimo że wskoczyłem do tej mysiej dziury i wypłoszyłem Bullena z drugiej strony?

Storey uśmiechnął się zimno.

— Spodziewasz się, że ci za to podziękuję?

— Uratowałem twój piękny drogi garnitur przed utytłaniem...

— Wcale nie jest taki drogi.

— Poza tym nie pisnąłem słowa o tobie i Phyllidzie Hawes...

Anglik łypnął na niego spode łba.

— Posterunkowa Hawes należała do mojego zespołu.

— I to dlatego w niedzielę rano siedzieliście w furgonetce?

— Jeżeli próbujesz coś sugerować...

Rebus uśmiechnął się tylko i klepnął Storeya w ramię grzbietem dłoni.

— Tylko się z ciebie nabijam, Felix.

Storey odczekał, żeby się uspokoić, a tymczasem inspektor opowiedział mu o wizycie u Raya Mangolda. Anglik zamyślił się.

— Sądzisz, że tych dwóch coś ze sobą łączy?

Rebus po raz kolejny wzruszył ramionami.

— Nie jestem pewien, czy to ma jakieś znaczenie. Ale trzeba by się zastanowić nad czymś innym.

— Nad czym?

— Te mieszkania w Domu Stevensona... one należą do miasta.

— I co z tego?

— A czyje nazwiska widnieją na liście najemców?

Storey przyglądał mu się uważnie.

— Mów dalej.

— Im więcej nazwisk zdobędziemy, tym więcej palców wskaże nam na Bullena.

— Czyli że trzeba by się zwrócić do rady miejskiej.

Rebus kiwnął głową.

— I wiesz co? Znam kogoś, kto mógłby nam pomóc...

Siedzieli obaj w gabinecie pani Mackenzie, ona zaś rozwijała przed nimi plany nielegalnego imperium Boba Bairda — imperium, w którego skład, jak się okazało, wchodziły co najmniej trzy z odwiedzonych rano przez policjantów mieszkań.

— A może i więcej — oświadczyła Mackenzie. — Jak dotąd wykryliśmy jedenaście nazwisk, którymi się posługiwał. Nazwiska krewnych, a także wzięte z książki telefonicznej oraz należące do osób niedawno zmarłych.

— Dostarczy to pani policji? — zapytał Storey, kręcąc głową ze zdumienia nad dziełem Mackenzie. Było to olbrzymie drzewo genealogiczne, wyrysowane na posklejanych taśmą kartkach papieru kserograficznego i zajmujące prawie całą powierzchnię biurka. Obok każdego nazwiska wypisane były szczegóły dotyczące tego, skąd się wzięło.

— Tryby machiny poszły już w ruch — powiedziała. — Ja tylko chcę mieć pewność, że ze swojej strony niczego nie zaniedbałam.

Rebus z uznaniem kiwnął głową, na co kobieta zareagowała lekkim rumieńcem.

— Czy możemy założyć, że większość mieszkań na trzecim piętrze Domu Stevensona jest podnajmowana przez Bairda? — spytał Storey.

— Moim zdaniem tak — odparł inspektor.

— A czy możemy również przyjąć, że miał pełną świadomość tego, iż lokatorów dostarcza mu Stuart Bullen?

— Logika za tym przemawia. Powiedziałbym, że połowa osiedla wiedziała, co tam się dzieje... dlatego miejscowe wyrostki nawet nie ośmielały się bazgrać po ścianach.

— A ten Stuart Bullen — wtrąciła się Mackenzie. — Czy ludzie mają powody, żeby się go obawiać?

— Może się pani nie martwić — uspokoił ją Storey. — On jest już w areszcie.

— I nigdy się nie dowie, jak bardzo się pani przy tym napracowała — dodał Rebus, stukając w wykres na biurku.

Anglik, który siedział pochylony nad biurkiem, wyprostował się.

— Chyba czas, żebyśmy sobie pogawędzili z Bairdem.

Rebus przytaknął bez słowa.

Dwaj mundurowi doprowadzili Boba Bairda na komisariat w Portobello. Dotarli tam pieszo; przez całą drogę Baird darł się na cały głos, oburzony takim traktowaniem.

— W związku z czym ludzie tym bardziej się na nas gapili — meldował nie bez zadowolenia jeden z policjantów.

— Ale przez to on jest w paskudnym nastroju — ostrzegł jego kolega.

Rebus i Storey porozumieli się wzrokiem.

— Świetnie — powiedzieli jednym głosem.

Baird krążył tam i z powrotem po ciasnym pokoju przesłuchań. Gdy weszli dwaj mężczyźni, otworzył usta, by zasypać ich kolejną litanią skarg.

— Zamknij dziób — syknął Storey. — Siedzisz w takim gównie, że dobrze ci radzę, niczego w tym pokoju nie próbuj. Masz tylko odpowiadać na wszystkie pytania, jakie zechcemy ci zadać. Zrozumiano?

Baird wlepił w niego wzrok i parsknął śmiechem.

— Coś ci poradzę, kolego... weź na wstrzymanie z tym solarium.

Storey także się uśmiechnął.

— Rozumiem, proszę pana, że to aluzja do koloru mojej skóry? Przypuszczam, że w pańskim fachu bycie rasistą pomaga.

— A co to za fach?

Anglik sięgnął do kieszeni po legitymację.

— Jestem funkcjonariuszem Urzędu Imigracyjnego, proszę pana.

— I co, wsadzicie mnie na podstawie ustawy antyrasistowskiej? — Baird znów parsknął; dźwięk ten przywodził Rebusowi na myśl świnię, którą ominął posiłek. — Za to, że wynajmuję mieszkania ludziom z pańskiego plemienia?

Storey zwrócił się do Rebusa:

— Dobrze mówiłeś, że z niego niezły jajcarz.

Rebus założył ręce na piersi.

— Tylko dlatego, że jemu wciąż się wydaje, że chodzi o robienie w konia rady miejskiej.

Storey odwrócił się do Bairda i zrobił wielkie oczy.

— Czy pan rzeczywiście tak sądzi? No cóż, przykro mi, że będę zwiastunem złych wieści.

— Co to, jesteśmy w ukrytej kamerze? — rzekł Baird. — Jakiś komediant próbuje mnie wkręcić? To ma być dowcip?

— To nie jest dowcip — zapewnił go Storey cicho, kręcąc głową. — Pozwalasz korzystać ze swoich mieszkań Stuartowi Bullenowi. A on upycha tam nielegalnych imigrantów, kiedy akurat nie odwalają dla niego niewolniczej roboty. Śmiem twierdzić, że spotkałeś się kilka razy z jego wspólnikiem... ten przyjemniaczek nazywa się Peter Hill. Smaczku dodaje fakt, że jest powiązany z grupami paramilitarnymi w Belfaście. — Uniósł dwa palce. — Handel niewolnikami i terroryzm, to ci dopiero kombinacja, co? A nie doszedłem jeszcze do przemytu ludzi... do tych wszystkich fałszywych paszportów i książeczek lekarskich, które znaleźliśmy u Bullena. — Storey podniósł trzeci palec i przysunął Bairdowi pod nos. — Wobec tego oskarżymy cię o działanie w zmowie... nie tylko o oszukiwanie rady miasta i uczciwych, ciężko pracujących podatników, ale o przemyt ludzi, handel niewolnikami, preparowanie fałszywej tożsamości... możliwości są nieograniczone. Prawnicy Jej Królewskiej Mości wprost przepadają za działaniem w zmowie w związku przestępczym, dlatego na twoim miejscu zachowałbym nieco humoru na potem, przyda ci się w więzieniu. — Opuścił rękę. — Zwłaszcza że przez dziesięć czy dwanaście lat poczucie humoru może się nieco stępić.

Zapadło milczenie; w panującej ciszy Rebus słyszał tykanie zegarka. Pomyślał, że to zegarek Storeya — pewnie jakiś ładny model, z klasą, ale nie szpanerski. Robiący to, co do niego należy, i działający z niezawodną precyzją.

Czyli tak jak jego właściciel, musiał przyznać w duchu.

Z twarzy Bairda odpłynęła krew. Na pozór wydawał się spokojny, lecz Rebus wiedział, że strategiczny cel został osiągnięty. Mężczyzna wysunął brodę, usta miał zaciśnięte w zadumie. Bywał już w takich sytuacjach i zdawał sobie sprawę, że decyzje, jakie podejmie w najbliższym czasie, mogą zaważyć na całym jego przyszłym życiu.

Dziesięć, dwanaście lat, powiedział Storey. Nie ma mowy, żeby Baird dostał taki wyrok, nawet gdyby został uznany za winnego i skazany. Anglik jednak wybrał prawidłowo: gdyby zagroził mu odsiadką od piętnastu do dwudziestu lat, ten zorientowałby się, że kłamie, i uznał to za blef. Ewentualnie uznałby, że to prawda, i poszedł w zaparte.

Człowiek, który nie ma nic do stracenia.

Ale dziesięć do dwunastu lat... Baird musiał teraz dobrze policzyć. Powiedzmy, że Storey przesadził, żeby go postraszyć, i tak naprawdę dostałby od siedmiu do dziewięciu lat. Musiałby wtedy odsiedzieć ze cztery, pięć lat, może nieco więcej. Gdy się osiąga wiek Bairda, czas ma dla człowieka coraz większe znaczenie. Ktoś kiedyś tłumaczył Rebusowi, że najlepszym lekarstwem na recydywistów jest starość — człowiek nie chce umierać w więzieniu, woli być wśród dzieci i wnuków, robić to, na co zawsze miał ochotę...

Wszystko to Rebus mógł wyczytać z porytej głębokimi zmarszczkami twarzy Bairda.

W końcu mężczyzna zamrugał kilka razy, wlepił wzrok w sufit i westchnął.

— Pytajcie, o co chcecie — powiedział.

Więc pytali.

— Wyjaśnijmy to sobie, żeby nie było nieporozumień — rzekł Rebus. — Pozwalał pan korzystać Stuartowi Bullenowi z niektórych swoich mieszkań?

— Zgadza się.

— Czy wiedział pan, do czego są mu potrzebne?

— Domyślałem się.

— Jak to się zaczęło?

— On sam się do mnie zgłosił. Wiedział, że podnajmuję mieszkania przedstawicielom mniejszości, którzy są w potrzebie. — Przy ostatnich słowach Baird przeniósł wzrok na Feliksa Storeya.

— Skąd się o tym dowiedział?

Baird wzruszył ramionami.

— Może od Petera Hilla. Hill kręcił się po Knoxland i ubijał różne interesy... głównie handlował prochami. Więc całkiem możliwe, że usłyszał to i owo.

— I zgodził się pan na jego propozycję?

Baird uśmiechnął się krzywo.

— Znałem jego starego. Zresztą spotkałem Stu kilka razy... na pogrzebach i takich tam... To nie jest gość, któremu się odmawia. — Baird uniósł kubek do ust i cmoknął, jakby napawał się smakiem. Rebus splądrował maleńką kuchnię w komisariacie i zaparzył herbatę dla wszystkich. W pudełku znalazł ostatnie dwie torebki, ale wycisnął z nich, co się da, by starczyło na trzy kubki.

— Dobrze pan znał Raba Bullena? — spytał inspektor.

— Niespecjalnie. Wtedy ja też prowadziłem ciemne interesy. Myślałem, że w Glasgow można do czegoś dojść... Ale Rab szybko wybił mi to z głowy. Był całkiem miły, jak każdy normalny biznesmen. Wyjaśnił mi tylko, kto rządzi tym miastem, i że nie ma tam miejsca dla nowego. — Baird przerwał. — Nie powinniście tego nagrywać albo co?

Storey pochylił się na krześle i złączył dłonie.

— To dopiero wstępne przesłuchanie.

— To znaczy, że będą kolejne?

Storey powoli pokiwał głową.

— I wtedy zarejestrujemy je na taśmie magnetofonowej i filmowej. Na razie tylko próbujemy zorientować się w sytuacji.

— W porządku.

Rebus wyjął nową paczkę papierosów i podsunął ją pozostałym. Storey odmówił ruchem głowy, ale Baird się poczęstował. Na trzech z czterech ścian wisiały tabliczki z zakazem palenia. Baird wydmuchał dym w kierunku jednej z nich.

— Czasami wszyscy łamiemy jakieś przepisy, co?

Rebus puścił to mimo uszu i przeszedł do pytań.

— Czy wiedział pan, że Stuart Bullen należy do szajki zajmującej się przemytem ludzi?

Baird stanowczo pokręcił głową.

— Trudno mi w to uwierzyć — rzekł Storey.

— Co nie zmienia faktu, że to prawda.

— Wobec tego co pan o tym sądził? Że skąd się biorą ci imigranci?

Baird wzruszył ramionami.

— Uciekinierzy... ludzie ubiegający się o azyl... Nie pytałem, bo to nie moja sprawa.

— Nie dręczyła pana ciekawość?

— Zdaje się, że to pierwszy stopień do piekła.

— Mimo to...

Baird znowu wzruszył ramionami, wpatrując się w czubek papierosa. Rebus przerwał ciszę kolejnym pytaniem:

— Wiedział pan, że wysyłał tych ludzi do pracy na czarno?

— Skąd miałem wiedzieć, czy pracują na czarno, czy legalnie?

— Wypruwali sobie dla niego flaki.

— Więc dlaczego nie odchodzili?

— Sam pan przyznał, że nawet pan się go bał. Myśli pan, że oni się go nie bali?

— Coś w tym jest.

— Mamy dowody na to, że byli zastraszani.

— Może to wina jego genów. — Baird strząsnął popiół na podłogę.

— Niedaleko pada jabłko od jabłoni? — mruknął Felix Storey.

Rebus wstał, obszedł krzesło Bairda i stojąc za jego plecami, nachylił się tak, że miał twarz tuż przy ramieniu przesłuchiwanego.

— Czyli nie wiedział pan, że on się zajmuje przemytem ludzi, tak pan twierdzi?

— Tak.

— A teraz, skoro już pana oświeciliśmy w tej sprawie, co pan o tym sądzi?

— Nie bardzo rozumiem.

— Jest pan zaskoczony?

Baird zastanowił się.

— No, raczej tak.

— A to dlaczego?

— Sam nie wiem... może dlatego, że nic nie świadczyło o tym, żeby Stu działał na taką skalę.

— Bo to tylko drobny kombinator? — podsunął inspektor.

Baird znowu się zastanowił, po czym skinął głową.

— Przemyt ludzi... to już gra o wysoką stawkę, no nie?

— Owszem — przyznał Felix Storey. — Może właśnie dlatego Bullen się tym zajął... chciał udowodnić, że nie jest gorszy od swojego starego.

Słysząc to, Baird pogrążył się w milczeniu. Rebus widział, że myśli o swoim synu, Garecie; ojciec i syn, którzy mają sobie coś do udowodnienia...

— Wyjaśnijmy to sobie — rzekł Rebus i obszedł krzesło z powrotem, tak że znów stał twarzą w twarz z Bairdem. — Nic pan nie wiedział o fałszywych dowodach tożsamości i dziwi pana fakt, że Bullen okazał się tak dużym graczem... że porwał się na coś takiego?

Baird pokiwał głową, patrząc Rebusowi prosto w oczy.

Felix Storey wstał z krzesła.

— No cóż, w każdym razie zajmował się tym, czy nam się to podoba, czy nie... — Na pożegnanie wyciągnął rękę do Bairda, który zrozumiał, że też ma wstać.

— Wypuszczacie mnie? — zapytał.

— Pod warunkiem że nie spróbuje pan uciekać. Zadzwonimy do pana, być może za kilka dni. Odbędzie się następne przesłuchanie, tym razem rejestrowane na taśmie.

Baird bez słowa skinął głową i puścił rękę Storeya. Spojrzał na Rebusa, który trzymał ręce w kieszeniach — z jego strony nie miał co liczyć na podanie ręki.

— Trafi pan sam do wyjścia? — zapytał Anglik.

Baird kiwnął głową i sięgnął do klamki, nie wierząc we własne szczęście. Rebus poczekał, aż drzwi się za nim zamkną.

— Dlaczego uważasz, że on nie zwieje? — syknął szeptem, żeby Baird go nie usłyszał.

— Czuję to przez skórę.

— A jeżeli się mylisz?

— Nie dał nam nic takiego, czego byśmy już nie mieli.

— On jest fragmentem układanki.

— Być może, John, ale jeśli nawet, to nie wnosi nic nowego... i bez niego mam jasny obraz.

— Cały obraz?

Twarz Anglika stężała.

— Nie sądzisz, że i tak zapełniłem już wszystkie cele policyjne w całym Edynburgu? — Włączył komórkę i zaczął sprawdzać wiadomości.

— Słuchaj — upierał się Rebus. — Pracujesz nad tą sprawą nie od dzisiaj, prawda?

— Prawda. — Storey wpatrywał się w maleńki wyświetlacz.

— I ile znasz ogniw łańcucha? O kim jeszcze wiesz, pomijając Bullena?

Facet z imigracyjnego podniósł wzrok.

— Mamy kilka nazwisk... przedsiębiorca przewozowy z Essex, turecki gang z Rotterdamu...

— I to pewne, że są powiązani z Bullenem?

— Są powiązani.

— Bo wszystko to wiesz od swojego anonimowego donosiciela? Nie mów, że ciebie to nie zastanawia.

Storey uniósł palec, prosząc o ciszę, żeby mógł odsłuchać pocztę głosową. Rebus odwrócił się na pięcie, podszedł do przeciwległej ściany i włączył swoją komórkę. Prawie natychmiast rozległ się sygnał, ale nie były to wiadomości, tylko ktoś do niego dzwonił.

— Witaj, Caro — odezwał się, poznawszy jej numer.

— Właśnie usłyszałam w wiadomościach.

— O czym?

— O tych wszystkich ludziach, których aresztowali w Knoxland... o tych biedakach.

— Jeżeli cię to pocieszy, aresztowaliśmy też przestępców... i zostaną za kratkami długo po tym, jak tamci zostaną odesłani.

— Odesłani dokąd?

Rebus zerknął na Feliksa Storeya; na to pytanie nie było łatwej odpowiedzi.

— John...? — padło po krótkiej chwili; wiedział, o co chce go zapytać. — Byłeś tam? Kiedy wyważali drzwi i osaczali tych ludzi, ty na to patrzyłeś?

Miał ochotę skłamać, ale ona zasługiwała na prawdę.

— Byłem tam — przyznał. — W ten sposób zarabiam na życie, Caro. — Zniżył głos, uświadamiając sobie, że Storey kończy rozmawiać. — Czy słyszałaś, jak mówiłem, że złapaliśmy tych, którzy ponoszą za to winę?

— John, jest wiele zawodów, w których można pracować.

— Czy to mi chcesz powiedzieć, Caro? Wóz albo przewóz?

— Brzmisz, jakbyś był wściekły.

Rzucił okiem na Anglika, który właśnie chował komórkę, i zdał sobie sprawę, że ma interes do niego, a nie do Caro.

— Muszę kończyć... czy możemy porozmawiać później?

— O czym?

— O czym tylko chcesz.

— O strachu na ich twarzach? O płaczu dzieci? Będziemy mogli o tym porozmawiać?

Rebus nacisnął czerwony klawisz i zamknął klapkę komórki.

— Wszystko w porządku? — zapytał Storey, zatroskany.

— Po prostu cacy, Feliksie.

— Nasze zawody to czasem prawdziwe piekło... Kiedy przyszedłem wtedy do ciebie wieczorem, nie wyczułem w mieszkaniu śladu ręki pani Rebus.

— Będzie z ciebie jeszcze detektyw.

Anglik uśmiechnął się.

— Z moją żoną... jesteśmy razem tylko dla dobra dzieci.

— Ale nie nosisz obrączki.

Storey uniósł lewą dłoń.

— To prawda, nie noszę.

— Czy Phyllida Hawes wie, że jesteś żonaty?

Uśmiech zniknął, Anglik zmrużył oczy.

— Nie twój interes, John.

— Co racja, to racja... Pogadajmy lepiej o tym twoim „Głębokim gardle".

— O co ci chodzi?

— Wygląda na to, że jest cholernie dobrze poinformowany.

— I co z tego?

— Nie zachodziłeś w głowę, z jakiego powodu ci pomaga?

— Nie bardzo.

— A jego nie zapytałeś?

— Chcesz, żebym go wystraszył? — Storey założył ręce na piersi. — A po co chcesz to wiedzieć?

— Nie wykręcaj kota ogonem.

— Wiesz co, John? Kiedy Stuart Bullen wspomniał o tym Caffertym, sprawdziłem to i owo. Ciebie i Cafferty'ego łączy długa historia.

Tym razem to Rebus łypnął na niego spode łba.

— Co chcesz przez to powiedzieć?

Storey ze skruchą uniósł rękę.

— Tak mi się tylko wyrwało. Coś ci powiem... — Spojrzał na zegarek. — Chyba zasługujemy na lunch... ja stawiam. Jest tu w pobliżu jakiś lokal, który mógłbyś polecić?

Rebus powoli pokręcił głową, nie spuszczając wzroku z Anglika.

— Pojedziemy do Leith, znajdziemy coś nad brzegiem ⦁ morza.

— Szkoda, że prowadzisz — rzekł Storey. — Przez to będę musiał wypić za nas obu.

— Myślę, że szklaneczka mi nie zaszkodzi — zapewnił go Rebus.

Storey otworzył drzwi i machnął ręką, przepuszczając Rebusa przodem. Inspektor wyszedł pierwszy; chociaż nawet nie mrugnął okiem, w głowie huczało mu od natłoku myśli. Storey był wystraszony i wspomniał o Caffertym, żeby pobić Rebusa jego własną bronią. Czego tak się obawiał?

— A wracając do twojego anonimowego informatora — rzucił od niechcenia. — Nagrywasz czasem wasze rozmowy?

— Nie.

— Masz pomysł, skąd on zdobył twój numer?

— Nie.

— I nie masz możliwości oddzwonienia do niego?

— Nie.

Rebus obejrzał się przez ramię na faceta z imigracyjnego, który kipiał z wściekłości.

— Tak naprawdę on nie istnieje, prawda, Feliksie?

— Istnieje, jak najbardziej — warknął Storey. — Inaczej by nas tu nie było.

Rebus zbył to wzruszeniem ramion.

— Mamy go — zwrócił się do Siobhan Les Young, kiedy weszła do biblioteki w Banehall. Roy Brinkley siedział na biurku; mijając go, obdarzyła go uśmiechem. W ich bazie wrzało jak w ulu i teraz zorientowała się dlaczego.

Złapali człowieka pająka.

— Opowiadaj — powiedziała.

— Wiesz, że wysłałem Maxtona do Barlinnie, żeby popytał, czy Cruikshank miał jakichś przyjaciół? No i wypłynął niejaki Mark Saunders.

— To ten z wytatuowanym pająkiem?

Young przytaknął.

— Odsiedział trzy lata z pięciu za napad na tle seksualnym. Wyszedł miesiąc przed Cruikshankiem. I wrócił w rodzinne strony.

— Ale nie do Banehall?

Young pokręcił głową.

— Do Bo'ness. To dziesięć mil dalej na północ.

— I tam go znaleźliście? — Patrzyła, jak inspektor znowu potakuje. Mimo woli przyszły jej na myśl pluszowe pieski, kiwające głowami na półkach za tylnymi szybami samochodów. — Przyznał się do zabicia Cruikshanka?

Kiwanie głową nagle ustało.

— Przypuszczam, że to już by był nadmiar szczęścia — mruknęła.

— Chodzi o to, że kiedy do tego doszliśmy, zamknął się w sobie — rzekł Young.

— Czyli że ma coś do ukrycia? A może uważa, że próbujemy go w to wrobić?

Inspektor zmarszczył brwi.

— Mniej więcej właśnie tak się tłumaczył.

— Czyli że z nim rozmawiałeś?

— Tak.

— Pytałeś go o tego pornola?

— A konkretnie?

— Po co go nakręcił.

Young splótł ręce na piersi.

— Wbił sobie do głowy, że zostanie królem pornosów, chce je rozprowadzać w Internecie.

— Widocznie w Bar-L miał dużo czasu na myślenie.

— To tam się nauczył obsługi komputera, projektowania witryn...

— Miło wiedzieć, że zapewniamy takie kształcenie gwałcicielom.

Ramiona Younga nieco obwisły.

— Twoim zdaniem on tego nie zrobił?

— Daj mi motyw, a potem spytaj jeszcze raz.

— Tacy faceci... oni ciągle o coś się kłócą.

— Ja też się kłócę z matką za każdym razem, kiedy rozmawiamy przez telefon, ale nie sądzę, żebym z tego powodu miała ją zatłuc młotkiem...

Young zauważył, że jej mina nagle się zmieniła.

— Co się stało?

— Nic — skłamała. — Gdzie trzymacie Saundersa?

— W Livingston. Za jakąś godzinkę mam z nim następną nasiadówkę, więc jeśli masz ochotę się przyłączyć...

Siobhan jednak pokręciła głową.

— Mam parę spraw do załatwienia.

Young wpatrywał się w czubki butów.

— To może spotkamy się później?

— Może — odparła.

Już miał odejść, lecz nagle o czymś sobie przypomniał.

— Przesłuchujemy też Jardine'ów.

— Kiedy?

— Po południu. — Wzruszył ramionami. — Nic na to nie poradzę, Siobhan.

— Wiem, robicie, co do was należy. Ale potraktujcie ich łagodnie.

— Nie martw się, ręka przestała mnie świerzbić dawno temu. — Ucieszył się, widząc jej uśmiech. — A te nazwiska, które nam podałaś... tych przyjaciółek Tracy Jardine... do nich też wreszcie dotarliśmy.

Czyli do Susie...

Do Angie...

Janet Eylot...

Janine Harrison...

— Myślisz, że coś ukrywają? — spytała.

— Powiedzmy, że Banehall nie pali się do współpracy.

— Oddali nam do dyspozycji bibliotekę.

Tym razem to Les Young się uśmiechnął.

— To prawda.

— Zabawna rzecz — powiedziała Siobhan. — Donny Cruikshank zginął w mieście pełnym wrogów, a my kierujemy podejrzenia wobec jedynego przyjaciela, jakiego miał.

Inspektor wzruszył ramionami.

410

— Znasz to dobrze, Siobhan... kiedy przyjaciele się poprztykają, to bywa gorsze niż najgorsza wendeta.

— To prawda — przyznała, kiwając głową pod adresem własnych myśli.

Les Young bawił się zegarkiem.

— Muszę się zbierać — oznajmił.

— Ja też, Les. Powodzenia z człowiekiem pająkiem. Mam nadzieję, że zacznie sypać.

Stanął przed nią.

— Ale nie postawiłabyś na to złamanego pensa?

Znowu się uśmiechnęła i pokręciła głową.

— Co nie znaczy, że tak się nie zdarzy.

Udobruchany, puścił do niej oko i ruszył do drzwi. Odczekała, aż usłyszy przez okno ruszający samochód, po czym przeszła do recepcji, gdzie Roy Brinkley siedział przy komputerze i sprawdzał dla klientki, czy jakaś książka jest w tej chwili wolna. Kobieta była malutka i krucha; przytrzymywała się kurczowo balkonika, a jej głowa lekko drżała. Odwróciła się do Siobhan i uśmiechnęła się promiennie.

— *Zabójca gliniarzy* — odezwał się Brinkley. — To o ten tytuł pani chodzi, pani Shields? Mogę go ściągnąć z innej biblioteki.

Pani Shields ruchem głowy dała znać, że to ją zadowala, i trzymając się balkonika, zaczęła się oddalać.

— Zadzwonię do pani, kiedy ją dostaniemy! — zawołał za nią Brinkley i wyjaśnił Siobhan: — Stała klientka.

— Która nienawidzi gliniarzy?

— To książka Eda McBaina... pani Shields lubi mocną literaturę. — Skończył wpisywać zamówienie i zamaszyście stuknął w ostatni klawisz. — Czym mogę pani służyć? — zapytał, wstając.

— Zauważyłam, że macie tu również gazety — odparła, ruchem głowy wskazując okrągły stół, przy którym cztery emerytki wymieniały się prasą brukową.

— Mamy większość dzienników i niektóre czasopisma.

— A co robicie z nieaktualnymi?

— Wywalamy je. — Zauważył jej minę i wyjaśnił: — Większe biblioteki mają miejsce, żeby je trzymać.

— A wy nie?

Pokręcił głową.

— Szuka pani czegoś konkretnego?

— „Evening News" z zeszłego tygodnia.

— No to ma pani szczęście — powiedział, wychodząc zza biurka. — Proszę za mną.

Zaprowadził ją do zamkniętych drzwi z napisem: „Wstęp wzbroniony". Wstukał odpowiedni kod i pchnął drzwi. Prowadziły do małego pokoju służbowego wyposażonego w zlew, czajnik i kuchenkę mikrofalową. Kolejne drzwi prowadziły do toalety, ale Brinkley podszedł do następnych i przekręcił klamkę.

— Magazyn — oznajmił.

Było to pomieszczenie, w którym stare książki umierały — zalegały na półkach, niektóre z oderwanymi okładkami, z innych wysypywały się luźne kartki.

— Co jakiś czas próbujemy je opylić — wyjaśnił. — A jeśli się nie udaje, są jeszcze darmowe antykwariaty. Ale niektórych książek nawet one nie chcą. — Otworzył jedną z nich, by pokazać Siobhan, że ktoś wyrwał ostatnie strony. — Te oddajemy na makulaturę, razem ze starymi gazetami i czasopismami. — Postukał czubkiem buta w wypchaną torbę. Obok stały inne, wyładowane prasą. — Na szczęście przyjeżdżają po nie dopiero jutro.

— Myślisz, że szczęście to właściwe słowo? — odparła Siobhan z powątpiewaniem. — Nie sądzę, żebyś miał pojęcie, w której z tych toreb może być prasa z zeszłego tygodnia.

— To pani jest detektywem. — Z zewnątrz doleciał cichy dzwonek: to jakiś klient czekał na Brinkleya przy biurku. — Zostawiam panią — powiedział z uśmiechem.

— Dzięki. — Siobhan stała tam i patrzyła; podparła się pod boki i głęboko odetchnęła zatęchłym powietrzem. Zaczęła rozważać inne możliwości. Miała kilka, wszystkie jednak wiązały się z jazdą powrotną do Edynburga, po czym znowu musiałaby wrócić do Banehall.

Podjęła decyzję, przykucnęła, wyciągnęła gazetę z pierwszej torby i spojrzała na datę. Zostawiła ją i wyciągnęła następną, tym razem ze spodu. Tę także odłożyła na bok i wyjęła kolejną. To samo powtórzyła z drugą i trzecią torbą. W trzeciej znalazła gazety sprzed dwóch tygodni, więc wysypała je wszystkie i zaczęła przeglądać. Czasami zabierała „Evening News" na noc do domu i przeglądała je rano przy śniadaniu. Dzięki temu mogła się zorientować, co knują politycy i rząd. Teraz jednak niedawne tytuły wydawały jej się przestarzałe. Większości nawet nie pamiętała. W końcu znalazła to, czego szukała, wydarła całą stronę, złożyła ją i schowała do kieszeni. Mimo że starała się, jak mogła, nie udało jej się upchać wszystkich gazet z powrotem do torby. Zatrzymała się przy zlewie i wypiła kubek zimnej wody. Wychodząc z biblioteki, uniosła kciuki, pokazując Brinkleyowi, że się udało, i ruszyła do samochodu.

Właściwie do salonu fryzjerskiego mogłaby dojść pieszo, ale zależało jej na czasie. Zaparkowała w drugiej linii, wiedząc, że nie zabawi tam długo. Spróbowała otworzyć drzwi — ani drgnęły. Zajrzała przez szybę — w środku nie było nikogo. Na wystawie wisiała tabliczka z godzinami otwarcia. Zakład był nieczynny w środy i niedziele. Ale dziś był wtorek. Nagle zobaczyła inną wywieszkę, nabazgraną w pośpiechu na papierowej torbie. Przylepiono ją do szyby, ale odpadła i teraz leżała na podłodze: „Zamknięte do odwołania". Potem następowało „nieprzewidziane", ale ten, kto to pisał, miał trudności z ortografią, więc skreślił słowo i zostawił wiadomość niedokończoną.

Zaklęła pod nosem. Przecież Les Young sam jej mówił! Wzięli je na przesłuchania. Oficjalne przesłuchania. Oznaczało to wyprawę do Livingston. Wróciła do samochodu i pojechała tam.

Ruch był niewielki, więc jazda nie trwała długo. Wkrótce wypatrzyła miejsce do zaparkowania przed komendą główną wydziału F. Weszła do środka i spytała dyżurnego sierżanta, gdzie odbywają się przesłuchania w sprawie Cruikshanka. Skierował ją we właściwą stronę. Zapukała do drzwi pokoju przesłuchań i otworzyła je. W środku był Les Young i jakiś inny oficer dochodzeniówki po cywilnemu. Siedzieli przy stole, naprzeciwko mężczyzny pokrytego tatuażami.

— Przepraszam — bąknęła Siobhan i znowu zaklęła pod nosem. Przez chwilę czekała w korytarzu, by sprawdzić, czy Young wyjdzie za nią, żeby się dowiedzieć, o co jej chodzi. Ale nie wyszedł. Wypuściła długo wstrzymywane powietrze i otworzyła sąsiednie drzwi. Następni dwaj tajniacy spojrzeli na nią, zirytowani, że ktoś im przeszkadza.

— Przepraszam, że zawracam głowę — powiedziała Siobhan, wchodząc do pokoju. Angie podniosła na nią wzrok. — Może ktoś z was się orientuje, gdzie mogłabym znaleźć Susie?

— W poczekalni — odparł jeden z tajniaków.

Siobhan uśmiechnęła się do Angie pokrzepiająco i wyszła. Do trzech razy sztuka, pomyślała.

I rzeczywiście. W trzecim pokoju znalazła Susie. Dziewczyna siedziała z nogą założoną na nogę, piłowała paznokcie i żuła gumę. Potakiwała głową, słuchając tego, co mówiła jej Janet Eylot. Kobiety były tam same, ani śladu Janine Harrison. Siobhan rozumiała, o co chodziło Lesowi Youngowi — zebrać je razem, niech gadają; trzeba zasiać niepokój. Na komisariacie nikt nie czuje się całkiem swobodnie. Zwłaszcza Janet Eylot wydawała się szczególnie podenerwowana. Siobhan przypomniała sobie butelki wina w jej lodówce. W tym momencie Janet z pewnością nie odmówiłaby kieliszka, byleby tylko się uspokoić...

— Witajcie! — rzuciła Siobhan. — Susie, mogę cię prosić na słówko?

Eylot zmarkotniała jeszcze bardziej. Być może zastanawiała się, dlaczego ona jedna jest zostawiona sama sobie, a pozostałe koleżanki rozmawiają z policją.

— Zajmę ci tylko chwilkę — zapewniła ją Siobhan. Ale Susie nie kwapiła się do wyjścia. Najpierw otworzyła torebkę w cętki lamparta, którą miała na ramieniu, wyciągnęła z niej kosmetyczkę i wsunęła pilnik do paznokci pod specjalną elastyczną taśmę. Dopiero wtedy wstała i wyszła za Siobhan na korytarz.

— Teraz moja kolej na przesłuchanie? — zapytała.

— Niezupełnie. — Siobhan rozłożyła wydartą z gazety stronę i podsunęła ją Susie. — Poznajesz go? — spytała.

Fotografia towarzyszyła artykułowi na temat odkrycia na Fleshmarket Close. Przedstawiała Raya Mangolda. Stał przed swoim barem, ze splecionymi na piersi rękami, wesołym uśmiechem na twarzy i Judith Lennox u boku.

— On wygląda jak... — Susie przestała żuć gumę.

— Tak?

— Jak ten, który podjeżdżał po Ishbel.

— Nie wiesz przypadkiem, kim on jest?

Dziewczyna pokręciła głową.

— Kiedyś prowadził taki klub nocny, Albatros — wyjaśniła Siobhan.

— Byłyśmy tam kilka razy. — Susie uważniej przyjrzała się fotografii. — Tak, teraz, kiedy już pani o tym wspomniała...

— To ten tajemniczy przyjaciel Ishbel?

Dziewczyna kiwała głową.

— Całkiem możliwe.

— Tylko „możliwe"?

— Mówiłam pani, że nigdy nie miałam okazji dobrze mu się przyjrzeć. Ale jest bardzo podobny... to może być on. — Pokiwała głową sama do siebie. — Wie pani, to zabawne.

— Co takiego?

Dziewczyna wskazała na nagłówek.

— Czytałam ten artykuł, ale nic mi się nie skojarzyło. Wie pani, to tylko zdjęcie, no nie? Człowiek nie myśli...

— Faktycznie, Susie, ty nie myślisz — wtrąciła Siobhan, składając kartkę. — Ty nigdy nie myślisz.

— Wie pani, to całe przesłuchanie i w ogóle. — Fryzjerka zniżyła głos. — Myśli pani, że mamy kłopoty?

— Niby dlaczego? Chyba nie zmówiłyście się razem i nie zabiłyście Donny'ego Cruikshanka, co?

Zamiast odpowiedzieć, Susie się skrzywiła.

— Ale to, co wypisywałyśmy w toalecie... to przecież wandalizm, prawda?

— Z tego, co widziałam w Bane, nawet marny adwokat potrafiłby udowodnić, że to artystyczny wystrój wnętrza. — Siobhan poczekała, aż dziewczyna się uśmiechnie. — Nie masz się czym martwić... ani ty, ani twoje przyjaciółki. W porządku?

— W porządku.

— Tylko nie zapomnij przekazać tego Janet.

Fryzjerka uważnie obserwowała twarz Siobhan.

— Zauważyła pani?

— Wygląda na to, że teraz bardzo potrzebuje przyjaciółki.

— Ona zawsze potrzebuje — odparła Susie; w jej głosie zabrzmiała nutka żalu.

— Więc postaraj się być dla niej miła, zgoda? — Siobhan położyła rękę na ramieniu dziewczyny, patrzyła, jak ta potakuje, po czym uśmiechnęła się i odeszła.

— Następnym razem, jak będzie się pani chciała ostrzyc, zapraszam do siebie, na mój koszt! — zawołała za nią Susie.

— Taka łapówka jest zawsze mile widziana — odkrzyknęła Siobhan i pomachała jej ręką na do widzenia.

28

Znalazła miejsce do zaparkowania na Cockburn Street, przeszła Fleshmarket Close, skręciła w lewo w High Street i jeszcze raz w lewo, do Czarnoksiężnika. Klientela była mieszana: robotnicy podczas przerwy obiadowej, biznesmeni zatopieni w lekturze gazet, turyści przeglądający plany miasta i przewodniki.

— Nie ma go tu — poinformował ją barman. — Jak pani poczeka ze dwadzieścia minut, to może wróci.

Skinęła głową i zamówiła coś do picia. Chciała zapłacić, lecz barman odmówił. Mimo to zostawiła pieniądze — wobec pewnych ludzi wolała nie mieć zobowiązań. Wzruszył ramionami i wrzucił monety do puszki na datki.

Usiadła na wysokim stołku przy barze i pociągnęła łyk lodowatego napoju.

— A nie wie pan, gdzie może być?

— Wyszedł gdzieś.

Siobhan znów pociągnęła łyk ze szklanki.

— On ma samochód, prawda? — spytała. Barman wlepił w nią wzrok. — Nie martw się, nie próbuję z ciebie nic wyciągnąć — uspokoiła go. — Tylko że parkowanie w tej okolicy to koszmar. Zastanawiam się, jak mu się to udaje.

— Zna pani te cele na Market Street?

Już miała zaprzeczyć, lecz nagle skinęła głową.

— Te łukowate drzwi w ścianach?

— Tam są garaże. On ma jeden z nich. Nie mam pojęcia, ile go to kosztuje.

— I tam trzyma samochód?

— Zostawia go i przychodzi tu pieszo. O ile wiem, dla niego to jedyna okazja, żeby zażyć ruchu...

Siobhan już szła do drzwi.

Market Street wychodzi na główną linię kolejową na południe od dworca Waverley. Za nią Jeffrey Street skręca ostro w górę ku Canongate. Cele, umieszczone obok siebie na poziomie chodnika, różniły się wielkością, w zależności od ukształtowania Jeffrey Street. Niektóre były tak małe, że samochód by się w nich nie zmieścił, wszystkie jednak, z wyjątkiem jednej, były zamknięte na kłódki. Siobhan dotarła tam w chwili, gdy Ray Mangold zamykał swój garaż.

— Ładny wózek — odezwała się. Zlokalizował ją dopiero po chwili i spojrzał w ślad za jej wzrokiem na czerwony kabriolet marki Jaguar.

— Lubię go — odparł.

— Zawsze się zastanawiałam, co tu się mieści — ciągnęła Siobhan, oglądając łukowate sklepienie z cegły. — Pięknie tu, nie sądzi pan?

Mangold spojrzał na nią.

— Kto pani powiedział, że mam tu garaż?

Uśmiechnęła się do niego.

— Jestem detektywem, proszę pana — powiedziała, obchodząc samochód dookoła.

— Nic tu pani nie znajdzie! — warknął.

— Skąd ten pomysł, że mogłabym tu czegoś szukać? — Chociaż, rzecz jasna, miał rację: notowała w pamięci każdy cal kwadratowy pomieszczenia.

— Bóg raczy wiedzieć... może nowych szkieletów?

— Nie chodzi mi o szkielety, proszę pana.

— Nie?

Pokręciła głową.

— Zastanawiam się nad Ishbel. — Zatrzymała się przed nim. — Ciekawa jestem, co pan z nią zrobił.

— Nie wiem, o czym pani mówi.

— Skąd ma pan te siniaki?

— Już mówiłem...

— Ma pan jakichś świadków? O ile dobrze pamiętam, kiedy pytałam o to barmana, powiedział, że nic na ten temat nie wie.

Może godzinka czy dwie w pokoju przesłuchań pomogłaby mu wyjawić prawdę.

— Proszę posłuchać...

— Nie, to pan niech mnie słucha! — Wyprostowała się, tak że była od niego zaledwie o cal niższa. Jakiś przechodzień przystanął przed uchylonymi drzwiami, żeby posłuchać awantury. Siobhan nie zwracała na niego uwagi. — Poznał pan Ishbel w Albatrosie — oświadczyła Mangoldowi. — Zaczął się pan z nią spotykać, kilka razy podjeżdżał pan i odbierał ją po pracy. Mam świadka, który pana widział. Śmiem twierdzić, że jeśli zacznę pokazywać fotografię pana i pańskiego wozu w Banehall, kilku innym ludziom także odświeży się pamięć. A teraz Ishbel zniknęła, a pan ma siniaki na twarzy.

— Myśli pani, że coś jej zrobiłem? — Wyciągnął rękę do drzwi, żeby je zamknąć. Siobhan nie mogła na to pozwolić. Kopnęła jedno skrzydło, tak że otworzyło się na oścież. Ulicą przejeżdżał właśnie autobus wycieczkowy; turyści gapili się na nich. Siobhan pomachała im ręką i odwróciła się do Mangolda.

— Widzi pan, ilu świadków? — powiedziała ostrzegawczo.

Wytrzeszczył oczy.

— Chryste... niech pani posłucha...

— Słucham.

— Ja jej nic nie zrobiłem!

— Niech pan to udowodni. — Założyła ręce na piersi. — Niech mi pan opowie, co się z nią stało.

— Nic się z nią nie stało!

— Wie pan, gdzie ona jest?

Spojrzał na nią, zasznurował usta i zaczął ruszać szczęką z boku na bok. Kiedy się wreszcie odezwał, jego słowa zabrzmiały jak wybuch.

— No dobra, zgoda, wiem, gdzie ona jest!

— Gdzie?

— Nic jej się nie stało... jest cała i zdrowa.

— To dlaczego nie odbiera komórki?

— Bo to na pewno dzwoniliby jej rodzice. — Teraz, kiedy już to z siebie wyrzucił, wyglądał, jakby ciężar spadł mu z serca. Oparł się o przedni błotnik jaguara. — Przede wszystkim to przez nich uciekła z domu.

— Niech pan to udowodni... proszę mi pokazać, gdzie ona jest.

Spojrzał na zegarek.

— Teraz siedzi pewnie w pociągu.

— W pociągu?

— Wraca do Edynburga. Wyskoczyła na zakupy do Newcastle.

— Do Newcastle?

— Zdaje się, że mają tam lepsze sklepy, no i więcej.

— O której pan się jej spodziewa?

Pokręcił głową.

— Dokładnie nie wiem, w każdym razie po południu. Nie wiem, o której przyjeżdża pociąg.

Siobhan zmierzyła go wzrokiem.

— Nie? Za to ja wiem. — Wyciągnęła komórkę i zadzwoniła do wydziału śledczego w Gayfield. Odebrała Phyllida Hawes. — Phyl, tu Siobhan. Czy jest tam Col? Możesz go dać do telefonu? — Czekała przez chwilę, nie spuszczając wzroku z Mangolda. Potem rzuciła: — Col? Tu Siobhan. Słuchaj, ty masz te wszystkie rozkłady jazdy... O której przyjeżdżają pociągi z Newcastle?

Rebus siedział w wydziale śledczym w Torphichen i jeszcze raz przeglądał leżące przed nim na biurku papiery.

Były wynikiem jakże starannej pracy. Nazwiska z notesu znalezionego w samochodzie Petera Hilla porównano z nazwiskami ludzi aresztowanych na plaży w Cramond, a potem jeszcze raz z mieszkańcami trzeciego piętra Domu Stevensona. W wydziale panował spokój. Przesłuchania zakończono i furgonetki wyjechały do Whitemire, wioząc transport nowych podopiecznych dla ośrodka. O ile Rebus się orientował, Whitemire i tak już było zapchane niemal do granic możliwości, nie bardzo więc sobie wyobrażał, jak się uporają z tym nowym napływem ludzi. Storey ujął to tak:

— To prywatna firma. Skoro na tym zarabiają, dadzą sobie radę.

Felix Storey nie sporządził leżącej na biurku Rebusa listy. Felix Storey nawet się nią nie zainteresował, kiedy mu ją przedstawiono. On już przebąkiwał o powrocie do Londynu. Czekały na niego inne niecierpiące zwłoki sprawy. Rzecz jasna będzie tu wracał co jakiś czas, żeby nadzorować śledztwo w sprawie Stuarta Bullena.

Mówiąc jego słowami, „będzie trzymał rękę na pulsie".

— Raczej będzie gonił w piętkę — skomentował to Rebus.

Podniósł wzrok, gdy do pokoju wszedł Dupa Wołowa Reynolds i rozejrzał się, jakby kogoś szukał. W ręku miał brązową papierową torbę i był wyraźnie zadowolony z siebie.

— Mogę ci w czymś pomóc, Charlie? — spytał Rebus.

Reynolds wyszczerzył zęby w uśmiechu.

— Mam prezent na odjezdne dla twojego kumpla. — Wyciągnął z torby kiść bananów. — Patrzę, gdzie by mu je najlepiej zostawić.

— Bo nie masz jaj, żeby dać mu je osobiście? — Rebus powoli wstał z krzesła.

— To tylko taki żart, John.

— Może dla ciebie. Coś mi jednak mówi, że Felix Storey nie będzie tym ubawiony.

— Co racja, to racja. — Te słowa padły z ust Storeya. Wchodząc do pokoju, poprawiał krawat i wygładzał przód koszuli.

Reynolds schował banany do torby i przycisnął ją do piersi.

— To dla mnie? — spytał Anglik.

— Nie — odparł Reynolds.

— Jestem czarny, a więc jestem małpą, to twoja logika, tak? — wygarnął mu Storey prosto w twarz.

— Nie.

Facet z imigracyjnego otworzył torbę.

— Tak się składa, że lubię banany... ale jak dla mnie, te są do niczego. Dokładnie takie jak ty, Reynolds, przegniłe. — Zamknął torbę. — A teraz spadaj i dla odmiany pobaw się może w detektywa. Mam dla ciebie zadanie... dowiedz się, jak wszyscy w komisariacie nazywają cię za plecami. — Poklepał Reynoldsa po lewym policzku i splótł ręce na piersi na znak, że już z nim skończył.

Gdy Reynolds wyszedł, Storey odwrócił się do Rebusa i puścił oko.

— Mam dla ciebie jeszcze coś zabawnego — rzekł inspektor.

— Zawsze lubię się pośmiać.

— To jest nie tyle do śmiechu, ile dziwne.

— O co chodzi?

Rebus postukał w jedną z kartek na biurku.

— Mamy tu więcej nazwisk niż osób.

— Może niektórzy zorientowali się, że się na nich szykujemy, i dali nogę?

— Może.

Storey przysiadł na krawędzi biurka.

— Możliwe, że podczas nalotu byli akurat w robocie. Jeżeli coś zwietrzyli, to raczej nie wrócą już do Knoxland, jak sądzisz?

— Nie — przyznał Rebus. — Większość nazwisk wygląda na chińskie... I jedno afrykańskie. Chantal Rendille.

— Rendille? Twoim zdaniem to afrykańskie nazwisko? — Storey zmarszczył brwi i przechylił głowę, spoglądając na papiery. — Chantal to francuskie imię, prawda?

— Francuski jest urzędowym językiem w Senegalu — wyjaśnił Rebus.

— Twój nieuchwytny świadek?

— Właśnie się nad tym zastanawiam. Mógłbym pokazać je Kate.

— Kto to jest Kate?

— Studentka z Senegalu. Zresztą i tak muszę ją o coś zapytać...

Storey wstał z biurka.

— No to powodzenia.

— Momencik — rzekł Rebus. — To nie wszystko.

Anglik westchnął.

— Co jeszcze?

Inspektor postukał w kolejną kartkę.

— Ten, kto to sporządził, naprawdę solidnie się napracował.

— Tak?

Rebus skinął głową.

— Każdego przesłuchiwanego pytaliśmy o adres, pod którym mieszkał przed Knoxland. — Podniósł wzrok, lecz Storey tylko wzruszył ramionami. — Niektórzy podali Whitemire.

Anglik nagle się zainteresował.

— Co proszę?

— Zdaje się, że wyszli za kaucją.

— Kto ją wpłacał?

— Pojawiły się rozmaite nazwiska, prawdopodobnie wszystkie fikcyjne. Adresy kontaktowe też lipne.

— Bullen? — zaryzykował Storey.

— Tak właśnie myślę. Idealny układ... wykupuje ich i wysyła do pracy. Gdyby się na coś skarżyli, Whitemire wisi nad nimi jak miecz Damoklesa. A gdyby i to nie pomogło, zawsze miał jeszcze w odwodzie szkielety.

Storey powoli kiwał głową.

— To ma sens.

— Myślę, że musimy pogadać z kimś z Whitemire.

— W jakim celu?

Inspektor wzruszył ramionami.

— Coś takiego o wiele łatwiej przeprowadzić, mając pod ręką przyjaciela, który... jak by to ująć? — Rebus udał, że szuka właściwego słowa. — Który trzyma rękę na pulsie — dodał w końcu.

Storey zmierzył go wzrokiem.

— Może i masz rację — przyznał. — Wobec tego z kim powinniśmy pogadać?

— Facet nazywa się Alan Traynor. Ale zanim się do tego weźmiemy...

— Jest jeszcze coś?

— Już niewiele — odparł Rebus ze wzrokiem utkwionym w papierach. Wcześniej połączył długopisem niektóre nazwiska, narodowości i miejsca zamieszkania. — Ludzie, których zgarnęliśmy w Domu Stevensona... a nawiasem mówiąc, także ci z plaży...

— O co chodzi?

— Niektórzy byli w Whitemire. Inni mieli przeterminowane wizy albo nieważne papiery...

— No i...?

Rebus wzruszył ramionami.

— A kilku w ogóle nie miało żadnych dokumentów... czyli że zaledwie garstka z nich przybyła tu na pace ciężarówki. Zaledwie garstka, Feliksie, i to bez fałszywych paszportów czy innych dowodów tożsamości.

— I co z tego?

— A to, że gdzie się podziała ta wielka operacja przemytu ludzi? Wielkim szefem okazuje się Bullen, z kasą pancerną pełną trefnych dokumentów. Ale jakim cudem nie trafiliśmy na nic poza jego biurem?

422

— Możliwe, że akurat dostał świeżą dostawę od swoich kumpli z Londynu.

— Z Londynu? — Rebus zmarszczył brwi. — Nie mówiłeś, że on ma kumpli w Londynie.

— Zdaje się, że wspominałem o Essex, prawda? To z grubsza biorąc, to samo.

— Wierzę ci na słowo.

— To co, jedziemy do tego Whitemire czy jak?

— Ostatnia rzecz... — Rebus uniósł palec. — Tak między nami, czy jest coś na temat Stuarta Bullena, czego mi nie powiedziałeś?

— Na przykład?

— Nie wiem, dopóki mi nie powiesz.

— John, sprawa jest zamknięta. Uzyskaliśmy to, o co nam chodziło. Czego jeszcze chcesz?

— Chyba chcę się upewnić, że...

Storey ostrzegawczo uniósł dłoń, ale było za późno.

— Że trzymam rękę na pulsie — dokończył inspektor.

I znów jazda do Whitemire; po drodze minęli Caro stojącą na poboczu. Rozmawiała przez komórkę i nawet nie rzuciła na nich okiem.

Tradycyjna kontrola przy wjeździe, otwierane i zamykane za nimi bramy. Strażnik eskortujący ich z parkingu do głównego budynku. Na parkingu stało pół tuzina pustych furgonetek — uciekinierzy już przybyli. Felix Storey wyraźnie interesował się wszystkim dookoła.

— Przypuszczam, że nigdy tu nie byłeś? — zapytał Rebus. Anglik zaprzeczył ruchem głowy.

— Ale byłem kilka razy w Belmarsh... słyszałeś o nim? — Tym razem to Rebus pokręcił głową. — To w Londynie. Regularne więzienie, najostrzejsze środki bezpieczeństwa. Tam trzymamy uciekinierów starających się o azyl.

— Miło.

— W porównaniu z Belmarsh to tutaj wygląda jak ośrodek Club Med.

W drzwiach ktoś już na nich czekał — Alan Traynor. Nawet nie próbował ukryć irytacji.

— Słuchajcie, nie wiem, o co wam chodzi, ale nie można by z tym poczekać? Dziesiątki nowych ludzi czekają na przyjęcie, musimy się z tym uporać.

— Wiem — odpowiedział Felix Storey. — To ja ich tu przysłałem.

Traynor sprawiał wrażenie, jakby go nie usłyszał pochłonięty własnymi problemami.

— Musieliśmy zarekwirować kantynę... ale i tak potrwa to wiele godzin.

— Wobec tego im szybciej pan się nas pozbędzie, tym lepiej — podsunął Anglik. Traynor westchnął teatralnie.

— Trudno, nic nie poradzę. Chodźcie za mną.

W zewnętrznym gabinecie minęli Janet Eylot. Podniosła wzrok znad komputera i spojrzała Rebusowi prosto w oczy. Otworzyła usta, żeby coś powiedzieć, ale on odezwał się pierwszy:

— Panie Traynor? Przepraszam, muszę skorzystać z... — Zauważył w korytarzu toaletę i skinął kciukiem w tamtym kierunku. — Zaraz do was dołączę.

Storey przyglądał mu się uważnie. Zdawał sobie sprawę, że Rebus coś kombinuje, ale nie wiedział co. Inspektor puścił do niego oko i odwrócił się na pięcie. Wrócił po swoich śladach przez gabinet i wyszedł na korytarz.

Poczekał tam, aż usłyszał, jak Traynor zamyka za sobą drzwi. Wsunął głowę do pokoju i zagwizdał cicho. Janet Eylot wstała zza biurka i wyszła do niego.

— Wszyscy jesteście tacy sami! — syknęła. Rebus położył palec na ustach. Zniżyła głos, chociaż wciąż trzęsła się z wściekłości. — Od czasu mojej rozmowy z panem nie miałam ani chwili spokoju. Policja urządziła mi nalot... grzebali mi w kuchni... a teraz ledwo wróciłam z przesłuchania na komendzie w Livingston i znowu was tu widzę! Do tego ci wszyscy nowi... jak mamy sobie z nimi wszystkimi dać radę?

— Spokojnie, Janet, spokojnie — powiedział. Cała się trzęsła, oczy miała zaczerwienione i załzawione. Pod lewą powieką pulsowała jej żyłka. — Wkrótce będzie po wszystkim, nie masz się czym przejmować.

— Tak? Mimo że jestem podejrzana o morderstwo?

— Na pewno nie jesteś podejrzana. Przesłuchanie ciebie to rutyna, na tym polega nasza robota.

— Nie przyjechaliście tu, żeby rozmawiać z panem Traynorem o mnie? Nie wystarczy, że musiałam mu nakłamać na temat tego, co robiłam dziś rano? Powiedziałam, że muszę wyjechać w ważnych sprawach rodzinnych.

— Nie lepiej było po prostu powiedzieć mu prawdę?

Gwałtownie potrząsnęła głową. Rebus oparł się o ścianę obok niej i zajrzał do gabinetu. Drzwi do pokoju Traynora nadal były zamknięte.

— Słuchaj, oni zaczną coś podejrzewać...

— Chcę wiedzieć, co tu się właściwie dzieje! Dlaczego to spotyka akurat mnie?

Rebus chwycił ją za ramiona.

— Wytrzymaj jeszcze trochę, Janet. To naprawdę wkrótce już się skończy.

— Nie wiem, jak długo jeszcze dam radę... — Jej głos zamarł, oczy zaszły łzami.

— Krok po kroku, Janet, dzień za dniem. To najlepsza metoda — poradził Rebus, opuszczając ręce. Przez chwilę patrzył jej w oczy. — Próbuj wytrzymać jeden dzień, potem następny — powtórzył, minął ją i odszedł, nie odwracając się.

Zapukał do drzwi Traynora, wszedł i zamknął je za sobą. Tamci dwaj siedzieli. Rebus opadł na wolne krzesło.

— Właśnie opowiadałem panu Traynorowi o sieci Stuarta Bullena — powiedział Storey.

— Nie mogę w to uwierzyć. — Traynor uniósł ręce. Rebus nie zwracał na niego uwagi, wpatrując się w oczy Feliksa Storeya.

— Nie powiedziałeś mu jeszcze?

— Czekałem, aż wrócisz.

— Czego mi pan nie powiedział? — Traynor spróbował zdobyć się na uśmiech. Inspektor odwrócił się do niego.

— Proszę pana, wielu z tych, których aresztowaliśmy, siedziało kiedyś w Whitemire. Wyszli za kaucją wpłaconą przez Stuarta Bullena.

— To niemożliwe. — Uśmiech zniknął z twarzy Traynora. Spojrzał na obu mężczyzn. — Nie dopuścilibyśmy do tego.

Storey wzruszył ramionami.

— Posługiwał się zmyślonymi nazwiskami, podawał fałszywe adresy...

— Ale my przeprowadzamy rozmowy z tymi, którzy wpłacają kaucję.

— Zajmuje się pan tym osobiście?

— Nie, nie zawsze.

— Miał ludzi, którzy działali w jego imieniu, ludzi powszechnie szanowanych. — Storey wyciągnął z kieszeni jakąś kartkę. — Mam tu listę z Whitemire... bez trudu może ją pan sprawdzić.

Traynor wziął od niego kartkę i zaczął czytać.

— Czy któreś z tych nazwisk coś panu mówi? — spytał Rebus.

Traynor w zamyśleniu powoli pokiwał głową. Zadzwonił telefon. Traynor odebrał.

— Tak, słucham? — rzucił do słuchawki. — Nie, damy sobie radę, tyle że trochę to potrwa. Prawdopodobnie ludzie będą musieli pracować w nadgodzinach... Tak, oczywiście, że mogę przygotować kosztorys, ale pewnie dopiero za kilka dni. — Słuchał, nie spuszczając wzroku ze swoich gości. — Tak, oczywiście — powiedział w końcu. — A może dałoby się zatrudnić kilka nowych osób... albo pożyczyć z naszych innych zakładów...? Tylko do czasu ulokowania nowego narybku, że tak się wyrażę...

Minutę później rozmowa dobiegła końca. Odkładając słuchawkę na widełki, Traynor zanotował coś szybko na kartce.

— Sami widzicie, jak to wygląda — powiedział do Rebusa i Storeya.

— Zorganizowany chaos? — podsunął Anglik.

— I dlatego muszę zakończyć nasze spotkanie.

— Musi pan? — rzekł Rebus.

— Muszę, naprawdę.

— A przypadkiem nie dlatego, że boi się pan usłyszeć to, co mamy do powiedzenia?

— Niezupełnie pana rozumiem, inspektorze.

— Może przedstawię panu, jak ja to widzę. — Rebus posłał mu lodowaty uśmiech. — Taki numer o wiele łatwiej można przeprowadzić, jeśli się ma do pomocy kogoś w środku.

— Co proszę?

— Gotówka z rączki do rączki, oczywiście oprócz kaucji.

— Słuchaj no pan, nie podoba mi się pański ton.

— Niech pan jeszcze raz spojrzy na tę listę, panie Traynor. Jest tam kilka nazwisk Kurdów... tureckich Kurdów, tak jak rodzina Yurgii.

— I co z tego?

— Kiedy pana o to pytałem, powiedział pan, że żadni Kurdowie nie wyszli z Whitemire za kaucją.

— Widocznie się pomyliłem.

— Kolejne nazwisko na liście... tam stoi czarno na białym, że ona pochodzi z Wybrzeża Kości Słoniowej.

Traynor spojrzał na kartkę.

— Na to wygląda.

— Wybrzeże Kości Słoniowej... oficjalny język: francuski. Ale kiedy pytałem o Afrykanów w Whitemire, odpowiedział pan tak samo... że nikt z nich nie wyszedł za kaucją.

— Słuchajcie, ja tu mam prawdziwe urwanie głowy. Nie pamiętam, żebym powiedział coś podobnego.

— Moim zdaniem pamięta pan doskonale, a przychodzi mi do głowy tylko jeden powód, dla którego miałby pan kłamać. Taki, że ma pan coś do ukrycia. Nie chciał pan, żebym dowiedział się o tych ludziach, bo mógłbym zacząć ich szukać i odkryć fałszywe nazwiska i adresy ich sponsorów. — Tym razem to Rebus uniósł ręce. — Chyba że widzi pan jakiś inny powód.

Traynor walnął obiema rękami w blat biurka i wstał; jego twarz nabiegła krwią.

— Nie ma pan prawa wysuwać takich oskarżeń!

— Niech mnie pan o tym przekona.

— Nie muszę.

— Chyba jednak pan musi, panie Traynor — wtrącił się cicho Felix Storey. — To są bardzo poważne zarzuty. Zostanie wszczęte dochodzenie, a moi ludzie sprawdzą wszystkie pańskie papiery, porównując je z innymi dokumentami. Przetrzepią cały ten ośrodek. No i przyjrzymy się także pańskiemu życiu osobistemu... sprawdzimy pańskie konta, wydatki... Może kupił pan ostatnio jakiś drogi samochód albo wybrał się na kosztowne wakacje? Ale niech pan będzie spokojny, dołożymy wszelkiej staranności, niczego nie przegapimy.

Traynor spuścił głowę. Gdy znowu rozległ się dźwięk telefonu, zrzucił aparat z biurka, razem z oprawioną w ramki fotografią. Szkiełko rozbiło się i wysunęło się zdjęcie: uśmiechnięta kobieta obejmująca córkę. Otworzyły się drzwi i Janet Eylot zajrzała do pokoju.

— Wyjść! — ryknął Traynor.

Eylot pisnęła i wycofała się.

Na jakiś czas w pokoju zapadła cisza. W końcu przerwał ją Rebus.

— Jeszcze jedno — odezwał się cicho. — Bullen pójdzie siedzieć, bez dwóch zdań. Myśli pan, że będzie trzymał gębę na kłódkę i nie wsypie wspólników? Pociągnie za sobą, kogo się da. Niektórych może będzie się bał, ale pana na pewno się nie boi, Traynor. Moim zdaniem, kiedy zaczniemy się z nim dogadywać, pańskie nazwisko pierwsze padnie z jego ust.

— Nie mogę tego zrobić... nie teraz — powiedział Traynor łamiącym się głosem. — Muszę się zająć tymi wszystkimi nowo przybyłymi. — Gdy spojrzał na inspektora, zamrugał, by powstrzymać łzy. — Ci ludzie mnie potrzebują.

Rebus tylko wzruszył ramionami.

— A potem porozmawia pan z nami?

— Muszę się nad tym zastanowić.

— Jeżeli będzie pan gadał, to może nie znajdziemy powodów, żeby przetrząsnąć pańskie małe królestwo — wyznał w zaufaniu Storey.

Traynor uśmiechnął się krzywo.

— Moje „królestwo"? Stracę je w tej samej minucie, kiedy zarzuty wobec mnie przedostaną się do wiadomości publicznej.

— Może trzeba było pomyśleć o tym wcześniej.

Traynor nie odpowiedział. Wyszedł zza biurka, podniósł telefon z podłogi i odłożył słuchawkę na widełki. Aparat natychmiast znów zaczął dzwonić. Traynor nie odebrał, lecz schylił się po fotografię.

— Możecie już sobie iść? Porozmawiamy później.

— Byle nie za późno — ostrzegł Storey.

— Muszę się zobaczyć z nowo przybyłymi.

— Może być jutro? — naciskał Storey. — Przyjedziemy z samego rana.

Traynor skinął głową.

— Sprawdźcie u Janet, czy nie mam nic w planach na rano.

Anglikowi najwyraźniej to wystarczyło. Wstał i zapiął marynarkę.

— Wobec tego zostawiamy pana. Ale niech pan pamięta, panie Traynor, ta sprawa się nie rozmyje. Będzie lepiej, jeżeli porozmawia pan z nami wcześniej niż Bullen. — Wyciągnął rękę, lecz Traynor nie podał mu dłoni. Storey otworzył drzwi i wyszedł; Rebus stał jeszcze przez chwilę, a potem poszedł w jego ślady. Janet Eylot przeglądała leżący na biurku wielki terminarz. Wreszcie znalazła właściwą stronę.

— Ma spotkanie o dziesiątej piętnaście.

— Proszę je odwołać — polecił Storey. — O której przychodzi do pracy?

— Około ósmej trzydzieści.

— Niech nas pani wpisze na dziesiątą. Potrzebujemy co najmniej dwóch godzin.

— Następne spotkanie ma w południe. Czy je także mam odwołać?

Anglik skinął głową. Rebus patrzył na zamknięte drzwi.

— John — odezwał się Storey. — Przyjedziesz ze mną jutro, co?

— Myślałem, że śpieszno ci wrócić do Londynu.

Facet z imigracyjnego wzruszył ramionami.

— To nam pozwoli ładnie powiązać wszystko w całość.

— Wobec tego przyjadę.

Wartownik, który eskortował ich z parkingu, czekał na zewnątrz. Rebus dotknął ramienia Storeya.

— Możesz zaczekać na mnie w samochodzie?

Ten spojrzał na niego ze zdziwieniem.

— Co jest grane?

— Muszę się z kimś zobaczyć... to zajmie tylko chwilkę.

— Wykluczasz mnie ze sprawy — oświadczył Storey.

— Możliwe. Ale mimo wszystko zaczekasz?

Anglik długo podejmował decyzję, lecz w końcu się zgodził.

Rebus poprosił wartownika, żeby zaprowadził go do kantyny. Dopiero kiedy Storey znalazł się poza zasięgiem słuchu, zmienił prośbę.

— Właściwie to pójdziemy do skrzydła dla rodzin.

Kiedy tam dotarli, zobaczył to, o co mu chodziło: dzieci Stefa Yurgii, bawiące się zabawkami, które im kupił. Nie zauważyły go, pogrążone we własnym świecie, jak to dzieciaki. Wdowy nigdzie nie było widać, ale Rebus uznał, że nie musi się z nią spotykać. Dał więc znak wartownikowi, który wyprowadził go z powrotem na dziedziniec.

Był już w pół drogi do samochodu, kiedy usłyszał przeraźliwy krzyk. Dochodził z wnętrza budynku i jakby się zbliżał. Drzwi otworzyły się gwałtownie, jakaś kobieta wybiegła na zewnątrz i padła na kolana. Była to Janet Eylot; wciąż wrzeszczała.

Rebus podbiegł do niej, mając świadomość, że Storey też tam pędzi.

— Co się stało, Janet? O co chodzi?

— On... on...

Nie dokończyła jednak, tylko osunęła się na ziemię, zawodząc. Podciągnęła kolana pod brodę, skuliła się na boku i objęła ramionami.

— Boże jedyny — łkała. — Zlituj się nade mną...

Wpadli do budynku i przebiegli korytarzem do gabinetu. Drzwi do pokoju Traynora stały otworem, w progu tłoczyli się pracownicy ośrodka. Rebus i Storey przepchnęli się między nimi. Umundurowana strażniczka klęczała na podłodze obok ciała. Dookoła było pełno krwi, która wsiąkała w dywan i koszulę Alana Traynora. Strażniczka uciskała lewy nadgarstek mężczyzny ponad raną. Inny strażnik, mężczyzna, robił to samo z pociachanym prawym nadgarstkiem. Traynor był przytomny; patrzył szeroko otwartymi oczami, a jego pierś unosiła się i opadała rytmicznie. Twarz także miał usmarowaną krwią.

— Wezwijcie lekarza...

— Karetkę pogotowia...

— Uciskaj...

— Ręczniki...

— Bandaże...

— Przyciskaj cały czas! — wydarła się strażniczka na swojego kolegę.

Właśnie, przyciskaj go, pomyślał Rebus; przecież dokładnie to samo zrobili z nim razem ze Storeyem, może nie?

Na koszuli Traynora leżały odłamki szkła. Odłamki z rozbitej szybki od ramki fotografii. To tymi odłamkami podciął sobie żyły na rękach. Rebus uświadomił sobie, że Storey przygląda mu się bacznie. Spojrzał na niego.

Wiedziałeś o tym, prawda? — zdawał się mówić wzrok

Storeya. Wiedziałeś, że tak to się skończy... i nie zrobiłeś nic, żeby temu zapobiec. Nic.

Nic.

Rebus obrzucił Storeya beznamiętnym spojrzeniem.

Kiedy przyjechała karetka pogotowia, Rebus stał przy ogrodzeniu i właśnie kończył papierosa. Gdy otworzono bramę, wyszedł na drogę, minął wartownię i ruszył w dół stoku. Stała tam Caro Quinn i obserwowała znikającą na terenie ośrodka karetkę.

— Nie mów mi, że to kolejne samobójstwo — odezwała się, wystraszona.

— W każdym razie próba — oznajmił Rebus. — Ale to nikt z podopiecznych.

— A kto?

— Alan Traynor.

— Co takiego? — Jej twarz stała się jednym wielkim znakiem zapytania.

— Podciął sobie żyły.

— Czy przeżyje?

— Naprawdę nie wiem. Ale dla ciebie to dobre wieści.

— Jak to?

— Caro, w najbliższych dniach gówno zacznie fruwać w powietrzu. Kto wie, czy nawet nie zamkną tego ośrodka.

— I ty to uważasz za dobre wieści?

Zmarszczył brwi.

— Chyba o to przecież ci chodziło.

— Ale nie w ten sposób! Nie za cenę ludzkiego życia!

— Nie to miałem na myśli — sprostował.

— Owszem, miałeś.

— Wobec tego rzeczywiście masz paranoję.

Cofnęła się o krok.

— Naprawdę tak uważasz?

— Słuchaj, ja tylko pomyślałem, że...

— Nie znasz mnie, John. Ty mnie w ogóle nie znasz...

Rebus milczał, jak gdyby zastanawiał się nad odpowiedzią.

— Jakoś to przeżyję — powiedział w końcu, odwrócił się i ruszył z powrotem do bramy.

Storey czekał na niego przy samochodzie.

— Wygląda na to, że znasz tu wiele osób — skomentował tylko.

Rebus prychnął. Obaj patrzyli, jak jeden z sanitariuszy biegnie do karetki po coś, czego zapomniał.

— Zdaje się, że przydałaby się druga karetka — rzekł Anglik.

— Janet Eylot? — domyślił się Rebus.

Storey przytaknął.

— Personel martwi się o nią. Jest teraz w jednym z gabinetów. Leży na podłodze, owinięta kocami, i trzęsie się jak liść na wietrze.

— Powiedziałem jej, że wszystko dobrze się skończy — mruknął inspektor pod nosem.

— Wobec tego raczej nie będę polegał na twoim zdaniu.

— Nie — przyznał Rebus. — Absolutnie nie powinieneś...

29

Pociąg spóźnił się piętnaście minut.

Siobhan i Mangold stali na końcu peronu i patrzyli, jak drzwi wagonów otwierają się, a pasażerowie wysypują się z pociągu. Turyści z walizkami wyglądali na zmęczonych i oszołomionych. Biznesmeni wychodzili z wagonów pierwszej klasy i żwawo ruszali na postój taksówek. Matki ze swoimi pociechami i wózkami dla niemowląt; pary staruszków; zataczający się mężczyźni, zawiani po trzech czy czterech godzinach picia.

Ani śladu Ishbel.

Peron był długi, prowadziło z niego wiele wyjść. Siobhan wyciągała szyję, żeby jej nie przegapić w tłumie; miała świadomość, że przyjezdni burczą na nią i łypią ze złością, zmuszeni do przeciskania się obok niej.

Nagle Mangold chwycił ją za rękę.

— Jest — powiedział.

Była bliżej nich, niż Siobhan się spodziewała, objuczona torbami z zakupami. Widząc Mangolda, uniosła je i otworzyła szeroko usta, podniecona rezultatami swojej wyprawy. Nie zauważyła Siobhan. Ale też gdyby Mangold nie pokazał Ishbel, Siobhan mogłaby jej nie zauważyć, nawet gdyby przeszła tuż obok.

Dlatego że teraz była to dawna Ishbel: zmieniła fryzurę i wróciła do naturalnego koloru włosów. Nie była już kopią swojej zmarłej siostry.

Ishbel Jardine, nareszcie naturalna, zarzuciła Mangoldowi

433

ręce na szyję i długo, namiętnie pocałowała go w usta. Zamknęła oczy, on jednak swoje miał otwarte i patrzył ponad ramieniem dziewczyny na Siobhan. W końcu Ishbel cofnęła się o krok. Mangold ujął ją za ramię i odwrócił twarzą do policjantki.

Poznała ją.

— Chryste, to pani!

— Witaj, Ishbel.

— Ja tam więcej nie wrócę! Musi im pani to powiedzieć!

— Dlaczego sama im nie powiesz?

Jednak dziewczyna tylko kręciła głową.

— Oni by mnie... oni by mnie zagadali i zmusili, żebym została. Nie ma pani pojęcia, co z nich za ludzie. O wiele za długo pozwalałam im sobą rządzić!

— Tam jest poczekalnia — powiedziała Siobhan, wskazując budynek dworca. Tłum się przerzedził, taksówki powoli ciągnęły zjazdem na most Waverley. — Pogadajmy tam.

— Nie mamy o czym gadać.

— Nawet o Donnym Cruikshanku?

— A co z nim jest?

— Słyszałaś, że nie żyje?

— I dobrze mu tak!

Jej głos, postawa, wszystko świadczyło o tym, że jest o wiele twardsza niż wówczas, gdy Siobhan widziała ją ostatnio. Okryta była twardym pancerzem wynikającym z doświadczenia. Już nie bała się okazywać gniewu.

I pewnie była też zdolna posunąć się do brutalnego czynu.

Siobhan odwróciła się do Mangolda, który miał posiniaczoną twarz.

— Porozmawiamy w poczekalni — oświadczyła takim tonem, jakby wydawała rozkaz.

Okazało się jednak, że poczekalnia jest zamknięta, wobec czego przeszli do baru na dworcu.

— Wygodniej byłoby nam w Czarnoksiężniku — powiedział Mangold, patrząc na sfatygowany wystrój lokalu i jeszcze bardziej sfatygowaną klientelę. — Zresztą i tak muszę tam wracać.

Siobhan puściła jego słowa mimo uszu i zamówiła im coś do picia. Mangold wyciągnął zwitek banknotów, mówiąc, że nie pozwoli, by to ona płaciła. Siobhan nie protestowała. Na sali nikt nie rozmawiał, ale było dostatecznie głośno, by nikt nie usłyszał, o czym będą mówić — telewizja nastawiona na kanał sportowy; dolatująca od strony sufitu muzyka na dudach; szum wentylatora; brzęk jednorękich bandytów. Zajęli stolik w samym rogu; Ishbel poustawiała torby z zakupami dookoła siebie.

— Udane łowy — zauważyła Siobhan.

— E, takie tam drobiazgi. — Dziewczyna spojrzała na Mangolda i uśmiechnęła się.

— Ishbel... — W głosie Siobhan brzmiała powaga. — Twoi rodzice martwią się o ciebie, a w rezultacie także policja zaczęła się niepokoić.

— To chyba nie moja wina, co? Nie prosiłam, żebyście wtykali nos w nie swoje sprawy.

— Sierżant Clarke wykonuje tylko swoje obowiązki — wtrącił Mangold, odgrywając rolę mediatora.

— A ja twierdzę, że niepotrzebnie się fatygowała... Kropka. — Ishbel podniosła szklankę do ust.

— Niestety, to niezupełnie prawda — oznajmiła Siobhan. — W sprawie o morderstwo musimy przesłuchać każdego podejrzanego.

Jej słowa wywołały pożądany skutek. Dziewczyna spojrzała na nią ponad krawędzią szklanki, po czym odstawiła napój nietknięty.

— Jestem podejrzana?

Siobhan wzruszyła ramionami.

— Czy przychodzi ci na myśl ktoś, kto miał lepszy powód, żeby załatwić Donny'ego Cruikshanka?

— Ale to właśnie przez niego wyjechałam z Banehall! Bałam się go...

— Podobno wyjechałaś z powodu rodziców?

— No, z ich powodu też... Próbowali zrobić ze mnie drugą Tracy.

— Wiem, widziałam zdjęcia. Myślałam, że to był twój pomysł, ale pan Mangold wyprowadził mnie z błędu.

Dziewczyna uścisnęła ramię swojego mężczyzny.

— Ray jest najlepszym przyjacielem pod słońcem.

— A co z twoimi przyjaciółkami... z Susie, Janet i całą resztą? Nie sądzisz, że też się o ciebie martwiły?

— Miałam zamiar w końcu do nich zadzwonić — odparła

Ishbel posępnie. Ten ton przypomniał Siobhan, że pomimo prezentowanej na zewnątrz zbroi dziewczyna jest jeszcze nastolatką. Miała zaledwie osiemnaście lat, dwa razy mniej niż Mangold.

— Ale na razie zajmujesz się wydawaniem pieniędzy Raya?

— Sam ją namawiam, żeby je wydawała — wtrącił Mangold. — Miała ciężkie życie... najwyższy czas, żeby się trochę rozerwała.

— Ishbel, powiedziałaś, że bałaś się Cruikshanka — rzekła Siobhan.

— To prawda.

— A konkretnie czego się bałaś?

Dziewczyna spuściła wzrok.

— Tego, co zobaczy, kiedy na mnie spojrzy.

— Bo będziesz mu przypominała Tracy?

Ishbel kiwnęła głową.

— I wiedziałam, co on sobie myśli... przypominał sobie to, co jej zrobił... — Zakryła twarz rękami, a Mangold objął ją ramieniem.

— A mimo to pisałaś do niego do więzienia — powiedziała Siobhan. — Napisałaś, że odebrał ci życie tak samo jak Tracy.

— Dlatego że rodzice robili ze mnie Tracy. — Głos jej się załamał.

— W porządku, mała — powiedział cicho Mangold i zwrócił się do Siobhan: — Rozumie pani teraz, o czym mówiłem. To nie było dla niej łatwe.

— Wcale w to nie wątpię. Co nie zmienia faktu, że będzie musiała odpowiedzieć na pytania śledczych.

— Teraz powinna zostać sama.

— To znaczy sama z panem, tak?

Mangold zmrużył oczy za kolorowymi szkłami.

— Do czego pani zmierza?

Siobhan tylko wzruszyła ramionami i zajęła się swoją szklanką.

— Widzisz, Ray, jest tak, jak ci mówiłam — powiedziała Ishbel. — Nigdy się nie uwolnię od Banehall. — Powoli zaczęła kręcić głową. — Nawet gdybym uciekła na koniec świata, to i tak za blisko. — Uczepiła się jego ramienia. — Obiecywałeś, że wszystko będzie dobrze, ale nie jest.

— Dziewczyno, tobie potrzeba wakacji. Koktajle nad basenem, obsługa do pokoju i piękna piaszczysta plaża.

— Co miałaś na myśli, Ishbel? — spytała Siobhan. — Mówiąc, że nie jest dobrze?

— Nic nie miała na myśli! — warknął Mangold, jeszcze mocniej obejmując dziewczynę. — Ma pani jeszcze jakieś pytania, to bardzo proszę, ale oficjalnie. — Wstał z krzesła i podniósł kilka toreb. — Idziemy, Ishbel.

Dziewczyna wzięła resztę zakupów i rozejrzała się, sprawdzając, czy czegoś nie zapomniała.

— Wezwiemy ją na oficjalne przesłuchanie, panie Mangold — powiedziała Siobhan surowo. — Szkielety w piwnicy to jedno, ale morderstwo to zupełnie inna sprawa.

Mangold ze wszystkich sił starał się nie zwracać na nią uwagi.

— Chodź, Ishbel. Podjedziemy do baru taksówką... nie ma sensu iść pieszo z całym tym majdanem.

— Zadzwoń do rodziców, Ishbel — poradziła Siobhan. — Zwrócili się do mnie, bo się o ciebie martwią... To nie ma nic wspólnego z Tracy.

Dziewczyna nie odpowiedziała, ale kiedy policjantka zawołała ją głośno po imieniu, odwróciła się.

— Cieszę się, że jesteś cała i zdrowa — rzekła Siobhan, uśmiechając się. — Naprawdę.

— Więc niech im pani to powie.

— Zrobię tak, jeśli chcesz.

Ishbel zawahała się. Mangold przytrzymywał jej otwarte drzwi. Dziewczyna wpatrywała się w Siobhan, aż w końcu ledwie dostrzegalnie skinęła głową. I wyszła.

Siobhan patrzyła przez okno, jak idą na postój taksówek. Potrząsnęła swoją szklanką, z przyjemnością słuchając grzechotania kostek lodu. Czuła, że Mangold naprawdę troszczy się o Ishbel, ale z tego wcale nie wynikało, że jest dobrym człowiekiem. „Obiecywałeś, że wszystko będzie dobrze, ale nie jest...". To po tych słowach Mangold zerwał się na równe nogi. Siobhan sądziła, że wie dlaczego. Miłość potrafi być uczuciem bardziej destrukcyjnym niż nienawiść. Widziała to wielokrotnie: zazdrość, nieufność, chęć zemsty. Potrząsnęła znów szklanką, rozważając te trzy możliwości.

Widocznie zirytowała tym barmana, bo nastawił głośniej

telewizor. Tymczasem ona zredukowała te trzy możliwości do jednej.

Chęć zemsty.

Joego Evansa nie było w domu. Drzwi parterowego domku przy Liberton Brae otworzyła jego żona. Od frontu nie było ogrodu, jedynie wybrukowany plac do parkowania, na którym stała pusta przyczepa.

— Co on znowu zrobił? — spytała kobieta, gdy Siobhan pokazała jej legitymację.

— Nic — zapewniła ją policjantka. — Czy mąż opowiadał pani, co zdarzyło się w Czarnoksiężniku?

— Nie więcej niż dziesięć razy.

— Mam tylko kilka uzupełniających pytań. — Siobhan zamilkła na chwilę. — Czy mąż miał już wcześniej jakieś kłopoty?

— Czy ja powiedziałam coś takiego?

— Mniej więcej. — Siobhan uśmiechnęła się na znak, że w gruncie rzeczy wcale jej to nie obchodzi.

— Kilka razy pobił się w barach... pijaństwo i zakłócanie porządku publicznego... ale od roku jest grzeczny jak aniołek.

— Dobrze wiedzieć. Nie wie pani przypadkiem, gdzie mogłabym go zastać, proszę pani?

— Zajrzyj do siłowni, złotko. Nie potrafię go stamtąd wyrwać. — A widząc minę Siobhan, parsknęła śmiechem. — Ja tylko żartowałam... Jest tam, gdzie siedzi w każdy wtorek... w jego ulubionym barze grają w pytanie-odpowiedź. Kawałek pod górę, po drugiej stronie ulicy. — Pani Evans skinęła kciukiem.

Siobhan podziękowała jej i ruszyła we wskazanym kierunku.

— A gdyby go pani nie zastała, proszę wrócić i mi o tym powiedzieć! — zawołała za nią kobieta. — Bo jeśli go tam nie ma, to znaczy, że przygruchał sobie na boku jakąś apetyczną babeczkę!

Jej suchy śmiech towarzyszył Siobhan przez całą drogę na chodnik.

Bar dysponował własnym malutkim parkingiem, kompletnie zapchanym. Siobhan zostawiła samochód na ulicy i weszła do lokalu. Widać było, że stali bywalcy czują się tu jak u siebie w domu — najlepsza oznaka, że bar cieszył się powodzeniem. Drużyny obsiadły każdy wolny stolik; jedna osoba z zespołu zapisywała odpowiedzi. W chwili gdy Siobhan weszła do środka, właśnie powtarzano kolejne pytanie. Wyglądało na to, że prowadzącym grę był właściciel lokalu. Stał za barem z mikrofonem w ręku; w drugiej ręce trzymał kartkę z pytaniami.

— Słuchajcie, mam dla was ostatnie pytanie. Oto ono: „Która gwiazdka z Hollywood łączy pewnego szkockiego aktora z piosenką *Żółta*?". Moira zaraz podejdzie, żeby zebrać wasze odpowiedzi. Zrobimy sobie małą przerwę, a potem ogłosimy, która drużyna zwyciężyła. Na stole do bilarda są kanapki, częstujcie się.

Gracze zaczęli wstawać od stołów; niektórzy oddawali wypełnione arkusze odpowiedzi żonie właściciela. Nagle wybuchł gwar rozmów, gdy ludzie zaczęli wypytywać innych, jak im poszło.

— Ja padłem na tych cholernych pytaniach z arytmetyki...

— Przecież jesteś księgowym!

— A to ostatnie, czy chodziło mu o *Żółtą łódź podwodną*?

— Na miłość boską, Peter, od czasu Beatlesów powstało jeszcze trochę muzyki!

— Ale nic się do nich nie umywa, i wyzwę na pojedynek każdego, kto twierdzi inaczej.

— To w końcu jak się nazywał partner Humphreya Bogarta w *Sokole maltańskim*?

Siobhan znała odpowiedź na to pytanie.

— Miles Archer — odpowiedziała mężczyźnie. Ten wlepił w nią wzrok.

— Znam panią — oświadczył. Wycelował w nią jedną rękę; w drugiej trzymał duży kufel z resztkami piwa.

— Poznaliśmy się w Czarnoksiężniku — przypomniała mu. — Wtedy pił pan brandy. — Wskazała na jego kufel. — Postawić panu kolejkę?

— O co pani chodzi? — zapytał. Inni odsunęli się nagle, robiąc Siobhan i Joemu Evansowi miejsce, jak gdyby odciągnęło ich jakieś niewidzialne pole magnetyczne. — Chyba nie o te cholerne szkielety?

— Nie, niezupełnie... Szczerze mówiąc, chciałam pana prosić o przysługę.

— Jakiego rodzaju?

— Taką, która wymaga zadawania pytań.

Przemyślał to sobie przez chwilę, po czym spojrzał na pusty kufel.

— To może lepiej poproszę o następny kufelek.

Siobhan ochoczo ruszyła do baru. Przy ladzie zasypano ją pytaniami, ale nie w związku z grą; ludzie byli ciekawi, kim jest, skąd zna Evansa, czy może jest jego kuratorką albo z pomocy społecznej. Radziła sobie z tym sprawnie, obracając wszystko w żart, i wróciła do Evansa z dużym kuflem. Podniósł go do ust, pociągnął kilka głębokich haustów, aż w końcu przerwał dla nabrania tchu.

— No to słucham, co to za pytanie — powiedział.

— Czy pracuje pan jeszcze w Czarnoksiężniku?

Skinął głową.

— I to wszystko? — zapytał.

Pokręciła głową.

— Ciekawa jestem, czy ma pan własny klucz.

— Do baru? — Parsknął śmiechem. — Ray Mangold nie upadł jeszcze całkiem na głowę.

— Chodziło mi o piwnicę — wyjaśniła Siobhan. — Czy może pan tam wchodzić i wychodzić sam?

Evans spojrzał na nią pytająco, wypił kilka następnych haustów piwa i otarł pianę z ust.

— Może chce pan zapytać o odpowiedź innych klientów? — podsunęła.

Twarz Evansa wykrzywiła się w uśmiechu.

— Odpowiedź brzmi: tak — odparł.

— Tak, czyli że ma pan klucz?

— I owszem, mam.

Siobhan odetchnęła głęboko.

— Prawidłowa odpowiedź — pochwaliła. — To jak, chce pan zagrać o najwyższą nagrodę?

— Nie muszę — odrzekł z błyskiem w oku.

— Dlaczego?

— Bo wiem, jakie to pytanie. Chce pani pożyczyć ode mnie mój klucz.

— I...?

— I zastanawiam się, czy gdybym się zgodził, mój pracodawca nie wpakowałby mnie w gówno po same uszy.

— I...?

— I zachodzę w głowę, po co to pani. Myśli pani, że tam jest więcej szkieletów?

— Można by i tak powiedzieć — przyznała. — Ale właściwe odpowiedzi podam panu później.

— Jeżeli dam pani ten klucz?

— Jeśli mi go pan nie da, powiem pańskiej żonie, że nie zastałam pana w barze.

— Takiej prośbie nie sposób odmówić — rzekł Joe Evans.

Późny wieczór na Arden Street. Rebus nacisnął domofon i wpuścił ją na klatkę. Zanim weszła na jego piętro, czekał już w progu mieszkania.

— Akurat tędy przejeżdżałam i zobaczyłam światło w oknie — powiedziała.

— Łżesz jak pies — odparł i dorzucił: — Napijesz się czegoś?

Podniosła torbę z zakupami.

— Wiesz, my, ludzie wielkiego umysłu i tak dalej...

Gestem zaprosił ją do środka. Bałagan w salonie był nie większy niż zwykle. Jego fotel stał pod oknem, a obok, na podłodze, telefon, popielniczka i szklanka. Z aparatury dobiegała muzyka Vana Morrisona — *Hard Nose the Highway*.

— Jest aż tak źle? — rzuciła.

— A kiedy jest dobrze? To z grubsza przesłanie Vana dla świata. — Ściszył dźwięk. Siobhan wyjęła z torby butelkę czerwonego wina.

— Masz korkociąg?

— Zaraz przyniosę — odrzekł, ruszając do kuchni. — I pewnie chcesz jeszcze szklankę?

— Przepraszam, że tak marudzę.

Zdjęła płaszcz; gdy wrócił, siedziała na oparciu kanapy.

— Spokojny wieczór w domowym zaciszu, co? — spytała, biorąc od niego korkociąg. Przytrzymał jej szklankę, gdy nalewała sobie wina. — A ty się nie napijesz?

Pokręcił głową.

— Łyknąłem właśnie trzy whisky, a sama wiesz, że nie należy mieszać trunków.

Wzięła od niego szklankę i rozsiadła się na kanapie.

— Ty też miałaś spokojny wieczór? — zapytał.

— Wręcz przeciwnie... jeszcze czterdzieści minut temu miałam urwanie głowy.

— O?

— Udało mi się namówić Raya Duffa, żeby dziś w nocy posiedział nad robotą.

Rebus skinął głową. Wiedział, że Ray Duff pracuje w laboratorium policyjnym w Howdenhall; przez lata wyświadczył im mnóstwo przysług.

— Ray nie nauczył się jeszcze odmawiać — mruknął. — Czy to coś, o czym powinienem wiedzieć?

Wzruszyła ramionami.

— Sama nie wiem... Jak ci minął dzień?

— Słyszałaś o Alanie Traynorze?

— Nie.

Zapadła cisza; Rebus nie kwapił się, żeby ją przerwać. Podniósł swoją szklankę i pociągnął dwa łyki. Powoli napawał się smakiem i aromatem trunku.

— Miło tak sobie posiedzieć i pogadać, nie sądzisz? — rzekł w końcu.

— No dobrze, poddaję się. Opowiedz mi, co u ciebie, a ja ci powiem, co u mnie.

Uśmiechnął się i podszedł do stołu, na którym stała butelka whisky Bowmore. Nalał sobie kolejną szklaneczkę i wrócił na fotel.

Zaczął opowiadać.

Później z kolei Siobhan zrelacjonowała mu swoją historię. Przez ten czas Van Morrison ustąpił miejsca Hobotalk, a po Hobotalk Rebus puścił Jamesa Yorkstona. Minęła północ. Pokroili grzanki, posmarowali masłem i zjedli. W butelce wina została jedna czwarta, w butelce whisky było płynu na dwa palce. Gdy Rebus ostrzegł ją, żeby nie próbowała wracać samochodem, przyznała się, że przyjechała do niego taksówką.

— Czyli że wpadłaś do mnie specjalnie — zadrwił.

— Chyba tak.

— A gdyby tu była Caro Quinn?

Zbyła to wzruszeniem ramion.

— Ale nic takiego nam nie grozi — dodał i spojrzał na nią. — Zdaje się, że u Czuwającej Damy mam przechlapane.

442

— U kogo?

Kiwnął głową.

— Tak ją nazywa Mo Dirwan.

Siobhan wpatrywała się w swoją szklankę. Rebus odniósł wrażenie, że ma do niego dziesiątki pytań, że chce mu powiedzieć dziesiątki rzeczy. W końcu jednak oświadczyła tylko:

— Chyba mam już dość.

— Mojego towarzystwa?

Pokręciła głową.

— Wina. Jest szansa na kawę?

— Kuchnia jest tam, gdzie zawsze.

— Oto gospodarz doskonały — powiedziała, wstając z kanapy.

— Ja też poproszę, skoro nalegasz.

— Nie nalegam.

Mimo to przyniosła mu kubek kawy.

— Mleko w twojej lodówce wciąż nadaje się do picia — zauważyła.

— I co z tego?

— To chyba zdarza się po raz pierwszy?

— Szczyt niewdzięczności! — Odstawił kubek na podłogę. Siobhan wróciła na kanapę i usiadła, trzymając kubek oburącz. Kiedy wyszła do kuchni, uchylił okno, żeby nie narzekała na dym z papierosów. Zauważył, że po powrocie zwróciła na to uwagę, i patrzył, jak walczy ze sobą, żeby tego nie skomentować.

— Wiesz, co mnie interesuje, Siobhan? Ciekaw jestem, w jaki sposób te szkielety trafiły do Stuarta Bullena. Czy to możliwe, że tamtego wieczoru to on był tym facetem, z którym przyszła Pippa Greenlaw?

— Wątpię. Mówiła, że miał na imię Barry czy Gary, a poza tym był piłkarzem. Zdaje się, że dzięki temu się poznali... — Urwała, widząc, jak na twarzy Rebusa rozlewa się szeroki uśmiech.

— Pamiętasz, jak wtedy w Dziurce poharatałem sobie nogę? — zapytał. — Ten barman z Australii powiedział, że mi współczuje, bo zna ten ból.

Skinęła głową.

— Typowa kontuzja piłkarzy...

— I na imię miał Barney, prawda? To wprawdzie nie Barry, ale bardzo podobne.

Siobhan nadal kiwała głową. Sięgnęła do torebki, wyjęła komórkę i notes i zaczęła szukać numeru.

— Jest pierwsza w nocy — ostrzegł ją Rebus. Nie zwracając na to uwagi, wybrała numer i przyłożyła telefon do ucha.

— Pippa? — odezwała się, gdy osoba po drugiej stronie odebrała. — Tu sierżant Clarke, pamiętasz mnie? Balujesz może w klubie czy coś w tym stylu? — Nie spuszczała oczu z Rebusa, przekazując mu jej odpowiedzi. — Czekasz na taksówkę do domu? — Kiwnęła głową. — Byłaś w Opal Lounge czy gdzie? W każdym razie przepraszam, że zawracam ci głowę po nocy. — Rebus podszedł do kanapy i pochylił się, by samemu posłuchać tego, co mówi Pippa. Usłyszał odgłosy ruchu ulicznego i pijacki bełkot. Ktoś wrzasnął „Taxi!", po czym posypał się stek przekleństw.

— Tam akurat nie dotarłam — powiedziała Pippa Greenlaw. Sądząc po głosie, nie była pijana, tylko zasapana.

— Pippa, chodzi mi o tego faceta... — rzekła Siobhan. — Tego, z którym byłaś na imprezie u Leksa...

— Lex jest z nami! Chcesz z nim pogadać?

— Chcę porozmawiać z tobą.

Nagle Greenlaw zaczęła mówić stłumionym głosem, jakby nie chciała, żeby ktoś ją usłyszał.

— Niewykluczone, że coś się między nami zaczyna.

— Między tobą i Leksem? Wspaniale, Pippa. — Siobhan wywróciła oczami na tak jawne kłamstwo ze swojej strony. — Słuchaj, chodzi mi o te szkielety, które zaginęły...

— Wiesz, że pocałowałam jeden z nich?

— Mówiłaś.

— Nawet teraz jeszcze chce mi się rzygać... Taxi!

Siobhan odsunęła komórkę od ucha.

— Pippa, muszę się czegoś dowiedzieć... ten facet, z którym byłaś tamtego wieczoru... czy mógł to być Australijczyk, który miał na imię Barney?

— Słucham?

— Australijczyk, Pippo. Facet, z którym byłaś na imprezie u Leksa.

— Wiesz, skoro już o tym wspomniałaś...

— I nie sądziłaś, że należało mi o tym powiedzieć?

— Wtedy nic nie sądziłam. Pewnie wyleciało mi z głowy... — Zaczęła mówić do Leksa Catera, streszczając mu rozmowę. Telefon przeszedł z rąk do rąk.

— Czy to nasza mała pani swatka? — rozległ się głos Leksa. — Pippa mówiła mi, że tamtego wieczoru to ty nas umówiłaś... Randkę miałem z tobą, a zamiast ciebie pojawiła się Pippa. Babska solidarność, tak?

— Nie powiedziałeś mi, że facetem, z którym Pippa przyszła na twoją imprezę, był Australijczyk.

— Naprawdę? Nie zwróciłem na to uwagi... Oddaję ci Pippę. Ale Siobhan już się rozłączyła.

— Nie zwróciłem na to uwagi — powtórzyła jak echo. Rebus wracał tymczasem na swój fotel.

— Tacy jak on na nic nie zwracają uwagi. Świat ma się kręcić tylko wokół nich. — Rebus zamyślił się. — Ciekaw jestem, czyj to był pomysł.

— Jaki pomysł?

— Szkielety ukradziono na zamówienie. Wobec tego albo Barney Grant wpadł na pomysł, że wykorzysta je do straszenia nachalnych imigrantów...

— Albo wymyślił to Stuart Bullen.

— Tyle że jeśli wpadł na to nasz przyjaciel Barney, to znaczy, że wiedział, co tam się dzieje... był nie tylko barmanem, ale i prawą ręką Bullena.

— A to by wyjaśniało, co robił z Howie Slowtherem. Slowther też pracował dla Bullena.

— Może raczej dla Petera Hilla, ale masz rację, na jedno wychodzi.

— Czyli że Barney Grant też powinien trafić za kratki — oświadczyła Siobhan. — Bo jeśli nie, to co go powstrzyma przed uruchomieniem całej operacji na nowo?

— Zdaje się, że przydałby nam się teraz jakiś dowód. Jedyne, co mamy, to fakt, że Barney Grant jechał samochodem ze Slowtherem...

— No i mamy jeszcze szkielety.

— Trochę tego mało, żeby przekonać prokuratora.

Siobhan podmuchała na kawę. Płyta się skończyła i w pokoju panowała cisza, zresztą już od jakiegoś czasu.

— Zostawimy to sobie chyba na rano, co, Shiv? — odezwał się w końcu Rebus.

— Rozumiem, że mam się zbierać i wynosić?

— Jestem od ciebie starszy... Potrzebuję się wyspać.

— A ja myślałam, że z wiekiem człowiek potrzebuje coraz mniej snu?

Pokręcił głową.

— Nie o to chodzi, człowiek sypia mniej, ale nie dlatego, że mniej potrzebuje.

— A dlaczego?

Wzruszył ramionami.

— Pewnie dlatego, że śmierć coraz bliżej.

— A po śmierci można się będzie wyspać do woli?

— Właśnie.

— No nic, staruszku, przepraszam, że trzymałam cię na nogach do tej pory.

Uśmiechnął się.

— Dopóki siedzi przed tobą młodsza policjantka, to wcale nie jest późno.

— Jest to jakiś pomysł, żeby na koniec wieczoru...

— Zamówię ci taksówkę, chyba że chcesz zlec tutaj... mam drugą sypialnię.

Sięgnęła po płaszcz i zaczęła się ubierać.

— Chyba niepotrzebne nam kolejne plotki, co? Przejdę się nad Błonia, tam na pewno coś złapię.

— Chcesz chodzić sama w środku nocy?

Podniosła torebkę i zarzuciła sobie na ramię.

— Jestem dużą dziewczynką, John. Chyba dam sobie radę.

Wzruszył ramionami, odprowadził ją do drzwi, wrócił do salonu i obserwował ją przez okno, jak idzie chodnikiem.

Jestem dużą dziewczynką...

Duża dziewczynka, która obawia się plotek.

Dzień dziesiąty
Środa

30

— Mam wykład — powiedziała Kate.

Rebus czekał na nią przed domem, w którym mieszkała. Dziewczyna obrzuciła go wzrokiem i nie zatrzymując się, ruszyła do stojaka z rowerami.

— Podwiozę cię — zaproponował. Nie odpowiedziała, odpinając blokadę roweru. — Musimy porozmawiać — naciskał.

— Nie mamy o czym.

— Może i nie... — mruknął. Spojrzała na niego. — Zakładając, że postanowimy zignorować Barneya Granta i Howiego Slowthera.

— Nie mam panu nic do powiedzenia na temat Barneya.

— Ostrzegł cię, żebyś ze mną nie rozmawiała, tak?

— Nie mam nic do powiedzenia.

— Już to słyszałem. A Howie Slowther?

— Nie znam takiego.

— Nie?

Wojowniczo potrząsnęła głową, ściskając kierownicę roweru.

— Przepraszam pana, nie chcę się spóźnić.

— A więc już ostatnie nazwisko. — Uniósł palec wskazujący. Westchnienie dziewczyny uznał za przyzwolenie na zadanie pytania. — Chantal Rendille... chociaż pewnie źle to wymawiam.

— Nigdy nie słyszałam takiego nazwiska.

Rebus uśmiechnął się.

— Zupełnie nie potrafisz kłamać, Kate... trzepoczesz powiekami. Zauważyłem to już wcześniej, kiedy pytałem cię o Chantal. Oczywiście, wtedy nie wiedziałem jeszcze, jak się nazywa, ale teraz już wiem. Skoro Stuart Bullen siedzi w pudle, ona nie musi się już niczego obawiać.

— Stuart nie zabił tamtego człowieka.

Rebus skwitował jej słowa wzruszeniem ramion.

— Mimo wszystko chciałbym to usłyszeć z jej ust. — Schował ręce do kieszeni. — Ostatnio zbyt wiele osób żyje w strachu, Kate. Nie sądzisz, że czas położyć temu kres?

— To nie zależy ode mnie — odparła cicho.

— Tylko od Chantal, tak? Wobec tego porozmawiaj z nią, przekaż jej, że niczego nie musi się już obawiać. Za chwilę wszystko się skończy.

— Chciałabym wierzyć w to równie mocno, jak pan, inspektorze.

— Tylko że ja wiem kilka rzeczy, o których ty nie masz pojęcia... Rzeczy, o których moim zdaniem Chantal powinna się dowiedzieć.

Kate rozejrzała się. Inni studenci byli w drodze na zajęcia; jedni patrzyli szklanym wzrokiem ludzi, którzy dopiero co się obudzili, inni ciekawie przyglądali się mężczyźnie, z którym rozmawiała — na pierwszy rzut oka widać było, że nie jest to ani kolega ze studiów, ani przyjaciel.

— Kate? — ponaglił ją.

— Najpierw muszę porozmawiać z nią sama.

— Świetnie. — Skinął głową w kierunku swojego wozu. — Jedziemy samochodem czy wolisz iść?

— To zależy, czy lubi pan długie spacery.

— Bądźże poważna, czy ja wyglądam na takiego?

— Nie bardzo. — Pewnie by się uśmiechnęła, gdyby nie to, że wciąż jeszcze była najeżona.

— Wobec tego jedziemy samochodem.

Nawet kiedy namówił ją wreszcie, żeby usiadła na przednim fotelu, Kate długo nie zamykała za sobą drzwi, a jeszcze dłużej zwlekała z zapięciem pasów. Rebus obawiał się, że w każdej chwili może wyskoczyć i dać dyla.

— Dokąd jedziemy? — zapytał, starając się, by wypadło to jak najbardziej obojętnie.

— Do Bedlam — odparła ledwie dosłyszalnie. Rebus nie był pewien, czy się nie przesłyszał. — Do teatru Bedlam — wyjaśniła. — To nieczynny kościół.

— Po drugiej stronie drogi przed Greyfriars Kirk? — zapytał. Dziewczyna kiwnęła głową, a on włączył się do ruchu. Po drodze wyjaśniła mu, że Marcus, student, który mieszka naprzeciwko niej, udziela się w uniwersyteckiej grupie teatralnej; Bedlam wykorzystują jako swoją siedzibę. Rebus powiedział, że widział u Marcusa plakaty teatralne na ścianach, po czym zapytał ją, w jaki sposób poznała Chantal.

— To miasto czasami przypomina wioskę — powiedziała. — Szłam kiedyś ulicą naprzeciwko niej i ledwie na nią spojrzałam, wiedziałam od razu.

— Co wiedziałaś?

— Skąd pochodzi, kim jest... Trudno to wytłumaczyć. Dwie dziewczyny z Senegalu w samym centrum Edynburga. — Wzruszyła ramionami. — Wybuchnęłyśmy śmiechem i zaczęłyśmy rozmawiać.

— A kiedy zwróciła się do ciebie o pomoc? — spytał. Spojrzała na niego, nic nie rozumiejąc. — Co sobie wtedy pomyślałaś? Czy ona powiedziała ci, co się stało?

— Coś tam mówiła... — Kate wyglądała przez boczną szybę. — Ale o tym już sama panu opowie, jeśli się zdecyduje.

— Zdajesz sobie sprawę, że jestem po jej stronie. Po twojej zresztą też, skoro już o tym mowa.

— Wiem o tym.

Teatr Bedlam stał na skrzyżowaniu dwóch biegnących ukośnie do siebie ulic — Forrest Road i Bristo Place — i wychodził na szeroką panoramę mostu Jerzego IV. Przed lary była to ulubiona część miasta Rebusa, z nietypowymi księgarniami i sklepami z używanymi płytami. Teraz weszły tam sieci Subway i Starbucks, a wspomnienie po płytach pozostało tylko w jednym barze tematycznym. Z parkowaniem było jeszcze gorzej niż kiedyś i w rezultacie Rebus zaparkował na podwójnej żółtej linii, licząc na to, że uda mu się wrócić do wozu, zanim zostanie odholowany na parking miejski.

Główne drzwi były zamknięte na cztery spusty, ale Kate zaprowadziła go do bocznego wejścia i wyciągnęła z kieszeni klucz.

— Marcus? — domyślił się inspektor. Dziewczyna kiwnęła głową, otworzyła małe drzwi i odwróciła się do niego. — Chcesz, żebym tu na ciebie zaczekał? — zapytał. Spojrzała mu głęboko w oczy i westchnęła.

Po chwili podjęła decyzję.

— Nie — powiedziała. — Niech pan wejdzie.

W środku panował mrok. Weszli po trzeszczących schodach na piętro, na widownię, z której rozciągał się widok na zaimprowizowaną scenę. Rzędy kościelnych ław zapchane były jakimiś kartonami, rekwizytami teatralnymi i sprzętem oświetleniowym.

— Chantal? — zawołała Kate. — *C'est moi.* Jesteś tam?

Zza jednej z ławek wysunęła się czyjaś twarz. Dziewczyna spała w śpiworze, a teraz mrugała i przecierała oczy. Gdy zobaczyła, że Kate jest w towarzystwie, wytrzeszczyła je i otworzyła buzię.

— *Calmes-toi, Chantal. Il est policier.*

— Po co on tu? — Głos Chantal był przenikliwy, rozgorączkowany. Gdy wstała, zrzucając z siebie śpiwór, Rebus zobaczył, że była ubrana.

— Jestem z policji, Chantal — powiedział powoli. — Chcę z tobą porozmawiać.

— Nie! Ja tego nie móc! — Zaczęła machać rękami, jak gdyby inspektor był dymem, który trzeba rozwiać. Miała chude ręce i gładko zaczesane włosy. Jej głowa wydawała się nienaturalnie duża jak na smukłą szyję, na której była osadzona.

— Wiesz, że aresztowaliśmy tych ludzi? — powiedział Rebus. — Ludzi, którzy według nas zabili Stefa. Pójdą do więzienia.

— Oni mnie zabiją.

Pokręcił głową, nie spuszczając z niej wzroku.

— Oni nie wyjdą z więzienia przez długie lata, Chantal. Zrobili bardzo wiele złych rzeczy. Ale żeby móc ich ukarać za to, co zrobili Stefowi... jestem pewien, że nie uda nam się to bez twojej pomocy.

— Stef był dobry człowiek. — Skrzywiła się na jego wspomnienie.

— Tak, to prawda — przyznał Rebus. — I oni muszą zapłacić za jego śmierć. — Przez cały czas zbliżał się do niej nieznacznie, tak że teraz miał ją na wyciągnięcie ręki. — Stef cię potrzebuje, Chantal, ten jeden ostatni raz.

— Nie — odrzekła. Ale jej oczy mówiły coś wręcz przeciwnego.

— Muszę to usłyszeć od ciebie, Chantal — powiedział cicho. — Muszę wiedzieć, co widziałaś.

— Nie — powtórzyła, patrząc błagalnie na Kate.

— *Oui, Chantal* — powiedziała Kate. — Już czas.

Tylko Kate była już po śniadaniu, wobec tego zajrzeli do kawiarni Elephant House; mimo że była niedaleko, Rebus zawiózł ich samochodem i nawet udało mu się znaleźć miejsce do zaparkowania na Chambers Street. Chantal poprosiła o gorącą czekoladę, Kate o herbatę ziołową. Rebus zamówił dla wszystkich rogaliki i jakieś lepkie ciasteczka, a dla siebie dużą czarną kawę. Do tego wodę w butelkach i sok pomarańczowy — gdyby dziewczyny nie miały na to ochoty, wypije sam. I może połknie jeszcze ze dwie aspiryny, jako dodatek do tych trzech, które zażył przed wyjściem z mieszkania.

Zajęli stolik w najdalszym rogu sali, przy oknie, z którego mieli widok na przykościelny plac, gdzie kilku drobnych pijaczków na dzień dobry obalało pospołu puszkę ekstramocnego piwa. Zaledwie parę tygodni temu jacyś gówniarze zbezcześcili tu grób, a potem grali w piłkę ludzką czaszką. Z głośników w kawiarni dobiegały ciche dźwięki piosenki „Świat zwariował"; Rebus był skłonny się z tym zgodzić.

Nie śpieszył się, nie ponaglał Chantal, dając jej czas na zjedzenie śniadania. Ciasteczka były dla niej za słodkie, ale schrupała dwa rogaliki i wypiła butelkę soku.

— Ze świeżych owoców byłby dla ciebie lepszy — powiedziała Kate; Rebus, który właśnie kończył tartę morelową, nie był pewien, do czego zmierzała. Kiedy przyszła pora na drugą kawę, Chantal poprosiła o jeszcze jedną czekoladę. Kate dolała sobie herbaty w kolorze malin. Stojąc w kolejce do kasy, inspektor obserwował obie kobiety. Nie gorączkowały się, rozmawiały spokojnie o niczym. Chantal wydawała się całkiem spokojna. Dlatego właśnie wybrał Elephant House — atmosfera w komisariacie wywarłaby dokładnie odwrotny efekt. Kiedy wreszcie wrócił do nich z piciem, Chantal uśmiechnęła się do niego i podziękowała.

— No i tak — odezwał się, podnosząc kubek do ust. — Nareszcie mam okazję cię poznać, Chantal.

— Pan bardzo uparty.

— To chyba moja jedyna mocna strona. Zechcesz mi opowiedzieć, co się zdarzyło tamtego dnia? Myślę, że częściowo znam przebieg wypadków. Stef był dziennikarzem, potrafił wyczuć dobry temat, kiedy już na coś wpadł. Domyślam się, że to ty powiedziałaś mu o tym, co dzieje się w Domu Stevensona?

— On już coś na ten temat słyszał — powiedziała Chantal, długo dobierając słowa.

— Jak go poznałaś?

— W Knoxland. On... — Odwróciła się do Kate i zasypała ją potokiem słów, które Kate przetłumaczyła:

— On wypytywał niektórych imigrantów, poznanych w centrum miasta. Dzięki temu zdał sobie sprawę, że dzieje się coś niedobrego.

— A Chantal udzieliła mu brakujących informacji? — domyślił się Rebus. — Przy okazji zostając jego przyjaciółką? — Chantal zrozumiała jego słowa i przytaknęła ruchem oczu. — A potem Stuart Bullen złapał go, jak tam węszył...

— To nie był Bullen — wtrąciła.

— Wobec tego Peter Hill. — Kiedy inspektor opisał jej Irlandczyka, pod wpływem jego słów Chantal wzdrygnęła się na krześle.

— Tak, to on. Gonił go... dźgał... — Znowu spuściła wzrok i oparła dłonie na kolanach. Kate wyciągnęła rękę i nakryła jej dłoń swoją.

— Uciekłaś — rzekł cicho inspektor. Chantal znów przeszła na francuski.

— Musiała — wyjaśniła Rebusowi Kate. — Pochowaliby ją w tej piwnicy, razem z innymi.

— Tam nie było żadnych innych zwłok — odparł inspektor. — To była taka sztuczka.

— Była przerażona — rzekła Kate.

— Ale raz tam wróciła... żeby położyć kwiaty na miejscu zbrodni.

Kate przetłumaczyła jego słowa Chantal, która skinęła głową.

— Przejechała przez cały kontynent, szukając kraju, w którym wreszcie czułaby się bezpieczna — wyjaśniła Kate Rebusowi. — Przebywa tu już od blisko roku, a wciąż nie rozumie, na czym to wszystko polega.

— Powiedz jej, że nie ona jedna. Ja usiłuję zrozumieć ten kraj od ponad pół wieku. — Gdy Kate przetłumaczyła jego słowa, Chantal zdobyła się na nikły uśmiech. Dla Rebusa wciąż pozostawała zagadką, zastanawiał się nad charakterem jej związku ze Stefem. Czy była dla niego kimś więcej niż tylko źródłem informacji, czy po prostu wykorzystał ją, jak robi to wielu dziennikarzy? — Czy jeszcze ktoś był w to zamieszany, Chantal? — zapytał. — Był tam ktoś jeszcze tego dnia?

— Młody człowiek... zła skóra... i jego ząb... — Postukała się w nieskazitelne przednie zęby. — Nie było. — Rebus uświadomił sobie, że dziewczyna opisała Howiego Slowthera, być może rozpoznała go nawet na zdjęciu w gazecie.

— Chantal, jak twoim zdaniem wpadli na ślad Stefa? Skąd wiedzieli, że ma zamiar zaproponować artykuł na ten temat prasie?

Uniosła głowę i spojrzała na niego.

— Bo on im mówić.

Rebus zmrużył oczy.

— On sam im to powiedział?

Kiwnęła głową.

— On chce jego rodzina być z nim. On wie, oni to potrafić.

— Masz na myśli to, że mogli załatwić im wyjście z Whitemire za kaucją? — Kolejne kiwanie głową. Rebus pochylił się ku niej nad stołem. — On próbował ich wszystkich szantażować?!

— On nie mówić, co wie... ale tylko w zamian za swoja rodzina.

Rebus oparł się na krześle i wyjrzał przez okno. Teraz i on nabrał ochoty na ekstramocny browar. Świat zwariował, kompletnie zwariował. Stef Yurgii równie dobrze mógł chodzić z przylepionym do czoła listem samobójcy. Nie przyszedł na spotkanie z dziennikarzem ze „Scotsmana", bo tylko blefował, żeby pokazać Bullenowi, na co go stać. I wszystko to dla swojej rodziny... Chantal była tylko zwykłą przyjaciółką, jeśli w ogóle. Człowiek gotowy na wszystko — ojciec i mąż — podejmujący śmiertelne ryzyko.

Zabity przez własne zuchwalstwo.

Zabity dlatego, że był dla nich groźny. Jego nie udałoby się nastraszyć szkieletami.

— Widziałaś, jak to się stało? — spytał cicho inspektor. — Widziałaś, jak Stef umierał?

— Ja nic nie mogła zrobić.

— Zadzwoniłaś do nas... zrobiłaś wszystko, co mogłaś.

— To nie dużo... to mało... — Wybuchnęła płaczem, a Kate zaczęła ją pocieszać. Od stolika w drugim rogu sali przyglądały im się dwie starsze kobiety. Wypudrowane, w płaszczach zapiętych po szyję... edynburskie damy, które prawdopodobnie nigdy nie poznały innego życia niż dzielenie się smakowitymi ploteczkami przy herbatce. Rebus patrzył na nie wilkiem, dopóki nie odwróciły wzroku i nie zajęły się smarowaniem bułeczek masłem.

— Kate — odezwał się. — Ona będzie musiała powtórzyć to wszystko jeszcze raz, podczas oficjalnego przesłuchania.

— Na komisariacie? — spytała Kate. Inspektor przytaknął.

— Byłoby dobrze, gdybyś mogła przyjść razem z nią — powiedział.

— Tak, oczywiście.

— Człowiek, który będzie z wami rozmawiał, także jest inspektorem. Nazywa się Shug Davidson. To bardzo porządny gość, potrafi współczuć o wiele bardziej niż ja.

— Pana tam nie będzie?

— Nie przypuszczam. Tym śledztwem zajmuje się Shug. — Rebus upił duży łyk kawy, przetrzymał ją w ustach i dopiero potem przełknął. — Ja w ogóle nie powinienem tu być — mruknął pod nosem, jakby sam do siebie, i znów zaczął wyglądać przez okno.

Zadzwonił do Davidsona ze swojej komórki, wyjaśnił, na czym rzecz polega, i obiecał dostarczyć obie kobiety do Torphichen.

W samochodzie Chantal siedziała w milczeniu, wyglądając na przesuwający się za szybą świat. Rebus miał jednak jeszcze kilka pytań do jej przyjaciółki, jadącej na tylnym siedzeniu.

— Jak ci poszła rozmowa z Barneyem Grantem?

— Całkiem dobrze.

— Myślisz, że uda mu się dalej prowadzić Dziurkę?

— Tak, dopóki Stuart nie wróci. Dlaczego pan się uśmiecha?

— Bo nie wiem, czy akurat na tym Barneyowi zależy... ani czy się tego spodziewa.

— Chyba nie całkiem rozumiem.

— Nieważne. Ten opis, który podałem Chantal... facet nazywa się Peter Hill. To Irlandczyk, prawdopodobnie powiązany z organizacjami paramilitarnymi. Naszym zdaniem pomagał Bullenowi w zamian za to, że ten pomoże mu potem w rozprowadzaniu narkotyków na osiedlu.

— A co to ma wspólnego ze mną?

— Być może nic. A ten młodszy mężczyzna, ten z brakującym przednim zębem... nazywa się Howie Slowther.

— Pytał mnie pan o niego dziś rano.

— Owszem, pytałem. Dlatego że zaraz po twojej pogawędce z Barneyem Grantem w barze Barney odjechał samochodem. Samochodem, w którym siedział Howie Slowther. — Podchwycił jej wzrok w lusterku wstecznym. — Barney siedzi w tym po same uszy, Kate, jeżeli nie głębiej. Tak że jeśli masz zamiar liczyć na niego...

— O mnie nie musi się pan martwić.

— Miło mi to słyszeć.

Chantal odezwała się po francusku. Kate odpowiedziała jej w tym samym języku. Rebus zrozumiał tylko kilka słów.

— Pyta, czy zostanie deportowana — domyślił się i patrzył w lusterku wstecznym, jak Kate potakuje. — Powiedz jej, że zrobię dla niej wszystko, co w mojej mocy. Powiedz, że ma to jak w banku.

Kobieca dłoń spoczęła na jego ramieniu. Obejrzał się i zobaczył, że to dłoń Chantal.

— Wierzę panu — powiedziała tylko.

31

Siobhan i Les Young patrzyli, jak Ray Mangold wysiada ze swojego jaguara. Siedzieli w wozie Younga, zaparkowanym po drugiej stronie ulicy na wprost garaży na Market Street. Mangold zdjął kłódkę z drzwi swojego garażu i zaczął je otwierać. Ishbel Jardine siedziała na przednim fotelu, poprawiając makijaż i przeglądając się w lusterku wstecznym. Kiedy uniosła szminkę do ust, zawahała się o mgnienie oka za długo.

— Zauważyła nas — powiedziała Siobhan.

— Jesteś pewna?

— Nie na tysiąc procent.

— Pożyjemy, zobaczymy.

Young chciał, żeby jaguar znalazł się w garażu. Wtedy mógłby podjechać i zablokować możliwość wyjazdu. Tkwili w wozie już blisko czterdzieści minut; Young zabawiał Siobhan, wdając się w całkiem niepotrzebne szczegóły przepisów gry w brydża sportowego. Silnik samochodu był zgaszony, ale inspektor trzymał rękę na kluczyku w stacyjce, gotów odpalić wóz w każdej chwili.

Otworzywszy drzwi garażu na oścież, Mangold wrócił do jaguara, który pracował na jałowym biegu. Siobhan obserwowała go, kiedy wsiadał, ale nie potrafiła określić, czy Ishbel cokolwiek mu powiedziała. Dopiero gdy napotkała wzrok Mangolda w jednym z bocznych lusterek, uzyskała odpowiedź.

— Ruszamy — rzuciła do Younga, otwierając drzwi samochodu; nie było czasu do stracenia. Ale w jaguarze zapaliły się światła wsteczne. Samochód minął ją na pełnym gazie, pędząc w kierunku New Street; sportowy silnik wył na wysokich obrotach. Siobhan wróciła i usiadła w samochodzie, którego drzwi zamknęły się za nią same, gdy Young ruszył ostro. Tymczasem jaguar dotarł do skrzyżowania z New Street i poślizgiem skręcił pod górę, w kierunku Canongate.

— Połącz się przez radio! — krzyknął Young. — Podaj im opis wozu!

Siobhan wykonała polecenie. Pod Canongate ciągnął sznur samochodów, więc jaguar skręcił w lewo i pomknął w dół, ku Holyrood.

— I co o tym myślisz? — spytała Younga.

— Znasz to miasto lepiej niż ja — odparł.

— Ja myślę, że kieruje się w stronę parku. Jeżeli nie zjedzie z ulic, prędzej czy później utknie w jakimś korku. A w parku ma szansę, że jeśli doda gazu do dechy, to nas zgubi.

— Czyżbyś naigrawała się z mojego wozu?

— Kiedy ostatnio przeglądałam katalogi, jakoś nie zauważyłam, żeby w daewoo montowali czterolitrowe silniki.

Jaguar zjechał w bok, by wyprzedzić autobus wycieczkowy z otwartym dachem. Akurat w tym miejscu ulica była najwęższa i Mangold urwał boczne lusterko stojącej przy krawężniku furgonetki dostawczej; jej kierowca wyskoczył ze sklepu i posłał za nim soczystą wiązankę. Nadjeżdżające z naprzeciwka samochody nie pozwoliły Youngowi wyprzedzić autobusu, który powoli zjeżdżał w dół ulicy.

— Spróbuj nacisnąć klakson — podsunęła Siobhan. Young zatrąbił, ale autobus nic sobie z tego nie robił; dopiero przed Tolbooth zatrzymał się na przystanku. Kierowcy z naprzeciwka protestowali, gdy Young zjechał na ich pas i wyminął zawalidrogę. Wóz Mangolda był już daleko przed nimi. Gdy dotarł do obwodnicy przed pałacem Holyrood, skręcił w prawo, ku Horse Wynd.

— Miałaś rację — przyznał Young, gdy Siobhan podawała przez radio nowe namiary. Park Holyrood był własnością rodziny królewskiej i jako taki dysponował własną policją, ale Siobhan uznała, że sprawy protokolarne można odłożyć na później. Bo na razie jaguar oddalał się coraz bardziej, objeżdżając Salisbury Crags.

— Dokąd teraz? — spytał inspektor.

— Jeśli nie ma zamiaru krążyć wokół parku przez cały dzień, to będzie musiał gdzieś zjechać. To oznacza Dalkeith Road albo Duddingston. Stawiam na Duddingston. A kiedy już tam dotrze, będzie o rzut beretem od autostrady A jeden... a tam już na pewno nam ucieknie, choćby do samego Newcastle, jeśli będzie trzeba.

Najpierw jednak Mangold musiał pokonać kilka obwodnic; na drugiej niemal stracił kontrolę nad pojazdem i jaguar wjechał na krawężnik. Pędził teraz z wyciem silnika na tyłach Pollock Halls.

— Rzeczywiście Duddingston — zauważyła Siobhan i znów podała namiary przez radio. Ta część drogi była tak kręta, że na serpentynach szybko stracili Mangolda z oczu.

Nagle, za kamiennym usypiskiem, Siobhan dostrzegła pędzącą w górę drogi chmurę pyłu.

— Jasna cholera! — rzuciła. Gdy wyjechali zza zakrętu, zobaczyli na asfalcie skręcające wściekle ślady opon. Po prawej stronie drogi była żelazna balustrada; jaguar przebił się przez nią i zaczął się staczać po stromym stoku do jeziora Duddingston. Kaczki i gęsi trzepotały skrzydłami, uskakując z drogi, łabędzie zaś spokojnie sunęły po powierzchni wody, jakby nic się nie działo. Spadając ze zbocza, jaguar wyrzucał spod kół kamienie i pióra. Światła stopu paliły się na czerwono, ale samochód kierował się własną logiką. W końcu przewrócił się na bok, a potem o kolejne dziewięćdziesiąt stopni; wylądował tyłem w wodzie i zatrzymał się, z przednimi kołami obracającymi się powoli w powietrzu.

Nieco dalej nad brzegiem byli ludzie — rodzice wraz z pociechami, karmiący ptaki okruszkami chleba. Niektórzy rzucili się biegiem do samochodu. Young zatrzymał daewoo na szczątkowym chodniku, żeby nie blokować drogi. Siobhan zaczęła zbiegać ze zbocza. Drzwi jaguara były otwarte, z obu stron ktoś wysiadał. Nagle samochód szarpnęło do tyłu i zaczął zanurzać się pod wodę. Mangoldowi udało się wysiąść; stał teraz po piersi w wodzie, ale Ishbel rzuciło w dół na fotel i pod naporem ciśnienia drzwi zaczęły się za nią zamykać, gdy woda zaczęła zalewać wnętrze wozu. Widząc, co się dzieje, Mangold sięgnął do samochodu i próbował wyciągnąć dziewczynę od strony kierowcy. Widocznie jednak o coś zaczepiła, a tymczasem widać już było tylko przednią szybę i dach. Siobhan zaczęła brnąć przez śmierdzącą wodę. Z zalanego, przegrzanego silnika unosiła się para.

— Pomóżcie mi! — wrzeszczał Mangold. Trzymał Ishbel za ramiona. Siobhan zaczerpnęła powietrza i zanurkowała. Pod wodą było ciemno, widoczność utrudniały bąbelki powietrza, ale przekonała się, na czym polega problem: stopa dziewczyny utknęła pomiędzy fotelem pasażera a hamulcem ręcznym. Im mocniej Mangold ciągnął, tym bardziej się zakleszczała. Siobhan wypłynęła na powierzchnię.

— Puść ją! — rozkazała. — Puść ją albo się utopi! — Po czym znowu nabrała powietrza i zanurzyła się pod powierzchnię, gdzie znalazła się twarzą w twarz z Ishbel; mina dziewczyny, pośród rozmaitych odpadków w wodach jeziora, wyrażała nadspodziewany spokój. Z jej nosa i kącików ust uciekały maleńkie bąbelki powietrza. Siobhan wyciągnęła rękę, by uwolnić jej stopę, i poczuła, że chwytają ją czyjeś ramiona. To Ishbel przyciągała ją do siebie, jakby postanowiła, że zostaną tam na zawsze razem. Siobhan szarpała się, próbując uwolnić się z uścisku, a jednocześnie oswobodzić nogę dziewczyny.

Ale jej stopa nie była już zaklinowana.

A mimo to Ishbel nie wypływała.

I trzymała ją w uścisku.

Siobhan spróbowała wykręcić dziewczynie dłonie, lecz nie było to proste: Ishbel zacisnęła je za jej plecami. Czuła, że w płucach zostały jej resztki powietrza. Z trudem zdobywała się na najmniejszy ruch, a tymczasem dziewczyna wciągała ją coraz głębiej do samochodu.

W końcu Siobhan kopnęła ją kolanem w splot słoneczny i poczuła, że uścisk zelżał. Tym razem udało jej się uwolnić. Chwyciła Ishbel za włosy, odbiła się od dna w górę i natychmiast złapały ją czyjeś ręce. Teraz jednak nie były to ręce dziewczyny, lecz Mangolda. Zaledwie jej twarz wynurzyła się z wody, Siobhan zaczerpnęła powietrza, po czym wypluła wodę i starła ją z oczu i nosa. Odrzuciła włosy z twarzy.

— Ty popaprana idiotko! — wydarła się na Ishbel, która łapczywie chwytała powietrze i krztusiła się, odprowadzana na brzeg przez Raya Mangolda. Po chwili wyjaśniła Lesowi Youngowi, który przyglądał jej się, oniemiały: — Chciała, żebym się utopiła razem z nią!

Young pomógł jej wyjść z wody. Ishbel leżała na ziemi kilka jardów dalej, otoczona przez grupkę gapiów. Któryś z nich trzymał przy oku kamerę wideo i uwieczniał całą scenę dla potomności. Gdy wycelował obiektyw w Siobhan, odtrąciła jego rękę i pochyliła się nad leżącą bez ruchu mokrą postacią.

— Po jaką cholerę to zrobiłaś?!

Mangold klęczał na ziemi i trzymał leżącą Ishbel w objęciach.

— Nie wiem, co się stało — odparł.

— Nie mówię do pana, tylko do niej! — Trąciła dziewczynę czubkiem buta. Les Young wziął ją pod rękę i próbował odciągnąć na bok, mamrocząc pod nosem coś, czego nie dosłyszała. Krew pulsowała jej w uszach, płuca paliły żywym ogniem.

W końcu Ishbel uniosła głowę i spojrzała na swoją wybawczynię. Włosy miała przylepione do twarzy.

— Na pewno jest pani bardzo wdzięczna — mówił tymczasem Mangold, na co Young dodał coś o reakcji odruchowej, że niby słyszał coś kiedyś na ten temat.

Ishbel Jardine nic nie powiedziała. Opuściła tylko głowę i zwymiotowała wodą i żółcią na mokrą ziemię, upstrzoną białymi ptasimi piórami.

— Bo mam was powyżej uszu, do ciężkiej cholery, jeśli już chcecie wiedzieć!

— I to jest całe pańskie wytłumaczenie, panie Mangold? — spytał Les Young. — Nie ma pan nam nic więcej do powiedzenia?

Siedzieli w pokoju przesłuchań numer jeden na komisariacie St Leonard's, dwa kroki od parku Holyrood. Kilku mundurowych zdziwiło się powrotem Siobhan na stare śmiecie; humoru nie poprawił jej telefon od starszego inspektora Macraego, który zadzwonił na jej komórkę z Gayfield Square i domagał się wyjaśnień, gdzie się, u licha, podziewała. Gdy mu to wyjaśniła, rozpoczął długą tyradę na temat upadku właściwej postawy i koleżeńskiego podejścia do pracy zespołowej, a także widocznych gołym okiem wstrętu i pogardy, jakie prezentują oficerowie, których przejął z St Leonard's, wobec ich nowego miejsca przydziału.

Gadał tak i gadał, a Siobhan siedziała owinięta kocem, z kubkiem zupy błyskawicznej, który ktoś wcisnął jej w rękę; była boso, bo jej buty suszyły się tymczasem na kaloryferze.

— Przepraszam, inspektorze, ale nie dosłyszałam wszystkiego, co pan powiedział — wyznała, gdy wreszcie na chwilę się zamknął.

— Uważa pani, że to zabawne, sierżant Clarke?

— Nie inspektorze. — Choć prawdę mówiąc, na swój sposób było to śmieszne. Wątpiła jednak, by Macrae podzielał jej abstrakcyjne poczucie humoru.

Teraz siedziała bez stanika w pożyczonym T-shircie i w czarnych spodniach od munduru, o trzy rozmiary za dużych. Na stopach miała białe sportowe skarpetki, tyle że męskie, na nich zaś kapcie z folii, jakich używa się na miejscu zbrodni. Na ramiona narzuciła szary wełniany koc, z tych, które daje się w celi aresztantom. Nie miała okazji umyć włosów, które opadały jej mokrymi strąkami na twarz, wydzielając smrodek jeziora.

Mangold także był otulony kocem; oburącz ściskał plastikowy kubek z herbatą. Zgubił swoje przyciemniane okulary i w ostrym świetle lampy do przesłuchań jego oczy przypominały wąziutkie szparki. Siobhan mimowolnie zauważyła, że koc jest dokładnie w kolorze herbaty. Między nimi stał stół. Les Young siedział obok Siobhan, z długopisem wycelowanym w notatnik formatu A4.

Ishbel umieszczono w celi dla aresztantów. Później ją przesłuchają.

Na razie interesował ich Mangold. Mangold, który od dwóch minut nie powiedział ani słowa.

— A więc, jak widzę, trzyma się pan swojej wersji — oświadczył Les Young. Zaczął bazgrać na kartce. Siobhan odwróciła się do niego.

— Może nam wstawiać każdy bajer, jaki mu przyjdzie do głowy. Ale fakty mówią same za siebie.

— Jakie fakty? — zapytał Mangold, udając, że w sumie guzik go to obchodzi.

— Piwnica — powiedział Les Young.

— Chryste, ile razy jeszcze będziemy do tego wracać?

Odpowiedziała mu Siobhan:

— Pomimo tego, co mi pan opowiadał ostatnim razem, panie Mangold, moim zdaniem doskonale zna pan Stuarta Bullena. Myślę, że zna go pan nie od dzisiaj. To on wpadł na pomysł z tym fałszywym pogrzebem... udawał, że chowa te szkielety, żeby móc pokazywać imigrantom, co ich spotka, jeżeli spróbują podskakiwać.

Mangold odepchnął się od stołu tak gwałtownie, że obie przednie nogi jego krzesła uniosły się z podłogi. Zwrócił twarz do sufitu, zamknął oczy. Siobhan mówiła dalej, cicho i spokojnie:

— Kiedy szkielety zostały zalane betonem, to miał być koniec. Ale na tym się nie skończyło. Pański bar leży na trakcie Królewskiej Mili, co dzień odwiedzają pana turyści. A dla nich największą gratką jest atmosfera... to dlatego „wakacje z duchami" cieszą się takim wzięciem. Chciał pan zrobić to samo w Czarnoksiężniku.

— To żadna tajemnica — rzekł Mangold. — Właśnie dlatego zleciłem renowację piwnicy.

— Zgadza się... Ale cóż by to była za gratka, gdyby nagle pod podłogą znalazły się dwa szkielety! Wszędzie darmowa reklama, zwłaszcza że miejscowa historyczka dolewała oliwy do ognia...

— Nadal nie rozumiem, do czego pani zmierza.

— Kłopot w tym, Ray, że nie potrafiłeś dostrzec problemu w całej rozciągłości. Ostatnia rzecz, na jakiej zależało Stuartowi Bullenowi, to wyciągnięcie tych szkieletów na światło dzienne. Wiadomo było, że ludzie zaczną zadawać pytania, pytania, które mogą doprowadzić do niego i jego interesu z handlem niewolnikami. Czy to dlatego dostałeś od niego po gębie? A może kazał to załatwić temu Irlandczykowi?

— Już pani mówiłem, skąd mam te siniaki.

— Hm, tyle że ci nie wierzę.

Mangold roześmiał się, wciąż wpatrując się w sufit.

— Mówiliście o faktach — powiedział. — Jak dotąd nie usłyszałem nic takiego, na co mielibyście choćby cień dowodu.

— Tak się zastanawiam...

— Nad czym?

— Popatrz na mnie, to ci powiem.

Krzesło powoli stanęło na podłodze czterema nogami. Mangold wbił zmrużone oczy w policjantkę.

— Wciąż się nie mogę zdecydować, czy zrobiłeś to ze złości... bo Bullen cię pobił i zwymyślał, więc chciałeś to zwalić na kogoś innego — powiedziała i zamilkła na chwilę. — Czy raczej miał to być swego rodzaju prezent dla Ishbel... tym razem nieprzewiązany wstążką, ale jednak prezent. Coś, co by sprawiło, że jej życie stałoby się łatwiejsze.

Mangold odwrócił się do Lesa Younga.

— Panie, pomóż mi pan. Może pan ma pojęcie, o czym ta kobieta opowiada?

— Ja doskonale wiem, o czym ona mówi — odrzekł Young.

— Widzisz — ciągnęła Siobhan, przesuwając się nieco na krześle — kiedy ostatnim razem byłam u ciebie z inspektorem Rebusem, zastaliśmy cię w piwnicy.

— Tak?

— Inspektor Rebus zaczął się bawić dłutem... przypominasz sobie?

— Nie bardzo.

— Dłutem, które było w skrzynce z narzędziami Joego Evansa.

— Możemy wrócić do tematu?

Siobhan uśmiechnęła się na ten przejaw sarkazmu; wiedziała, że może sobie na to pozwolić.

— Był tam też młotek, Ray.

— Młotek w skrzynce z narzędziami? Czego to ludzie nie wymyślą!

— Wczoraj w nocy poszłam do twojej piwnicy i zabrałam ten młotek. Powiedziałam chłopcom z laboratorium, że to robota na wczoraj. Pracowali przez całą noc. Na wyniki testów DNA jeszcze trochę za wcześnie, ale znaleźliśmy ślady krwi na tym młotku, Ray. Tej samej grupy co krew Donny'ego Cruikshanka. — Wzruszyła ramionami. — To tyle, jeśli chodzi o fakty. — Poczekała na odpowiedź Mangolda, lecz ten trzymał buzię na kłódkę. — Jest jeszcze jedna rzecz — podjęła. — Jeżeli to tym młotkiem zabito Donny'ego Cruikshanka, to przychodzą mi do głowy trzy możliwości. — Zaczęła odliczać na palcach. — Evans, Ishbel albo ty. Musiał go zabić ktoś z was. Moim zdaniem, realnie rzecz biorąc, Evansa możemy z tego wykluczyć. — Opuściła jeden palec. — Czyli zostajesz tylko ty albo Ishbel. A więc które z was?

Les Young znowu wycelował długopis w kartkę.

— Muszę się z nią zobaczyć — oświadczył Ray Mangold; w jego głosie zabrzmiała nagle gorycz i rozczarowanie. — Sam na sam... wystarczy mi pięć minut.

— Nic z tego, Ray — rzekł Young stanowczo.

— Nie powiem ani słowa, dopóki się z nią nie zobaczę.

Ale Les Young tylko pokręcił głową. Mangold przesunął wzrok na Siobhan.

— Sprawę prowadzi inspektor Young — powiedziała. — To on tu rozdaje karty.

Mangold pochylił się, oparł łokcie na stole i ukrył twarz w rękach. Kiedy się odezwał, dłonie stłumiły jego słowa.

— Nic nie zrozumieliśmy, Ray — rzekł Young.

— Nie? Więc może zrozumiesz to! — Co mówiąc, Mangold rzucił się nad stołem, wywijając pięścią. Young odskoczył. Siobhan zerwała się na nogi, chwyciła rękę Mangolda i wykręciła. Young upuścił długopis, przeskoczył na drugą stronę stołu i założył Mangoldowi nelsona.

— Dranie! — syknął Mangold. — Skurwysyny, wszyscy, jak tu siedzicie!

Nagle, może po jakiejś minucie, gdy do pokoju wpadli funkcjonariusze z kajdankami, odezwał się:

— Dobra, już dobra... Zabiłem go. Jesteście zadowoleni, gównozjady? Rozwaliłem mu łeb młotkiem. I co z tego? Wyświadczyłem całemu światu przysługę, ot co.

— Musisz nam to powiedzieć jeszcze raz — wyszeptała mu Siobhan na ucho.

— Że co?

— Kiedy cię puścimy, musisz powtórzyć to jeszcze raz. — Zwolniła uścisk na jego ramieniu, by zajęli się nim mundurowi. — Inaczej — wyjaśniła — ktoś mógłby pomyśleć, że wykręciłam ci rękę i zeznawałeś pod przymusem.

W końcu zrobili sobie przerwę na kawę. Siobhan oparła się o automat z napojami i zamknęła oczy. Les Young, nie zważając na jej ostrzeżenia, zdecydował się na zupę. Teraz powąchał zawartość kubka i skrzywił się.

— I co o tym myślisz? — zapytał.

Siobhan otworzyła oczy.

— Myślę, że kiepsko wybrałeś.

— Miałem na myśli Mangolda.

Wzruszyła ramionami.

— Chce dać się za to zamknąć.

— Tak, ale czy to on go zabił?

— Albo on, albo Ishbel.

— On ją kocha, tak?

— Odniosłam takie wrażenie.

— A zatem możliwe, że ją osłania?

Znowu wzruszyła ramionami.

— Ciekawe, czy wyląduje w tym samym skrzydle co Stuart Bullen. Byłaby to swego rodzaju sprawiedliwość, nie sądzisz?

— Pewnie tak — odparł Young sceptycznie.

— Uszy do góry, Les — pocieszyła go. — Mamy rezultaty.

Udał, że przygląda się wystawie na automacie z napojami.

— Powinnaś o czymś wiedzieć, Siobhan...

— O czym?

— Pierwszy raz w życiu prowadzę sprawę o morderstwo. Chcę ją wyjaśnić do samego końca!

— W realnym świecie nie zawsze jest to możliwe, Les. — Poklepała go po plecach. — Ale przynajmniej teraz możesz powiedzieć, że zacząłeś uczyć się pływać.

Uśmiechnął się.

— A ty wskoczyłaś na głęboką wodę.

— Tak... — powiedziała, zniżając głos. — I niewiele brakowało, żebym już nie wypłynęła.

32

Lecznica Królewska w Edynburgu mieści się tuż za centrum miasta, na terenie zwanym Małą Francją.

Zdaniem Rebusa nocami przypominała Whitemire — oświetlony parking, a reszta świata pogrążona w ciemności. Projekt cechowała pewna sztywność, a cały teren sprawiał wrażenie miasta w mieście. Gdy inspektor wysiadł ze swego saaba, powietrze było całkiem inne niż w centrum — mniej skażone, ale też zimniejsze. Odszukanie separatki, w której leżał Alan Traynor, nie zabrało mu wiele czasu. Niedawno sam był pacjentem lecznicy, tyle że leżał w sali zbiorowej. Ciekaw był, kto płaci za prywatność Traynora; czyżby jego amerykańscy pracodawcy?

A może Urząd Imigracyjny Wielkiej Brytanii?

Obok łóżka pacjenta siedział na krześle Felix Storey i drzemał. Wcześniej czytał jakieś czasopismo dla kobiet. Patrząc na wystrzępione brzegi, Rebus domyślił się, że pismo pochodziło z pliku dla pacjentów, wystawionego w innej części szpitala. Storey był bez marynarki — wisiała na oparciu krzesła. Wprawdzie wciąż miał krawat, ale rozpiął guzik koszuli pod szyją. Jak na niego był to niemal strój sportowy. Gdy inspektor wszedł do pokoju, Storey pochrapywał cicho. Dla odmiany Traynor nie spał, ale wyglądał jak naćpany. Nadgarstki miał obandażowane, a do ramienia podłączoną kroplówkę. Z trudem skupił wzrok na wchodzącym. Mimo to Rebus pomachał mu od niechcenia i kopnął w nogę krzesła. Storey prychnął i poderwał głowę.

— Pobudka! — rzucił Rebus.

— Która godzina? — zapytał Storey, przeciągając ręką po twarzy.

— Kwadrans po dziewiątej. Jako strażnik jesteś do dupy.

— Chcę tu być, kiedy on się obudzi.

— Moim zdaniem nie śpi już od jakiegoś czasu. — Rebus wskazał Traynora ruchem głowy. — Czy on jest na środkach przeciwbólowych?

— Według lekarza dostał potężną dawkę. Chcą, żeby jutro obejrzał go psychiatra.

— Wyciągnąłeś coś z niego dzisiaj?

Anglik pokręcił głową.

— Hej, wystawiłeś mnie do wiatru — powiedział.

— Jak to? — zdziwił się Rebus.

— Obiecałeś, że pojedziesz ze mną do Whitemire.

— Ja ciągle nie dotrzymuję obietnic — odparł inspektor, wzruszając ramionami. — Poza tym musiałem pogłówkować.

— Na jaki temat?

Rebus przyglądał mu się uważnie.

— Będzie łatwiej, jeśli ci to pokażę.

— Ja nie mogę... — Storey spojrzał na Traynora.

— On jest w takim stanie, że nie możesz go przesłuchiwać, Feliksie. Wszystko, czego byś się dowiedział, sąd by z miejsca oddalił.

— Tak, ale nie powinienem tak po prostu...

— Moim zdaniem powinieneś.

— Ktoś go musi pilnować.

— Na wypadek gdyby znowu chciał sobie coś zrobić? Przyjrzyj mu się, Feliksie, on przebywa w innym świecie.

Storey spojrzał na pacjenta i najwyraźniej podzielił zdanie inspektora.

— To nie potrwa długo — zapewnił go Rebus.

— A co takiego chcesz mi pokazać?

— Nie chcę ci psuć niespodzianki. Masz samochód? — zapytał, na co Anglik kiwnął potakująco głową. — Wobec tego pojedziesz za mną.

— Dokąd?

— Masz ze sobą kąpielówki?

469

— Kąpielówki? — Storey zmarszczył brwi.

— Nieważne — rzucił Rebus. — Będziemy improwizować.

Rebus prowadził ostrożnie, co chwila sprawdzając w lusterku wstecznym, czy widzi za sobą światła samochodu Storeya. Przez cały czas chodziło mu po głowie, że improwizacja jest sednem wszystkiego, co zamierzał teraz zrobić. Gdy byli w pół drogi, zadzwonił do Storeya na komórkę i oznajmił mu, że są już niemal na miejscu.

— Oby to było warte zachodu — padła zirytowana odpowiedź.

— Masz to jak w banku — obiecał Rebus. Jechali przedmieściami: od frontu stały parterowe domki, za którymi ukryte były osiedla mieszkaniowe. Rebus zdał sobie sprawę, że turyści widzą tylko te domki i pewnie myślą sobie, że Edynburg to miłe, porządne miasto. Rzeczywistość czaiła się jednak gdzie indziej, poza zasięgiem ich wzroku.

I czekała na dogodny moment do ataku.

Ruch był niewielki, okrążali centrum miasta od południa. Wieczorami łatwo można było się zorientować, że w Edynburgu kwitnie jednak nocne życie: bary i knajpy z jedzeniem na wynos, supermarkety i studenci. Rebus wrzucił lewy kierunkowskaz i sprawdził w lusterku, czy Storey zrobił to samo. Gdy rozległ się sygnał jego komórki, od razu wiedział, że to dzwoni Anglik — coraz bardziej zirytowany i ciekawy, jak długo jeszcze będą jechać.

— Jesteśmy na miejscu — mruknął Rebus pod nosem. Zjechał do krawężnika, a Storey zrobił to samo. Facet z imigracyjnego pierwszy wysiadł z samochodu.

— Najwyższa pora, żeby skończyć z tymi gierkami! — warknął.

— Powiedziałbym, że z ust mi wyjąłeś — przytaknął Rebus, odwracając się. Byli na zadrzewionej podmiejskiej ulicy; wielkie wille odcinały się na tle nieba. Rebus przeszedł przez furtkę, wiedząc, że Storey pójdzie w jego ślady. Nie skorzystał z dzwonka, lecz pewnym krokiem ruszył przez podjazd.

Jacuzzi stało tam, gdzie przedtem; plandeka była zdjęta, z powierzchni wody unosiła się para.

Duży Ger Cafferty siedział w wodzie, opierając wyciągnięte ramiona na skraju jacuzzi. Z głośników dobiegały dźwięki jakiejś opery.

— Przesiadujesz w tych bąbelkach przez cały dzień? — spytał inspektor.

— Rebus — wycedził Cafferty. — Widzę, że przyprowadziłeś swojego chłopaczka, doprawdy wzruszające. — Przeciągnął dłonią po włochatej piersi.

— Byłbym zapomniał — rzekł inspektor. — Zdaje się, że wy dwaj nigdy nie poznaliście się osobiście, mam rację? Feliksie Storey, przedstawiam ci pana Morrisa Geralda Cafferty'ego.

Rebus bacznie obserwował reakcję Storeya. Londyńczyk schował ręce do kieszeni.

— No dobra — powiedział. — Co tu jest grane?

— Nic. — Rebus zamilkł na chwilę. — Tak sobie tylko pomyślałem, że może chciałbyś dopasować twarz do głosu.

— Słucham?

Inspektor nie kwapił się z odpowiedzią. Patrzył w górę, na pokój nad garażem.

— Dziś wieczór obywasz się bez Joego, Cafferty?

— Czasami daję mu wolne, jeśli nie przewiduję, że będzie mi potrzebny.

— Nigdy bym nie przypuszczał, że narobiwszy sobie tylu wrogów, kiedykolwiek czujesz się bezpieczny.

— Od czasu do czasu każdy z nas lubi szczyptę ryzyka. — Cafferty zajął się przełącznikami, wyłączając jednocześnie muzykę i bąbelki. Ale zostawił światło, które zmieniało barwę co dziesięć, piętnaście sekund.

— Zaraz, co wy mi tu za teatr odstawiacie? — spytał Storey.

Rebus puścił jego słowa mimo uszu. Nie spuszczał wzroku z Cafferty'ego.

— Muszę przyznać, że potrafisz chować urazę latami. Kiedy poprztykałeś się z Rabem Bullenem? Ile to już będzie... piętnaście, dwadzieścia lat? Tyle że twoja uraza przechodzi z pokolenia na pokolenie, co, Cafferty?

— Jeśli ci chodzi o Stu, nic do niego nie mam — warknął stary gangster.

— Ale też nie miałeś nic przeciwko całej tej akcji, co? — Rebus przerwał, żeby zapalić papierosa. — Ładnie to rozegraliście. — Wydmuchał dym w nocne niebo, gdzie zmieszał się z parą wodną.

— Nie mam ochoty dłużej tego słuchać — oświadczył Felix Storey. Odwrócił się i ruszył z powrotem. Rebus nie zatrzymywał go, wiedział, że Anglik nie wyjdzie. Po kilku krokach rzeczywiście zatrzymał się, obejrzał i wrócił do nich. — Mów, co masz do powiedzenia — zażądał.

Rebus wpatrywał się w czubek papierosa.

— Twoim „Głębokim gardłem" jest nikt inny, tylko obecny tu pan Cafferty, Feliksie. Wiedział dokładnie, co jest grane, bo miał w środku swojego człowieka... Barneya Granta, prawą rękę Bullena. To Barney przekazywał informacje Cafferty'emu, a on z kolei podsuwał je tobie. W zamian za to Grant dostał imperium Bullena na srebrnej tacy.

— No i co z tego? — zapytał Storey, marszcząc brwi. — Nawet jeśli ten Cafferty był twoim przyjacielem...

— Nie moim, Feliksie... twoim. Kłopot w tym, że Cafferty nie tylko karmił cię informacjami... To on dostarczył paszporty... Barney Grant podrzucił je do kasy pancernej, prawdopodobnie wtedy, kiedy ścigaliśmy Bullena tym tunelem. Bullen miał pójść siedzieć i wszystko skończyłoby się dobrze. Ba, tylko jak Cafferty zdobył te paszporty? — Inspektor popatrzył na obu mężczyzn i wzruszył ramionami. — Byłoby to proste, gdyby to Cafferty przemycał nielegalnych imigrantów do Wielkiej Brytanii. — Zatrzymał wzrok na starym gangsterze, którego oczy były tak małe i ciemne jak nigdy, a cała okrągła twarz ziała nienawiścią. Rebus znowu ostentacyjnie wzruszył ramionami. — Cafferty, a nie Bullen. Tak, Feliksie, Cafferty rzucił ci Bullena na pożarcie, żeby przejąć interes...

— A cały urok polega na tym, że nie masz na to cienia dowodu i guzik możesz mi zrobić — wycedził Cafferty przeciągle.

— Wiem — odrzekł inspektor.

— Wobec tego po co o tym gadać? — warknął Storey.

— Posłuchaj, to się dowiesz — odparł Rebus.

Cafferty uśmiechnął się.

— Rebus zawsze ma coś w zanadrzu — powiedział.

Inspektor strząsnął popiół do jacuzzi i uśmiech zamarł na ustach gangstera.

— To Cafferty doskonale zna Londyn... ma tam swoje kontakty. A nie Stuart Bullen. Pamiętasz to swoje zdjęcie, Cafferty? Siedziałeś na nim ze swoimi londyńskimi wspólnikami. Nawet Feliksowi wyrwało się kiedyś, że w tej sprawie istnieje ślad londyński. Bullen nie miał dość silnoręcich, zresztą wszystkiego miał za mało, żeby zorganizować tak drobiazgową operację jak przemyt ludzi. A skoro teraz padł, to sprawa ucichnie na jakiś czas. Widzisz, tyle tylko, że wrobienie Bullena było łatwe wówczas, gdy ktoś nad tym wszystkim czuwał od góry... ktoś taki jak ty, Feliksie. Funkcjonariusz Urzędu Imigracyjnego, któremu zależało na łatwym sukcesie. Gdyby udało ci się rozpracować tę sprawę, byłby to kawał dobrej roboty. Tylko Bullen dostał po dupie, ale z twojego punktu widzenia to przecież śmieć. Dla ciebie nie jest ważne, kto ci go pomógł udupić ani jaki miał w tym interes. Tylko że widzisz, problem polega na tym... Pieprząc wszystko, co się za tym kryje, zyskałeś sławę i chwałę, ale jednocześnie oczyściłeś drogę Cafferty'emu. Teraz to on będzie kręcił tym interesem i nie dość, że będzie sprowadzał nielegalnych imigrantów, to jeszcze zapędzi ich do roboty, w której się zaharują na śmierć. — Rebus zamilkł na chwilę. — Serdeczne dzięki.

— Gówno prawda! — syknął Storey.

— Nie sądzę — odparł inspektor. — Dla mnie to wszystko ma sens... to jedyne logiczne rozwiązanie.

— Ale jak sam powiedziałeś — wtrącił się Cafferty — nic z tego nie możesz mi przyczepić.

— To prawda — przyznał Rebus. — Ja tylko chciałem uświadomić Feliksowi, dla kogo tak naprawdę pracował przez cały czas. — Pstryknął niedopałek papierosa na trawnik.

Storey rzucił się na niego z wyszczerzonymi zębami. Rebus zrobił unik, założył mu nelsona na szyję i wepchnął mu głowę pod wodę. Storey był pewnie o cal wyższy, a poza tym młodszy i w lepszej kondycji. Ustępował mu jednak masą; wymachiwał więc rękami, nie wiedząc, czy szukać oparcia na skraju jacuzzi, czy próbować uwolnić się z uścisku Rebusa.

Cafferty siedział w rogu jacuzzi i przyglądał się walce, jakby obserwował z narożnika starcie na ringu.

— Nie wygrałeś — syknął do niego inspektor.

— Z mojego punktu widzenia powiedziałbym, że jesteś w błędzie.

Rebus uświadomił sobie, że opór Anglika słabnie. Puścił go więc i odsunął się kilka kroków, poza zasięg jego ramion. Storey padł na kolana, krztusząc się. Ale zaraz wstał i znów ruszył na Rebusa.

— Dość tego! — warknął Cafferty. Storey odwrócił się do niego, gotów w każdej chwili skierować swą agresję przeciw komu innemu. Ale stary gangster miał w sobie coś... nawet pomimo nadwagi i tego, że siedział nagi w basenie...

Storey musiałby mieć więcej jaj — albo mniej rozumu — żeby mu podskoczyć.

I natychmiast zdał sobie z tego sprawę. Podjął właściwą decyzję, opuścił ramiona i przestał zaciskać pięści, usiłując powstrzymać kaszel i krztuszenie się.

— To jak, chłopaki — ciągnął Cafferty. — Chyba najwyższa pora kłaść się do łóżeczka, co?

— Jeszcze nie skończyłem — rzekł Rebus.

— A mnie się zdaje, że tak — odparł Cafferty. Jego słowa zabrzmiały jak rozkaz, lecz Rebus tylko się skrzywił i jakby nigdy nic, zwrócił się do Storeya:

— Oto, czego chcę. Powiedziałem, że niczego nie mogę udowodnić, ale zawsze mogę próbować... a jak już obrzucisz kogoś gównem, zawsze trochę do niego przylgnie.

— Mówiłem ci, że nie wiem, kim jest „Głębokie gardło".

— I nie miałeś cienia podejrzeń, co? Nawet kiedy ci dał cynk, do kogo należy czerwone bmw? — Inspektor czekał na odpowiedź, ale się nie doczekał. — Widzisz, Feliksie, większość ludzi uzna, że albo jesteś w tym umoczony, albo bezgranicznie głupi. Ani jedno, ani drugie nie wygląda najlepiej w papierach.

— Nic o tym nie wiedziałem — upierał się Storey.

— Ale idę o zakład, że czułeś coś przez skórę. Tyle że miałeś to gdzieś, byleby zarobić trochę punktów.

— Więc czego chcesz? — wycharczał londyńczyk.

— Chcę, żeby rodzina Yurgii, matka razem z dziećmi, została zwolniona z Whitemire. Chcę, żebyście zapewnili im mieszkanie, a gdzie, to już zostawiam do twojego uznania. I to nie później niż jutro.

— Wydaje ci się, że mam dość władzy, żeby spowodować coś takiego?

— Rozbiłeś siatkę przemytników nielegalnych imigrantów, Feliksie... Mają wobec ciebie dług wdzięczności.

— I to wszystko?

Rebus pokręcił głową.

— Niezupełnie. Chantal Rendille... chcę, żeby nie została deportowana.

Storey wyraźnie czekał na ciąg dalszy, ale Rebus już skończył.

— Jestem pewien, że pan Storey zrobi wszystko, co w jego mocy — powiedział Cafferty z namaszczeniem, jak gdyby jego słowa zawsze były głosem rozsądku.

— Cafferty, jeżeli jacyś z twoich nielegalnych pojawią się jeszcze w Edynburgu... — rzekł Rebus, doskonale zdając sobie sprawę, że to tylko pusta groźba.

Cafferty też o tym wiedział, ale uśmiechnął się i skłonił głowę. Rebus odwrócił się do Anglika.

— Moim zdaniem przemawiała przez ciebie chciwość. Dostrzegłeś życiową szansę i nie chciałeś jej przegapić. Ale teraz masz szansę na odkupienie. — Wyciągnął palec w kierunku Cafferty'ego. — Biorąc na celownik tego człowieka.

Storey powoli pokiwał głową. Obaj mężczyźni, chociaż dopiero co starli się w walce, patrzyli teraz na postać w basenie. Cafferty odwrócił się do nich bokiem, jak gdyby wyrzucił ich już z myśli i ze swego życia. Znów zajął się przyciskami jacuzzi; w wodzie pojawiły się bąbelki.

— Następnym razem weźcie kąpielówki! — zawołał za nimi, gdy Rebus ruszył w kierunku podjazdu.

— I przedłużacz — odkrzyknął inspektor.

Do kominka elektrycznego z dwoma prętami. Ciekawe, jak zmieniałyby się kolory, gdyby takie coś wpadło do tej wody.

Epilog

Bar Oxford.

Harry nalał Rebusowi duży kufel IPA i oznajmił, że w drugiej sali czeka na niego „pismak".

— Lojalnie ostrzegam — powiedział Harry. Rebus podziękował skinieniem głowy, wziął kufel i przeszedł tam. Czekał na niego Steve Holly. Przeglądał coś, co wyglądało na szczotki jutrzejszego porannego wydania gazety; na widok inspektora złożył je starannie.

— Bębny w dżungli poszły w ruch aż miło — odezwał się.

— Ja ich nie słucham — odparł Rebus. — Staram się też nie czytać szmatławców.

— Whitemire grozi zagłada, wsadziliście właściciela nocnego klubu, a do tego chodzą słuchy, że jakaś bojówka próbowała siłą opanować rynek w Knoxland. — Holly podniósł ręce. — Sam nie wiem, od czego zacząć. — Roześmiał się i podniósł kufel. — Chociaż to niezupełnie prawda. Chcesz wiedzieć dlaczego?

— Dlaczego?

Dziennikarz otarł pianę z górnej wargi.

— Bo gdzie tylko spojrzę, wszędzie natykam się na ślady twoich paluchów.

— Proszę?

Holly powoli pokiwał głową.

— Gdybym dostał jakiś cynk od środka, mógłbym zrobić z ciebie bohatera tej historii. A wtedy raz-dwa zabraliby cię z Gayfield Square.

— Wybawco mój — mruknął Rebus i zajął się swoim piwem. — Powiedz mi coś... Pamiętasz swój artykuł o Knoxland? Ten, w którym przekręciłeś wszystko tak, że nagle uciekinierzy stali się problemem?

— Oni są problemem.

Inspektor nie zareagował na jego słowa.

— Napisałeś to w tym duchu, bo tak ci kazał Stuart Bullen. — Zabrzmiało to jak stwierdzenie faktu; kiedy Rebus podniósł wzrok i spojrzał dziennikarzowi w oczy, przekonał się, że miał rację. — Jak to było? Zadzwonił do ciebie? Poprosił o przysługę? Znowu działacie rączka w rączkę, jak wtedy, kiedy dawał ci cynk, jeśli jakaś osobistość wychodziła z jego klubu?

— Nie bardzo wiem, do czego pijesz.

Rebus pochylił się na krześle.

— Nie zastanawiałeś się, dlaczego cię o to prosi?

— Powiedział, że trzeba wyrównać szanse, oddać głos lokalnej społeczności.

— Ale po co?

Holly wzruszył ramionami.

— Myślałem, że to normalny rasista jak każdy inny. Nie wiedziałem, że ma coś do ukrycia.

— Ale teraz już wiesz, prawda? Zależało mu na tym, żebyśmy potraktowali zabójstwo Stefa Yurgii jako zbrodnię na tle rasowym. A przez cały ten czas stał za tym on sam i jego ludzie... i miał taką gnidę jak ty na każde skinienie palcem. — Rebus patrzył na Holly'ego, ale myślał o Caffertym i Feliksie Storeyu, o jakże wielu najrozmaitszych sposobach, w jakich ludzie są wykorzystywani, oszukiwani i manipulowani. Wiedział, że mógł to wszystko przekazać Holly'emu i kto wie, może nawet dziennikarz coś by w tej sprawie zrobił. Ale gdzie dowody? Rebus dysponował jedynie tym, co mu podpowiadał nieprzyjemny ucisk w żołądku. To, a także gorejąca w nim złość.

— Ja tylko przekazuję informacje o tym, co się stało, Rebus — powiedział dziennikarz. — Nie ja sprawiam, że do tego dochodzi.

Inspektor pokiwał głową pod adresem swoich myśli.

— A tacy jak ja próbują potem posprzątać.

Holly pociągnął nosem.

— A skoro już o tym mowa, czyś ty przypadkiem nie pływał?
— Wyglądam na takiego?
— Nie przyszłoby mi to do głowy. Ale zdecydowanie wyczuwam zapach chloru...

Siobhan siedziała w samochodzie zaparkowanym przed jego mieszkaniem. Kiedy wysiadała zza kierownicy, wyraźnie usłyszał brzęk butelek, jakie niosła w torbie z zakupami.
— Jakoś nie możemy ci znaleźć dość roboty — powitał ją. — Słyszałem, że zrobiłaś sobie wolne, żeby się wykąpać w jeziorze Duddingston. — Słysząc to, uśmiechnęła się. — Mam nadzieję, że wszystko w porządku?
— Będzie, po kilku szklaneczkach... Oczywiście zakładając, że nie spodziewasz się innego towarzystwa.
— Masz na myśli Caro? — Rebus schował ręce do kieszeni i wzruszył ramionami.
— Czy to moja wina? — rzuciła Siobhan w ciszy, która nagle zaległa w pokoju.
— Nie... ale niech cię to nie powstrzymuje przed wyrzutami sumienia. Co tam u Majora Majteczki?
— W porządku.
Rebus powoli pokiwał głową, po czym wyciągnął klucz z kieszeni.
— Mam nadzieję, że w tej torbie nie masz znowu jakiegoś sikacza?
— Najlepsze wino, jakie można dostać w tym mieście — zapewniła go. Weszli razem po schodach, nie odczuwając potrzeby przerywania ciszy. Gdy jednak dotarli na piętro Rebusa, inspektor stanął jak wryty i zaklął. Drzwi jego mieszkania były uchylone, a framuga obłupana.
— Jasna cholera! — rzuciła Siobhan, wchodząc za nim do środka.
Ruszyli prosto do salonu.
— Nie ma telewizora — powiedziała.
— Aparatura stereo też zniknęła.
— Mam zadzwonić na posterunek?
— Żeby całe Gayfield nabijało się ze mnie przez następny tydzień? — Pokręcił głową.

— Zakładam, że jesteś ubezpieczony?

— Muszę sprawdzić, czy płaciłem składki w terminie... — Urwał nagle, bo coś zobaczył. Na jego fotelu przy oknie leżała jakaś kartka. Przykucnął, żeby się jej przyjrzeć. Zobaczył tylko siedem cyfr. Sięgnął po słuchawkę telefonu i wybrał ten numer. Nie wstawał, czekając, aż ktoś odbierze. Odezwała się automatyczna sekretarka, która powiedziała mu wszystko, co chciał wiedzieć. Rozłączył się i wstał.

— I co? — spytała Siobhan.

— Lombard na Queen Street.

Spojrzała na niego zaskoczona, a jej zdumienie pogłębiło się, gdy ujrzała, że się uśmiecha.

— Cholerna brygada antynarkotykowa — wyjaśnił jej. — Zastawili mój sprzęt za cenę tej cholernej latarki. — Mimo woli wybuchnął śmiechem, skubiąc się w grzbiet nosa. — Idź po korkociąg, dobrze? Znajdziesz go w kuchni, w szufladzie...

Podniósł kartkę, opadł na fotel, raz jeszcze przyjrzał się kartce i stopniowo uśmiech zamarł mu na ustach. Nagle Siobhan stanęła w progu, z kolejną karteczką w ręku.

— Nie ma korkociągu? — zapytał, zwiesiwszy nos na kwintę.

— Korkociągu też brak — potwierdziła.

— A to już szczyt draństwa. To więcej, niż człowiek potrafi znieść!

— Może uda ci się pożyczyć od sąsiadów?

— Nie znam nikogo ze swoich sąsiadów.

— W takim razie wreszcie masz szansę, żeby ich poznać. Albo to, albo nici z picia. — Wzruszyła ramionami. — Twój wybór.

— Trudna sprawa — wycedził. — Rozsiądź się gdzieś wygodnie... to może trochę potrwać.

Tego autora

PRÓBA KRWI

W elitarnej prywatnej szkole dochodzi do masakry dzieci. Na pozór sprawa jest prosta: były żołnierz SAS Lee Herdman, wpadł w szał i zabił dwoje na- stolatków, a następnie popełnił samobójstwo. Ale nic nie jest proste dla inspektora Rebusa..., który na dodatek sam ma poważne kłopoty i grozi mu aresz- towanie. Rebus jest podejrzany o zamordowanie drobnego przestępcy, który napastował jego kole- żankę z pracy. Dowody są mocne — tuż po wizycie inspektora, przestępca spłonął żywcem w swoim domu. A Rebus ma poparzone dłonie...